Simon Beckett ist einer der erfolgreichsten englischen Thrillerautoren. Bevor er sich der Schriftstellerei widmete, arbeitete er unter anderem als freier Journalist und schrieb für britische Zeitschriften und Magazine. Ein Besuch der «Body Farm» in Tennessee war die Inspiration für seine Serie um den forensischen Anthropologen David Hunter, die rund um den Globus gelesen wird: «Die Chemie des Todes», «Kalte Asche», «Leichenblässe» und «Verwesung» waren allesamt Nr.-1-Bestseller. Sein psychologischer Thriller «Der Hof» führte ebenfalls die Bestsellerliste an. Simon Beckett ist verheiratet und lebt in Sheffield.

«Nur gut, dass einer die Sprache der Toten spricht.» (Berliner Morgenpost)

«Darauf haben Millionen Leser gewartet.» (Abendzeitung)

«Man darf wirklich ohne Übertreibung behaupten: Die Figur des einzelgängerischen Forensikers gehört zu den faszinierendsten der gegenwärtigen Mord-und-Totschlagszene im Literaturbetrieb.» (Hamburger Abendblatt)

«Becketts Psychothriller sind so unglaublich spannend, dass man mit klopfendem Herzen dasitzt und bei jedem kleinsten Geräusch aufschreckt.» (Stern.de)

«‹Totenfang› gehört ohne Zweifel zu den Highlights der ‹Hunter›-Serie, die in diesem fünften Band so frisch und unverbraucht herüberkommt, als sei sie gerade erst an den Start gegangen.» (Frankfurter Rundschau)

«Das Warten hat sich gelohnt: ‹Totenfang› ist einfach grandios. … Ein Muss für alle Beckett-Fans – aber auch sonst unbedingt lesenswert!» (SR 3-Krimitipp)

SIMON BECKETT

Totenfang

Thriller

Aus dem Englischen von
Sabine Längsfeld und Karen Witthuhn

Rowohlt Taschenbuch Verlag

Die Originalausgabe erschien 2017
unter dem Titel «The Restless Dead»
bei Bantam Press, London.

15. Auflage Februar 2020

Veröffentlicht im Rowohlt Taschenbuch Verlag,
Reinbek bei Hamburg, Oktober 2017
Copyright © 2016 by Rowohlt Verlag GmbH,
Reinbek bei Hamburg
«The Restless Dead» Copyright © 2016 by
Hunter Publications, Ltd.
Redaktion Susann Rehlein
Umschlaggestaltung Hafen Werbeagentur, Hamburg
Satz Arno Pro OTF
Gesamtherstellung CPI books GmbH,
Leck, Germany
ISBN 978 3 499 25505 2

Für Hilary

Der menschliche Körper, selbst zu über sechzig Prozent aus Wasser bestehend, ist nicht von sich aus schwimmfähig. Er treibt nur so lange an der Wasseroberfläche, wie Luft in den Lungen vorhanden ist. Sobald sie den Körper verlässt, sinkt er langsam auf den Grund. Ist das Wasser sehr kalt oder tief, dann bleibt er dort und durchläuft einen düsteren Auflösungsprozess, der Jahre andauern kann.

Wenn das Wasser aber warm genug ist, um Bakterien Lebensraum zu bieten, dann verwest er. In den Eingeweiden entstehen Gase, die dem Körper Auftrieb geben, sodass er an die Oberfläche zurückkehrt.

Dann erheben sich ganz buchstäblich die Toten.

Der Körper treibt in Bauchlage an oder unmittelbar unter der Wasseroberfläche, Arme und Beine hängen nach unten. Im Laufe der Zeit wird er sich in einer morbiden Umkehr seines Entstehens im Mutterleib auflösen. Zuerst die Extremitäten: Finger, Hände und Füße fallen ab. Dann Arme und Beine, zuletzt der Kopf, bis nur der Torso übrig ist. Wenn die letzten Verwesungsgase verflogen sind, sinkt der Oberkörper zum zweiten und letzten Mal in die Tiefe.

Doch das Wasser treibt noch eine weitere Transformation voran. Die Weichteile zersetzen sich, die Fettschicht unter der Haut zerfällt und ummantelt den einst lebenden Körper mit einer dicken fettigen Hülle. Diese Substanz nennt man Adipocire oder Leichenwachs, sie ist aber auch unter einem weniger makabren Namen bekannt.

Seife.

Wie in ein wachsweißes Leichentuch gehüllt, das Gewebe und Organe schützt, treibt der Körper auf seiner letzten, einsamen Reise durchs Wasser.

Bis der Zufall ihn wieder ans Tageslicht bringt.

Wie die eher grazile Knochenstruktur vermuten ließ, gehörte der Schädel zu einer jungen Frau. Das Stirnbein war lang und glatt, es gab keinen Überaugenwulst, und die Pars mastoidea unter der Ohröffnung war so klein, dass sie nicht nach einem Mann aussah. Zwar waren das nur Indizien, aber alles in allem hatte ich keinen Zweifel. Da die bleibenden Zähne zum Zeitpunkt des Todes bereits sämtlich vorhanden waren, war sie wahrscheinlich älter als zwölf gewesen, wenn auch nicht viel. Zwei Backenzähne und ein Schneidezahn waren vermutlich post mortem ausgefallen, die übrigen Zähne kaum abgenutzt. Auch ohne das restliche Skelett konnte ich sagen, dass sie bei ihrem Tod wohl noch keine sechzehn Jahre alt gewesen war.

Die Todesursache war offensichtlich. Mitten im Hinterhauptbein klaffte ein etwa dreißig mal fünfzehn Millimeter großes Loch. Die von den scharfen Kanten der Wunde kreisförmig ausstrahlenden Bruchlinien waren ein Hinweis darauf, dass der Knochen «grün» und lebendig gewesen war, als das Loch entstand. Post mortem wäre der Knochen trocken und brüchig gewesen. Als ich den Schädel zum ersten Mal in der Hand gehalten hatte, war aus dem Inneren zu meiner Überraschung ein Klappern zu hören gewesen. Ich hatte zunächst an Knochenfragmente gedacht, durch die Wucht des tödlichen Schlages in den Schädel gedrückt. Aber es klang nach etwas Größerem und Festerem. Das Röntgenbild bestätigte meinen Verdacht: Es zeigte einen schmalen, spitzen Gegenstand im Kopf des jungen Mädchens.

Eine Pfeilspitze.

Das genaue Alter des Schädels war nicht zu bestimmen, auch nicht, wie lange er schon in den windgepeitschten Mooren Northumberlands gelegen hatte. Mit einiger Sicherheit ließ sich nur sagen, dass das Mädchen seit über fünfhundert Jahren tot war, in dieser Zeit war der Pfeilschaft verfallen, und der Knochen hatte eine dunkle Karamellfarbe angenommen. Wir würden nie herausfinden, wer sie war, noch, warum sie starb. Ich hoffte, dass ihr Mörder – vor dem sie geflohen sein musste – für dieses Verbrechen auf irgendeine Art hatte büßen müssen. Aber auch das konnte niemand wissen.

Die Pfeilspitze klapperte leicht, als ich den Schädel vorsichtig mit Seidenpapier umwickelte und in die Schachtel zurücklegte. Zusammen mit anderen historischen Skeletten wurde er an der Anthropologischen Fakultät der Universität zur Ausbildung von Studienanfängern benutzt, eine morbide Kuriosität, alt genug, dass bei ihrem Anblick niemand mehr in Ohnmacht fiel. Ich war daran gewöhnt, hatte weiß Gott Schlimmeres gesehen, trotzdem rührte gerade dieses *Memento mori* mich immer in besonderer Weise an. Vielleicht, weil das Mädchen so jung gewesen war, vielleicht wegen der brutalen Umstände seines Todes. Wer immer sie auch war, sie hatte Eltern gehabt. Jetzt, Jahrhunderte später, wurde das, was von ihr übrig war, in einer Pappschachtel in einem Laborschrank aufbewahrt.

Dorthin schob ich die Schachtel zurück, rieb mir den steifen Nacken, ging dann in mein gläsernes Büro neben dem Labor und rief meine E-Mails ab. Dabei keimte die immer selbe Hoffnung in mir auf und wurde wie immer von Enttäuschung vertrieben. Nur der übliche Unikram – Anfragen von Studierenden, Mitteilungen von Kollegen und gelegentlich Spam, der durch den Filter gerutscht war. Sonst nichts.

So war es seit Monaten.

Eine Mail kam von Professor Harris, dem neuen Leiter der Fakultät, der mich daran erinnerte, seine Sekretärin anzurufen und einen Gesprächstermin zu vereinbaren. *Um die Optionen in Bezug auf Ihre Stelle zu besprechen*, so hatte er es verklausuliert. Sofort wurde mir flau, aber wirklich überrascht war ich nicht. Außerdem stand das Problem erst nächste Woche an. Ich fuhr den Computer herunter, hängte den Laborkittel an den Haken und zog meine Jacke an. Auf dem Gang kam mir eine Doktorandin entgegen.

«Tschüs, Dr. Hunter. Schönes Wochenende», sagte sie.

«Danke, Jamila, Ihnen auch.»

Die Aussicht auf das lange Feiertagswochenende dämpfte meine Stimmung noch mehr. Dummerweise hatte ich vor Wochen die Einladung von Freunden angenommen, die Tage bei ihnen in den Cotswolds zu verbringen. Damals hatte das Wochenende noch weit in der Zukunft gelegen. Jetzt stand es bevor, und ich freute mich ganz und gar nicht darauf, vor allem, weil auch andere Gäste kommen würden, die ich nicht kannte.

Zu spät. Ich stieg in meinen Wagen, wischte meine Karte über den Scanner und wartete, dass sich der Schlagbaum des Parkplatzes hob. Es war unsinnig, jeden Tag mit dem Auto zu fahren, anstatt die U-Bahn zu nehmen, trotzdem tat ich es. Als Berater der Polizei war ich meistens spontan in entlegene Landesteile gerufen worden, wenn irgendwo eine Leiche gefunden worden war. Da war es sinnvoll gewesen, sich jederzeit auf den Weg machen zu können, aber das war, bevor ich auf die schwarze Liste gesetzt worden war. Inzwischen schien die Autofahrt zur Arbeit weniger notwendige Routine als vielmehr von Wunschdenken geleitet zu sein.

Auf dem Nachhauseweg hielt ich an einem Supermarkt, um einzukaufen, was man als Gast meiner Erinnerung nach mitbringen sollte. Da ich erst am folgenden Morgen aufbrechen wollte, brauchte ich auch etwas zum Abendessen und wanderte uninspiriert durch die Gänge. Ich war schon seit einigen Tagen nicht ganz auf der Höhe, hatte das aber auf Langeweile und Frustration geschoben. Als ich merkte, dass ich vor den Fertiggerichten hängengeblieben war, gab ich mir einen Ruck und ging weiter.

Der Frühling ließ in diesem Jahr auf sich warten, auch im April fegten noch Winterwinde und Regen über das Land. Der wolkenverhangene Himmel hielt die Tage kurz, und als ich in meine Straße einbog, wurde es bereits dunkel. Ich fand einen Parkplatz und trug die Einkäufe nach Hause, in die Erdgeschosswohnung eines viktorianischen Hauses, dessen kleinen Eingangsflur ich mit der Wohnung im ersten Stock teilte. Als ich näher kam, sah ich einen Mann im Overall an der Eingangstür herumhantieren.

«'n Abend, Chef», grüßte er mich fröhlich. Er hielt einen Hobel in der Hand, aus der Tasche zu seinen Füßen ragten Werkzeuge.

«Was ist passiert?», fragte ich angesichts des nackten Holzes um das Schloss herum und der auf der Erde liegenden Holzspäne.

«Sie wohnen hier? Jemand hat versucht einzubrechen. Ihre Nachbarin hat uns angerufen, damit wir das reparieren.» Er pustete Sägemehl von der Türkante und setzte den Hobel wieder an. «In dieser Gegend lässt man die Haustür besser nicht unverschlossen.»

Ich stieg über seine Werkzeugtasche und ging nach oben, um mit meiner Nachbarin zu sprechen. Sie wohnte erst seit einigen Wochen dort, eine glamourös attraktive Russin, die, soweit ich wusste, in einem Reisebüro arbeitete. Wir hatten bisher kaum mehr als Höflichkeiten ausgetauscht, und sie bat mich auch jetzt nicht herein.

«Es war kaputt, als ich nach Hause kam», sagte sie und warf verärgert den Kopf zurück, was einen Hauch Moschusparfüm in meine Richtung trieb. «Irgendein Junkie hat versucht reinzukommen. Die klauen einfach alles.»

Das Viertel war zwar nicht besonders vornehm, hatte aber kein schlimmeres Drogenproblem als jedes andere. «Stand die Haustür offen?»

Ich hatte meine Wohnungstür überprüft, sie war intakt. Keine Anzeichen, dass jemand sich mit Gewalt Zutritt hatte verschaffen wollen. Meine Nachbarin schüttelte den Kopf, das dicke, dunkle Haar hüpfte. «Nein. Sie war nur kaputt. Der Drecksack hat Schiss bekommen oder aufgegeben.»

«Haben Sie die Polizei gerufen?»

«Die Polizei?» Sie stieß ein verächtliches *Pfff* aus. «Ja, aber die scheren sich nicht darum. Nehmen Fingerabdrücke, zucken mit den Schultern, gehen wieder. Am besten ein neues Schloss einbauen lassen. Diesmal ein stärkeres.»

Das wurde von ihr so betont, als ob das Versagen des alten Schlosses meine Schuld wäre. Als ich wieder nach unten kam, wurde der Schlosser gerade fertig.

«Alles erledigt, Chef. Da muss noch Farbe drauf, damit das Holz bei Regen nicht aufquillt.» Er hielt mir zwei Schlüssel hin und hob die Augenbrauen. «Und, wer will die Rechnung?»

Ich sah hoch zur Tür der Russin. Sie blieb geschlossen. Ich seufzte. «Nehmen Sie einen Scheck?»

Nachdem der Schlosser gegangen war, holte ich ein Kehrblech und fegte das Sägemehl im Flur auf. Eine Holzlocke hatte sich in der Ecke festgesetzt. Als ich mich hinkniete, um sie aufzukehren, und meine Hand über den schwarz-weißen Fliesen sah, holte mich ein Déjà-vu ein.

Ich richtete mich auf, das plötzliche Bild, wie ich mit einem Messer im Bauch auf den Fliesen liege und mein Blut sich auf dem Schachbrettmuster verteilt, hatte mein Herz zum Rasen gebracht. Ich zwang mich, tief zu atmen, um das klamme Gefühl zu vertreiben.

Rasch ließ es nach. *Herrgott*, dachte ich beklommen, *wo kommt das denn jetzt her?* Ich hatte schon lange keinen Flashback mehr gehabt, und dieser war aus dem Nichts gekommen. Inzwischen dachte ich nur noch selten an den Angriff zurück. Ich hatte mich bemüht, das Ganze hinter mir zu lassen, und auch wenn mir körperliche Narben geblieben waren, so hatte ich die seelischen Wunden für verheilt gehalten.

Waren sie offenbar doch nicht.

Noch ein wenig zittrig, kippte ich das Sägemehl in den Mülleimer und kehrte in meine Wohnung zurück, die den vertrauten Anblick von heute Morgen bot: unauffällige Möbel in einem mittelgroßen Wohnzimmer, eine Küche und nach hinten raus ein kleiner Garten. Kein schlechter Ort zum Wohnen, doch jetzt, immer noch die Bilder des Flashbacks im Kopf, fiel mir auf, wie wenige der mit diesem Ort verbundenen Erinnerungen glücklich waren. Wie bei der Autofahrt zur Arbeit war es Gewohnheit, was mich hier hielt.

Vielleicht war es Zeit für eine Veränderung.

Lustlos packte ich die Einkäufe aus und holte mir ein Bier aus dem Kühlschrank. Tatsache war, ich hing fest. Und Veränderungen würden kommen, ob ich wollte oder nicht. Obwohl ich bei der Uni angestellt war, hatte der Hauptteil meiner Arbeit lange aus Beratertätigkeiten für die Polizei bestanden. Als forensischer Anthropologe wurde ich immer dann gerufen, wenn menschliche Überreste gefunden wurden, die zu verwest oder zerstört waren, als dass ein Rechtsmediziner noch etwas mit ihnen hätte anfangen können. Das war ein spezielles Fachgebiet, auf dem sich vor allem Freiberufler wie ich tummelten, die der Polizei bei der Identifizierung von Leichen halfen und möglichst viele Informationen über Todeszeitpunkt und Todesart zusammentrugen. Ich war mit dem Tod in all seinen grausigen Facetten bestens vertraut, sprach die Sprache von Knochen, Fäulnis und Verwesung fließend. Die meisten Menschen gruselten sich vor meiner Tätigkeit, und es hatte Zeiten gegeben, in denen sie mir schwergefallen war. Nachdem vor einigen Jahren meine Frau und meine Tochter bei einem Autounfall ums Leben gekommen waren, hatte ich zunächst wieder als Hausarzt gearbeitet, um mich um die Belange der Lebenden anstatt die der Toten zu kümmern. Aber das war von kurzer Dauer gewesen. Im Guten wie im Schlechten war dies nun mal mein Job. Und ich war gut darin. Jedenfalls bis ich letzten Herbst zu einer Ermittlung gerufen wurde, an deren Ende zwei Polizisten tot waren und ein leitender Polizeibeamter den Dienst hatte quittieren müssen. Obwohl mich keine Schuld traf, hatte ich unabsichtlich einen Skandal ausgelöst, und Unruhestifter mag niemand. Schon gar nicht die Polizei.

Und plötzlich war es mit den Aufträgen vorbei gewesen.

Das hatte natürlich Auswirkungen auf die Arbeit an der Uni gehabt. Von einem Mitarbeiter, der an diversen wichtigen Mordermittlungen beteiligt ist, kann man profitieren, nicht aber von einem, der plötzlich in jeder Polizeidienststelle des Landes als *Persona non grata* gilt. Mein Vertrag lief in wenigen Wochen aus, und der neue Leiter der Fakultät hatte bereits verkündet, keine unnütze Last mitschleifen zu wollen.

Als die er mich sah.

Seufzend ließ ich mich in den Sessel fallen und trank einen Schluck Bier. Mir war überhaupt nicht nach einem Partywochenende, aber Jason und Anja waren alte Freunde. Ich kannte Jason seit dem Medizinstudium und hatte meine Frau bei einer von Jasons und Anjas Partys kennengelernt. Als ich nach dem Tod von Kara und unserer Tochter Alice London verließ, hatte ich unsere Freundschaft wie alles andere auch vernachlässigt und es nicht geschafft, die Fäden nach meiner Rückkehr wiederaufzunehmen.

Aber dann hatte Jason in den Berichten über die verpatzte Ermittlung meinen Namen gelesen und sich kurz vor Weihnachten gemeldet. Seitdem hatten wir uns ein paarmal getroffen, was glücklicherweise einfacher gewesen war, als ich gedacht hatte. Die beiden waren in der Zwischenzeit umgezogen, die bittersüßen Erinnerungen, die ihr altes Haus geweckt hätte, blieben mir also erspart. Jetzt wohnten sie in einem sündhaft teuren Haus in Belsize Park und besaßen ein Ferienhaus in den Cotswolds.

Dorthin würde ich morgen fahren. Erst als ich bereits zugesagt hatte, kam der Haken.

«Wir laden noch andere Leute ein», sagte Jason. «Und es gibt da eine Frau, von der Anja meint, du solltest sie kennenlernen. Sie ist Anwältin für Strafrecht, ihr habt also einiges gemeinsam. Na ja, Polizeikram und so. Außerdem ist sie Single. Gut, geschieden, aber das ist ja das Gleiche.»

«Darum geht es? Ihr wollt mich verkuppeln?»

«Ich nicht, Anja», erwiderte er. «Aber es wird dich nicht umbringen, eine attraktive Frau kennenzulernen, oder? Wenn ihr euch versteht, toll. Wenn nicht, macht es auch nichts. Komm einfach und schau, was passiert.»

Also hatte ich eingewilligt. Anja und er meinten es gut, außerdem platzte mein Terminkalender nun wirklich nicht aus den Nähten. Doch inzwischen war ein langes Wochenende mit Fremden eine grauenhafte Vorstellung. *Was soll's, zu spät. Mach einfach das Beste draus.*

Müde stand ich auf und machte mir etwas zu essen. Als das Telefon klingelte, dachte ich, Jason würde sich versichern wollen, dass ich auch wirklich käme. Kurz erwog ich die Chance auf eine Ausrede in letzter Minute, bis ich sah, dass nicht seine Nummer auf dem Display stand. Ich rechnete mit einer Telefonumfrage und hätte fast nicht abgenommen. Dann siegte wieder die Macht der Gewohnheit, und ich ging ran.

«Spreche ich mit Dr. Hunter?»

Der Anrufer war ein Mann, der für eine Telefonumfrage zu alt klang. «Ja, wer ist da?»

«Detective Inspector Bob Lundy aus Essex.» Der Mann sprach gemächlich, fast langsam, und klang eher nach Norden als nach Estuary, wie das Gebiet um die Themsemündung in Essex genannt wird. Ich tippte auf Lancashire. «Passt es gerade?»

«Ja, kein Problem.» Ich stellte mein Bier ab, das Essen war vergessen.

«Tut mir leid, Ihr Wochenende zu stören, aber Detective Chief Inspector Andy Mackenzie drüben in Norfolk hat Sie empfohlen. Sie haben vor ein paar Jahren mit ihm an einer Mordermittlung gearbeitet?»

Ich erinnerte mich noch gut an Mackenzie. Zu der Zeit hatte ich als Arzt gearbeitet, eine Mordserie hatte mich zur Forensik zurückgebracht. Mackenzie war damals DI und die Beziehung nicht ganz einfach gewesen. Ich war dankbar, dass er ein gutes Wort für mich eingelegt hatte, wollte aber meine Hoffnungen nicht zu hoch schrauben.

«Das stimmt», sagte ich. «Wie kann ich Ihnen helfen?»

«Uns wurde die Sichtung einer Wasserleiche in einer Flussmündung gemeldet, ein paar Meilen nördlich von Mersea Island. Heute Nacht können wir nicht viel machen, aber wir haben eine ziemlich genaue Vorstellung, wo sie stranden wird. Kurz vor Sonnenaufgang setzt Ebbe ein, die Suchaktion beginnt also, sobald es hell genug ist. Ich weiß, das kommt sehr kurzfristig, aber könnten Sie sich vielleicht morgen früh mit uns da draußen treffen?»

Ich dachte an Jasons und Anjas Einladung. Aber nur kurz. Die beiden würden schon verstehen. «Sie wollen, dass ich bei der Bergung dabei bin?»

Ich hatte schon öfter Wasserleichen begutachtet, allerdings nur, wenn die Überreste stark zersetzt waren. War der Tote erst vor kurzem ertrunken und der Körper einigermaßen gut erhalten, gab es für einen forensischen Anthropologen nichts zu tun. Und es wäre auch nicht der erste durch einen treibenden Müllsack oder ein Kleiderbündel ausgelöste Fehlalarm. Falls nicht außergewöhnliche Umstände vorlagen, wurde ich eigentlich erst gerufen, wenn die Leiche geborgen und ihr Zustand bekannt war.

«Wenn möglich, ja», sagte Lundy. «Ein paar Freizeitsegler haben die Leiche heute Nachmittag entdeckt. Sie wollten sie an Bord ziehen, aber als sie nahe genug dran waren, um sie zu riechen, haben sie es sich anders überlegt.»

Gut so. Zwar war es möglich, post mortem entstandene Verletzungen von den tödlichen zu unterscheiden, aber am besten vermied man sie. Eine Leiche war ein Beweismittel, das leicht Schaden nahm, wenn man zu grob damit umging. Und wenn diese hier roch, schien der Verwesungsprozess fortgeschritten zu sein.

«Haben Sie eine Ahnung, wer es sein könnte?», fragte ich und machte mich auf die Suche nach Stift und Papier.

«Vor etwa sechs Wochen ist jemand hier aus der Gegend verschwunden», sagte Lundy, und wenn ich nicht so abgelenkt gewesen wäre, hätte ich sein Zögern vielleicht wahrgenommen. «Wir denken, es könnte sich um ihn handeln.»

«Dann wäre die Leiche aber ungewöhnlich lange in der Flussmündung getrieben, ohne entdeckt zu werden», sagte ich.

Kein Wunder, dass die Segler sie gerochen hatten. Manchmal blieben menschliche Überreste tatsächlich Wochen oder sogar Monate an der Oberfläche, normalerweise aber nur bei tieferen Gewässern oder draußen auf See. Flussmündungen unterlagen den Gezeiten, eine Leiche würde also mindestens zweimal am Tag stranden und gut sichtbar daliegen. Eigentlich hätte sie früher entdeckt werden müssen.

«Sie wird nicht mehr von vielen Booten befahren», sagte

Lundy. «Wenn Sie hier sind, werden Sie's sehen. Die Gegend ist ziemlich unzugänglich.»

Ich kritzelte mit dem Kugelschreiber auf dem Notizblock herum und versuchte, die Tinte zum Fließen zu bringen. «Gibt es irgendetwas Verdächtiges an den Umständen, von dem ich wissen sollte?»

Ein Zögern. «Wir haben keinen Anlass, von Fremdeinwirkung auszugehen.»

Ich ließ den Stift sinken, die Zurückhaltung des DI war mir nicht entgangen. Ohne Fremdeinwirkung hieß Unfall oder Selbstmord, und Lundys Verhalten nach schien Letzteres wahrscheinlicher. Das war tragisch, aber eigentlich kein Grund, so ausweichend zu antworten.

«Ist irgendetwas daran heikel?», fragte ich nach.

«*Heikel* würde ich nicht sagen.» Lundy machte den Anschein, seine Worte sorgfältig zu wählen. «Sagen wir, wir stehen unter Druck, herauszufinden, ob die Leiche die ist, für die wir sie halten. Morgen sage ich Ihnen mehr. Wir brechen von einer alten Austernfischerei aus auf, die nicht ganz einfach zu finden ist. Ich maile Ihnen die Wegbeschreibung, aber planen Sie für die Fahrt viel Zeit ein. Navis sind in dieser Ecke nicht wirklich von Nutzen.»

Als er sich verabschiedet hatte, saß ich da und starrte Löcher in die Luft. Ganz offensichtlich steckte mehr dahinter, als der DI am Telefon hatte sagen wollen, aber ich konnte mir nicht vorstellen, was. Selbstmorde gehörten zum Leben, und Polizisten waren normalerweise nicht so verdruckst.

Morgen weißt du mehr. Wenn die Polizei recht hatte und die Leiche die eines vor mehreren Wochen verschwundenen Mannes war, dann würde sie vermutlich schon ziemlich verwest sein. Das Bergen von fragilen Überresten aus Wasser

– besonders aus dem Meer – war knifflig, wahrscheinlich sollte deshalb ein forensischer Anthropologe vor Ort sein. Doch auch wenn verwesende Überreste in meinen Bereich fielen, überraschte es mich, so früh gerufen zu werden. Normalerweise entschieden der leitende Ermittler und der Rechtsmediziner, wie mit einer Leiche am besten umzugehen war.

Doch wenn die Polizei mich dabeihaben wollte, hatte ich nichts dagegen. Ich dachte an Jasons und Anjas Einladung. Die Bergung dürfte nicht den ganzen Tag in Anspruch nehmen und bot mir daher keine legitime Ausrede. Von der Küste wäre die Fahrt in die Cotswolds zwar länger, aber der Gedanke an die Party hatte seinen Schrecken zumindest teilweise verloren.

Gut gelaunt wie seit Monaten nicht, machte ich mich daran, meine Sachen zu packen.

KAPITEL 2

❦

Bei meiner Abfahrt am nächsten Morgen war es noch dunkel. Sogar zu dieser Zeit herrschte schon Verkehr, die Scheinwerfer von Lkws und frühen Pendlern krochen die Straßen entlang. Als ich London in östlicher Richtung verließ, wurden sie spärlicher. Außerhalb der dichtbevölkerten Vororte waren die Straßen unbeleuchtet und die Sterne heller. Das gedimmte Licht des Navis täuschte Wärme vor, so früh am Morgen musste ich trotzdem die Heizung anstellen. Der Winter war lang und kalt gewesen, der vom Kalender verkündete Frühling blieb reine Illusion.

Ich war mit dickem Kopf und schmerzenden Gliedern aufgewacht. Hätte ich gestern Abend mehr als nur das eine Bier getrunken, ich hätte auf einen Kater getippt. Nach einer heißen Dusche und einem schnellen Frühstück fühlte ich mich schon besser, und das heute vor mir Liegende lenkte mich sowieso von meinem Befinden ab.

Auf den Straßen war es zu dieser Tageszeit noch friedlich. Die Küstenmarschen von Essex lagen nicht weit von London entfernt – platte, tiefgelegene Wiesen und Salzmarschen, die einen ewigen und oft vergeblichen Kampf mit den Gezeiten und dem Meer führten. Dieser Teil der Südostküste war mir völlig unbekannt. Die alte Austernfischerei, von der aus die Suchaktion starten sollte, lag in einer Gegend, die sich Salzmarsch-Estuary nannte. DI Lundy hatte in seiner Mail mit der Wegbeschreibung noch einmal betont, ich solle für die Fahrt viel Zeit einplanen. Ich hatte ihn für übertrieben vorsichtig gehalten, bis ich im Internet nachsah. Das Mündungsufer war von einem Labyrinth aus gewundenen Kanälen und Bächen umgeben, die auf der Karte einfach als *Backwaters* verzeichnet waren. Auf den Satellitenfotos sahen die Wasserwege wie Kapillaren aus, die das Marschland durchzogen, bei Ebbe leerliefen und nassen Schlick und Gräben freilegten. Jetzt wurde mir klar, was Lundy gemeint hatte. Große Teile der Landschaft sahen unpassierbar aus, und die Dämme, die die größeren Wasserwege durchquerten, waren nur bei Ebbe befahrbar.

Das Navilicht wurde schwächer, während der Himmel vor mir sich aufhellte. Auf der einen Seite lagen die Silhouetten der Raffinerie von Canvey Island, fraktale Formen mit blinkenden Lichtern. Es waren jetzt mehr Wagen unterwegs, aber als ich auf eine Seitenstraße abbog, wurde es wieder leer. Bald war ich allein und fuhr in einen verhangenen Sonnenaufgang hinein.

Kurz darauf schaltete ich das Navi aus und verließ mich von jetzt an auf Lundys Wegbeschreibung. Um mich herum lag die Landschaft da wie ein Blatt Papier, bekritzelt nur von Weißdornhecken und gelegentlich von einem Haus oder einer Scheune. Die Beschreibung des DI führte mich durch einen kleinen, trostlosen Ort namens Cruckhaven, der etwa dort lag, wo das Mündungsgebiet sich verengte. Ich kam an Rauputzbungalows und Steincottages vorbei und erreichte einen Hafen, in dem ein paar dreckverkrustete Trawler und Fischerboote schief im Schlick saßen und auf die nächste

Flut warteten, die ihnen wieder zu Sinn und Würde verhelfen sollte.

Es war ein Ort ohne jeglichen Charme, den ich gerne hinter mir ließ. Die Straße führte am Fluss entlang, Hochwasser oder Wellen hatten Löcher in den Asphalt gespült. Die Schäden schienen neu zu sein. Es hatte diesen Winter viele Überschwemmungen gegeben, aber in London, mit meinen eigenen Problemen beschäftigt, hatte ich bei Nachrichten über Küstenstürme nur halb hingehört. *Hier müssen sie harte Wirklichkeit sein*, dachte ich, als ich toten Tang sah, der weit über die Straße gespült worden war. *Unwetter und globale Erwärmung sind mehr als graue Theorie, wenn man mit den Auswirkungen leben muss.*

Ich folgte der Straße bis zur Flussmündung, die bei Ebbe nur eine Schlammwüste mit Pfützen und Rinnsalen war. Als ich schon glaubte, die Abzweigung verpasst zu haben, erblickte ich vor mir an der Küstenlinie eine Reihe niedriger Gebäude, daneben mehrere Polizeiwagen, und falls mir noch Zweifel geblieben wären, bestätigte mir ein Holzschild, wo ich war: *Saltmere Oyster Co.*

Am Tor stand ein Police Constable. Er fragte über Funk nach, erst dann ließ er mich durch. Ich holperte über zerklüfteten Asphalt und parkte hinter den verfallenen Austernschuppen neben den dort bereits stehenden Polizeiwagen und einem Trailer. Als ich mit steifen Gliedern aus dem warmen Auto stieg, kam mir die kalte Morgenluft wie eine Eisdusche vor. Der Wind trug die klagenden Schreie der Möwen heran, vermischt mit dem Geruch verrottenden Tangs und dem erdigen Aroma von Schlick. Das Mündungsgebiet sah bei Ebbe aus, als hätte ein Riese hier eine große Handvoll Erde weggenommen und nur Schlamm und Pfützen hinterlassen. Der Anblick erinnerte an eine Mondland-schaft, doch die nächste Flut war bereits im Kommen: Die in den Grund gefurchten Kanäle wurden von zahllosen Rinn-salen gespeist, die sich zusehends mit Wasser füllten.

Der Wind änderte die Richtung und wehte das rhyth-mische Donnern eines Hubschraubers der Polizei oder Küstenwache heran. In der Ferne sah ich ihn als Punkt einen Zickzackkurs fliegen. Er nutzte das Tageslicht und das Niedrigwasser aus, um das Mündungsgebiet auf Sicht abzu-suchen. Eine Leiche gibt normalerweise nicht genug Wärme ab, um von Infrarotkameras entdeckt zu werden, und lässt sich aus der Luft nur schwer erkennen. Vor allem, wenn sie unter der Oberfläche hängt. Hier wurde also nichts unver-sucht gelassen, um den Körper schnellstens zu finden, bevor die Flut kommen und ihn wieder mit sich reißen würde.

Dann steh hier nicht so rum. Ein Mann am Trailer sagte mir, dass DI Lundy am Kai zu finden wäre. Ich umrundete die verschlossenen Austernschuppen und sah oben an einer Sliprampe aus Beton auf einem Anhänger den schlanken Körper eines RHIB – eines Festrumpfschlauchboots. Jetzt verstand ich, warum die Suche von hier aus durchgeführt wurde. Die Rampe führte in einen tiefen Kanal im Schlick unmittelbar vor der Kaimauer. Die einlaufende Flut würde ihn schnell füllen, sodass das Boot zu Wasser gelassen wer-den und hinausfahren konnte, ohne dass das Mündungs-gebiet erst ganz volllaufen musste. Noch stand das Wasser nicht hoch genug, aber den Wirbeln und Strudeln nach, die die Oberfläche kräuselten, würde es nicht mehr lange dauern.

Eine kleine Gruppe von Leuten stand mit dampfenden Plastikbechern in der Hand neben dem Polizeiboot und unterhielt sich leise. Einige trugen paramilitärisch aussehende Uniformen, dunkelblaue Hosen und Shirts unter dicken Rettungswesten, die sie als Angehörige einer Marineeinheit auswiesen, die anderen waren in Zivil.

«Ich suche DI Lundy», sagte ich.

«Das bin ich.» Einer aus der Gruppe drehte sich um. «Dr. Hunter, nehme ich an?»

Es ist schwer, von der Stimme auf das Aussehen eines Menschen zu schließen, aber in Lundys Fall passte eins perfekt zum anderen. Er war knapp über fünfzig und wie ein alternder Ringer gebaut, der langsam Fett ansetzte, nicht mehr durchtrainiert, aber Kraft und Muskeln waren noch vorhanden. Ein buschiger Schnauzbart ließ ihn wie ein freundliches Walross wirken, während das Gesicht hinter der metallgerahmten Brille gleichzeitig humorvoll und schwermütig dreinblickte.

«Sie sind früh dran. Haben Sie uns gut gefunden?» Er schüttelte mir die Hand.

«Ich war froh über Ihre Wegbeschreibung», gab ich zu. «Sie hatten recht mit dem Navi.»

«Man nennt die Gegend nicht umsonst Backwaters. Kommen Sie, wir besorgen Ihnen einen Tee.»

Ich dachte, wir würden zum Trailer gehen, doch Lundy führte mich zu seinem Wagen, einem zerbeulten Vauxhall, der genauso robust wie sein Besitzer wirkte. Er holte eine große Thermosflasche aus dem Kofferraum und goss dampfenden Tee in zwei Becher.

«Besser als das Zeug aus dem Trailer, glauben Sie mir», sagte er und schraubte den Deckel wieder fest. «Es sei denn, Sie nehmen keinen Zucker? Ich mag es leider süß.»

Ich nicht, trotzdem war ich froh über das heiße Getränk.

Und ich wollte mehr über den Fall erfahren. «Schon Glück gehabt?», fragte ich, in den Tee pustend.

«Noch nicht, aber der Hubschrauber sucht seit Sonnenaufgang. Die Marineeinheit steht bereit, sobald wir etwas entdecken, können wir es auch holen. Die leitende Ermittlerin – Detective Chief Inspector Pam Clarke – und der Rechtsmediziner sind auf dem Weg hierher, aber wir haben die Genehmigung, die Leiche zu bergen, falls wir sie vor ihrem Eintreffen finden.»

Ich hatte mich schon gefragt, wo die beiden sein mochten. Bei Leichenfunden an Land waren der leitende Ermittler und der Rechtsmediziner immer vor Ort, denn dort galt der Fundort als Tatort und musste als solcher behandelt werden. Auf See, wo der Körper Tiden und Strömungen ausgesetzt war, hatte die schnellstmögliche Bergung der Leichenreste Vorrang.

«Sie sagten, Sie haben eine ziemlich genaue Vorstellung, wo die Leiche sein könnte?», fragte ich.

«Ja, wir glauben schon. Sie wurde gestern Nachmittag gegen fünf draußen in der Mündung entdeckt. Laut dem Tidenexperten, den wir befragt haben, wechselten da gerade die Gezeiten, sodass die Leiche ziemlich schnell rausgetragen wurde. Wenn sie ins Meer geschwemmt worden ist, vergeuden wir hier unsere Zeit, aber wir gehen davon aus, dass sie vorher gestrandet ist. Sehen Sie das da draußen?»

Er zeigte in Richtung des Mündungsgebiets, und vielleicht eine Meile entfernt konnte ich eine Reihe länglicher brauner Huckel ausmachen, die aus dem Schlick ragten.

«Das sind die Barrows», fuhr Lundy fort. «Sandbänke, die sich quer über das Estuary erstrecken. Sie waren mal kleiner, aber seit weiter oben der Küstenschutz ausgebaut wurde, versandet hier die ganze Region. Hat die Strömungen durcheinandergebracht, und der ganze Sand, der runtergespült wird, landet vor unserer Türschwelle. Nur noch Boote mit geringem Tiefgang kommen rein und raus, deshalb besteht trotz der Flut die Chance, dass der Körper es nicht über die Sandbänke geschafft hat.»

Ich betrachtete die Hügel in der Ferne. «Wenn Sie recht haben, wie planen Sie ihn dann zu bergen?»

Das würde mein Job sein: zu beraten, wie am besten mit der Leiche umzugehen wäre, falls diese in einem so schlechten Zustand war, dass sie auseinanderzufallen drohte. Lundy pustete sanft in seinen Tee.

«Wenn wir erst da draußen sind, bleibt uns nur: Augen zu und durch. Wir hatten überlegt, die Leiche in den Hubschrauber hochzuwinden, aber der Sand ist zu weich, um darauf zu landen. Was bedeutet, dass mindestens zwei Personen auf die Sandbank hinuntergelassen werden müssten, und wenn die stecken bleiben, haben wir den Salat. Also nehmen wir das Boot, wenn der Helikopter fündig geworden ist. Wir können nur hoffen, dass uns noch genug Zeit bleibt, bevor die Flut alles wegschwemmt.» Er grinste mich an. «Ich hoffe, Sie haben Gummistiefel dabei.»

Ich hatte sogar noch eine Wathose mitgenommen, denn ich wusste aus Erfahrung, wie nass Wasserbergungen sein konnten. Und diese hier versprach schwieriger als andere zu werden. «Sie sagten auch, Sie wüssten vielleicht, um wen es sich handelt?»

Lundy schlürfte seinen Tee und tupfte sich den Schnauzbart ab. «Stimmt. Ein einunddreißig Jahre alter Mann namens Leo Villiers, der vor einem Monat als vermisst gemeldet wurde. Der Sohn von Sir Stephen Villiers?»

Der Name sagte mir nichts. Ich schüttelte den Kopf. «Nie gehört.»

«Hier in der Gegend ist die Familie wohlbekannt. Das ganze Land da drüben?» Er zeigte auf die andere Seite des Estuary. Sie schien etwas höher zu liegen als die, auf der wir standen; anstelle von Salzmarschen und Wasserwegen erstreckten sich dort bewirtschaftete Felder, unterteilt von dunklen Hecken. «Das sind die Ländereien der Villiers'. Zumindest ein Teil davon. Auf dieser Seite gehört ihnen auch ein ganze Menge Land. Sie betreiben Landwirtschaft, aber Sir Stephen hat seine Finger in allem Möglichen. Ölschiefer, Fertigungstechnik. Diese Austernschuppen gehören ihm auch. Er hat den Betrieb vor zehn Jahren aufgekauft und dichtgemacht. Und alle entlassen.»

«Das ist bestimmt gut angekommen.» Ich verstand allmählich, wo der Druck herrührte, von dem Lundy am Telefon gesprochen hatte.

«Nicht so schlecht, wie man denken würde. Er plant, hier einen Yachthafen zu bauen. Redet davon, im Mündungsgebiet Kanäle auszuheben, ein Hotel zu errichten, die ganze Region zu verwandeln. Das würde Hunderte von Jobs bringen, da war die Schließung der Austernfischerei ein nicht ganz so harter Schlag. Aber die Umweltschützer laufen Sturm, und solange die Planungsstreitigkeiten andauern, hat er hier alles eingemottet. Er kann sich den langen Atem leisten und hat genug politischen Einfluss, um sich am Ende durchzusetzen.»

Das war bei solchen Leuten meistens so. Ich betrachtete das schlammige Bett des Mündungsgebiets, das sich bereits wieder mit Wasser füllte. «Welche Rolle spielt sein Sohn bei alldem?»

«Keine. Jedenfalls nicht direkt. Leo Villiers war das, was man als schwarzes Schaf bezeichnet. Einzelkind, die Mutter früh gestorben. Wurde aus einem privaten Militärinternat rausgeworfen und hat im letzten Studienjahr das University Officer Training Corps geschmissen. Sein Vater hat es trotzdem geschafft, ihn an der Militärakademie unterzubringen, aber er hat keinen Abschluss gemacht. Ohne offizielle Begründung, vermutlich hat sein Vater seine Beziehungen spielen lassen, um den Rausschmiss unter den Teppich zu kehren. Danach war er in einen Skandal nach dem anderen verwickelt. Von seiner Mutter hatte er einen Treuhandfonds, musste also nicht arbeiten, und es schien ihm Spaß zu machen, sich Ärger einzuhandeln. Gut aussehender Bursche, wie ein Fuchs im Hühnerstall bei den Mädchen, aber auf unschöne Art. Hat mehrere Verlobungen gelöst und sich in alle möglichen Schwierigkeiten gebracht, von Alkohol am Steuer bis zu schwerer Körperverletzung. Sein Vater will den guten Namen um jeden Preis schützen, seine Anwälte hatten also alle Hände voll zu tun. Aber nicht mal Sir Stephen konnte alles vertuschen.» Lundy warf mir einen besorgten Blick zu. «Das ist natürlich vertraulich.»

Ich verkniff mir ein Grinsen. «Ich sage kein Wort.»

Er nickte zufrieden. «Jedenfalls, um es kurz zu machen, eine Zeitlang schien es, als wäre er ruhiger geworden. Sein Vater muss das angenommen haben, denn er hat versucht, ihn in der Politik unterzubringen. Er sollte als Parlamentskandidat aufgestellt werden, hat Interviews in der Lokalpresse gegeben. Das ganze übliche Brimborium. Dann war plötzlich alles vorbei. Die Partei hier vor Ort hat sich einen anderen Kandidaten gesucht, und Leo Villiers ist abgetaucht. Wir haben noch nicht rausfinden können, warum.»

«Und in dem Moment ist er verschwunden?»

Lundy schüttelte den Kopf. «Nein, die Sache ist viel länger her. Aber jemand anders ist damals verschwunden. Eine Frau aus der Gegend, mit der er eine Affäre hatte.»

Da begriff ich, dass ich falschgelegen hatte. Es ging hier nicht darum, einen Vermissten zu finden, und Lundys Zurückhaltung hatte nichts damit zu tun, dass ein einflussreicher Vater besänftigt werden musste. Ich hatte angenommen, Leo Villiers wäre das Opfer, aber das stimmte nicht.

Er war der Verdächtige.

«Wie gesagt: Das ist streng vertraulich.» Lundy senkte die Stimme, obwohl niemand in der Nähe war. «Es spielt nicht direkt eine Rolle, aber Sie sollten über den Hintergrund Bescheid wissen.»

«Sie denken, Leo Villiers hat sie getötet?»

Der DI zuckte mit einer Schulter. «Wir haben ihre Leiche nie gefunden und konnten nichts beweisen. Aber er war der Einzige, der ernsthaft in Frage kam. Sie war Fotografin, vor zwei, drei Jahren aus London hergezogen, nachdem sie geheiratet hatte. Emma Darby – glamourös, sehr attraktiv. Nicht, was man hier erwarten würde. Er hat sie beauftragt, die Fotos für seine Wahlkampagne zu machen, und dann hat sie in seinem Haus ein paar Räume eingerichtet. Sowohl seine Haushälterin als auch der Gärtner haben unabhängig voneinander ausgesagt, in seinem Schlafzimmer eine halbnackte Frau gesehen zu haben, auf die Darbys Beschreibung passte.» Er spitzte missbilligend die Lippen, tastete seine Jackentasche ab, zog eine Packung Magentabletten heraus und drückte zwei davon aus der Folie. «Anscheinend haben sie sich überworfen», sagte er mit den Tabletten im Mund. «Wir haben mehrere Zeugen, die gehört haben, dass sie ihn auf irgendeinem protzigen Politevent angebrüllt und als arroganten Scheißwichser tituliert hat. Kurze Zeit später ist sie verschwunden.»

«Haben Sie ihn befragt?»

«Hat nichts gebracht. Er stritt die Affäre ab, hat gesagt, sie hätte sich ihm an den Hals geschmissen, und er hätte abgelehnt. Bei seiner Vorgeschichte war das schwer zu glauben, vor allem, weil er für den Tag ihres Verschwindens kein Alibi hatte. Hat behauptet, unterwegs gewesen zu sein, aber keinen Ort genannt oder irgendetwas, das seine Geschichte bestätigt hätte. Offensichtlich hatte er etwas zu verbergen, aber ohne Leiche oder Beweise waren uns die Hände gebunden. Wir haben die Gegend um das Haus herum abgesucht, in dem Emma Darby gewohnt hat, doch die besteht hauptsächlich aus Salzmarschen und Schlick und ist zu Fuß nicht passierbar. Idealer Ort, um eine Leiche loszuwerden. Da zu suchen, wäre an sich schon eine Mammutaufgabe. Dazu haben Sir Stephens Anwälte uns ständig Steine in den Weg gelegt und mit Anzeigen wegen Belästigung und Verleumdung gedroht, wenn wir Leo Villiers auch nur schief angesehen haben. Und dann ist er ebenfalls verschwunden, und das war's mehr oder weniger.»

Ich dachte an das, was Lundy mir gestern Abend am Telefon erzählt hatte. «Sie sagten, sein Verschwinden sei nicht verdächtig, aber jemand wie er muss doch Feinde haben. Was ist mit Emma Darbys Ehemann?»

«Oh, den haben wir uns vorgeknöpft. Komisches Paar, ehrlich gesagt. Es war kein Geheimnis, dass die Ehe bereits in Schwierigkeiten steckte, bevor sie sich mit Villiers eingelassen hat, und natürlich stand ihr Mann unter Verdacht. Aber er hatte ein hieb- und stichfestes Alibi. Als seine Frau verschwand, war er außer Landes, und als ihr Liebhaber vermisst wurde, oben in Schottland.» Lundy zog die Mundwinkel nach unten. «Sie haben recht, was Villiers' Feinde angeht, und ich denke, kaum jemand hat ihm eine Träne nachgeweint. Aber nichts deutet darauf hin, dass irgendwer sich etwas hätte zuschulden kommen lassen oder dass irgendetwas Verdächtiges an der Sache wäre. Es gibt einen Bericht, dass der Gärtner kurz vor Villiers' Verschwinden irgendeinen Streuner vom Gelände verscheuchen musste, aber das war vermutlich nur ein Teenager aus der Gegend.»

Ich betrachtete die Austernschuppen, hinter denen das schlammige Flussbett jetzt von Wasser bedeckt war. «Sie glauben also, Villiers hat sich selbst getötet?»

Die Vorsicht des DI am Telefon ließ mich nicht an einen Unfall glauben. Lundy zuckte mit den Schultern. «Er hat unter großem Druck gestanden, und wir wissen von mindestens einem Selbstmordversuch in seiner Jugend. Wir versuchen immer noch, an seine Arztakten heranzukommen, aber dem Hörensagen nach litt er offensichtlich schon lange an Depressionen. Und es gab einen Brief.»

«Einen Abschiedsbrief?»

Er verzog das Gesicht. «Offiziell nennen wir es nicht so. Sir Stephen lässt keinen Verdacht auf einen Selbstmord seines Sohnes zu, wir müssen also äußerst vorsichtig vorgehen. Außerdem wurde der Brief im Papierkorb gefunden, es war also entweder ein Entwurf, oder Leo hat es sich anders überlegt und doch nichts schreiben wollen. Aber dort stand in seiner Handschrift, dass er nicht weitermachen könne und sein Leben hasse. So was eben. Und die Haushälterin, die den Brief fand, hat uns gesagt, dass auch seine Schrotflinte fehlte. Ein von Mowbry and Son's handgefertigtes Stück. Kennen Sie die?»

Ich schüttelte den Kopf. Mit den Auswirkungen von Schusswaffen war ich deutlich besser vertraut als mit den Herstellern.

«Sie sind in einer Liga mit Purdey, was maßangefertigte Schusswaffen angeht. Wunderschöne Handarbeit, wenn man so was mag, und unglaublich teuer. Er hat sie zum achtzehnten Geburtstag von seinem Vater bekommen. Muss fast so viel gekostet haben wie mein Haus.»

Eine billigere Flinte wäre genauso tödlich gewesen. Aber ich begann zu verstehen, warum Lundy sich gestern so zurückhaltend geäußert hatte. Es ist für jede Familie schwer, mit einem Selbstmord umzugehen, erst recht, wenn der Tote auch noch unter Mordverdacht gestanden hat. Für Eltern ein doppelter Schlag, kein Wunder also, dass Sir Stephen Villiers das Ganze leugnen wollte. Ihn unterschied nur, dass er über genug Geld und Macht verfügte, um sich durchzusetzen.

Was schwieriger werden könnte, wenn es wirklich die Leiche seines Sohns war.

Der Hubschrauber war immer noch als Punkt in der Ferne zu sehen, doch der Wind trieb das Geräusch jetzt von uns weg. Er schien sich nicht mehr zu bewegen.

«Wieso glauben Sie, dass da draußen Villiers und nicht Emma Darby liegt?»

«Weil sie vor sieben Monaten verschwunden ist. Ich glaube kaum, dass ihr Körper nach so langer Zeit noch auftauchen würde.»

Er hatte recht. Wenn die in den Lungen gefangene Luft entwichen war, sank der Körper üblicherweise ab, bis er von

Verwesungsgasen wieder an die Oberfläche aufgetrieben wurde. Dann blieb er schwimmfähig, bis er entweder zerfiel oder die Gase sich schließlich verflüchtigten. Je nach Temperatur und Umgebung konnte das Wochen oder länger dauern. Sieben Monate waren allerdings zu lang, vor allem im relativ flachen Wasser einer Flussmündung. Die Kombination aus Gezeiten, Meeresaasfressern und hungrigen Möwen hätte längst ihren Tribut gefordert.

Trotzdem gab es noch etwas, das ich nicht kapierte. Ich versuchte, die Puzzleteile, die ich von Lundy hatte, zusammenzusetzen. «Leo Villiers ist also erst sechs Monate nach Emma Darby verschwunden?»

«Ungefähr, genau wissen wir es nicht. Zwischen dem letzten Mal, dass jemand Kontakt zu ihm hatte, und der Vermisstenmeldung ist eine Lücke von zwei Wochen, aber wir sind einigermaßen sicher, dass …»

Er brach ab, als am Kai ein Pfeifen ertönte. Einer der Marinesoldaten kam zwischen den Austernschuppen zum Vorschein, hielt einen Daumen hoch und drehte wieder um.

Lundy schüttelte die letzten Tropfen aus seinem Becher. «Ich hoffe, Sie haben Lust, sich nasse Füße zu holen, Dr. Hunter», sagte er und schraubte den Becher wieder auf die Thermoskanne. «Sieht so aus, als hätte der Hubschrauber was gefunden.»

KAPITEL 3

❦

Salz brannte auf meinem Gesicht, als das Polizeiboot sich zur Seite krängte. Ich wischte mir über die Augen und klammerte mich am Sitz fest, während wir über das Wasser flogen und hüpften. Die See war hier nicht besonders rau, doch wir kämpften gegen Tide und Wind an. Die Wellen erschütterten das Boot und sprühten kalte Gischt ins offene Cockpit.

Es war inzwischen taghell, auch wenn von der Sonne im wolkenverhangenen Himmel nur ein diffuses Glühen zu sehen war. Der Gummigeruch des Bootes mischte sich mit Dieselschwaden und dem Geruch der salzverkrusteten Seile. Der Marinesergeant stand am Ruder und lenkte das Boot geschickt über die Wellen, ich saß mit Lundy und drei Marinesoldaten in Rettungswesten hinter ihm. Damit war das Boot voll. Außer uns befanden sich noch zwei Stapel Schrittplatten aus Aluminium an Bord, jeder auf einer Seite, um das Boot nicht aus dem Gleichgewicht zu bringen, sowie eine Trage.

Als wir frontal auf eine Welle krachten, wurde ich fast aus dem Sitz geschleudert. Lundy lächelte mich an, seine Brille war voller Wasserspritzer. «Alles klar bei Ihnen?», brüllte er über das Tosen des Windes und des Motors hinweg. «Wir sollten bald da sein.»

Ich nickte. In meiner Jugend war ich gesegelt, normalerweise hätte mir die stürmische Fahrt nichts ausgemacht. Aber sie brachte das Schwächegefühl vom Aufwachen zurück. Ich tat mein Bestes, es zu ignorieren. Auch ich trug eine Rettungsweste, meine war hellorange, nicht dunkelblau wie die der Marine. Die brusthohe Wathose und der wasserfeste Overall, den ich noch darunter trug, waren beim Sitzen unbequem. Aber wenn ich mir die schlammigen Ufer ansah, wusste ich, dass ich nachher noch froh darüber sein würde.

Die Flut hatte überraschend schnell eingesetzt. Als ich mich umgezogen und meinen Utensilienkoffer aus dem Auto geholt hatte, war die Marineeinheit bereits dabei, das Boot vom Anhänger zu heben und ins Wasser zu lassen. Der Kanal vor dem Kai war fast völlig geflutet, Wasser klatschte gegen die Rampe.

«Uns bleibt nicht viel Zeit», warnte mich Lundy, als wir an der Sliprampe standen. «Der Hubschrauber hat gemeldet, dass die Leiche halb auf einer Sandbank liegt, aber nicht lange dort bleiben wird. Die Flut kommt hier schneller, als Sie bis drei zählen können, wir müssen uns also beeilen.»

Und zwar sehr, wie es aussah. Die Bergung der Leiche würde ein Wettlauf mit dem Wasser werden, und ich fragte mich allmählich, ob ich wirklich von Nutzen sein konnte. Es war ja schön und gut, einen forensischen Anthropologen dabeizuhaben, vor allem aber war wichtig, die Leichenreste so schnell wie möglich zu bergen, und dazu waren Lundy und die Marineeinheit auch ohne mich bestens in der Lage.

Trotzdem war ich froh über die Chance, die Überreste *in situ* begutachten zu können, selbst wenn nicht viel Zeit dafür bliebe. Ich starrte über den stumpfen Bug hinweg nach vorne, als wir tieferes Wasser erreichten und Kurs auf die

Barrows nahmen. Die Sandbänke lagen direkt vor uns und bildeten fast über die gesamte Mündung hinweg eine natürliche Barriere. Sie wurden von der steigenden Flut voneinander getrennt, ragten aber als glatte braune Huckel aus dem Wasser wie gestrandete Wale. Dahinter, wo das Mündungsgebiet ins offene Meer überging, erhoben sich drei merkwürdig aussehende Gebilde aus dem Wasser. Sie waren zu weit entfernt, um sie genau erkennen zu können, aber vom Boot aus sahen sie aus wie viereckige Schachteln auf nach außen geneigten Stelzen. Vielleicht Bohrtürme, obwohl sie eigentlich zu dicht an der Küste standen.

Lundy bemerkte meinen Blick. «Das ist eine Seefestung.»

«Eine was?»

Wir konnten uns nur brüllend über den Motorenlärm hinweg verständigen. «Eine Maunsell-Seefestung. Die Armee und die Navy haben die Dinger im Zweiten Weltkrieg entlang der Küste aufgestellt, um die deutschen Schiffe aus den Flussmündungen rauszuhalten. Die dort ist von der Armee. Insgesamt standen da mal sieben durch Brücken verbundene Türme, jetzt sind nur noch diese drei übrig.»

«Wird sie noch benutzt?», schrie ich. Lundys Antwort wurde vom Wind verweht. Ich schüttelte den Kopf. Er beugte sich zu mir.

«Ich sagte, nur von Möwen. Die Armeefestungen sind alle aufgegeben worden. In einigen hatten sich in den Sechzigern Piratensender eingenistet. Einer hier und zwei unten in Red Sands und Shivering Sands in der Themsemündung. Das sind die einzigen, die noch stehen. Ein paar wurden von Schiffen gerammt und sind daraufhin größtenteils abgerissen worden oder auseinandergefallen. Es gab mal das

Gerücht, irgendwer wollte diese Festung hier kaufen und ein Hotel oder so was draus machen, aber daraus ist nie etwas geworden.» Lundy schüttelte den Kopf über solche Torheit. «Überrascht mich nicht. Ich würde da nicht übernachten wollen.»

Ich auch nicht, aber für den Moment gab ich weitere Kommunikationsversuche auf. Wir hatten die Barrows fast erreicht, das Boot drosselte den Motor, was zum Glück den Lärm verringerte, und fuhr langsam auf die Sandbank zu. Über uns war jetzt das Dröhnen des Hubschraubers zu vernehmen, der mit blinkenden Signallampen über dem Leichenfundort schwebte.

Der Marinesergeant lenkte das Polizeiboot vorsichtig zwischen den Sandbänken hindurch. Sie lagen wie kleine Inseln im Wasser, die Wellen schwappten gegen ihre glatten Ufer. Nicht mehr lange, dann würde die Flut sie überspülen, und ich sah mit eigenen Augen, warum Lundy gesagt hatte, die Barrows würden das Gebiet fast unpassierbar machen. Schon wenn sie zu sehen waren, war es schwierig genug, zwischen ihnen hindurchzufahren. Unter Wasser verborgen, wären sie tückisch. Wir befanden uns jetzt fast direkt unter dem Hubschrauber. Der Rotorenlärm war ohrenbetäubend, die Luftwirbel drückten die Wasseroberfläche platt.

«Da ist es.» Lundy zeigte auf eine Stelle vor uns, versperrte mir aber mit seinem massigen Körper die Sicht. Als das Boot eine langsame Kurve fuhr, sah ich die Leiche zum ersten Mal. Die Flut hatte sie auf halber Höhe einer schlammigen Sandbank abgelegt, ein tropfnasses Kleiderbündel, das die Stille ausstrahlte, die nur leblosen Dingen oder toten Wesen eigen ist. Sie lag bäuchlings, der Kopf in Wassernähe, die Beine zeigten weg von uns auf die Spitze der Sandbank zu. Eine Möwe landete, hüpfte näher heran, um den Körper zu untersuchen, und verlor rasch das Interesse.

Das sagte mir einiges.

Lundy sprach in sein Funkgerät und hob eine Hand, als der Hubschrauber aufstieg und wegflog. Nach dem Abstellen des Bootsmotors trieb uns der Schwung weiter, bis wir in der plötzlichen Stille mit einem dumpfen Geräusch auf Grund liefen. Darauf aus, mir die Leichenreste schnellstmöglich anzusehen, begann ich, aus dem Boot zu steigen. Die Sandbank machte einen relativ festen Eindruck, hatte aber die kalte, körnige Substanz von nassem Mörtel. Ich fiel fast vornüber, als ich bis zum Knie darin versank.

«Vorsicht», sagte Lundy und packte meinen Arm. «Warten Sie lieber, bis wir die Schrittplatten ausgelegt haben. Hier muss man echt aufpassen, sonst versinkt man bis zur Hüfte in dem Zeug.»

«Danke», sagte ich verlegen und befreite mein Bein. Zum Glück trug ich die Wathose. Jetzt wurde mir klar, warum die Polizei niemanden vom Hubschrauber hatte herablassen wollen. Es wäre unmöglich gewesen, die Leiche zu bergen, ohne selbst einzusinken.

Die Marinesoldaten begannen, mit den Schrittplatten einen Weg zu der Leiche zu legen. Die Platten sanken unter unserem Gewicht ein, Wasser wurde über die Ränder gedrückt. Sie waren schnell verschmiert und glitschig, aber sie würden uns gute Dienste leisten.

Ich hielt mich hinten und betrachtete die willkürliche Lage der Gliedmaßen. Die Flut hatte die Leiche mit dem Gesicht nach unten abgelegt, in dieser Position wäre sie auch getrieben. Sie trug einen langen, dunklen Mantel aus Wachstuch oder ähnlichem Material, schlammverschmiert und von der darin gefangenen Luft aufgebläht. Ein Arm lag seitlich an, der andere über dem Kopf.

Hände und Füße fehlten.

«Bevor wir ihn bewegen, würde ich gerne einen Blick auf ihn werfen», sagte ich zu Lundy, als die Männer die Platten fertig ausgelegt hatten. Er nickte.

«Aber schnell. In ein paar Minuten steht hier alles unter Wasser.»

Er hatte recht. Trotz seiner vorherigen Warnung war ich überrascht, wie schnell die Flut kam. Schon umschwappten kleine Wellen unsere Füße, das Wasser hatte mit dem Auslegen der Platten Schritt gehalten und war bis fast zur Hälfte der Sandbank gestiegen.

Vorsichtig wagte ich mich auf den glitschigen Platten zu der Leiche vor. Sie sah aus wie achtlos dort hingeworfen. Wieder hüpfte eine Möwe auf sie zu, hinterließ pfeilspitzenartig geformte Abdrücke im Sand. Als ich mich näherte, flatterte sie unter protestierendem Gekreisch von dannen. Am zinkfarbenen Himmel kreisten weitere Möwen, doch keine widmete dem, was da auf der Sandbank lag, viel Aufmerksamkeit. Was einiges über den Zustand der Leiche sagte. Wenn sogar hartgesottene Aasfresser wie Möwen kein Interesse zeigten, musste sie bereits sehr verwest sein.

Das fand sich bestätigt, als kurz darauf der Wind drehte und der Gestank verrottenden Fleisches die salzige Luft verätzte. Ich hielt ein paar Meter vor dem Körper an und betrachtete ihn. Obwohl der Tote zusammengekrümmt dalag, ließ sich erkennen, dass er im Leben überdurchschnittlich groß gewesen sein musste. Es handelte sich also wohl eher um einen Mann, obwohl sich das nicht mit letzter Sicherheit sagen ließ: Es konnte auch eine ungewöhnlich große Frau sein. Der Kopf war unter dem Mantel verborgen, der kapuzenartig zusammengeknüllt war, sodass über dem Kragen nur ein paar sandverklebte Haarsträhnen sichtbar waren. Um Arme und Beine hatte sich Seetang gewickelt, und am ganzen Körper waren winzige Bewegungen zu erkennen. Was aussah, als würden einem die Augen einen Streich spielen, waren winzige Krustentiere, Krabben und Wasserinsekten, die auf dem nassen Sand fast unsichtbar blieben.

Ich hockte mich hin, um besser sehen zu können. Aus den Hosenbeinen ragten Beinstümpfe mit bleichen Knochen und Knorpeln hervor, die Unterarme endeten an den Handgelenken. In das geschwollene Fleisch war an einer Seite eine goldene Uhr eingesunken. Von den Füßen und Händen war in der Umgebung nichts zu sehen, was mich allerdings auch überrascht hätte. Zwar wäre dies nicht die erste Leiche, bei der man die Hände entfernt hätte, um eine Identifizierung zu vereiteln, doch ich konnte keine offensichtlichen Anzeichen an den Knochen der Hand- und Fußgelenke entdecken, die darauf hätten schließen lassen. Durch Kleidung nicht geschützt, waren die Hände und Füße einfach abgefallen, nachdem sich das verbindende Weichgewebe der Gelenke aufgelöst hatte.

Ich zog meine Kamera aus der Latztasche meiner Wathose und begann, Fotos zu machen. Lundy hörte ich erst, als er mich ansprach.

«Sie können eine Kopie unseres Videos bekommen.»

Ich sah mich um. Für einen so schweren Mann bewegte er sich überraschend leichtfüßig, sogar auf den Metallplatten. «Danke, ich mache trotzdem ein paar Fotos.» Sollte ich etwas übersehen, konnte ich dann wenigstens nur mir selbst die Schuld geben.

Lundy betrachtete die Leiche. «Allem Anschein nach männlich. Und muss schon ziemlich lange im Wasser liegen, weil die Hände und Füße abgelöst sind. Würde der Zustand der Leiche zum Zeitpunkt von Leo Villiers' Verschwinden passen?»

Ich hatte die Frage erwartet. Die Berechnung des Todeszeitpunkts war meine Spezialität. Ich war auf der allerersten *Body Farm* in Tennessee ausgebildet worden, wo sich an menschlichen Kadavern Verwesungsprozesse kontrolliert beobachten ließen. Dort hatte ich gelernt, den Todeszeitpunkt anhand von bakterieller Aktivität und dem Grad der Verwesung zu bestimmen und wie sich mit komplizierten Formeln der Zerfall von flüchtigen Fettsäuren im menschlichen Körper berechnen ließ. Ich konnte ohne falsche Bescheidenheit behaupten, den Lebenszyklus von Schmeißfliegen und den Besiedelungsprozess eines verwesenden Körpers durch verschiedene Insekten genauso gut zu kennen wie ein forensischer Entomologe. Ich führte das lieber auf Erfahrung als auf Instinkt zurück, auf jeden Fall war mir die Fähigkeit, solche Dinge akkurat einzuschätzen, im Laufe der Jahre zur zweiten Natur geworden.

Doch das galt an Land. Dort blieb ein Körper liegen, wo er hingelegt worden war, und die Natur fügte ihren Anteil an messbaren Kriterien hinzu.

Im Wasser war das anders.

Zwar gab es eine Vielzahl von Meeresaasfressern, doch kein im Wasser lebendes Äquivalent der Schmeißfliege, dessen Lebenszyklus eine verlässliche Stoppuhr zur Bestimmung des Zeitraums seit dem Eintritt des Todes hätte darstellen können. Im Wasser wurde ein Körper bewegt, war Strömungen und Tiden und damit Höhen- und Temperaturunterschieden ausgesetzt. Auch Salz- und Süßwasser unterschieden sich und hatten ihre eigenen Kreaturen und Gegebenheiten. Und ein Tidenästuar wie dieses, wo sich der Fluss mit dem Meer mischte, war wieder anders.

Ich betrachtete den Körper. Bis auf die abgerissenen Fuß- und Handgelenke war der Großteil unter dem Mantel verborgen. Trotzdem sah ich genug. «Unter solchen Bedingungen lösen sich Hände und Füße schnell, selbst zu dieser Jahreszeit. Also passt es vermutlich, ja ...»

In letzter Sekunde hielt ich das *aber* zurück. Vier bis sechs Wochen waren in so flachen Gewässern sicherlich ausreichend. Das war es nicht, was mir Sorgen machte, aber ich wollte nichts sagen, bevor ich nicht mehr gesehen hatte.

Lundy musterte mich, als wartete er auf mehr. Als ich schwieg, nickte er. «Kommen Sie, bringen wir ihn ins Boot.»

Ich trat beiseite, als zwei Marinesoldaten mit der Trage über die Platten gestapft kamen. Der Sergeant folgte mit einem Leichensack und einer gefalteten Plastikplane.

«Wie machen wir das?», fragte einer, setzte die Trage ab und betrachtete angewidert den bäuchlings liegenden Leichnam.

«Rollt ihn auf die Plane, dann können wir ihn in den Leichensack heben», wies der Sergeant ihn an. Er wandte sich an Lundy, erst in letzter Sekunde dachte er daran, auch mich einzubeziehen. «Wenn Sie keine anderen Vorschläge haben?»

«Hauptsache, er bleibt in einem Stück», sagte Lundy gleichmütig. «Sind Sie einverstanden, Dr. Hunter?»

Viele Möglichkeiten blieben ohnehin nicht. Ich zuckte mit den Schultern. «Ja, gut. Bitte seien Sie vorsichtig mit ihm.»

Der Sergeant kommentierte meine Bitte mit einem Blick, den er mit einem seiner Männer austauschte. Die Flutwellen spritzten bereits über den Kopf der Leiche hinweg, als die Plastikplane ausgelegt wurde. Die Marinesoldaten waren mit Masken und dicken Gummihandschuhen ausgestattet und trugen brusthohe Wathosen. Da ich genug Fotos gemacht hatte, setzte auch ich eine Maske auf und zog dicke Handschuhe über die dünnen, die ich anhatte.

«Okay, schön mit Gefühl. Hochheben und umdrehen auf drei. Eins, zwei …»

Als der Körper sich langsam aus dem Sand löste und rücklings auf die Plastikplane befördert wurde, stiegen Schwaden fauliger, feuchter Luft auf. Einer der Marinemänner hielt sich den Arm vor die Nase und wandte sich ab.

«Oh, wunderbar.»

Das in den langen Mantel eingehüllte Ding auf der Plastikplane hatte nichts Menschliches an sich. Alter, ethnische Herkunft und Geschlecht waren nicht zu erkennen. Der Schädel war fast gänzlich von Haut und Fleisch befreit, die Augenhöhlen leere Löcher. Die leicht zugänglichen weichen Augäpfel waren eins der ersten Ziele von Aasfressern gewesen. Sogar erste Anzeichen von Adipocire hatten sich gebildet, schmutzig weiße Ablagerungen, die aussahen wie Tropfen von Kerzenwachs. Übrig war die Karikatur eines Gesichts, sandverstopfte leere Augenhöhlen, die Nase nur noch ein angenagter Knorpelstumpf. Angesichts der langen Verweilzeit des Körpers im Wasser war nichts anderes zu erwarten gewesen. Doch der untere Teil des Gesichts fehlte gänzlich. Anstelle des Mundes klaffte ein offener Schlund, durch den das zähe Knorpelgewebe hinten in der Kehle sichtbar war. Der Unterkieferknochen, auch Mandibel genannt, fehlte komplett, im Oberkiefer steckten nur noch einige zersplitterte Zahnstummel. Beim Umdrehen war der Kopf zur Seite gerollt. Da er jetzt nicht mehr vom Mantelkragen bedeckt wurde, war die faustgroße Austrittswunde am Hinterkopf deutlich zu erkennen.

Lundy betrachtete sie ungerührt und wandte sich dann an mich. «Was würden Sie sagen, Dr. Hunter? Eine Schrotflinte?»

Ich merkte, dass ich die Stirn in Falten gelegt hatte, und richtete mich auf. «Sieht danach aus», stimmte ich ihm zu. Der Grad der Zerstörung sah tatsächlich eher nach der explosiven Durchschlagskraft einer Schrotflinte als nach einer Faustfeuerwaffe aus. «Da ist irgendwas hinten in der Kehle.»

Ohne den Körper zu berühren, beugte ich mich näher heran. In dem Gewirr aus Knochen und Gewebe steckte ein Gegenstand: eine kleine bräunliche Scheibe, zu ebenmäßig, um natürlichen Ursprungs zu sein.

«Der Pfropfen einer Schrotpatrone», sagte ich, ohne den Versuch zu unternehmen, ihn herauszuziehen.

Das bestätigte die Waffenart hinreichend, auch wenn sich wahrscheinlich keine Kugeln mehr im Körper finden lassen würden. Schrotpatronenkugeln verteilen sich in dem Moment, in dem sie den Flintenlauf verlassen. Je weiter sie fliegen, desto weiter breiten sie sich aus und desto größer ist die entstehende Schusswunde. Dass diese relativ klein war, ließ vermuten, dass die Kugeln dicht zusammengedrängt gewesen und geblieben waren, als sie das Loch in den Schädel rissen. Das deutete darauf hin, dass der Schuss aus unmittelbarer Nähe abgefeuert worden war.

Direkt am Ziel.

«Dem Anschein nach eine Kontaktwunde», sagte ich. Der Schuss einer Schrotflinte aus ein oder zwei Zentimeter Entfernung verursacht eine Art Tätowierungseffekt, welcher hier zu sehen war. «Die Überreste der Zähne und des Kiefers sind schwarz verfärbt, und am Weichgewebe sind Versengungsspuren erkennbar. Der Lauf muss entweder im Mund gesteckt haben oder an den Unterkiefer gehalten worden sein. Aus der Entfernung überrascht es mich, dass nicht auch der Pfropfen durchgegangen ist.»

Lundy nickte. «Könnte also selbstverursacht sein.»

«Ja, könnte es.»

Eine Kontaktwunde würde zu einem Selbstmord passen, vor allem, wenn eine Schrotflinte benutzt worden war. Wegen der Länge des Flintenlaufs war es nicht einfach, bei der umgedrehten Waffe noch den Abzug zu betätigen, deswegen war Kontakt normalerweise kaum zu vermeiden. Das hieß allerdings nicht, dass ihn nicht auch jemand anders erschossen haben konnte.

Lundy musste meinen Tonfall bemerkt haben. Um seine Augen bildeten sich Lachfältchen, den Mund konnte ich hinter der Maske nicht sehen. «Keine Sorge, ich ziehe keine voreiligen Schlüsse. Aber es scheint schon mal keine großen Zweifel zu geben, wer das hier ist.»

Es sah ganz danach aus. Ein Mann war zusammen mit seiner Schrotflinte verschwunden, und jetzt war eine Leiche mit einer Schrotflintenwunde aufgetaucht. Allem Anschein nach hatten wir Leo Villiers gefunden.

Ich sagte nichts.

Lundy gab den wartenden Marinesoldaten ein Zeichen. «Okay, bringen wir ihn ins Boot.»

Das Wasser war in den wenigen Minuten unseres

Gesprächs beträchtlich gestiegen und schwappte bereits über den Rand der Plastikplane. Während Lundy über Funk durchgab, dass wir mit dem Leichenfund zurückkommen würden, nahm ich eine Ecke der Plane, die Marinesoldaten die übrigen. Wasser strömte herab, als wir die Totlast hochhoben und in den offen auf der Trage ausgebreiteten Leichensack legten.

Wenigstens dabei konnte ich helfen, dachte ich. Viel mehr war für mich nicht zu tun gewesen.

Nachdem alles ins Boot verladen worden war, nahmen wir unsere Plätze ein, und der Motor röhrte auf. Vor nicht allzu langer Zeit noch hatten die Sandbänke uns überragt, nun konnten wir beinahe über sie hinwegschauen. Während das Boot Fahrt aufnahm, blickte ich zurück. Dort, wo der Körper gelegen hatte, kräuselten sich jetzt Wellen, spülten den Sand glatt und verwischten jede Erinnerung.

Lundy zupfte mich am Ärmel und deutete auf einen Vorsprung, der direkt hinter den Barrows über das Wasser ragte. «Sehen Sie die Landzunge? Das ist Willets Point, wo Leo Villiers gewohnt hat.»

Anders als die Umgebung, die ich bisher gesehen hatte, war die Landzunge dicht bewaldet. Fast hinter Bäumen verborgen, thronte eine große, weiße viktorianische Villa einsam auf dem Felsvorsprung. Die Flügelfenster blickten über einen kleinen Anleger hinweg auf das offene Meer hinaus, nur die Türme der Seefestung etwa eine halbe Meile weiter draußen störten die Sicht.

«Das war früher das Ferienhaus der Familie, wurde aber lange nicht genutzt, bis Villiers vor ein paar Jahren hergezogen ist», sagte Lundy mit lauter Stimme, um den Motorenlärm zu übertönen. «Sein Vater hält sich entweder in

London oder auf dem Familienanwesen bei Cambridge auf, er hatte das Haus also für sich. Keine schlechte Junggesellenbude, wie?»

Wahrlich nicht, allerdings hatte das Haus Villiers am Ende nichts Gutes gebracht. Mir kam wieder der Zustand der Leiche in den Sinn. «Sie sagten vorhin, Sie wären nicht ganz sicher, wann er verschwunden ist», brüllte ich. «Wieso nicht?»

Lundy beugte sich zu mir, um nicht schreien zu müssen. «Er wurde erst vor einem Monat als vermisst gemeldet, hatte aber zwei Wochen davor das letzte Mal Kontakt mit jemandem gehabt. Da musste die Tierärztin kommen, um seinen alten Hund einzuschläfern. Sie sagte, er war deswegen ziemlich fertig mit den Nerven, und danach hat ihn niemand mehr gesehen oder mit ihm gesprochen. Keine Anrufe oder E-Mails, keine Online-Aktivitäten. Nichts. Was immer auch passiert ist, muss in den zwei Wochen geschehen sein. Genauer können wir es nicht eingrenzen, aber seine Kreditkarte wurde zum letzten Mal dazu benutzt, die Rechnung der Tierärztin zu bezahlen. Deswegen vermuten wir, dass es eher sechs Wochen her ist als vier und einfach niemand etwas mitbekommen hat.»

«Zwei Wochen lang hat ihn niemand vermisst?» Bei einem einsamen Rentner ohne Freunde und Familie hätte mich das nicht überrascht, aber angesichts von Leo Villiers' Alter und sozialer Stellung schien es eine lange Zeit zu sein. «Was ist mit seinem Vater?»

«Sie standen sich nicht besonders nah. Es hat wohl viele Spannungen gegeben, da war es nicht ungewöhnlich, dass sie wochenlang nicht miteinander geredet haben. Der Ärger um Emma Darby hat auch nicht gerade geholfen. Einen

Koch hatte Villiers nicht, aber einmal die Woche kamen ein Gärtner und eine Haushälterin. Die Frau hatte einen Schlüssel, also war es ihr erst mal egal, dass er nicht da war. Aber als sie die nächste Woche kam, herrschte das reinste Chaos. Überall Flaschen, dreckiges Geschirr in der Spüle, Teller mit Essensresten. Da er schon öfter Saufgelage abgehalten hatte, hat sie aufgeräumt und ist wieder gegangen. Ihr fiel auf, dass die Schrotflinte nicht in ihrem Kasten lag, was sie seltsam fand, weil Villiers sie nie herausnahm. Überraschenderweise machte er sich nichts aus der Jagd. Aber erst als sie in der Woche darauf zurückkam und das Haus genauso vorfand, wie sie es verlassen hatte, ging ihr auf, dass etwas nicht stimmte. Nichts war bewegt worden, die Post verstopfte den Briefkasten, und der Kasten der Mowbry lag offen da. Sein Wagen war noch da, ebenso das Dingi, mit dem er manchmal rausfuhr. Also hat sie sich umgesehen, fand den Brief und hat uns angerufen.»

«Nicht erst seinen Vater?»

«Sir Stephen gehört nicht zu den Menschen, die Anrufe von Bediensteten annehmen. Außerdem hatte sie das Gefühl, er sollte besser von uns benachrichtigt werden. Von wegen: den Boten erschießen.» Als ihm aufging, was er gesagt hatte, sah er verlegen drein. «Tut mir leid. Miserable Wortwahl.»

«Was ist mit der Schrotflinte?», fragte ich. «Sie wurde im Haus nicht gefunden?»

«Nein, weswegen wir uns erst gefragt haben, ob Fremdeinwirkung vorliegen könnte. Wenn er sich am Wasser erschossen hätte und die Waffe mit ihm hineingefallen wäre, hätten wir sie bei Ebbe entdeckt. Haben wir aber nicht, also muss er sich woanders erschossen haben. Da sein Haus jenseits der Barrows liegt, wir ihn aber hier gefunden haben, muss er sich eher landeinwärts getötet haben. Wahrscheinlich in den Backwaters, weswegen es so lange gedauert hat, bis die Gezeiten ihn rausgetragen haben. Wenn er sich im Mündungsgebiet erschossen hätte, hätten wir die Flinte gefunden, und seine Leiche wäre schon längst irgendwo angespült worden.»

Er lehnte sich zurück, und ich dachte über seine Worte nach. Leo Villiers war seit mindestens vier Wochen verschwunden, wahrscheinlich seit sechs. Ich wog die Zersetzung des Körpers, den ich gerade begutachtet hatte, gegen die Faktoren ab, die sich in diesen Gewässern auf ihn ausgewirkt hatten: Temperaturschwankungen und Aasfresser, sowohl im Wasser als auch aus der Luft. Außerdem Brackwasser und Tiden, die ihn zweimal am Tag Wind und Wetter ausgesetzt hatten.

Meine Gedanken wurden von einem Sonnenstrahl unterbrochen, der durch eine Lücke in den diesigen Wolken fiel und die bewegte Wasseroberfläche mit Lichtpunkten vergoldete. Am Ufer blitzte plötzlich etwas auf, eine Flasche oder Glasscherbe. Dann verschwand die Sonne wieder hinter den Wolken.

KAPITEL 4

❦

Ein Empfangskomitee erwartete uns. Als wir uns den Austernschuppen näherten, sahen wir außer den Polizisten noch weitere Menschen am Kai stehen. Einer trug einen dicken dunkelblauen Overall, wohl der von Lundy erwähnte Rechtsmediziner. Dann war da noch eine hochgewachsene Frau in hellem Regenmantel, wahrscheinlich DCI Clarke, die leitende Ermittlerin.

Die beiden anderen Männer konnte ich nicht einordnen. Sie standen ein Stück abseits am Ende des Kais. Beide trugen dunkle Mäntel, und als wir nah genug waren, erkannte ich, dass einer die Schirmmütze eines Polizeichefs aufhatte.

«Du lieber Gott», murmelte Lundy beim Anblick der Versammlung am Kai.

«Was ist?», fragte ich.

Der DI hatte den größten Teil der Rückfahrt vorne am Bug gesessen, ohne sich um die kalte Gischt zu scheren, die ihm bei jeder Welle ins Gesicht spritzte. Das Heben und Senken des Boots schien ihm nichts auszumachen. Es sah ganz so aus, als würde er den Fahrtwind genießen, wie ein Hund, der den Kopf aus dem Autofenster hält.

Jetzt seufzte er, als wäre die Bootsfahrt ein viel zu kurzes Vergnügen gewesen. Er nahm die Brille ab und begann, das

Wasser von den Gläsern zu reiben. «Das ist Dryden, der Deputy Chief Constable. Und neben ihm steht Sir Stephen Villiers.»

Ich schaute zum Kai hinüber und verstand seine Anspannung. Ich hatte noch nie gehört, dass ein DCC zu einer ganz normalen Bergung kam, geschweige denn ein Elternteil des Opfers. Keine gute Idee, die unnötigen Stress sowohl für den Angehörigen als auch für die Polizisten bedeutete, die unter seinen Blicken ihre Arbeit verrichten mussten.

Bis auf die knappen Anweisungen des Marinesergeants herrschte bei der Anfahrt auf die Austernschuppen Schweigen. Der Motor ratterte leiser, das Boot wurde langsamer und legte sich aufs Wasser. Wellen schlugen gegen den Rumpf, während der Schwung uns die letzten paar Meter bis zum Kai trug. Das Wasser stand jetzt hoch genug, dass man direkt an der Mauer anlegen und auf die Rampe verzichten konnte. Das Boot stieß neben ein paar Betonstufen an, die ins Wasser führten. Clarke und die anderen sahen schweigend zu, als einer der Marinesoldaten vom Boot sprang und es an einem Metallpfosten vertäute.

«Sie als Nächster, Dr. Hunter», sagte Lundy. «Die Trage heben wir zuletzt runter.»

Unter den Blicken der ernsten Gestalten am Kai bekam ich das Geländer zu fassen und zog mich, von der Wathose und der wasserdichten Kleidung in der Bewegung behindert, aus dem schaukelnden Boot. Die Stufen waren glatt, der nasse Beton mit grünen Algen überzogen. Oben hielt ich inne, um mir das Grün von den Händen zu reiben, und war mir sehr bewusst, wie verdreckt ich aussah, als die Frau im beigen Regenmantel und der Mann im Overall auf mich zukamen.

«Dr. Hunter? Ich bin DCI Pam Clarke. Das ist Professor Frears, der Rechtsmediziner.»

Clarke war groß und dünn, der Wind wehte ihr das krause rote Haar trotz aller Bemühungen, es zurückzubinden und zu zähmen, ins Gesicht. Frears' Alter war schwer zu schätzen. Seine Locken waren grau, das Gesicht darunter jedoch so glatt und faltenlos, dass er genauso gut Mitte vierzig wie gut erhaltene frühe sechzig sein konnte. Mit den geröteten Wangen eines Lebemannes wirkte er wie ein verdorbener Cherub.

«Ich gebe Ihnen nicht die Hand», sagte er fröhlich und hielt seine behandschuhten Hände hoch. «Hunter …, Hunter … Kommt mir bekannt vor. Sind wir uns schon mal begegnet?»

«Ich glaube nicht.»

«Na, ich komme noch drauf.»

Während er sich dem Boot zuwandte, warf ich einen Blick hinüber zu den beiden Männern am Ende des Kais. Zwar standen sie außer Hörweite, trotzdem war es unangenehm, den Vater des mutmaßlichen Opfers so in der Nähe zu wissen. Sir Stephen Villiers schien etwa Mitte sechzig zu sein. Er trug einen dunkelgrauen Mantel, der nach Kaschmir aussah, über einem hellgrauen Anzug. Das schüttere, windzerzauste Haar war ebenfalls grau, und auch seine Gesichtsfarbe schimmerte gräulich, während er zusah, wie die Trage vom Boot geladen wurde. Äußerlich war nichts Beeindruckendes an ihm, trotzdem schien er eine viel größere Autorität auszustrahlen als der ihn begleitende Polizeichef. Deputy Chief Constable Dryden hatte den Körperbau eines Rugbyspielers, ein kantig vorstehendes Kinn und tiefliegende Augen unter einer glänzenden Polizeimütze. Er überragte den neben ihm

Stehenden um einiges, trotzdem zog der die Aufmerksamkeit auf sich.

Sir Stephen betrachtete den Leichensack mit ausdrucksloser Miene. Plötzlich schien er meinen Blick zu spüren und sah mich direkt an. In seinen Augen lag weder Neugier noch Interesse oder Anerkennung. Einen Augenblick später wandte er sich wieder der Trage zu und hinterließ bei mir das Gefühl, geprüft und abgelehnt worden zu sein.

Lundy war aus dem Boot gestiegen und hievte sich japsend die Stufen hoch. Hinter ihm machten sich die Marinesoldaten ans Ausladen der Leiche.

«Vorsicht», warnte Clarke, als die Trage zum Kai hochgehoben wurde. «Gut, setzt sie hier ab.»

Vor Anstrengung keuchend, entledigten sich die Männer ihrer Last. Wasser lief von der Trage und bildete Pfützen auf dem Asphalt. Frears trat hinzu und stellte sich vor sie.

«Also gut, was haben wir hier? Verweste Leiche, möglicherweise männlich, Schusswunde am Kopf, vermute ich?» Ohne auf eine Antwort zu warten, wandte er sich an den Sergeant. «Lassen Sie mich mal einen schnellen Blick darauf werfen, ja?»

Clarke wirkte sofort angespannt. Sie sah nicht zu Sir Stephen hinüber, doch das war auch nicht nötig. «Sollten wir ihn nicht besser in die Leichenhalle bringen?»

«Ich arbeite auch nicht gern vor Publikum, aber da ich nun mal hier bin, mache ich auch meinen Job», sagte Frears.

Sein Ton war freundlich, enthielt aber genug Schärfe, um weitere Einwände abzubügeln. Clarke sah nicht glücklich aus, als sie dem Marinesergeant zunickte.

«Machen Sie den Sack auf.»

Süßlicher Fäulnisgeruch breitete sich auf dem Kai aus.

Der bleiche Körper sah vor dem schwarzen Plastik des Leichensacks noch schlimmer aus – wie eine geschmolzene Wachspuppe.

«Ein Zahnabgleich wird vermutlich eine Herausforderung», kommentierte Frears die zerschmetterte Kieferpartie des Toten. Er hockte sich hin und betrachtete die Überreste. «Der Körperbau verweist auf einen Mann, hat offensichtlich schon länger im Wasser gelegen. Könnten Sie den Sack ein bisschen weiter öffnen? Danke, guter Mann.»

Der Sergeant beugte sich vor, um zu tun, wie ihm geheißen, und hielt plötzlich inne. Er sah genauer hin. «Moment, da ist irgendwas – *Herrgott noch mal*!»

Eine unerwartete Bewegung im Schädel ließ ihn zurückfahren. In dem, was vom Mund noch übrig war, wand sich etwas und schoss auf einmal wie eine silbrige Zunge heraus. Dann rutschte der befreite Aal in den Leichensack.

«Wir hatten wohl einen blinden Passagier», sagte Frears trocken, aber ich merkte, dass auch er zurückgeschreckt war.

«Entschuldigung», murmelte der Sergeant. Clarke machte eine ungeduldige Geste, ihr Gesicht war rot.

«Stehen Sie da nicht rum, tun Sie was.»

Bei der Bergung der Leiche musste der Aal tief im Schlund gesteckt haben. Der Sergeant, der ganz so aussah, als wünsche er sich an jeden anderen Ort der Welt, steckte die Hand in den Leichensack, packte zu und zog den Aal heraus, der sich um die behandschuhte Hand wand. Der Sergeant hielt ihn auf Armeslänge Abstand vor sich und sah unsicher drein.

«Was soll ich jetzt damit machen, Sir?»

«Nun, geräuchert sind sie äußerst schmackhaft, aber ich

schlage vor, Sie werfen ihn wieder ins Wasser», näselte Frears. «Es sei denn, Sie können was damit anfangen, Dr. Hunter?»

Konnte ich nicht. Dies war keine Landbergung, bei der sich anhand der auf den Überresten gefundenen Kreaturen Informationen gewinnen ließen. Aller Wahrscheinlichkeit nach hatte der Aal einfach nur eine bequeme Futterquelle besiedelt und sich entweder von verwesendem Gewebe oder den davon angelockten kleineren Tieren ernährt.

Mit angeekeltem Gesicht schüttelte der Sergeant den Aal von seinem Arm und warf ihn ins Wasser zurück. Während Frears die Untersuchung der Leiche fortsetzte, vermied ich es, zu Sir Stephen hinüberzusehen. Augenscheinlich hatte er darauf bestanden, der Bergung seines toten Sohnes beizuwohnen, und die Anwesenheit des Polizeichefs war ein deutliches Signal seines Einflusses. Trotzdem sollte man einem Angehörigen einen solchen Anblick besser ersparen.

«Nun, die Einschuss- und Austrittswunden erklären sich weitgehend von selbst», fuhr Frears fort. «Dem Schaden nach würde ich entweder auf eine großkalibrige Kugel oder auf eine aus nächster Nähe abgefeuerte Schrotflinte tippen.»

«Schrotflinte, denke ich», sagte ich. «Hinten in der Kehle steckt etwas, das nach einem Patronenpfropfen aussieht.»

«In der Tat.» Frears spähte in die Wunde. «Und darunter ist noch etwas. Metall … sieht nach einer Schrotkugel aus.»

Die war bisher nicht zu sehen gewesen, der Aal musste beim Freiwinden den Pfropfen verschoben haben. «Darf ich mal sehen?»

«Nur zu.»

Er lehnte sich zurück. Ich schaute in die Überreste des Mundes und sah hinter dem braunen Pfropfen etwas Rundes, Glänzendes in der Verwüstung aus Knorpeln und Knochen stecken.

«Für eine Schrotkugel sieht das zu groß aus», merkte ich an. «Und es scheint eher aus Stahl als aus Blei zu sein.»

«Heutzutage wird häufig Stahlschrot verwendet», sagte der Rechtsmediziner, dem Widerspruch offensichtlich missfiel. «Könnte sehr grobes Schrot sein. Nach dem Entfernen kann ich Genaueres sagen.»

«Wäre eine Schrotkugel aus dieser Nähe nicht glatt durchgegangen?»

«Ja, aber Stahlschrot ist viel härter als Bleischrot und prallt daher leichter ab. Vielleicht ist diese Kugel quergeschlagen und dort steckengeblieben. Zu diesem Zeitpunkt lässt sich das noch nicht bestimmen», sagte er übertrieben geduldig. «Wenden wir uns einer Frage zu, die eher in Ihren Bereich fällt, Dr. Hunter. Wie lange, denken Sie, hat der Körper im Wasser gelegen? Offensichtlich lange genug, um Hände und Füße zu verlieren. Sechs Wochen würden passen, oder?»

Das *eher in Ihren Bereich* war mit Betonung gesagt worden. Ich verstand den Wink, richtete mich auf und betrachtete die Leichenreste.

«Schwer zu sagen.» Ich wollte im Moment noch nicht zu viel sagen. «Bei Ebbe ist er zweimal am Tag den Lufttemperaturen ausgesetzt gewesen, was den Verwesungsprozess schneller vorangetrieben hat. Und die Hände und Füße wurden bei niedrigem Wasserstand über den Grund geschleift und so schneller abgenutzt.»

Frears zog eine Augenbraue hoch, um mir seine Überraschung zu signalisieren. «Ja, andererseits hat die Bildung von Adipocire bereits eingesetzt. Das passiert nicht über Nacht.»

«Ich bin nicht sicher, wie wir das interpretieren sollten. Die Kleidung, vor allem der Mantel, könnten den Prozess beschleunigt haben.» Die Entstehung von Leichenwachs war bisher kaum erforscht, aber es war bekannt, dass sich die wachsweiße Substanz aus der Zersetzung subkutanen Fettes schneller bildete, wenn der Körper bedeckt war. Naturfasern, wie die Baumwolle des Mantels, begünstigten sie stärker als synthetische Stoffe. «Ich bin mir nicht sicher, ob sechs Wochen realistisch sind, nicht in diesem gezeitenabhängigen und flachen Gewässer.»

Clarke fiel mir ins Wort. «Was wollen Sie damit sagen?»

«Ich denke, Dr. Hunter hegt Zweifel, was die Länge des Verbleibs der Leiche im Wasser angeht», erklärte ihr Frears.

Das traf auf Schweigen. Seit Lundy mir von der zweiwöchigen Lücke zwischen dem letzten Kontakt zu Villiers und der Vermisstenmeldung erzählt hatte, waren meine Zweifel immer stärker geworden. Falls Villiers nicht absichtlich jeglichen Kontakt vermieden hatte, dann war er wahrscheinlich ums Leben gekommen, kurz nachdem die Tierärztin seinen Hund eingeschläfert hatte. Und das ließ vermuten, dass der Todeszeitpunkt eher sechs als vier Wochen zurücklag.

Das Problem war, dass ich nicht glaubte, diese Leichenreste könnten so lange im Wasser gelegen haben. Was bedeutete, dass sich Leo Villiers entweder die letzten vierzehn Tage, bevor er sich erschoss, komplett von allem und jedem abgeschottet haben müsste, was möglich, wenn auch unwahrscheinlich war.

Oder dass dies nicht seine Leiche war.

«Ich will *Fakten*, keine Zweifel», fauchte Clarke mit gedämpfter Stimme. «Wie schnell können wir verifizieren, ob es sich um Leo Villiers handelt?»

«Nun, eine Identifizierung anhand von Zahnarztakten oder Fingerabdrücken kommt offensichtlich nicht in Frage», näselte Frears. «Ich tue, was ich kann, aber wahrscheinlich müssen wir die DNA-Analyse abwarten. Obwohl ... »

Er brach ab, als sich auf dem Asphalt Schritte näherten. Ich wandte mich um und sah Sir Stephen auf uns zukommen. Dryden, der Deputy Chief Constable, hielt sich einige Schritte hinter ihm und sah aus, als wäre er lieber woanders. Clarke ging auf Sir Stephen zu und stellte sich zwischen ihn und den offen daliegenden Leichensack.

«Sir Stephen, ich glaube nicht ... »

«Ich würde gern meinen Sohn sehen.» Die Stimme war trocken und tonlos, trug aber unerschütterliche Autorität in sich.

«Es tut mir leid, aber wir wissen noch nicht, ob ... »

Er ging bereits an Clarke vorbei. Sie schaute Dryden hilfesuchend an, doch dessen ausdrucksloses Gesicht stellte klar, dass er sich nicht einmischen würde. Clarke wurde wieder rot. Sie presste die Lippen zusammen und sah schweigend zu, als Sir Stephen an den offenen Leichensack trat. Nur die Möwen unterbrachen die Stille. Der Wind zerzauste das graue Haar des Mannes, während er das betrachtete, was da auf dem Kai vor ihm lag.

«Ich erkenne den Mantel.» Sir Stephen klang völlig unbewegt. «Er ist schon älter, von Collier's in der Jermyn Street. Mein Sohn war dort Kunde.»

Clarke und Lundy tauschten Blicke. Frears beugte sich wieder über die Leiche. «Da ist ein Einnäher», sagte er, nachdem er vorsichtig den Mantelkragen gelupft hatte. «Collier's Herrenschneiderei.»

«Und das ist seine Uhr. Auf der Unterseite werden Sie

eine Gravur finden. Seine Mutter hat sie ihm vor ihrem Tod geschenkt.» Sir Stephen hob den Kopf und fixierte Clarke mit kaltem Blick. «Ich habe Ihnen von Anfang an gesagt, dass mein Sohn tot ist, Detective Chief Inspector. Vielleicht akzeptieren Sie das endlich.»

«Sir Stephen, ich ...»

«Mein Sohn ist offensichtlich einem Schusswaffenunfall zum Opfer gefallen. Mir ist nicht klar, warum ein ohnehin schmerzhafter Prozess noch in die Länge gezogen werden soll.»

«Ich bin sicher, DCI Clarke wird der offiziellen Identifizierung oberste Priorität einräumen.» Drydens Baritonstimme war subtiler als die Worte, die er sprach. «Nicht wahr, Detective Chief Inspector?»

«Selbstverständlich.» Clarke bemühte sich um eine neutrale Miene, leider passte ihre Gesichtsfarbe nicht dazu. «Dr. Hunter, würden Sie uns einen Moment entschuldigen?»

Ich nickte erleichtert. Bis der Tote in der Leichenhalle lag, konnte ich ohnehin nichts mehr tun und war nicht darauf erpicht, in die Auseinandersetzung mit dessen Vater verwickelt zu werden. Lundy hatte mir erzählt, dass Sir Stephen jeglichen Verdacht, sein Sohn könne Selbstmord begangen haben, scharf zurückwies. Sein Unwillen war verständlich, konnte aber die Fakten nicht ändern. Und während eine aus nächster Nähe entstandene Schusswunde im Gesicht vieles bedeuten konnte, so doch selten einen Unfall.

Ich war noch aus einem anderen Grund froh wegzukommen: Ich hatte mich geirrt. Auch wenn es eine unübliche Methode war, so hatte die Tatsache, dass Sir Stephen Mantel und Uhr seines Sohnes erkannt hatte, die Zweifel an der

Identität des Toten weitgehend zerstreut. Die Frage, wie lange er im Wasser gelegen hatte, war nicht mehr relevant. *Vielleicht habe ich zu viel gewollt*, dachte ich müde. *Komplikationen gesehen, wo keine waren.* Inzwischen war mir der eigentliche Grund für meine Beteiligung an der Bergung klargeworden. Die Marineeinheit hatte keinen Bedarf für einen forensischen Anthropologen gehabt. Mit meiner Anwesenheit konnte die Polizei das letzte Häkchen setzen und dem mächtigen Vater des Toten beweisen, dass sie nichts übersehen hatte.

Sie hatte sich abgesichert.

Die Gummibeine meiner Wathose rieben quietschend aneinander, als ich zu meinem Auto zurückging. Hinter den Austernschuppen standen jetzt noch mehr Wagen, darunter ein wuchtiger schwarzer Mercedes mit getönten Scheiben. So etwas war bei einem Polizisten- oder Rechtsmedizinergehalt sicher nicht drin, vermutlich gehörte er also Sir Stephen. Ein Mann, den ich für den Fahrer hielt, stand mit gekreuzten Beinen gegen die Kühlerhaube gelehnt. Er trug einen eleganten, aber funktionellen Anzug, farblich genau genug auf die graue Krawatte abgestimmt, um wie eine Uniform zu wirken. Als ich um die Ecke bog, senkte er schnell die Hände, entspannte sich aber bei meinem Anblick wieder. Er zog an der Zigarette, die er fast weggeworfen hätte, und begutachtete meinen Overall und die schlammverschmierte Wathose. Sir Stephen schien nicht zu billigen, dass seine Angestellten bei der Arbeit rauchten.

«Und, ist er es oder sie?»

Ich sah ihn überrascht an. «Wie bitte?»

Rauch umwölkte sein Gesicht, während er mich betrachtete. Er selbst sah durch und durch gewöhnlich aus. Durchschnittliche Größe, durchschnittliche Figur, ordentlich geschnittenes mittelbraunes Haar. Das einzig Auffällige waren die Narben auf seinen Wangen, Überbleibsel alter Akne. Aus der Entfernung hatte ich ihn auf etwa vierzig geschätzt, von nahem waren die Anzeichen des Alterns zu erkennen: die höher werdenden Schläfen und kleine Falten um Mund und Augen. *Eher fünfzig,* dachte ich.

Er klopfte die Asche ab. «Die Leiche, die Sie gerade mitgebracht haben. Ist er es oder die Frau?»

Mit *er* meinte er vermutlich den Sohn seines Arbeitgebers. Er hätte blind sein müssen, um nicht zu wissen, was dort am Kai vor sich ging, und es bedurfte keiner allzu ausgeprägten detektivischen Fähigkeiten, um anzunehmen, dass die Leiche entweder die von Leo Villiers oder von Emma Darby war. Da sie bereits gestern entdeckt worden war, stellte sich wahrscheinlich im Moment jeder in der Gegend genau diese Frage.

Ich hatte nicht vor, Gerüchte zu nähren. «Tut mir leid, das kann ich Ihnen nicht sagen.»

Ein Lächeln umspielte seinen Mund. «Schon gut. Ich wollte nur Konversation betreiben.» Damit wandte er sich ab und zog an seiner Zigarette.

Ich ging zu meinem Wagen und dachte über die Szene am Kai nach. Egal, wie oft ich das Ganze im Kopf durchging oder meine Einschätzung des Todeszeitpunkts nachrechnete, ich war nicht beruhigt.

Ich öffnete den Kofferraum und hockte mich auf die Kante, um die Wathose auszuziehen, dann kämpfte ich mich aus dem schweren Overall. Trotz der Kälte schwitzte ich mehr, als ich hätte sollen. Und ich merkte, dass mir alles weh tat und ich mich ganz und gar nicht wohl fühlte. In der Hoffnung, dass, was immer sich da anbahnte, entweder vorbeigehen oder bis später warten würde, trocknete ich mich ab und trank einen Schluck Wasser aus einer der Flaschen in der Kühlbox. Dort lag auch der Brie, den ich Jason und Anja mitbringen wollte und dessen Anblick mich daran erinnerte, dass mir noch eine lange Fahrt in die Cotswolds bevorstand. Meine Laune verdüsterte sich.

Konzentrier dich auf den Job und lass das Selbstmitleid. In der kühlen Luft zitternd, schraubte ich die Kappe wieder auf die Flasche. Als ich gerade meine Jacke anzog, kamen Sir Stephen und Dryden hinter den Schuppen hervor. Das Gespräch, das Clarke hatte führen wollen, schien beendet zu sein. Ein knapper Händedruck, dann gingen die beiden Männer zu ihren jeweiligen Wagen. Der Fahrer des Mercedes stand kerzengerade, die Zigarette war verschwunden, routiniert öffnete er die Tür zum Fonds. Sir Stephen stieg ein, ohne mir einen Blick zu gönnen. Gleiches galt für den Fahrer, der die Tür schloss und ebenfalls einstieg. Der Motor startete mit leisem Brummen, dann knirschten die Räder über den aufgerissenen Asphalt auf das Tor zu.

Auch die anderen Polizisten tauchten hinter den Schuppen auf. Clarke hielt direkt auf einen VW zu, dicht hinter ihr kam Frears, der seinen Overall bereits ausgezogen hatte und in einem maßgeschneiderten Nadelstreifenanzug und braunen Halbschuhen geschniegelt und wohlgenährt aussah. Der Overall hatte eine unerwartete Rundlichkeit überdeckt, zu der Frears jedoch mit Selbstvertrauen und Extravaganz stand.

Er winkte mir kurz zu, während er auf einen BMW zuging, der genauso poliert aussah wie sein Besitzer. Jetzt kamen zwei Marinesoldaten mit der Trage in Sicht, begleitet von

Lundy, der abschwenkte und auf mich zuhielt, während die Trage zu einem fensterlosen Transporter gebracht wurde.

«Tut mir leid. Ich hatte nicht damit gerechnet, dass Sir Stephen hier sein würde», sagte er.

«Alles in Ordnung?»

Er lächelte. «Ich glaube, man hätte das als regen Meinungsaustausch bezeichnen können. Er hat deutlich seine Meinung gesagt, wir haben zugehört. Es blieb uns auch kaum was anderes übrig, da er ja den Deputy Chief Constable dabeihatte.»

«War Dryden bisher an der Ermittlung beteiligt?»

«Er ist auch jetzt nicht daran beteiligt, zumindest nicht offiziell. Aber wie schon gesagt, Sir Stephen hat Einfluss. Niemand will sich mit ihm anlegen, wenn es sich vermeiden lässt. Die Anwesenheit des DCC soll zeigen, dass wir die Sache ernst nehmen. Und uns auf Trab halten.»

Das war gelungen. «Was er da gesagt hat, dass der Tod seines Sohnes ein Unfall wäre. Er kann es immer noch nicht glauben, wie?»

Lundy rieb sich gedankenverloren über den Bauch, er schien Schmerzen zu haben. Ich erinnerte mich an die Magentabletten. «Das kann ich genauso wenig sagen wie Sie, aber seine Anwälte ziehen seit Leos Verschwinden bei jeder Andeutung, es könne sich um Selbstmord handeln, alle Register. Doch die Frage heben wir uns für später auf. Erst mal müssen wir die Obduktion vornehmen. Sie wissen, wie Sie zur Besprechung in die Leichenhalle kommen?»

Ich bejahte. Vor der Obduktion besprach sich das Polizeiteam immer mit dem Rechtsmediziner, seinen Assistenten und gegebenenfalls forensischen Experten wie mir. Die Leichenhalle befand sich eine gute Stunde Fahrt entfernt in

Chelmsford, aber wenn ich die gewundenen Straßen um das Mündungsgebiet hinter mir gelassen hätte, würde ich schnell vorankommen.

Als Lundy gegangen war, reckte ich mich, um die Spannungen aus meinem Nacken zu reiben. Das Gefühl, irgendetwas auszubrüten, war zurückgekehrt, Kopfschmerzen bahnten sich an. Ich versuchte, mich abzulenken, stopfte die schlammverschmierte Wathose und den Overall in Mülltüten und verstaute sie im Kofferraum.

Dann drehte ich mich noch einmal um. Die Flut hatte dramatische Veränderungen gebracht. Der nackte Schlick war unter rauen Wellen verschwunden. Die Barrows standen fast gänzlich unter Wasser, nur die Kuppen der größten Hügel brachen durch die Oberfläche, um sie herum sah das Wasser glatt und ölig aus. Weiter draußen bewachten die drei Türme der verlassenen Seefestung auf stelzenartigen Beinen die Flussmündung.

Ich wandte mich um, als der schwarze Transporter des Bestattungsinstituts knirschend die Fahrt zur Leichenhalle antrat. Dahinter folgte der Landrover der Marineeinheit, auf dessen Anhänger das Boot durch die Schlaglöcher rumpelte. Dann kehrte Stille ein. Ich genoss einen Moment lang den Geruch von Schlamm und Salzwasser. Die Landschaft war zwar nicht gerade pittoresk, aber sie strahlte Ruhe aus. Ich wäre gerne länger geblieben, war aber bereits der Letzte. Nur noch mein Wagen stand auf dem Parkplatz.

Es kostete mehr Mühe als sonst, in Bewegung zu kommen. Ich stieg ein, fuhr durchs Tor, hielt an und zog es hinter mir zu. Ein Schloss gab es nicht, vielleicht war keins erforderlich. Die Fenster der Austernschuppen waren intakt, die Wände frei von den Graffiti, die man in der Nähe größerer Städte auf einem verlassenen Gelände erwartet hätte, und ich bezweifelte, dass es noch etwas gab, das zu stehlen sich lohnte. Nur ein sehr gelangweilter oder entschlossener Vandale würde sich wohl hierher verirren.

Ich fuhr den Weg zurück, den ich gekommen war, durchquerte dieselbe heruntergekommene Stadt, die jetzt fast noch trostloser wirkte. Danach allerdings nahm ich eine andere Route. Ich befand mich am Rand der Gegend, die Lundy Backwaters genannt hatte. Die Straße war fast zu schmal, um noch zweispurig zu sein, und folgte dem Lauf, den das Wasser ihr ließ. Auf beiden Seiten ragten hohe Weißdornhecken auf und nahmen einem die Sicht auf das, was hinter der nächsten Kurve kam. Ich fuhr gleichmäßig und warf ab und an einen Blick auf Lundys Beschreibung, um zu prüfen, ob ich mich noch auf dem richtigen Weg befand. Es war schwer zu sagen, andererseits gab es nicht wirklich viele Straßen, die ich sonst hätte nehmen können.

Als Feld auf Marsch auf Feld folgte, machte ich mir trotzdem langsam Sorgen, irgendwann falsch abgebogen zu sein. Es hätte mich beruhigt, anderen Wagen zu begegnen, doch ich war völlig allein. Ich streckte die Hand aus, um das Navi anzustellen. Auch wenn es mit diesen verworrenen Wegverläufen nur schwer fertig wurde, würde ich zumindest eine Ahnung bekommen, wo ich mich überhaupt befand.

Ich trommelte mit den Fingern aufs Lenkrad und wartete, dass die Karte sich aufbaute.

«Mach schon …», murmelte ich und wollte gegen das Display tippen. Länger als einen Sekundenbruchteil konnte ich meinen Blick nicht von der Straße genommen haben.

Als ich aufsah, war direkt vor mir ein Mann.

KAPITEL 5

❦

Er ging mitten auf der Straße, mit dem Rücken zu mir. Ich trat auf die Bremse und riss, so gut es ging, das Lenkrad herum. Knirschend schrammte der Wagen an der Weißdornhecke entlang, ruckelte auf der anderen Seite über den unbefestigten Randstreifen und schlitterte dann wieder auf die Hecke zu. Der Mann rauschte an meinem Fenster vorbei, dann tat es einen dumpfen Schlag. Mit einem schrecklich flauen Gefühl im Magen versuchte ich, den Wagen unter Kontrolle zu bringen. Weißdornzweige kratzten am Lack entlang, und schließlich kam ich auf dem Schotter zum Stehen.

Ich wurde nach vorn gegen den Gurt gepresst und dann mit ruckendem Kopf heftig nach hinten in den Sitz. Benommen und mit pochendem Herzen sah ich mich um.

Der Mann stand immer noch mitten auf der Straße.

Ich hatte erwartet, ihn in seinem Blut liegen zu sehen, oder in die Hecke geschleudert. Der Anblick, er aufrecht und offensichtlich unverletzt, durchschwemmte mich wie unverhoffte Gnade. Zitternd öffnete ich die Fahrertür und stieg aus.

«Geht es Ihnen gut?», fragte ich.

Er sah mich ausdruckslos an, hervorquellende Augen in einem langen, hageren Gesicht. Der Mann war groß und geradezu ausgemergelt. Er trug einen schmuddeligen, alten braunen Regenmantel und Gummistiefel. Die grau melierten Haare waren verfilzt, und in dem bleichen Gesicht wucherte ein ungepflegter Bart. Er hielt etwas mit beiden Händen fest an die Brust gedrückt. Erst als sich mir ruckartig ein Kopf zudrehte, erkannte ich, dass es eine Möwe war.

«Geht es Ihnen gut?», wiederholte ich und machte einen Schritt auf ihn zu. Er wich zurück, Panik und Verwirrung im Blick. Trotz seiner Größe hatte er etwas Verletzliches an sich. Ich blieb stehen und streckte ihm die Handflächen entgegen. «Schon gut. Ich möchte mich nur vergewissern, dass Sie nicht verletzt sind.»

Sein Mund fing an zu arbeiten, so als wollte er etwas sagen, doch dann rutschte sein Blick weg. Die Möwe weiter fest an die Brust gedrückt, setzte er sich wieder in Bewegung.

«Nein! Warten Sie …», fing ich an, aber er beachtete mich nicht. Mit langen Schritten schlurfte er an mir vorbei, als wäre ich überhaupt nicht vorhanden. Die viel zu weiten Gummistiefel schlackerten bei jedem Schritt um seine Beine. Nur die Möwe schien mich zu bemerken, drehte den Kopf, um mich im Blick zu behalten, und funkelte mich aus einem Auge böse an.

Okay … Ich sah ihm nach, immer noch zittrig von dem Beinahezusammenstoß. Wäre ich nur ein bisschen schneller in die Kurve gefahren, hätte ich ihn voll erwischt. Verrückt, mitten auf der Straße zu gehen, aber sein zerlumptes Äußeres und sein Verhalten deuteten auf gravierende mentale Probleme hin. Unsicher, was ich tun sollte, starrte ich ihm hinterher. Einfach weiterzufahren, kam mir schäbig vor, aber ich sah keine andere Möglichkeit. Er war nicht verletzt, und obwohl er sich selbst und sämtliche Autofahrer in Gefahr brachte, indem er mitten auf der Straße spazierte, konnte ich ihn nicht davon abhalten. Außerdem war er auf seinen bleistiftdürren Beinen ziemlich schnell unterwegs: Er war bereits hinter der nächsten Kurve verschwunden.

Ich warf einen letzten Blick auf die leere Straße und kehrte zu meinem Wagen zurück. Er hatte kaum Schaden genommen, auch wenn die Weißdornzweige heftig über die Karosserie kratzten, als ich aus der Hecke zurücksetzte. Ich biss die Zähne zusammen und versuchte, nicht an den Lack zu denken.

Als ich wieder losfuhr, warf ich einen Blick auf die Uhr im Armaturenbrett. Ich konnte es immer noch pünktlich zur Besprechung schaffen, aber weitere Verzögerungen durfte es nicht geben. Mit pochendem Schädel fuhr ich weiter. Ich hatte schon vorher Kopfschmerzen gehabt, und der heftige Ruck bei der Notbremsung hatte das Seine beigetragen. Ich machte das Fenster auf, in der Hoffnung, dass frische Luft mir guttäte, und fuhr bewusst langsam, falls der zerlumpte Kerl hinter der nächsten Kurve plötzlich wieder wie aus dem Nichts auftauchen sollte. Aber weder hinter der nächsten noch hinter der übernächsten Kurve war etwas zu sehen. Langsam fing ich an, mich zu entspannen. Vielleicht war er querfeldein weitergelaufen.

Nach der nächsten Kurve war er wieder da.

Er lief mitten auf der Straße, direkt vor mir.

Ach, verdammt … Ich verlangsamte und fuhr schließlich direkt hinter ihm. Weder drehte er sich um, noch machte er Anstalten, mich vorbeizulassen. Ging einfach im selben Tempo weiter, die Möwe mit beiden Armen an der Brust geborgen. Instinktiv ging meine Hand zur Hupe, doch ich hupte nicht. Der Mann war offensichtlich labil, und ich wollte ihm keine Angst einjagen.

Also kroch ich im Schritttempo hinter ihm her und lehnte mich zum Fenster raus.

«Kann ich Sie mitnehmen?», rief ich. Er konnte nicht von weit her gekommen sein, und die Zeit, ihn bei sich abzusetzen, hatte ich dann auch noch; vorausgesetzt, er wohnte in der Nähe. Damit wäre er aus dem Weg, und ich hätte gleichzeitig mein Gewissen beruhigt. *Wie prinzipientreu*, spottete eine leise Stimme in mir. Ich brachte sie zum Verstummen, indem ich mir einredete, dass ich, wenn ich wusste, wo er lebte, immer noch den Sozialdienst informieren konnte. Jetzt lagen meine Prioritäten erst einmal woanders.

Doch der Mann vor meinem Wagen reagierte nicht. Vielleicht war er ja taub. Ich rief noch einmal. Ein leichter Seitwärtsruck seines Kopfes verriet mir, dass er mich durchaus gehört hatte.

Es interessierte ihn nur einfach nicht.

So langsam regte sich Ärger in mir. Ich versuchte es anders. «Könnten Sie mich bitte vorbeilassen?», rief ich ihm zu.

Wieder keine Antwort. Ich schätzte den Platz zwischen ihm und der Hecke ab und fragte mich, ob ich mich da hindurchquetschen konnte, verwarf die Idee jedoch gleich wieder. Die Straße war zu schmal, und der Versuch würde ein böses Ende nehmen.

Ich rumpelte im ersten Gang vor mich hin, den Blick starr auf den großen Mann in dem verdreckten Regenmantel gerichtet. Er schlurfte weiter mit seiner Möwe die Straße entlang. Schweißnass und reichlich von der Rolle kaute ich auf meiner Unterlippe und ärgerte mich über die Zeitverschwendung. Was wusste denn ich? Vielleicht ging das jetzt noch meilenweit so weiter? Was wäre das denn für eine Entschuldigung, wenn ich deshalb zu spät in die Rechtsmedizin kam?

Oder den Termin völlig verpasste.

Vielleicht sollte ich aussteigen und versuchen, ihn zum Beiseitegehen zu bewegen. Doch trotz meiner Ungeduld war mir klar, dass das zu nichts Gutem führen konnte. Ich hatte zwar nur als Hausarzt gearbeitet und nicht als Psychiater, aber der Mann hatte eindeutig Probleme. Obwohl er ziemlich harmlos wirkte, ließ sich unmöglich sagen, wie er reagierte, wenn er sich bedroht fühlte.

Und dafür, dass er gestresst war, gab es bereits eindeutige Anzeichen. Er lief inzwischen schneller und blickte sich immer wieder mit zuckendem Kopf um. Was auch mit ihm los war, er war verletzlich und verängstigt, und so dicht hinter ihm herzufahren, machte es nicht besser.

Seufzend ließ ich mich zurückfallen, wurde noch langsamer, bis das Auto beinahe stand, damit er etwas Vorsprung gewann. *Und was jetzt?* Das Navi hatte sich endlich orientiert und zeigte an, wo ich mich befand. Lundy hatte mir abgeraten, mich hier draußen darauf zu verlassen, aber ich brauchte ja keine komplette Alternativroute. Lediglich eine kleine Umgehung, um an dem Typen vor mir vorbeizukommen. Gleich kam eine Abzweigung, über die man nach etwa einer Meile offensichtlich wieder auf dieser Straße landete. Der Weg würde mich zwar direkt in die Salzmarschen der Backwaters führen, aber nicht besonders weit. Eines stand fest: Wenn ich jetzt nichts unternahm, kam ich zu spät.

Die Straße vor mir war frei. Ich setzte mich wieder in Bewegung und beobachtete, wie der Pfeil auf dem Monitor sich der Abzweigung näherte. Von dem Mann keine Spur.

Ich fragte mich, wer er sein mochte, welche Geschichte dahintersteckte. Und was wollte der Kerl mit einer dämlichen Möwe? War sie verletzt oder eine Art Haustier?

Ich hätte die Abzweigung fast verpasst. Sie war erst zu erkennen, als ich auf gleicher Höhe war: kaum mehr als eine Lücke in der Hecke, ein einspuriger Weg, der im rechten Winkel von der Straße abging. Die wuchernden Weißdornhecken ragten zu beiden Seiten in den Pfad. In der Hoffnung, dass mir kein anderes Auto entgegenkam, bog ich ab und folgte ihm etwa eine Viertelmeile. Der Asphalt war aufgeplatzt, und in den Rissen wucherten Gras und Unkraut. Nur zwei Fahrrillen waren frei von Bewuchs. Die dichten Weißdornhecken leiteten mich wie durch einen Tunnel, und ich sah nicht, wohin ich fuhr. Laut Navi lag allerdings direkt vor mir eine T-Kreuzung. Dort musste ich lediglich abbiegen, dem Verlauf der nächsten Straße etwa eine Meile folgen und würde dann zurück auf die Straße kommen, die ich eben verlassen hatte. Ich konnte es immer noch zu der Besprechung schaffen, redete ich mir ein. Dann waren die Hecken plötzlich zu Ende, und ich sah, was vor mir lag.

Die schmale Straße führte direkt in einen Fluss.

Ein breiter Streifen Wasser querte meinen Weg und schnitt mich von der Straße ab, die auf der anderen Seite wieder zum Vorschein kam. Es war gar kein richtiger Fluss, merkte ich, eher ein Priel. Er wurde vom Estuary gespeist, und jetzt füllte sich das Flussbett mit der einsetzenden Flut. Das dauerte so weit landeinwärts zwar länger, aber das schlammige Bett des Wasserlaufs war trotzdem schon fast völlig bedeckt. Die von meinem Navi angezeigte Straße durch die Backwaters war hier nichts weiter als ein schmaler Fahrdamm, ein Haufen aus aufgeschüttetem Schotter. Bei Ebbe war die Überquerung kein Problem, doch der Damm lag bereits teilweise unter Wasser, und ich konnte dem Pegel beim Steigen zusehen.

Fluchend hielt ich an. Es gab keine Wendemöglichkeit, und ich hatte wenig Lust, den Schlängelweg durch die Weißdornhecken im Rückwärtsgang entlangzufahren. Ich befahl mir, ruhig zu bleiben, und starrte den stetig verschwindenden Damm vor mir an. Der Priel war an dieser Stelle nicht breit, und ich konnte auf der anderen Seite tatsächlich die T-Kreuzung sehen, an der ich abbiegen wollte. Die nächste Straße war quälend nah. Das Wasser stand nicht besonders hoch, und mir wollte nicht einleuchten, was so anders daran sein sollte, auf einer Straße zu fahren, die von Wasser bedeckt war. Es würde allerdings nicht mehr lange so bleiben: Wenn ich den Wasserlauf überqueren wollte, dann jetzt.

Also. Was nun? Rüberfahren oder hierbleiben? Ich hatte im Grunde keine Wahl. Ich legte den ersten Gang ein und fuhr auf den Damm.

Kies knirschte unter den Rädern, wurde dann gedämpft vom Rauschen des Wassers. Ich bemühte mich, langsam, aber gleichmäßig zu fahren, und ließ den kaum noch sichtbaren Streifen Fahrdamm vor mir nicht aus den Augen. Er verschwand immer wieder völlig unter Wasser, und mir blieb nichts übrig, als die Spur zu halten und zu hoffen, dass der Weg keine Kurve machte. Das Wasser strömte wie eine Bugwelle auf beiden Seiten vorbei, und meine Knöchel traten weiß hervor, so fest hielt ich das Lenkrad umklammert. Doch das andere Ufer kam stetig näher, und als ich etwa die Hälfte des Damms bezwungen hatte, ließ die Anspannung langsam ein bisschen nach. *Fast geschafft.*

Dann machte der Wagen plötzlich einen Satz. Ein Vorderreifen war in eine überschwemmte Mulde geraten.

Das Loch war nicht sehr tief, aber es reichte. Der Wagen neigte sich nach vorn, die Kühlerhaube tauchte ins Wasser, und sofort starb der Motor ab.

«Nein!» Hektisch griff ich nach dem Zündschlüssel. «Nein, nein, nein …»

Der Motor röchelte lange genug, um Hoffnung zu wecken, und soff dann ab. Erneut drehte ich den Zündschlüssel, hielt ihn umklammert, so fest ich konnte, als hätte das irgendeinen Einfluss.

«Jetzt *komm* schon!»

Der Motor jaulte kurz auf und erstarb wieder. Ich versuchte es noch mal und dann noch einmal, aber er gab keinen Mucks mehr von sich. Ich saß in der plötzlichen Stille, vollkommen fassungslos angesichts dieser neuen Katastrophe. Das andere Ufer war nur noch ein paar Wagenlängen entfernt. Ich starrte hinüber. Dann drückte ich die Fahrertür auf und sprang hinaus. Das Wasser war eisig und reichte mir bereits bis knapp unter die Knie. Stiefel und Hose waren sofort durchnässt, und das Wasser lief ins Auto. Der Sog überraschte mich, und ich erinnerte mich, dass Lundy gesagt hatte, die Flut komme hier schneller, als ich bis drei zählen könne.

Nicht dass mir der Sinn danach stand. Das Fahrerfenster war noch offen, und ich machte schnell die Tür zu und griff durchs Fenster ans Lenkrad. Ich presste die Schulter gegen den Wagen und fing an zu schieben. Der Wagen bewegte sich ein bisschen, aber das Rad steckte noch immer fest. Fluchend grub ich die Füße in den Kies und stemmte mich gegen den Wagen. Wieder blieb das Rad am Rand der Mulde hängen, aber diesmal war ich darauf gefasst. Als das Auto zurückrollte, stemmte ich mich im richtigen Moment wieder dagegen und nutzte den Schwung.

Komm schon! Schwerfällig geriet mein Wagen ins Rollen. Ich schob weiter, mühte mich ab, das Auto in Bewegung zu halten, während mir das Wasser um die Waden schwappte. Der Damm war immer schwieriger zu erkennen, weil die Flut ihn inzwischen fast vollständig überschwemmt hatte. Ich hielt weiter auf die Stelle zu, wo er am anderen Ufer wieder zum Vorschein kam. Das Wasser zerrte an meinen Beinen. Je höher das Wasser stand, desto schwieriger wurde es, den Wagen zu schieben, doch jeder Meter, den ich schaffte, brachte mich dem trockenen Untergrund ein Stückchen näher. Ich hatte gerade meinen Rhythmus gefunden, als das Auto plötzlich wieder ruckartig stehen blieb. Ich verlor das Gleichgewicht und klammerte mich an der Tür fest. Ich wusste sofort, was passiert war. Die Vorderräder hatten sich in der nächsten Mulde verfangen.

«Tu mir das nicht an», stöhnte ich und versuchte, das Auto frei zu schaukeln.

Diesmal hatte ich nicht so viel Glück. Ich stemmte mich mit aller Kraft gegen den Türholm. Die Füße rutschten mir weg und versanken im Kies, als ich versuchte, ausreichend Schwung aufzubauen, aber der Wagen rührte sich nicht. Keuchend gab ich auf. Das Auto würde sich nicht vom Fleck bewegen, es sei denn, es gelang mir, den Schotter wegzuräumen, um die Räder frei zu kriegen. Inzwischen war ich bis zu den Oberschenkeln nass. Ich zog die Jacke aus, legte sie aufs Dach und krempelte die Ärmel hoch. Dann bückte ich mich, fasste in das eiskalte Wasser und tastete nach dem Loch, in dem der Vorderreifen versunken war. Scharfkantige Steine und Muscheln zerkratzten mir die Hände, schnitten in die Finger, während ich versuchte, den Schotter beiseitezuschaufeln.

Es war die reinste Zeitverschwendung: Das Rad steckte viel zu tief. Frustriert drosch ich gegen den Kotflügel und überlegte verzweifelt, ob ich etwas im Kofferraum hatte, das sich zum Graben eignete. Der Deckel der Kühlbox wäre als Schaufel erbärmlich, aber immer noch besser, als mit bloßen Händen zu graben. Ich krallte mich am Auto fest, um nicht vom Damm zu rutschen, und watete zum Heck. Im Grunde war mir klar, dass mein Vorhaben zwecklos war. Das Wasser stieg viel zu schnell. Inzwischen stand es so hoch, dass ich mir nicht sicher war, ob ich den Wagen überhaupt noch schieben konnte. Langsam wurde es gefährlich.

Trotzdem war ich noch nicht bereit, aufzugeben. Das Wasser stand jetzt knapp unter dem Kofferraum. Ich öffnete ihn, ignorierte die Mülltüte mit der Wathose, für die es jetzt zu spät war, und zog die Kühlbox zu mir heran. Ich wollte gerade den Deckel abnehmen, da vernahm ich ein Geräusch. Leise, aber unverwechselbar: das Geräusch eines näher kommenden Motors. Ich spähte am Kofferraumdeckel vorbei und sah hinter der Weißdornhecke etwas Graues aufblitzen.

Da kam ein Auto.

KAPITEL 6

❦

Durch die Sträucher konnte ich den Wagen zwar nicht deutlich erkennen, doch er fuhr schnell. Das Wasser schwappte
mir um die Beine, als ich zurück nach vorne eilte. Das tiefe
Brummen eines Dieselmotors wurde lauter, und ich fing
hektisch an zu winken.

«*Hey!* Hier drüben!»

Der Wagen kam näher. Es war ein Allrad. Er konnte mich
eigentlich nicht übersehen: Die Straße führte gerade mal
einen Steinwurf entfernt von der Stelle vorbei, an der ich fest-
steckte. Es war ein Landrover, ein grauer Defender, und als er
noch näher kam, konnte ich sehen, dass sich im Inneren ein
Gesicht zu mir umwandte. Der Defender wurde langsamer.

Dann beschleunigte er und fuhr weiter.

«*Nein!* Was soll das denn?»

Ungläubig starrte ich ihm hinterher. Wie zum Teufel
konnte der mich übersehen haben? Dann, als ich schon
glaubte, er wäre endgültig weg, hielt der Wagen an. Einige
Sekunden lang blieb er einfach nur stehen und fuhr dann mit
surrendem Motor rückwärts in meine Richtung. Er fuhr an
der T-Kreuzung zum Damm vorbei, aber nur so weit, bis er
in den schmalen Weg zum Priel einbiegen konnte. Er rumpelte heran und fuhr direkt ins Wasser. Die Gischt spritzte

hoch auf, als er auf mich zugepflügt kam. Wenige Meter entfernt blieb er stehen.

Die Tür ging auf, und ein Mann sprang ins Wasser. Es war auf seiner Seite nicht so tief wie hier, wo ich steckengeblieben war, und das Wasser, das seine Jeans bis zu den Knien dunkel färbte, schien ihn nicht zu kümmern. Er watete zum Heck des Landrover, öffnete die Klappe und holte etwas aus dem Laderaum. Dann kam er wieder nach vorne.

«Hier.»

Er warf mir ein aufgerolltes Seil zu und behielt ein Ende selbst in der Hand. Es klatschte ein Stückchen vor mir ins Wasser. Eilig griff ich danach, ehe es unterging, und kehrte zum Auto zurück. Ich bückte mich, tastete im kalten Wasser nach der Abschleppöse unterhalb der Stoßstange und befestigte das Seil, so gut es ging. Als ich mich wieder aufrichtete, hatte der Mann sein Ende bereits an der Wagenfront befestigt.

«Sorgen Sie dafür, dass Sie auf dem Damm bleiben, wenn ich zurücksetze», rief er mir zu. «Wenn Sie über den Rand rutschen, kann ich Sie nicht rausziehen.»

Ich musterte das gekräuselte Wasser. Der blasse Schotterstreifen war inzwischen vollständig verschwunden. «Ich sehe ihn nicht.»

«Halten Sie einfach auf mich zu. Wenn es losgeht, gebe ich Ihnen ein Signal mit der Lichthupe.»

Er wandte sich ab und stieg ein. Ich fasste mit beiden Händen durchs Seitenfenster und griff nach dem Lenkrad. Es wäre einfacher gewesen, im Sitzen zu lenken, aber wenn ich jetzt die Tür öffnete, liefe der Innenraum voll.

Dann heulte der Motor des Landrover auf, und die Scheinwerfer blinkten zweimal. Das Seil tauchte aus dem Wasser auf, spannte sich, und mit einem Ruck setzte mein Wagen sich in Bewegung. Ich hielt den Blick fest auf den Landrover gerichtet. Langsam setzte er aus dem Priel zurück und fuhr rückwärts auf Land. Mir taten die Hände weh, so fest hielt ich das Lenkrad umklammert.

Und kurz darauf verließ mein Wagen plötzlich ruckelnd den Damm und war zurück auf dem Weg. Der Landrover zog weiter, bis ich ganz auf dem Trockenen war, dann blieb er stehen. Das Wasser lief in Strömen aus meinem Auto. Schließlich öffnete ich die Fahrertür. Der Fußraum war völlig durchnässt. Doch die Türdichtungen hatten gehalten und das Schlimmste verhindert. Die Sitze waren trocken geblieben. Ich sah zurück auf den überfluteten Wasserlauf. Das Wasser erstreckte sich inzwischen von Ufer zu Ufer. Von dem Fahrdamm war nichts mehr zu sehen.

Die Tür des Landrover fiel zu, und ich drehte mich um. Der Mann war etwa Ende vierzig, in den ungekämmten Haaren und den Bartstoppeln am Kinn zeigte sich erstes Grau. Tiefe Furchen zogen sich von der Nase zu den Mundwinkeln, und die Falten auf der breiten Stirn legten einen Charakter nahe, der öfter mürrisch als fröhlich war. Er trug eine modische Brille mit breitem Rahmen und eine hellbraune Wildlederjacke über einem blauen Pullover und Jeans. Die Sachen waren zwar abgetragen, doch die Jacke wirkte teuer, und ich bemerkte das diskrete Designerlogo am Brillenbügel.

Ich streckte die Hand aus. «Danke. Ich befürchtete schon, ich … »

«Was zum Teufel haben Sie sich eigentlich gedacht?»

Seine Wut überraschte mich. Ich ließ die Hand sinken, mein Kopf wurde heiß. «Das Navi hat die Strecke zum Ausweichen angezeigt. Da stand jemand mitten auf der … »

«Sind Sie blind oder dumm? Sehen Sie das nasse Zeug da? Das ist *Wasser*. Man versucht nicht, bei Flut über einen Scheißdamm zu fahren!»

«Es war noch keine Flut, und hätte ich gewusst, dass auf dem Damm Schlaglöcher sind, hätte ich es auch nicht versucht. Aber danke für Ihre Hilfe.»

Ich bemühte mich, meine Stimme ruhig zu halten. Mir musste keiner sagen, dass ich dumm gewesen war, und ich würde mich sicher nicht von einem völlig Fremden anschreien lassen, auch wenn ich in seiner Schuld stand. Und ganz bestimmt nicht von einem, der offensichtlich erst gründlich hatte nachdenken müssen, ehe er beschloss, umzukehren, um mir zu helfen.

Er starrte mich an. Seine Streitlust war beinahe mit Händen zu greifen. Bestimmt lag es nicht allein daran, dass er meinen Wagen aus dem Priel hatte ziehen müssen. Aber mir tat alles weh, ich war klitschnass und inzwischen endgültig zu spät dran für die Besprechung in der Rechtsmedizin. Was auch immer der Typ für ein Problem haben mochte, es war mir im Augenblick völlig egal. Ruhig erwiderte ich seinen Blick und hielt meine eigene Wut im Zaum.

Einen Moment später sah er weg und atmete laut aus, als würde er willentlich irgendetwas loslassen. «Na ja. Was wollen Sie überhaupt so weit draußen? Hier kommt so gut wie nie irgendjemand her.»

Ich zögerte. Sir Stephen Villiers' Fahrer war inzwischen mit Sicherheit nicht mehr der Einzige, der gehört hatte, dass eine Leiche gefunden worden war. Und wenn der Mann in dieser Gegend lebte, war ihm bestimmt auch der Polizeihubschrauber nicht entgangen, der seit dem Morgengrauen über dem Gebiet gekreist war. Mochten die Einzelheiten vertraulich sein, die Leichenbergung selbst war kaum ein Geheimnis.

«Ich habe bei einer polizeilichen Bergung geholfen.»

Sein Blick wurde plötzlich durchdringend. «Sie sind wegen der Leiche hier?»

Jetzt geht das wieder los. «Ja. Aber ich kann nicht darüber sprechen. Bitte stellen Sie mir keine Fragen.»

Das hatte offensichtlich schärfer geklungen als beabsichtigt. Jetzt wirkte er überrascht.

«Na ja. Das ist wenigstens ehrlich. Was sind Sie denn? So was wie ein polizeilicher Berater?»

«Forensischer Anthropologe.»

Das sagte zwar im Grunde gar nichts aus, aber er schien damit zufrieden. Er seufzte. «Tut mir leid, dass ich Ihnen eben fast den Kopf abgerissen hätte. Ich bin Andrew Trask.»

Er betonte es so, als müsste mir der Name irgendwas sagen. Tat er aber nicht, und ich war viel zu erledigt, um weiter darauf zu achten. Ich schüttelte die ausgestreckte Hand. «David. David Hunter.»

Ein Windstoß erinnerte mich daran, wie kalt und durchnässt ich war. Reichlich spät wurde mir klar, dass Trask kaum besser dran war. Um seine Stiefel sammelten sich kleine Pfützen, und die Jeans war bis über die Knie dunkel vor Nässe. Er schaute an mir vorbei zu meinem Auto. Es war ihm anzusehen, wie sehr er mit sich rang.

«Den Abschleppdienst werden Sie kaum rufen können.»

«Ich bin Mitglied bei einem Pannendienst», sagte ich, weil ich ihn völlig missverstanden hatte. Dies war nicht die erste einsame Gegend, in die mein Beruf mich geführt hatte, und ich hatte dafür gesorgt, dass ich nicht strandete, falls der Wagen mal liegenblieb.

«Nein, ich meinte, Sie können nicht telefonieren. Man hat hier draußen so gut wie keinen Empfang.» Er verstummte, und wieder hatte ich das Gefühl, er träfe eine Entscheidung. «Ich schleppe Sie zu mir nach Hause. Das ist nicht weit, und dann können Sie von dort aus telefonieren.»

«Das wäre toll. Danke.» Angesichts der Feindseligkeit von vorhin überraschte mich das Angebot.

Trotzdem war ich dankbar dafür. Ich brauchte alle Hilfe, die ich kriegen konnte, wenn ich es wenigstens noch zur Obduktion schaffen wollte.

Er zuckte mit den Schultern und sah aus, als würde er sein Angebot bereits bereuen. «Ich kann Sie ja schlecht hier allein lassen. Wir sind einfacher zu finden, und mein Sohn kennt sich mit Motoren aus. Vielleicht kann er Ihnen helfen.»

«Kommt nicht in Frage. Ich bereite Ihnen schon genug Unannehmlichkeiten.»

Das stimmte, aber ich wollte auch nicht riskieren, dass irgendein Freizeitbastler die Sache schlimmer machte, mochte das Angebot noch so gut gemeint sein.

Trask musterte mich eigenartig. «Spielt doch keine Rolle, oder?»

Zu einem anderen Zeitpunkt hätte ich mich sicher gefragt, was er damit meinte, aber ich war viel zu müde und erschöpft, um weiter darüber nachzudenken. Er sah zu dem Priel hinunter, und es war fast, als würde etwas von seiner Energie aus ihm hinausfließen. Dann richtete er sich auf.

«Na dann. Fahren wir», sagte er.

Während Trask den Wagen wendete, um das Seil an der Anhängerkupplung zu befestigen, versuchte ich zu telefonieren. Ich musste nicht nur den Pannendienst anrufen, sondern vor allem auch Lundy, um ihm zu sagen, dass ich mich verspäten würde. Ich hatte keine Ahnung, welchen Schaden das Salzwasser angerichtet hatte oder wie lange es dauern würde, mein Auto zu reparieren. Notfalls musste ich den Wagen eben hierlassen und mich später darum kümmern. Oberste Priorität hatte jetzt die Fahrt zur Leichenhalle.

Mit dem Handyempfang hatte Trask nicht übertrieben. Ich probierte es mit Herumlaufen, suchte vergebens nach einem etwas höheren Standort, aber mein Handy weigerte sich beharrlich, ein Signal zu empfangen. Verärgert über die Verzögerung, steckte ich das Telefon wieder weg, während Trask das Abschleppseil befestigte. Ich warf einen letzten Blick zurück auf den Priel. Seevögel wippten auf den kleinen gekräuselten Wellen und ließen sich von einer unsichtbaren Strömung forttragen. Die Beschaffenheit des Uferbereichs und die natürlichen Flutmarken ließen darauf schließen, dass die Flut ihren Höhepunkt noch immer nicht erreicht hatte. Hätte Trask mich nicht herausgezogen, wäre mein Auto vollständig überspült worden, und es gab reichlich Indizien dafür, dass die Flut ab und zu sogar noch höher stieg. Der Wasserlauf war zu beiden Seiten von einem Streifen toter, verdreckter Vegetation gesäumt, Überbleibsel einer nicht lange zurückliegenden Flut.

Die Fahrt dauerte fünfzehn unbequeme Minuten. Meine eiskalten Arme und Beine steckten in völlig durchnässten Sachen, und meine Stiefel machten bei jeder Bewegung glucksende Geräusche. In unzähligen Kurven nahm die Straße einen verschlungenen Weg durch das von einem dichten Netz aus willkürlichen Kanälen und verschilften Tümpeln durchzogene Marschland. Die Backwaters trugen ihren Namen wirklich zu Recht.

Hier und da lagen in der Landschaft ein paar kleine Boote, doch die meisten wirkten verlassen oder noch vom vergangenen Winter stillgelegt. Häuser gab es kaum, und die paar Gebäude, die ich ausmachen konnte, waren alt und verfallen und sahen aus, als wären sie im Begriff, zurückzusinken in ihre wasserdurchtränkte Umgebung.

Doch Trask war offensichtlich nicht der Einzige, der hier draußen lebte. Wir fuhren an einem umgebauten Bootshaus vorbei, einem alten Gebäude aus Stein, das in den Tidefluss hinausragte. Ein Schild an dem kleinen Parkplatz verkündete *Ferienwohnung zu vermieten*. Das war zwar ein ziemlich abgelegener Ort, um Urlaub zu machen, aber mit Sicherheit war es friedvoll. Die Wasserläufe, Tümpel und Kanäle glitzerten im gedämpften Sonnenlicht. Es ließ sich nicht leugnen, dass die Backwaters einen einsamen Reiz besaßen. Unter anderen Umständen könnte es mir hier womöglich gefallen haben.

Doch dies war definitiv der falsche Zeitpunkt, die Gedanken schweifen zu lassen. Nicht nur, dass ich Kopfschmerzen hatte, inzwischen fühlte ich mich regelrecht benommen und zittrig. Es war anstrengend, den Wagen hinter dem Landrover auf der Spur zu halten. Ich war dankbar, als Trask schließlich in einen unbefestigten Weg abbog und auf einem Kiesparkplatz vor einem kleinen Birkenwäldchen stehen blieb. Zwischen den kahlen Zweigen der jungen Bäume hindurch sah ich am Ufer des Tideflusses ein modern wirkendes Haus.

Wir waren da.

Ich vergewisserte mich, dass die Handbremse angezogen war, und kletterte steif aus dem Wagen. Die kalte Luft auf der nassen Kleidung ließ mich frösteln. Ich versuchte, die Kälte zu ignorieren, und blickte mich um. Auf dem Parkplatz sah ich zwei weitere Fahrzeuge. Das eine war ein Mini-Cabrio-let, das unter einer Abdeckplane steckte. Der Wagen stand etwas erhöht, um ihn vor Überflutung zu schützen, und der Zustand der schmutzigen Plane legte nahe, dass er wahrscheinlich seit einer ganzen Weile nicht bewegt worden war. Daneben stand ein zweiter Defender, weiß und uralt und statt eines normalen Auspuffs mit einem Schnorchel ausgestattet wie jener, der mir vorhin an Trasks Wagen aufgefallen war – bei dem ganzen Wasser hier in der Gegend war das zweifellos eine nützliche Vorrichtung. Der junge Mann, der unter der geöffneten Motorhaube arbeitete, hob den Kopf und starrte uns an.

Trask sprang aus dem Landrover. «Jamie, lauf bitte rein und hol ein Handtuch, ja?»

Der Junge reagierte mit sichtlichem Widerwillen. «Warum? Was ist denn passiert?»

«Das spielt keine Rolle. Geh einfach ein Handtuch holen.»

Der Seufzer des jungen Mannes zeigte eindeutig, was er davon hielt. Er war etwa siebzehn oder achtzehn, gut aussehend und fast so groß wie Trask. Die Ähnlichkeit ließ auf Vater und Sohn schließen, und sein Gesichtsausdruck verriet mir, dass sie sich nicht nur im Aussehen ähnelten, sondern auch, was den Charakter betraf. Der Junge wischte sich die Hände an einem Lappen sauber und pfefferte ihn verärgert zu Boden. Dann verschwand er ohne ein weiteres Wort in Richtung Haus.

Falls Trask die Situation peinlich war, so ließ er sich nichts anmerken. «Hier sollten Sie Empfang haben, falls Sie den Pannendienst anrufen wollen.»

«Danke. Schönes Haus», sagte ich, während ich durch

die Birken auf das Gebäude blickte. Die mit Zedernholz verkleideten Mauern waren zu einem Silbergrau verwittert, das beinahe mit den Bäumen verschmolz, und das Schrägdach war mit Sonnenkollektoren bestückt. Das Haus ging auf einen breiten Abschnitt des Tideflusses hinaus, und dann entdeckte ich auch die dicken Betonpfeiler, auf denen es sich über den Boden erhob. Es war offensichtlich dazu gebaut, Sturmfluten zu überstehen, und das sagte einiges über das Wetter in dieser Gegend aus.

Trask wirkte erstaunt. Er warf dem Haus einen Blick zu, als sei dies ein Aspekt, über den er normalerweise nicht nachdachte. «Ich habe es für meine Frau gebaut.»

Ich dachte, er würde noch etwas sagen, aber es sah aus, als wäre das alles, was ich an Informationen kriegen würde. Er hatte für Smalltalk eindeutig nichts übrig. «Wie lautet die Adresse? Für den Abschleppdienst», fügte ich hinzu, weil ich ein Stirnrunzeln erntete.

«Creek House, aber die Postanschrift wird denen hier draußen nicht weiterhelfen. Sagen Sie einfach, die sollen die Straße in die Backwaters nehmen und dann dem Fluss folgen, bis sie hier sind. Wenn sie an Willets Point landen, sind sie zu weit gefahren.»

Willets Point, das war die Landzunge, auf der Leo Villiers lebte. In dem Bewusstsein, dass Trask mich beobachtete, ließ ich mir keinerlei Reaktion anmerken. «Danke.»

Sein Blick glitt über meine durchnässten Sachen. «Möchten Sie was Warmes trinken, während Sie warten?»

«Kaffee wäre gut. Danke.»

Trask nickte und wandte sich ab. Ich konnte ihm zwar kaum einen Vorwurf machen, weil er einen Fremden nicht zu sich ins Haus bat, trotzdem hätte ich mich über die Möglichkeit gefreut, mich abzurubbeln und trockene Sachen anzuziehen. Ich hatte für das Wochenende bei Jason und Anja etwas zum Wechseln mitgenommen. Aber zuallererst musste ich mich um mein Auto kümmern. Wenn jetzt kein Wunder geschah, würde ich nicht mehr nur die Besprechung beim Rechtsmediziner verpassen.

Als ich den Pannendienst anrief, hatte ich wenig Hoffnung, dass man mir schnell einen Abschleppwagen schicken könnte, und auch das bisschen war bald zerstört. Es war ein langes Wochenende, und die Straßen waren voll mit Menschen, die verreisten. Und mit solchen, die dabei liegenblieben. Oberste Priorität hatten alleinreisende Frauen, medizinische Notfälle und die Fälle, wo der liegengebliebene Wagen zum Verkehrshindernis geworden war. All dies traf auf mich nicht zu. Als ich sagte, ich sei auf dem Weg zu einer Obduktion, reagierte die gestresste Telefonistin nicht eben mitfühlend.

«Der Tote läuft Ihnen ja wenigstens nicht weg, oder?»

Sie sagte, man werde versuchen, mir im Laufe der nächsten Stunden einen Mechaniker zu schicken, garantieren könne sie es nicht. Mich mit ihr anzulegen, hatte wenig Sinn, und so gab ich nur, so gut wie möglich, die Standortbeschreibung durch und legte auf.

Üble Sache. Meine Kopfschmerzen waren heftiger geworden. Ich massierte mir die Schläfen und rief Lundy an. Ich hatte wenig Lust auf das Gespräch und war insgeheim erleichtert, als augenblicklich die Mailbox ansprang. Ohne ins Detail zu gehen, sagte ich, dass ich mich verspätete, weil mein Wagen liegengeblieben war. Wenn er sich dann zurückmeldete, würde ich hoffentlich bessere Neuigkeiten für ihn haben.

Als ich auflegte, schlotterte ich am ganzen Körper. Ich

musste dringend aus den nassen Sachen raus, also ging ich an den Kofferraum, um meine Übernachtungstasche zu holen. Wenigstens hatte das Wasser den Kofferraum verschont, das war doch auch schon etwas wert. Die Hose, die ich anhatte, war zwar bis zur Hälfte der Oberschenkel durchnässt, aber da ich vor Trasks Haus keinen Striptease hinlegen wollte, konnte ich im Augenblick nichts dagegen tun. Ich tauschte bloß das nasse Hemd gegen einen dicken Pullover und zog die klamme Jacke wieder an.

Danach konnte ich nur noch warten. Obwohl mir klar war, dass ich mich an einen Strohhalm klammerte, versuchte ich noch mal, den Wagen anzulassen. Der Anlasser gab ein dumpfes Jaulen von sich und war wieder still. Beim zweiten Mal war das Geräusch noch schwächer. Ich wartete eine Weile und wollte es gerade ein drittes Mal versuchen, als neben mir jemand sagte: «Davon wird es nur schlimmer.»

Ich hatte Trasks Sohn nicht kommen hören. «Das macht, glaube ich, keinen großen Unterschied mehr.»

«Kann sein, aber der springt auf keinen Fall an, bevor er wieder trocken ist. Den Motor absaufen zu lassen, ist jedenfalls wenig hilfreich.»

Der Rat war zwar nicht direkt missmutig geäußert, klang aber auch nicht ausgesprochen freundlich. Er sah wirklich aus wie eine jüngere Version von Trask: langgliedrig und athletisch, in verwaschenem T-Shirt und Jeans. Er hatte Neoprensurfschuhe an den Füßen, die seine Schritte gedämpft hatten. Er hielt mir ein dickes, gefaltetes Badetuch hin.

«Kaffee kommt.»

«Danke.» Ich nahm das Handtuch und rubbelte mir Hände und Unterarme ab. «Dein Dad sagt, du kennst dich mit Motoren aus.»

«Ein bisschen.» Unbeeindruckt musterte er meinen Wagen. «Wenn Sie da Salzwasser drin haben, muss der komplette Motor auseinandergebaut und gereinigt werden. Außerdem brauchen Sie einen Ölwechsel und vielleicht sogar frisches Benzin. Ist 'n ziemlicher Aufwand.»

Phantastisch. Dabei hatte ich schon überlegt, den Vorschlag seines Vaters zu befolgen und ihn doch zu fragen, ob er sich den Schaden mal ansehen könnte. Aber von seinem offensichtlichen Mangel an Begeisterung abgesehen, hörte sich das tatsächlich an, als würde ich einen erfahrenen Mechaniker brauchen.

«Gibt es hier in der Gegend eine Werkstatt?»

Er schüttelte den Kopf. «Keine, die was taugt.»

«Und eine Autovermietung? Oder Taxis?»

Der Junge grunzte nur. «Haben Sie Cruckhaven gesehen?»

Ich hätte ihm Geld angeboten, damit er mich zur Leichenhalle fuhr, aber sein Gesichtsausdruck verriet, dass ich damit nur meine Zeit verschwendet hätte. Ganz eindeutig hatte er keine Lust, sich mit den Problemen eines Fremden zu befassen, und das konnte ich ihm kaum übelnehmen. Er ging zum Haus zurück, und ich stieß einen leisen Fluch aus. Ich überlegte, ob ich seinen Vater bitten konnte, mich zu fahren, gab aber auch diese Idee schnell wieder auf. Trask war nahe dran gewesen, mich mitten im Priel meinem Schicksal zu überlassen, und machte mit seinem ganzen Auftreten deutlich, dass er mir nur höchst widerwillig half. Ich konnte mir seine Antwort auf eine derartige Bitte lebhaft vorstellen.

Aber irgendetwas musste ich tun. Der Empfang war zu schwach, um online zu gehen, also rief ich die Auskunft an und fragte nach Werkstätten in meiner Nähe. Trasks Sohn hatte zwar gesagt, es gäbe hier keine, die etwas taugte, aber das nachzuprüfen konnte nicht schaden. Falls es in der Gegend doch eine Autowerkstatt gab, wäre ich damit schneller, als wenn ich auf den Abschleppwagen wartete.

Bei meinem Glück hegte ich keine große Hoffnung und war deshalb ziemlich überrascht, als der Telefonist mir die Telefonnummer von *Coker's Marine and Auto* in Cruckhaven nannte. Das war die kleine Stadt, durch die ich vorhin gekommen war. Einen Versuch war es wert. Ich wählte die Nummer, und eine barsche Männerstimme meldete sich.

«Coker.»

«Mein Wagen hatte eine Panne. Schleppen Sie ab?», fragte ich.

«Kommt drauf an, wo Sie sind.»

«In den Backwaters.» Ich schilderte in aller Kürze, was passiert war. Vom anderen Ende kam ein Grunzen.

«Nicht so schlau, oder? Okay, ich glaub schon, dass ich Ihnen helfen kann. Moment, ich hol mir was zu schreiben.»

Ungläubig, dass es so einfach sein sollte, schickte ich ein stummes Dankgebet zum Himmel. Jetzt bestand wenigstens die minimale Chance, es doch noch rechtzeitig zur Obduktion zu schaffen. Ich stieß einen erleichterten Seufzer aus, als der Mann zurück ans Telefon kam.

«Gut. Schießen Sie los. Wo genau in den Backwaters stecken Sie?»

«Creek House heißt das hier. Ein ziemlich modernes Haus, in der Nähe steht ein altes Bootshaus. Sagt Ihnen das was?»

Er antwortete nicht sofort. «Ja. Kenne ich. Sind Sie mit denen befreundet?»

Seine Stimme hatte einen kalten Unterton bekommen. Ich redete mir ein, dass es Einbildung war. «Nein. Die haben mich lediglich abgeschleppt. Hören Sie, ich weiß, dass heute Feiertag ist, aber ich habe es ziemlich eilig. Wie schnell können Sie hier sein?»

«Tja. Das kann ich leider gar nicht. Sorry.»

Ich dachte, ich hätte mich verhört. «Was meinen Sie damit, gar nicht? Sie haben doch gerade noch gesagt, Sie könnten kommen.»

«Und jetzt sage ich, dass ich nicht kann. Soll ich's Ihnen buchstabieren?»

Der plötzliche Sinneswandel verwirrte mich. «Das verstehe ich nicht. Gibt es ein Problem?»

«Na klar. Sie haben Salzwasser im Motor.»

Dann war die Leitung tot.

Was war das denn …

Fassungslos starrte ich auf mein Handy. Ich konnte nicht glauben, dass er einfach aufgelegt hatte. Die Feindseligkeit des Mannes war aus heiterem Himmel gekommen, dabei hatte er, bis ich Creek House erwähnte, ganz normal geklungen. Ich verfluchte das Schicksal, das mich offensichtlich zu allem Überfluss mitten in einen Kleinkrieg verfrachtet hatte. Was auch immer dieser Werkstatttyp mit Trask für ein Problem hatte, es hatte mich soeben die allerletzte Chance gekostet, von hier wegzukommen.

Die pochenden Kopfschmerzen zogen sich vom Halsansatz über meinen ganzen Schädel. Ich massierte mir den Nacken und überlegte mit geschlossenen Augen, was ich jetzt tun sollte. Aufgeregtes Bellen sorgte dafür, dass ich die Augen wieder aufschlug. Eine Frau und ein junges Mädchen kamen den Weg zwischen den Birken entlang. Sie wurden von einer braunen Promenadenmischung begleitet, die bellend und japsend um sie herumsprang. Das Mädchen trug vorsichtig einen Kaffeebecher, hoch in die Luft gereckt, damit der Hund nicht drankam.

«... *verschütten!* Ungezogenes Mädchen, Cassie», hörte ich sie sagen, allerdings in einem Tonfall, der den Hund nur weiter ermunterte. Sie war acht oder neun Jahre alt und hatte denselben Knochenbau wie ihr Vater und ihr Bruder. Sie lachte zwar, aber die dünnen Ärmchen und die dunklen Augenringe ließen Kummer erahnen.

Ich nahm an, dass die Frau ihre Mutter war, obwohl sie einander nicht ähnlich sahen. Sie war schlank und attraktiv und beträchtlich jünger als Trask. Sie sah aus wie höchstens Ende dreißig, hatte einen dunklen Teint und dichtes, schwarzes Haar, das mit einem schwarzen Band locker zurückgebunden war. Die ausgeblichene Jeans war voller Farbkleckse, und der grobgestrickte Pullover war ihr mindestens zwei Nummern zu groß. Dieses Outfit ließ sie noch jünger wirken. Es war schwer vorstellbar, dass sie einen Sohn im Teenageralter hatte.

«Wir haben Ihnen Kaffee gebracht», sagte das Kind. Seine Mutter hielt sich im Hintergrund, und es kam zu mir und reichte mir vorsichtig den Becher.

«Danke. Komm, ich nehm ihn dir ab.» Ich griff nach dem Becher und lächelte seiner Mutter zu. Sie erwiderte mein Lächeln, doch es war eher ein bemühtes Aufflackern, das sofort wieder erstarb. Sie war nicht hübsch im konventionellen Sinn, dazu waren ihre Gesichtszüge zu grob. Aber sie war unbestreitbar attraktiv, mit ihren Augen, deren Grün von dem Oliventeint ihrer Haut noch unterstrichen wurde. Ich ließ mich zu dem Gedanken hinreißen, was Trask doch für ein glücklicher Mann war.

«Dad hat gesagt, Sie sind auf dem Damm steckengeblieben», sagte das Mädchen und schaute an mir vorbei zu meinem Auto.

«Das stimmt. Ich bin froh, dass er da war und mich rausgezogen hat.»

«Er hat gesagt, das war total dämlich.»

«Fay!», wies ihre Mutter sie zurecht.

«Hat er aber gesagt!»

«Und er hat recht.» Ich lächelte reuevoll. «Ich tue es auch nie wieder.»

Trasks Tochter musterte mich. Der Hund lag inzwischen vor ihren Füßen und grinste mit heraushängender Zunge zu ihr hoch. Er war noch jung, fast noch ein Welpe. «Woher sind Sie?», wollte sie wissen.

«Aus London.»

«Ich kenne auch wen aus London. Das ist da, wo …»

«Okay, Fay, wir lassen den Herren jetzt wieder in Ruhe», fiel ihre Mutter ihr ins Wort. Sie bedachte mich mit einem kühlen, ziemlich unfreundlichen Blick. «Wie lange werden Sie hier sein?»

«Ich weiß es nicht. So wie's aussieht, habe ich mir für eine Autopanne den ungünstigsten Tag ausgesucht.» Der maue Versuch, witzig zu sein, verpuffte. Ich zuckte mit den Schultern. «Der Mann aus der Werkstatt in Cruckhaven kommt nicht hier raus, und jetzt muss ich eben auf den Abschleppdienst warten.»

Ihre Miene verdüsterte sich zwar bei der Erwähnung der Werkstatt in Cruckhaven, sie unternahm aber nicht den Versuch einer Erklärung. «Und wann können die wen schicken?»

«Konnten sie nicht sagen. Jedenfalls bin ich Ihnen aus dem Weg, so schnell ich kann.»

Die grünen Augen musterten mich. «Das hoffe ich. Jetzt komm, Fay.»

Sie gingen zum Haus zurück, und ich sah ihnen nach. Schlank und selbstsicher, hatte Trasks Frau ihrer Tochter beschützend den Arm um die Schultern gelegt, und der Hund sprang voraus. *Die war ganz schön unverschämt.* Ich fragte mich, ob die Menschen in den Backwaters alle so ausgesprochen unfreundlich waren oder ob es vielleicht an mir lag.

Aber ich hatte im Augenblick wirklich andere Sorgen und schob die Gedanken beiseite.

KAPITEL 7

Die Ufer des Tideflusses waren an dieser Stelle völlig ausgewaschen. Strömung und Gezeiten hatten gemeinsame Sache gemacht und einen ausladenden Bogen in den sandig weichen Boden gefressen – eine mit Sumpfgras und Schilf gesäumte mächtige Bisswunde. Sie formte eine natürliche Falle für allerlei Treibgut, das träge auf dem Wasser dahinschwamm. Treibholz und Zweige stießen gegen Müll: ein schlammverdreckter Turnschuh, ein Puppenkopf, Plastikflaschen und Verpackungen, alles gefangen in einem langsam kreiselnden Strudel.

Es war friedlich hier draußen in den Backwaters. Die Welt schien von Möwen beherrscht, von Marschland und Wasser. Und von Himmel: Riesig wölbte er sich über der flachen Landschaft, unterstrich die Leere. Wenn ich den Blick ein paar hundert Meter weit zurückschweifen ließ in die Richtung, aus der ich gekommen war, ließ sich Trasks Haus hinter dem Wäldchen junger Birken gerade eben noch erkennen. Nachdem ich meinen Kaffee ausgetrunken hatte, hatte ich mich in Richtung Fluss aufgemacht. Es gab eine Art Weg, ein schmales Band aus nackter Erde, das sich durch hartes Schilfgras schlängelte. Doch schon bald verlor sich der Weg im Sand, und ich merkte, dass es nicht möglich war, mehr als ein paar Schritte zu gehen, ohne vom nächsten mit Wasser gefüllten Graben oder Tümpel zu einem Umweg gezwungen zu werden. Mit einem Boot wäre das Fortkommen entschieden einfacher, aber auch damit wäre es ein Leichtes, sich in diesem nassen Labyrinth aus Salzmarschen und Schilf zu verirren.

Ich sah zu, wie der Wasserwirbel den Turnschuh gegen einen Tennisball stupste. Ich war zu unruhig gewesen, um in meinem Auto sitzen zu bleiben, während ich auf den Abschleppwagen wartete. Noch immer hatte ich nicht mit Lundy gesprochen, aber mir war klar, dass die Besprechung in der Rechtsmedizin längst begonnen hatte. Sie würde sicher nicht lange dauern, und danach würde Frears mit der Obduktion beginnen, ob ich nun dabei war oder nicht. Nicht dass meine Anwesenheit irgendwas ändern würde. Ich bezweifelte, dass ich viel zur Klärung hätte beitragen können. Ich machte mir keine Illusionen, was den wahren Grund betraf, aus dem ich zu der Ermittlung gerufen worden war, und seit Sir Stephen das Eigentum seines Sohnes identifiziert hatte, war meine Anwesenheit endgültig überflüssig geworden. Verwest oder nicht, die Bestätigung von Identität und Todesursache war sicher nur noch eine Formalität. Es war so, wie alle – abgesehen vielleicht von seinem Vater – vermutet hatten. Leo Villiers hatte Emma Darby, seine ehemalige Geliebte, ermordet, war anschließend unter dem Druck zusammengebrochen und hatte sich erschossen.

Weshalb dann dieses ungute Gefühl?

Ich ließ den Blick über die wasserdurchtränkte Landschaft schweifen. In der Nähe lag ein gestrandetes Bootswrack, mit dem Bug an Land und das Heck unter Wasser, faulig und verrottet. Direkt daneben stand eine tote Weide.

Der untere Teil des dicken Stamms war fleckig, und an den tieferen Zweigen baumelte totes Gras und anderes Unkraut, daran gemahnend, dass dieser Tidefluss nicht immer so ruhig dalag wie jetzt. Es war gut vorstellbar, dass Leo Villiers' Leiche in diesem schwer zugänglichen Labyrinth aus Schilf und Wasser über Wochen unentdeckt geblieben war. Vielleicht war sie an einer etwas tieferen Stelle auf den Grund abgesunken, irgendwann wieder nach oben gestiegen und von der Ebbe hinaus in Richtung Meer gezogen worden. Ein absolut plausibles Szenario.

Bis auf die Tatsache, dass mir der Zeitraum von sechs Wochen immer noch zu lang erschien. Vier vielleicht, aber nicht sechs. Selbst wenn die Leiche über einen derart langen Zeitraum auf dem Grund des Flusses gelegen hätte, wäre sie auch dort zweimal täglich den Auswirkungen von Ebbe und Flut ausgesetzt gewesen. Der Leichnam wäre über den sandigen Grund gezerrt und geschleift worden, gegen Felsen und Steine gestoßen und dabei ständig der Plünderung durch Aasfresser ausgeliefert gewesen. Und während alledem wäre unaufhörlich der körpereigene Verwesungsprozess fortgeschritten und hätte den Zerfall weiter vorangetrieben.

Ich konnte mir einreden, dass die niedrige Wassertemperatur und die winterliche Luft diesen Prozess verlangsamt hatten, dass die Bestimmung des genauen Todeszeitpunkts auch unter den besten Bedingungen noch immer keine exakte Wissenschaft war, und in einem sich in derart heftiger Bewegung befindenden Mündungsgebiet wie diesem schon gar nicht. Doch das war alles unwichtig.

Sechs Wochen waren zu lang.

Schön. Dann hat Villiers sich in den fehlenden zwei Wochen eben irgendwo eingesperrt und um den Verstand gesoffen. Und ist dann hier rausgekommen und hat sich erschossen. Möglich war das. Und auch wenn ich meine Zweifel hatte, dass ein Mann wie Leo Villiers sich derart radikal von der Außenwelt abschotten, kein einziges Mal online gehen würde – ich hatte ihn schließlich nicht gekannt. Die Leute waren ja schon dann unberechenbar, wenn sie nicht vorhatten, sich das Leben zu nehmen.

Trotzdem konnte ich nicht glauben, dass das die richtige Erklärung war. Es sei denn, ich maß den Dingen viel zu viel Bedeutung bei und sah Komplikationen, wo gar keine waren. Hier draußen darüber zu brüten half jedenfalls nicht weiter. Mich durchfuhr ein Frösteln und erinnerte mich daran, dass es höchste Zeit war, umzukehren. Sobald man sich ein Stück vom Haus entfernte, wurde der Handyempfang höchst unzuverlässig, und Lundy hatte inzwischen bestimmt versucht, mich zu erreichen. Außerdem musste ich beim Pannendienst nachhaken und Jason anrufen, um ihm zu sagen, dass ich es nicht zu seiner Party schaffen würde. Wenigstens ein kleiner Silberstreif am Horizont, wenn man so wollte.

Ich machte kehrt und suchte den Rückweg zum Haus. Langsam, wenn auch reichlich spät, dämmerte mir, dass ein Spaziergang vielleicht keine so gute Idee gewesen war. Trotz der kalten Brise schwitzte ich heftig, inzwischen schlotterte ich am ganzen Körper, meine Arme und Beine waren schwer wie Blei. Der Rückweg schien eine Ewigkeit zu dauern. Ständig musste ich irgendwelchen Wasserläufen ausweichen, die mir den Weg versperrten. Es kam mir vor, als wären es mehr geworden als noch auf dem Hinweg, und als ich endlich das Haus erreicht hatte, war ich erschöpft und zittrig. Auf dem Parkplatz stand ein weiteres Fahrzeug, gleich neben meinem, allerdings leider nicht der Wagen vom Pannendienst. Es sei denn, sie hätten einen alten weißen Ford Fiesta mit einem breiten roten Rallyestreifen auf dem Dach geschickt.

Trasks Sohn war wieder unter der Motorhaube des alten Landrover zugange. Neben ihm stand mit verschränkten Armen und zusammengepressten Lippen ein blondes Mädchen, wahrscheinlich die Besitzerin des Fiesta. Sie war wohl knapp unter zwanzig, hübsch, wenn auch ein bisschen zu dick. Und völlig übertrieben gestylt: Der enge Minirock, die Stilettos und das heftige Make-up hätten eher in die Disco gepasst.

Die beiden hörten mich nicht kommen. Ihre Stimmen wehten deutlich über den Pfad.

«... jetzt komm schon, Jamie, warum denn nicht?» Der Akzent war Essex pur. Trasks Sohn antwortete, ohne seine Arbeit zu unterbrechen.

«Du weißt, warum.»

«Das ist doch ewig her. Ich bin extra hergekommen, als ich es gehört habe!»

«Dafür kann ich doch nichts. Ich habe dir nicht ...»

Als er mich sah, verstummte er. Das Mädchen drehte sich um und starrte mich böse an, als wäre ich der Grund für ihren Streit. Ich brachte ein müdes Lächeln zustande und ging zu meinem Auto. Das Mädchen beachtete mich nicht mehr, drehte sich wieder zu Trasks Sohn um und machte weiter, als wäre ich nicht da. Sie hatte leuchtend blutrot lackierte Fingernägel, und auch die aus den vorne offenen Schuhen lugenden Zehennägel waren rot lackiert.

«Jetzt komm schon, Jamie, das kriegt er doch gar nicht mit.»

«Ist mir egal.»

«Und was ist dann dein Problem? So warst du doch früher nicht.»

Er antwortete nicht. Ich versuchte, nicht hinzuhören, aber das war unmöglich.

«Jamie, warum redest du nicht mit mir?» Er schwieg weiter. In ihren quengeligen Tonfall mischte sich Vorwurf. «So warst du früher nicht!»

«Stacey ...»

«Wenn's stimmt. Es ist doch nicht meine Schuld ...»

«Himmel! Jetzt hör endlich auf, ja?»

Mit einem Knall wurde die Motorhaube zugeschlagen. Ich drehte den Kopf und sah Trasks Sohn in Richtung Haus stapfen. Das Mädchen ließ er einfach stehen.

«Jamie? *Jamie!* Ach, fick dich doch!», rief sie ihm nach. Dann hörte man die Haustür ins Schloss fallen. «Arschloch!»

Sie wandte sich ab, das wütende Gesicht hochrot. Sie war den Tränen nahe, doch dann sah sie mich, und ihr Mund verzog sich.

«Was gibt's denn da zu glotzen?» Sie riss die Fahrertür auf, warf sich auf den Sitz und ließ den Motor an. Als sie losfuhr, spritzten die Kieselsteine nach allen Seiten, und der Motor jaulte auf, als sie übertrieben schnell zur Straße zurücksetzte.

Ich war offensichtlich nicht der Einzige, der einen schlechten Tag hatte.

Das Motorengeräusch entfernte sich. Übrig blieben nur das Plätschern des Wassers vom Fluss her und der Ruf der Seevögel. Ich sah auf meinem Telefon nach, ob irgendwelche Nachrichten gekommen waren, aber weder Lundy noch der

Pannendienst hatten sich gemeldet. Ich wollte es gerade wieder wegstecken, als es klingelte.

Es war Lundy. «Hab gerade Ihre Nachricht abgehört, Dr. Hunter. Ich komme eben erst aus der Obduktion. Und Sie haben ein kleines Problem, oder wie?»

Ich ließ den Blick über die flache Landschaft schweifen, als könnte sie mir zu einem unverhofften Geistesblitz verhelfen. «Kann man so sagen.» Ohne mich in Details zu verlieren, erklärte ich ihm, dass mein Wagen erst mal nirgendwo hinfahren würde und dass ich keine Ahnung hatte, wie lange die Reparatur dauern würde. Ich hatte mit Verdruss gerechnet, aber Lundy wirkte unverändert liebenswürdig.

«Na ja. Im Augenblick hat es sowieso wenig Sinn, dass Sie in die Leichenhalle kommen», sagte er, nachdem ich geendet hatte. «Als ich eben gegangen bin, war Frears so gut wie fertig. Keine großen Überraschungen. Wahrscheinliche Todesursache ist eine Kontaktwunde am Schädel. Der Leichnam ist männlich, die Röntgenbilder zeigen keinerlei Knochenfrakturen, die darauf schließen ließen, dass es sich nicht um Leo Villiers handeln könnte. In die Uhr ist eine Widmung seiner Mutter graviert, und die restliche Kleidung deckt sich komplett mit Villiers' Stil. Wir können zwar noch nicht mit Sicherheit sagen, dass die Sachen ihm gehörten, aber es handelt sich ausschließlich um teure Marken, wie er sie trug. Also: Trotz derzeit noch ausstehender DNA-Analyse sieht es nach einer soliden Identifizierung aus.»

«Was ist mit dem Metallteil und dem Patronenpfropfen in der Speiseröhre?», fragte ich und spähte zum Haus, um mich zu vergewissern, dass niemand in der Nähe war.

«Ist beides auf dem Weg ins Labor. Aber Sie hatten recht mit der Vermutung, dass die Schrotkugel oder was auch immer eher Stahl als Blei war. Die Größe lässt sich wegen der starken Deformation noch nicht genau bestimmen, aber es war eher grobes als Vogelschrot.» Er schniefte. «Das war's im Grunde. Alles ziemlich eindeutig. Wie gesagt, ich glaube, Sie haben nicht allzu viel verpasst.»

Der Meinung war ich auch, trotzdem hätte ich dabei sein sollen. «Mein Auto ist morgen hoffentlich wieder in Ordnung, dann kann ich mir das selbst noch mal ansehen.»

Wenn dem nicht so wäre, würde ich eben ein Auto mieten.

Der DI räusperte sich. «Vielen Dank, aber ich glaube, das ist gar nicht mehr nötig.»

Ich hörte die Verlegenheit in seiner Stimme. Ich nahm mir einen Moment Zeit, ehe ich antwortete. Mir war klar, dass Clarke dahintersteckte, und nichts, das ich sagte, würde irgendwas an ihrer Entscheidung ändern.

«Okay.» Das Bedürfnis, mich zu wehren, war trotzdem schwer zu unterdrücken. «Sagen Sie Bescheid, falls Sie mich brauchen.»

Lundy versprach es und legte auf. Ich ließ das Telefon sinken. *Na, das hast du ja heute wirklich toll hingekriegt, Hunter. Gratuliere.* Ich schloss den Wagen auf, ließ mich erschöpft auf den Sitz sinken und reckte die Beine ins Freie. Das war's. Kaum zu glauben, wie hoffnungsvoll dieser Tag begonnen hatte.

Ich beobachtete eine Möwe, die platschend auf dem Fluss landete. Er führte noch immer Hochwasser, und die kleinen Kräuselwellen plätscherten bis ganz an die Uferböschung herauf. Dennoch würde die wassergefüllte Salzmarsch schon in wenigen Stunden wieder austrocknen, und nur noch ein Labyrinth aus schlammigen Pfützen und Rinnsalen würde übrig bleiben; und dann fing der gesamte Kreislauf von vorne an, wieder und wieder und wieder.

Ich war mir sicher, dass sich aus dem Ganzen eine gesunde Lehre ziehen ließe, aber für einen Perspektivwechsel war ich im Moment zu frustriert. Ein Schauder durchfuhr mich, und ich zog die Jacke enger um mich. Es wurde kälter, hatte ich den Eindruck. Dann der nächste Schauder, und als hätte mein Körper nur darauf gewartet, dass ich endlich kapierte, was los war, wurde mir bewusst, dass ich mich ganz und gar nicht wohl fühlte. Ich war so darauf fixiert gewesen, nur ja die Obduktion nicht zu verpassen, dass ich alles andere ausgeblendet hatte. Das Frösteln hatte nichts mit der Kälte zu tun. Ich fühlte mich fiebrig. Endlich wurde mir auch der dumpfe Schmerz in sämtlichen Gelenken bewusst. Das Schlucken tat weh, und meine Mandeln waren geschwollen.

Ich war schon seit einigen Tagen nicht ganz auf dem Damm gewesen, war morgens aufgewacht wie mit einem Kater. Im Priel bis auf die Knochen nass zu werden, hatte das Seine dazu beigetragen. Wenigstens hätte ich so schnell wie möglich aus den nassen Sachen rausgemusst. Und jetzt hatte ich mir – was für eine Überraschung – eine fiebrige Erkältung eingefangen. Was für die meisten Menschen keine große Sache wäre.

Ich war aber nicht wie die meisten Menschen.

Denn die Messerattacke damals in meiner Wohnung hatte mir nicht nur eine Narbe auf dem Bauch beschert, ich hatte dabei die Milz eingebüßt. Weil die Funktionstüchtigkeit meines Immunsystems ohne Milz eingeschränkt war, musste ich täglich prophylaktisch Antibiotika einnehmen, und zwar für den Rest meines Lebens. Meistens war das kein

Problem: Erkältungen und Fieber steckte ich weg wie andere Leute auch. Trotzdem bestand immer ein gewisses Risiko, dass sich eine Infektion zu einem Krankheitsbild namens Postsplenektomie-Infektion, kurz OPSI, ausbildete. Es kam selten vor, aber wenn es passierte, konnte es schnell gehen.

Und tödlich enden.

Ich rappelte mich auf. Auch die Schwäche in meinen Beinen sagte mir deutlich, wie dumm ich gewesen war. Ich war Arzt, verdammt noch mal! Ich hätte die Warnzeichen nicht ignorieren dürfen. Was bis jetzt lediglich ein ziemlich frustrierender Tag gewesen war, drohte plötzlich in einer Katastrophe zu enden.

Schwach und sehr zittrig auf den Beinen, ging ich an den Kofferraum. Mein Beruf brachte es mit sich, viel unterwegs zu sein – bis vor einer Weile zumindest – und oft an Orten, die noch viel abgelegener waren als dieser. Deshalb hatte ich immer einen Notvorrat Antibiotika dabei. Amoxicillin war ein Breitbandantibiotikum und viel stärker als das Penicillin, das ich jeden Morgen einnahm. Falls es sich jetzt um eine Virusinfektion handelte, wären zwar beide Präparate wirkungslos, aber eine bakterielle Infektion ließ sich damit durchaus in den Griff bekommen.

Ich spülte die Tabletten mit einem Schluck Wasser aus meinem Vorrat hinunter, den ich ebenfalls immer im Kofferraum hatte, sank sofort wieder auf dem Fahrersitz in mich zusammen und versuchte, mir klarzuwerden, was ich nun machen sollte. Falls sich diese Erkältung tatsächlich zu einer OPSI auswuchs, musste ich ins Krankenhaus. Andererseits war es ebenso gut möglich, dass es tatsächlich nichts Besonderes war, nur ein lästiges Virus, das ich ohne gefährliche Begleiterscheinungen würde abschütteln können.

Das Problem war nur: Es gab keine Möglichkeit, das herauszufinden. Im Augenblick fühlte ich mich nicht so krank, als dass ich ins Krankenhaus gemusst hätte, aber das konnte sich schnell ändern. Vor allem, wenn ich noch länger in nassen Klamotten hier rumhockte. *Also los, denk nach.* Eilig ging ich die Möglichkeiten durch. Nach London zurückzukehren, war schon mal keine Option, und noch länger hier rumzusitzen ebenso wenig. Mir dröhnte der Kopf, als ich aufstand. Ich wartete, bis der Schwindel sich gelegt hatte, und betrat den Kiesweg, der zwischen den Birken hindurch zum Haus führte. Aus der Nähe war es noch beeindruckender – modern und gleichzeitig so gestaltet, dass sich die verwitterte Zedernholzfassade vollkommen harmonisch in die Umgebung einfügte. Die Betonpfeiler, auf denen es ruhte, machten es zwar flutsicher, doch für mich bedeuteten sie, dass ich eine ganze Menge Stufen erklimmen musste, um zur Haustür zu gelangen. Ich fühlte mich schwach wie ein kleines Kind, als ich mich nach oben schleppte, und musste erst wieder zu Atem kommen, ehe ich an die geölte Holztür klopfen konnte. Ich hörte den Hund bellen, und einen Augenblick später öffnete Trask die Tür.

Er schien nicht übermäßig erfreut, mich zu sehen. «Ist der Pannendienst gekommen?»

«Nein. Ich … Die Pläne haben sich geändert. Gibt es in der Nähe ein Hotel?»

«Ein Hotel?» Trask klang, als wäre das Konzept ihm völlig fremd. «Keine Ahnung. Ich glaube nicht.»

«Und ein Bed & Breakfast? Oder ein Pub?»

«Nein. Gar nichts. Meilenweit. Warum denn? Erzählen Sie mir nicht, Sie hätten plötzlich Lust auf einen Spontanurlaub bekommen.» Er musterte mich, und ein Teil seines

Ärgers verrauchte. «Geht es Ihnen gut? Sie sehen übel aus.»

«Nein. Alles gut. Es ist nur … es ist nur eine Erkältung.» Ich spielte meine allerletzte Karte aus: «Auf dem Weg hierher sind wir an einem Haus vorbeigekommen, ein Ferienhaus. Wissen Sie, wem das gehört?»

Falls die Besitzer in der Gegend lebten und bereit waren, das Ferienhaus für ein paar Nächte zu vermieten, konnte ich mich dort ausruhen und warten, bis die Antibiotika wirkten. Ein Teil von mir war sich im Klaren, wie dumm es war, die Gefahr herunterzuspielen, nur um niemandem zur Last zu fallen.

Trask sah mich unsicher an. «Meinen Sie das alte Bootshaus?»

Ich nickte erleichtert. «Wissen Sie, wem das gehört?»

«Uns.» Er wirkte verdattert. «Meine Frau war dabei, es zu renovieren.»

Unter anderen Umständen hätte ich gemerkt, dass etwas nicht stimmte, aber in diesem Augenblick erforderte es alle meine Kräfte, mich aufrecht zu halten. «Ich weiß, es ist eine Zumutung, aber meinen Sie, ich könnte heute Nacht dort schlafen? Ich würde Ihnen die Miete für eine Woche zahlen», fügte ich hinzu, als ich sein Zögern bemerkte.

Er wandte den Blick ab und fuhr sich mit der Hand durch die Haare. «Ich kann nicht … es, es ist eigentlich noch nicht fertig.»

«Das ist mir egal. Solange es ein Bett und eine funktionierende Heizung gibt.»

Trask wirkte immer noch alles andere als glücklich. Doch dann sah er mich wieder forschend an, und das, was er sah, gab offensichtlich den Ausschlag.

«Warten Sie hier. Ich gehe Rachel holen. Sie kennt sich da drüben besser aus als ich.»

Er ließ mich stehen und machte mir die Tür vor der Nase zu. Ich war viel zu fertig, um mich zu ärgern. Wahrscheinlich wollte er nicht, dass ich seine Familie ansteckte. Ich lehnte mich gegen die Hauswand und legte den Kopf an das verwitterte Holz. Es kam mir vor wie eine Ewigkeit, bis die Tür sich wieder öffnete. Diesmal war es Trasks Ehefrau. Die attraktiven Gesichtszüge waren zu einer gnadenlosen Miene verzogen, und sie sah mich aus eiskalten grünen Augen an.

«Andrew hat gesagt, Sie wollen das Bootshaus mieten.»

«Nur für eine Nacht.»

«Akuter Anfall von Männergrippe, was?» Sie gab mir einen Autoschlüssel. «Hier. Warten Sie im Wagen. Sie können die Heizung anstellen.»

Viel zu erledigt, um verlegen zu sein, schleppte ich mich durch das Birkenwäldchen zurück zum Parkplatz. Trasks Frau hatte zwar nicht gesagt, mit welchem Landrover wir fahren würden, aber der Schlüssel hatte einen elektronischen Türöffner, also konnte es der uralte weiße Defender eigentlich nicht sein. Ich kletterte auf den Fahrersitz. Ein Déjà-vu überkam mich, als ich den Motor anließ. Mir fiel der Wagen ein, den ich früher gefahren hatte. Während ich darauf wartete, dass die Heizung warm lief, holte ich das Handy raus, um den Abschleppdienst zu annullieren. Ich hasste die Vorstellung, Trask und seine Familie noch mehr zu nerven, aber mir blieb tatsächlich keine andere Wahl.

Danach rief ich Jason an, um ihm zu sagen, dass ich es auf keinen Fall zu ihnen in die Cotswolds schaffen würde. Ich steckte gerade das Telefon in die Tasche, als Trasks Frau zwischen den Bäumen hindurch kam. Sie trug einen Karton

und ein paar Taschen, wahrscheinlich Handtücher und Bett-
wäsche. Ich stieg aus, eine reflexartige Reaktion, um zu helfen, aber sie schüttelte brüsk den Kopf.

«Ich schaff das.»

Das war auch schon egal. Während sie übellaunig ihre
Utensilien im Kofferraum verstaute, holte ich mein Laptop
und die Reisetasche aus dem Auto. Außerdem nahm ich die
Kamera aus der Wathose und steckte sie ein, weil ich nicht
wollte, dass die Bilder von der Bergung unbeaufsichtigt her-
umlagen. Meine Beine fühlten sich an wie Gummi.

«Ist das alles?», fragte sie, als ich zurückkam. «Dann
kommen Sie.»

Obwohl die Heizung inzwischen lief, hörte ich nicht auf
zu zittern. Sie sagte keinen einzigen Ton, aber ihr Missfallen
wurde trotzdem mit jedem Gangwechsel offensichtlicher.
Schließlich war das Schweigen so unangenehm, dass ich
etwas sagen musste.

«Tut mir leid, dass ich Ihnen solche Umstände mache. Ich
bin Ihnen wirklich sehr dankbar.»

«Es handelt sich um eine Ferienwohnung. Das Bootshaus
ist für Urlauber gedacht.»

Der nächste grausame Gangwechsel. Ich versuchte es
noch einmal. «Ich wusste wirklich nicht, wem das Bootshaus gehört, als ich danach fragte.»

«Hätte das irgendwas geändert?»

«Ich bin nur … Ich hatte gehofft, Ihnen damit aus dem
Weg zu sein.»

«Na klar. Das hat ja super funktioniert, oder?»

Ihre Miene war wütend und unnachgiebig. Ich hatte keine
Ahnung, warum sie derart aufgebracht war, aber mir reichte
es jetzt.

«Hören Sie. Vergessen Sie das Bootshaus. Lassen Sie mich einfach ... irgendwo raus.»

«Ach so? Haben Sie es sich jetzt anders überlegt?»

Gütiger Himmel! «Halten Sie einfach an. Ich steige hier aus.»

Rund um uns gab es nichts als Marschland und Wiesen, aber das war mir völlig egal. Sie runzelte die Stirn.

«Das ist lächerlich. Ich kann Sie ja schlecht irgendwo im Nirgendwo stehen lassen.»

«Dann setzen Sie mich eben an einer Stelle ab, wo ich ein Taxi kriegen kann. In der Stadt, irgendwo, ganz egal.»

Sie musterte mich. Ich versuchte, das Zittern zu unterdrücken, doch es gelang mir nicht. «Sie sehen nicht gut aus», sagte sie schließlich.

«Es geht mir gut.» Ich wusste selbst, dass ich mich wie ein Esel benahm, dumm und stur.

Trasks Frau antwortete nicht. Sie fuhr eine Weile weiter. Dann sagte sie: «Das ist doch keine einfache Erkältung, oder?»

Ich hätte am liebsten gesagt, das spiele keine Rolle. Doch dem vernünftigen Teil in mir war klar, dass ich mir diese Form von Stolz im Augenblick nicht erlauben konnte.

«Ich habe ein Problem mit meinem Immunsystem», gab ich zu.

«Was für ein Problem?»

«Nichts Ansteckendes», sagte ich, weil ich zu wissen glaubte, was sie dachte. Ich wollte es eigentlich nicht erklären, aber was blieb mir anderes übrig? «Ich habe keine Milz mehr.»

«Scheiße!» Sie klang gleichermaßen besorgt wie erschrocken. «Sollten Sie dann nicht zum Arzt?»

«Ich bin Arzt. Ich nehme Antibiotika. Ich muss mich nur irgendwo ausruhen.»

Dafür erntete ich wieder einen Blick, diesmal einen skeptischen. «Ich dachte, Sie hätten Andrew erzählt, Sie wären forensischer Experte?»

«Bin ich auch.» Hätte ich doch nie davon angefangen. «Ich habe früher als Hausarzt gearbeitet.»

«Kein besonders guter, oder? Was zum Teufel dachten Sie sich eigentlich dabei, die ganze Zeit in nassen Sachen rumzusitzen? Warum haben Sie denn nichts gesagt?»

Im Rückblick betrachtet, gehörte das Ganze bestimmt nicht zu meinen intellektuellen Sternstunden, aber mir fehlte zur Gegenwehr die Kraft. «Das wird schon wieder», sagte ich schwach.

Trasks Frau bedachte mich mit einem Blick, der keinen Zweifel daran ließ, was sie davon hielt. «Hoffentlich. Wir sind da.»

Rumpelnd bog sie auf einen mit Schlacke bestreuten Parkplatz ab und zog die Handbremse an. Das kleine Bootshaus reichte vom höher gelegenen Ufer aus bis in den Tidefluss hinein. Die untere Hälfte stand unter Wasser, und an der Steinmauer ließ sich genau ablesen, bis wohin das Wasser bei Flut stieg. Die obere Haushälfte bestand aus einem einzigen, direkt auf Uferhöhe gelegenen Stockwerk. Rechts und links der Haustür lagen zwei kleine Fenster – es war wie die Kinderzeichnung eines Hauses.

Trasks Frau stieg aus und ging zur Tür. Die Kiste gegen die Mauer gestemmt, machte sie sich an einem klirrenden Schlüsselbund zu schaffen.

«Jetzt komm schon. Wo steckst du?», sagte sie leise. «Eine Sekunde noch.»

Endlich hatte sie den richtigen Schlüssel gefunden und stieß mit der Hüfte die Tür auf. Das Innere des Hauses bot einen überraschenden Anblick. Es war als Studio gestaltet: keine Trennwände, nur ein einziger großer Raum. Außerdem war es viel heller, als ich von außen vermutet hatte. Die unverputzten Steinmauern waren weiß gekalkt, und durch ein großes, aufs Wasser hinausgehendes Bogenfenster an der gegenüberliegenden Wand drang Licht in den Raum. Auf einer Seite war ein kleiner Küchenbereich, und rechts und links des Holzofens auf der anderen Seite standen ein Sofa und ein Sessel. Die Möbel waren im skandinavischen Stil der sechziger Jahre gehalten – gerade Linien und gedämpfte Farben –, und ein riesiger, tiefroter Teppich bedeckte den Großteil der lasierten Bodendielen.

Alles wirkte neu und unbenutzt, es roch nach Farbe. Das Studio war hell und luftig und hätte gut auf die Hochglanzseiten eines Reisemagazins gepasst. Trask hatte gesagt, seine Frau habe das Bootshaus renoviert. Sie hatte wirklich ganze Arbeit geleistet.

Sie ließ die Kiste auf die Küchenanrichte plumpsen. «Wir hatten nicht damit gerechnet, dass schon vor Beginn der Saison jemand hier übernachten würde.» Sie ging eilig durch den Raum und betätigte diverse Schalter. Aus einem an der Wand befestigten Heizgerät strömte warme Luft. «Es ist zwar noch nicht fertig, aber bequem müsste es eigentlich trotzdem sein. Der Holzofen funktioniert auch, falls Sie ihn brauchen. Kein WLAN, kein Fernsehen, dafür Handyempfang. Ach ja, und das Bad ist da drüben.»

Sie deutete auf eine Tür in der Zimmerecke, die zu einem abgetrennten Teil führte. Ich nickte. Trotzdem war mir aufgefallen, dass etwas fehlte. «Wo ist das Bett?»

Ich hoffte sehr, dass das schmale Sofa nicht gleichzeitig als Bett diente, aber Trasks Frau trat vor eine Fläche grob geschmirgelter Bretter an der Wand. Sie griff nach einer Lederschlaufe und zog daran. Das gesamte Paneel schwang heraus, und ein Wandbett kam zum Vorschein.

«Ta-da», sagte sie ohne viel Enthusiasmus. «Ich habe Bettzeug und Handtücher im Wagen. Machen Sie es sich einfach bequem, während ich alles vorbereite.»

Ich wehrte mich nicht. Vor dem Bogenfenster stand ein Lehnstuhl. Ich ließ mich hineinsinken, mit schwindeligem Kopf und zitternd. Daran konnte auch die warme Luft aus dem Heizgerät nichts ändern. Ich fühlte mich fiebrig, mein ganzer Körper war schwach und schmerzte. Ich sah zum Fenster hinaus. Der Wasserstand des Tideflusses war inzwischen beträchtlich gesunken. Draußen gab es nur Felder, Sandbänke und Wasser, so weit das Auge reichte. Ich fragte mich, ob es klug gewesen war, hierherzukommen, ob ich nicht besser ein Krankenhaus aufgesucht hätte. Falls mein Zustand sich verschlechterte, würde es hier draußen ziemlich lange dauern, bis Hilfe kam. Ich wäre auf mich allein gestellt.

Aber das war ich gewohnt.

Als Trasks Frau zurückkam, stand ich auf, um zu helfen, doch sie winkte brüsk ab. «Schon gut.» Dann lächelte sie doch tatsächlich. Zwar angestrengt, aber sie lächelte. «Sie sollten sitzen bleiben, sonst kippen Sie noch um.» Sie hatte nicht ganz unrecht. Das Bett zu machen, dauerte nicht lange. Sie richtete sich auf und sah sich um. «Okay. Ich glaube, das ist alles. Ich habe Ihnen Tee, Kaffee, etwas Suppe und noch ein paar andere Sachen hingestellt, Sie werden also nicht verhungern. Brauchen Sie sonst noch was?»

«Nein. Danke.» Ich wollte nur noch allein sein, damit ich endlich in das Bett sinken konnte.

«Ich nehme Ihre Stiefel mit. Wir haben einen Trockenraum, da kann ich sie reinstellen. Irgendjemand bringt sie Ihnen morgen vorbei.» Sie musterte mich unschlüssig. «Sind Sie sicher, dass Sie zurechtkommen?»

«Ganz sicher.»

«Ich schreibe Ihnen für alle Fälle meine Telefonnummer auf … also, nur für alle Fälle.» Sie holte einen Notizblock aus der Küchenschublade, kritzelte ihre Nummer drauf und reichte mir den Block. «Kann ich irgendjemanden anrufen, um Bescheid zu sagen? Ihre Frau oder so?»

«Nein. Aber trotzdem danke.»

Noch immer sichtlich unschlüssig, wandte sie sich zur Tür. Sie streckte die Hand nach der Klinke aus und hielt dann inne. «Hören Sie, es tut mir leid, dass ich vorhin so unfreundlich war. Es war … ein seltsamer Tag. Die Nerven liegen ziemlich blank. Bei uns allen.»

Wäre ich nicht so kaputt gewesen, hätte ich mich gefragt, was sie damit sagen wollte. «Machen Sie sich deswegen keine Sorgen. Ich bin Ihnen und Ihrem Mann sehr dankbar für alles, was Sie für mich getan haben.»

«Mein Mann?» Sie wirkte verwirrt. Dann kapierte sie, und ihr Gesicht wurde völlig starr. «Meinen Sie Andrew?»

Ihre Reaktion verriet, dass ich einen schrecklichen Fehler gemacht hatte. «Es tut mir leid. Ich dachte …»

«Andrew ist nicht mein Mann. Er ist mein Schwager.»

Ihre Wangen hatten sich gerötet. Sie öffnete die Tür, während ich verzweifelt überlegte, was ich sagen sollte.

«Rufen Sie an, falls Sie was brauchen», sagte sie, ohne mich anzusehen, und ging.

Die Tür fiel hinter ihr ins Schloss. Ich sah auf den Block in meiner Hand und wusste schon vorher, was ich da lesen würde. Über die Telefonnummer hatte sie in schwungvoller Schrift ihren Namen geschrieben.

Rachel Darby.

KAPITEL 8

✦

Am nächsten Morgen wurde ich vom Ruf der Möwen geweckt. Heisere Schreie holten mich allmählich aus einem tiefen, fast ohnmächtigen Schlaf, so laut, dass es klang, als wären die Vögel in meinem Zimmer. Hinter meinen Lidern war sanftes Licht zu erahnen, was seltsam war, weil ich grundsätzlich bei zugezogenen Vorhängen schlief. Ich versuchte, Lärm und Licht zu ignorieren, dann schlug ich doch die Augen auf. Ich starrte zu der ungewohnt spitzen Zimmerdecke hinauf. Weiß gekalkte Deckenbalken. Ich hatte keine Ahnung, wo ich war. Dann kehrte die Erinnerung zurück.

Also lebte ich noch.

Ich blieb eine Weile ganz still liegen, behaglich und warm unter der Bettdecke. Ich verspürte nicht den Drang, mich zu bewegen, während ich eine behutsame Bestandsaufnahme machte und nachspürte, wie es mir ging. *Besser*, dachte ich. Entschieden besser.

Und ich war hungrig.

Das war ein gutes Zeichen. Ich hatte am Vorabend kaum etwas gegessen. Nachdem Rachel Darby gegangen war, hatte ich kurz erwogen, unter die Dusche zu gehen, doch mir hatte dazu die Kraft gefehlt. Ich hatte ein paar Paracetamol genommen, um das Fieber zu senken, und mir eine Dose Tomatensuppe aufgemacht. Während ich sie aufwärmte, zog ich endlich die immer noch nasse Hose aus. Ich aß, was ich konnte, und zitterte dabei so stark, dass der Löffel gegen die Suppenschale klirrte.

Doch ich hatte keinen Appetit gehabt. Ich ließ den Großteil der Suppe stehen, kroch ins Bett und deckte mich zu. Mir tat alles weh, und während der Schüttelfrost in Wellen durch meinen Körper bebte, fragte ich mich wieder, ob nach einem derart von Fehlentscheidungen versauten Tag der Entschluss, hierher anstatt in ein Krankenhaus zu gehen, womöglich der schlimmste Fehler von allen gewesen war. Ein paar Stunden lang hatte ich im Fieberwahn vor mich hin gedöst, war dann aber schließlich irgendwann doch richtig eingeschlafen.

Ich sah auf die Uhr und stellte fest, dass es bereits nach zehn war. Ich starrte die weiß gestrichenen Balken über mir an und lauschte dem Scharren von Vogelfüßen auf dem Dach. Kein Wunder, dass es klang, als wären sie bei mir im Zimmer: Das stimmte praktisch. Außerdem war da noch ein weiteres Geräusch, und ich brauchte etwas länger, um zu bestimmen, was es war. Ich befand mich im oberen Stockwerk eines Bootshauses. Unter mir lag das Dock. Offensichtlich war Flut, und was ich hörte, war das sanfte Plätschern der Wellen unter den Bodendielen.

Vorsichtig setzte ich mich auf und schwang die Beine aus dem Bett. Ich wartete einen Augenblick, ehe ich aufstand. Zwar fühlte ich mich immer noch erschöpft, aber es war kein Vergleich zum Vortag. Der gestrige Fieberschub war nicht der Beginn einer einsetzenden OPSI gewesen, sondern lediglich ein kurzlebiger Infekt, mit dem entweder das Antibiotikum fertiggeworden war oder mein eigenes Immunsystem. Wenn ich es nicht übertrieb, sollte ich in ein bis zwei Tagen wieder auf dem Damm sein.

Jetzt brauchte ich jedenfalls dringend etwas zu essen. Und eine Dusche. Ich rümpfte die Nase. So hungrig ich auch war, um wirklich mit Genuss essen zu können, musste ich mich erst einmal säubern. Das winzige Bad war genauso durchdacht angelegt worden wie der Rest des Studios. Lange stand ich unter den heißen Wassernadeln und genoss das Stechen, bis meine Beine die Kraft verließ. Gewaschen und rasiert, zog ich die Sachen an, die ich für das Wochenende bei Jason und Anja eingepackt hatte. Dann kümmerte ich mich um das Frühstück.

Im Kühlschrank waren Eier, Butter und Milch, und auf der Anrichte außerdem ein halber Laib Brot und ein Glas Orangenmarmelade. Während ich darauf wartete, dass das Kaffeewasser kochte, toastete ich zwei Scheiben Brot und machte mir Rührei. Ich verschlang alles an dem winzigen Esstisch und machte mir dann noch zwei Scheiben Toast, die ich dick mit Butter und Marmelade bestrich.

Danach fühlte ich mich so gut wie seit Tagen nicht. Ich machte mir noch einen Kaffee und nahm ihn mit ans Fenster. Während ich den Seevögeln zusah, die auf dem halb gefüllten Fluss dahinwippten, gestattete ich mir endlich, mir Gedanken darüber zu machen, in welche Lage ich mich hier gebracht hatte.

Ich hatte, gelinde gesagt, gewaltigen Mist gebaut. Lundy hatte mir erzählt, dass Emma Darby, das vermutliche Opfer von Leo Villiers, verheiratet war. Mir war allerdings nie in den Sinn gekommen, sie könnte einen anderen Nachnamen tragen als ihr Ehemann. Selbst als Trask seine Frau erwähnt hatte, hatte ich die Verbindung nicht hergestellt. Ich war die ganze Zeit davon ausgegangen, dass er von Rachel sprach.

Emma Darbys Schwester.

Die Größe meines Fauxpas' war erschreckend. Kein Wunder, dass ihre Nerven zum Zerreißen gespannt gewesen waren. Trask und seine Familie mussten gestern durch die Hölle gegangen sein. Falls sie nicht von der Polizei informiert worden waren, hatten sie auf andere Weise gehört, dass im Estuary eine Leiche gefunden worden war. Obwohl Emma Darby schon zu lange vermisst wurde, als dass die im Wasser treibenden menschlichen Überreste ihre gewesen sein könnten, musste der Gedanke ihrer Familie natürlich trotzdem gekommen sein. Und ihnen musste klar gewesen sein, dass es sich, wenn nicht um Emma, dann höchstwahrscheinlich um ihren Mörder handelte.

Rachel hatte es am Vorabend praktisch selbst gesagt: *Es war ein seltsamer Tag. Die Nerven liegen ziemlich blank. Bei uns allen.* Ich zuckte zusammen, als ich daran dachte, wie unsensibel ich gewirkt haben musste. Natürlich waren sie davon ausgegangen, dass ich als polizeilicher Berater wusste, wer sie waren. Stattdessen war ich von meinen eigenen Problemen derart okkupiert gewesen, dass ich erst begriffen hatte, nachdem ich mitten in das Privatleben der trauernden Familie hineingestolpert war.

Doch was passiert war, ließ sich nicht mehr ändern. Alles, was ich jetzt noch tun konnte, war, mich zu entschuldigen und sie so bald wie möglich in Ruhe zu lassen. Obwohl das leichter gesagt als getan war, schließlich stand mein Wagen immer noch an einem Sonntag kaputt vor Trasks Haus.

Ich trank den Kaffee aus und rief den Pannendienst an. Wie Rachel gesagt hatte, gab es im Bootshaus Empfang, wenn das Signal auch schwach war. Ich fand eine Stelle am Fenster, wo es ein bisschen stärker zu sein schien, aber als ich mich beim Auswahlmenü für die «Kein Notfall»-Option entschieden hatte, wurde ich in die Warteschleife gelegt. Während ich wartete, ließ ich meinen Blick durch das Studio schweifen. Es war einfach, aber gut gestaltet, ein Ort, an dem ich unter anderen Umständen gerne mehr Zeit verbracht hätte. Trasks Frau hatte offenkundig ein Händchen für Design gehabt, und während ich über sie nachdachte, fiel mein Blick auf einen Stoß gerahmter Bilder, die an der Wand lehnten. Ich erinnerte mich, dass Lundy erzählt hatte, sie sei Fotografin gewesen. Neugierig ging ich näher, nur um prompt den Empfang zu verlieren.

Ich wählte die Nummer erneut und fand mich am Ende der Warteschleife wieder. *Na toll.* Ich stellte das Telefon auf Lautsprecher, legte es aufs Fensterbrett und trat zu den Fotografien. Sie warteten offenbar darauf, an die Wände gehängt zu werden, und ich glaubte nicht, dass es irgendwen stören würde, wenn ich sie mir ansah. Es waren ein gutes Dutzend, in unterschiedlichen Größen, alle schwarz-weiß. Jedes Foto war unten mit derselben auffälligen Unterschrift signiert: *Emma Darby.*

Es handelte sich hauptsächlich um Stillleben und Landschaften. Eine Aufnahme von Bootshaus und Fluss war dabei – stimmungsvolles Schattenspiel und dunkles, spiegelndes Wasser. Ein anderes Bild zeigte die Seefestung als Silhouette vor einem monochromen Sonnenuntergang, die letzten Sonnenstrahlen von den Wellen reflektiert. Ich war kein Fachmann, aber die Bilder wirkten professionell, wenn auch ein wenig klischeehaft. Vor allem eine Aufnahme, ein chromglänzendes Motorrad auf einer Sandbank, war derart offensichtlich inszeniert, dass sie praktisch *Mach ein Poster aus mir!* schrie.

Es gab nur ein einziges Porträt. Das Bild zeigte eine attraktive Frau, das Gesicht von langen, dunklen Haaren umrahmt, direkt in die Kamera lächelnd und bis auf ein um ihren Leib drapiertes weißes Laken nackt. Das Bild trug in derselben schwungvollen Schrift einen Titel: *Ich*.

Das war also Emma Darby. Selbst wenn man die Inszenierung des Selbstporträts beiseiteließ, sah sie sehr gut aus. Und wusste es offensichtlich. Es bedurfte großer Selbstsicherheit – oder Eitelkeit –, um so zu posieren. In den unverwandt in die Kamera schauenden Augen lag ein wissender Blick und in der Neigung ihres Kinns ein Hinweis auf Arroganz. Ich wusste, dass ein derart schnelles Urteil unfair war, aber es fiel mir wirklich schwer, mir die selbstbewusste Frau auf dem Foto an einem abgelegenen Ort wie diesem vorzustellen. Oder als Ehefrau von Trask, einem älteren Mann mit einem Teenager als Sohn und einer kleinen Tochter. Lundy hatte erwähnt, Emma Darby sei erst vor zwei oder drei Jahren hierhergezogen, nach ihrer Hochzeit, sie war also nicht die Mutter von Fay und Jamie. Der DI hatte außerdem gesagt, die Ehe sei schon vor ihrer Affäre mit Leo Villiers schwierig gewesen. Langsam fing ich an zu verstehen, weshalb.

Ich musterte die Fotografie, suchte nach Ähnlichkeiten zwischen den beiden Schwestern. Ein wenig war um die Augen herum zu finden und in den üppigen schwarzen Haaren, aber hätte ich nicht von der Verwandtschaft zwischen ihnen gewusst, es wäre mir nicht aufgefallen. Rachel Darby war nicht so augenscheinlich attraktiv, aber ich glaubte auch nicht, dass sie sich so sehr auf Make-up und die richtige Inszenierung verlassen würde.

Schon wieder ein vorschnelles Urteil. Während die Stimme aus dem Telefonlautsprecher mich weiter um Geduld bat, sah ich die restlichen Fotografien durch. Ich hatte den Stapel gerade zurück an die Wand gelehnt, als es klopfte.

Wie ertappt zuckte ich zusammen. Ich stellte sicher, dass die Bilderrahmen nicht umfielen, und ging an die Tür, um nachzusehen, wer es war. Ich fühlte einen leisen Stich der Enttäuschung, als Trask davorstand. Er trug dieselbe abgewetzte Wildlederjacke wie am Vortag, nur das ernste Gesicht war frisch rasiert. Er hielt meine Stiefel in der einen und eine Kühlbox in der anderen Hand, vermutlich die aus meinem Auto.

«Kann ich reinkommen?»

Ich trat beiseite und ließ ihn rein. Er sah sich in dem Studio um, als sei es ihm ebenso wenig vertraut wie mir.

«Möchten Sie Kaffee?», fragte ich.

«Nein. Nein, ich bleibe nicht. Wollte nur mal sehen, wie es Ihnen geht.»

«Besser. Danke.»

«Freut mich. Hier, das hab ich Ihnen mitgebracht.» Er gab mir meine Stiefel und stellte die Kühlbox ab. «Rachel hat sie über Nacht getrocknet, aber Sie wollen sie sicher putzen. Sonst macht das Salz sie kaputt.»

«Danke.» Ich wusste die Geste zu schätzen, vermutete aber, dass er in Wirklichkeit gekommen war, um zu sehen, ob ihr Gast die Nacht überlebt hatte. Was ich ihm kaum zum Vorwurf machen konnte. «Hören Sie, ich möchte mich für gestern entschuldigen. Ich hatte keine Ahnung, wer Sie sind. Sonst hätte ich Sie und Ihre Familie niemals in eine derartige Situation gebracht.»

«Ja, das hörte ich bereits.» Er zuckte mit den Schultern.

«Aber wie sollten Sie auch? Ich hätte nicht voraussetzen dürfen, dass Sie Bescheid wissen.»

Er musterte mit gerunzelter Stirn die Kühlbox. Entweder es war meine oder eine, die genauso aussah, und ich nahm an, er würde mir erklären, weshalb er sie mitgebracht hatte.

«Die hat Jamie aus dem Kofferraum genommen, weil er anfangen wollte, an Ihrem Wagen zu arbeiten», sagte er nur. «Das Salzwasser hätte den Motor ruiniert, wenn man noch lange gewartet hätte. Normalerweise hätte ich Sie natürlich vorher gefragt, aber unter diesen Umständen dachte ich, es ist besser, einfach loszulegen. Ich hoffe, das war okay.»

Ich war mir nicht ganz sicher. Trasks Sohn war am Vortag nicht eben erpicht gewesen, sich einzumischen. Ich wollte zwar nicht undankbar erscheinen, aber falls die Sache tatsächlich so kompliziert war, wie Jamie gesagt hatte, war es mir erst recht nicht ganz geheuer, wenn ein Teenager anfing, daran herumzubasteln.

Ich wählte meine Worte mit Bedacht. «Ich dachte, das Auto müsste in eine Werkstatt. Kann er das hier überhaupt machen?»

«Falls das Salz den Motor nicht zu schlimm angegriffen hat, müsste es eigentlich gehen», sagt er. «Keine Sorge, Jamie weiß, was er tut. Er hat seinen Landrover, den alten, weißen, von Grund auf erneuert. Hat sich den Wagen mit fünfzehn von seinen Ersparnissen gekauft, alles, was ging, selbst repariert und sich die Ersatzteile auf Schrottplätzen und online zusammengekauft. Er ist absolut dazu in der Lage, einen Motor auseinanderzunehmen und zu reinigen.»

Es klang eher nach Tatsache als nach Angeberei. Ich wünschte nur, das Angebot wäre schon gestern gekommen, aber sie hatten genug eigene Sorgen gehabt, um auch noch mir aus der Patsche zu helfen.

«Ich kann immer noch den Pannendienst beauftragen», sagte ich. «Ich will nicht, dass Ihr Sohn seinen Sonntag für mich opfert.»

«Das macht ihm nichts aus, es ist sein Hobby. Wenn Sie mit seiner Arbeit zufrieden sind, können Sie ihn ja dafür bezahlen. Er fängt im Herbst mit dem Studium an und kann das Geld gut gebrauchen.» Trask nickte zu meinem Handy rüber, das blecherne Warteschleifenmusik von sich gab. «Klingt nicht so, als würde Ihr Pannendienst sich bald auf den Weg machen.»

Da war was dran. Wahrscheinlich waren sie mich schneller wieder los, wenn sein Sohn meinen Wagen reparieren konnte, als wenn ich darauf wartete, dass der Abschleppwagen doch noch kam. Aber mir war eben noch etwas eingefallen. Ich sah zu meinem Autoschlüssel auf der Küchenanrichte hinüber.

«Wie hat er die Motorhaube aufbekommen?»

«Genauso wie wir an den Kofferraum rangekommen sind. Sie haben nicht abgeschlossen.»

Ich war tatsächlich mehr neben der Spur gewesen, als ich gedacht hätte. Ich wusste zwar noch, dass ich die Reisetasche aus dem Kofferraum geholt hatte, während Rachel den Landrover belud, konnte mich jedoch wirklich nicht erinnern, den Wagen hinterher wieder abgeschlossen zu haben. Eilig überlegte ich, was alles in dem Kofferraum gewesen war: dreckverkrustete Overalls und die Wathose, außerdem der Koffer mit meiner Forensikausrüstung. Nichts Vertrauliches oder Heikles, aber trotzdem. Solche Fehler passierten mir normalerweise nicht.

«Deshalb ist die jetzt hier.» Trask holte aus, wie um der Kühlbox einen Tritt zu versetzen, hielt aber kurz vorher an. Sein Stirnrunzeln hatte sich zu einem Ausdruck des Widerwillens vertieft. «Jamie ist der Gestank aufgefallen. Wir haben sie zwar nicht geöffnet, aber ich wollte das auf keinen Fall im Haus haben.»

Jetzt, wo er es sagte, bemerkte ich es auch: Der Kühlbox entströmte stechender Ammoniakgeruch. Ich beugte mich darüber und entriegelte den Deckel. Der Gestank wurde augenblicklich heftiger. Trask wich zurück, als ich die Box öffnete.

«Ich war gestern eigentlich bei Freunden eingeladen», sagte ich und ließ ihn einen Blick auf den Käse und den Wein in der Kühlbox werfen. Die Gefrierakkus waren längst geschmolzen. Dem Wein machte das nichts aus, aber die mangelnde Kühlung hatte dem sowieso schon reifen Weichkäse keinen Gefallen getan.

Trask machte ein verwirrtes Gesicht und lachte auf. «Du liebe Güte! Ich dachte ... Sie wissen schon.»

In der Tat. Angesichts meines Berufs hatte er angenommen, die Kühlbox enthielte irgendein grausiges Beweisstück. Als die Belustigung abklang, kehrte die gewohnte Schwere in seine Gesichtszüge zurück.

«Hören Sie, gestern, das war ... Es gab einige Missverständnisse. Was mich betrifft, so müssen Sie hier nicht sofort wieder weg. Jamie hofft, heute Nachmittag mit Ihrem Wagen fertigzuwerden, aber genau kann er das erst sagen, wenn er weiß, wie groß der Schaden ist.» Er machte eine ausladende Bewegung. «Sie stören hier keinen. Das Bootshaus ist zum Vermieten da, und wenn Sie länger bleiben möchten, ist das kein Problem.»

«Danke, aber ich würde lieber zurückfahren.»

Er nickte. Die Schroffheit kehrte zurück. «Liegt bei Ihnen. Das Angebot steht, falls Sie Ihre Meinung ändern.»

Ich gab ihm den Autoschlüssel, damit Jamie den Motor anlassen konnte, und außerdem meine Telefonnummer, damit er mir Bescheid geben konnte, sobald der Wagen fertig war. Ich dachte, er würde nun gehen, aber er zögerte.

«DI Lundy hat mich vorhin angerufen.» Es klang, als wollte er etwas loswerden. «Nicht offiziell, nur … aus Freundlichkeit. Er sagte, bei der Leiche, die gestern gefunden wurde, würde es sich höchstwahrscheinlich um Leo Villiers handeln.»

Ich war überrascht, aber nur so lange, bis ich darüber nachgedacht hatte. Natürlich kannte Lundy die Familie von damals, als Emma Darby vermisst wurde. Sie zu beruhigen, war zwar nicht unbedingt das normale Vorgehen in so einem Fall, eine freundliche Geste war es allemal. Meine Wertschätzung für den DI stieg beträchtlich.

Als Trask gegangen war, nahm ich den Käse aus der Kühlbox und schnüffelte zögerlich daran, ehe ich entschied, dass er tatsächlich hinüber war. Ich wickelte ihn in eine Mülltüte von der Rolle, die ich in einer Küchenschublade fand, und warf ihn draußen in die Mülltonne. Die Kühlbox stank immer noch, und ich wusch sie aus. Schon nach dieser kleinen Anstrengung war ich schwach auf den Beinen, und ich kochte mir eine Tasse Tee und setzte mich damit ans Fenster. Beim Gedanken an Trasks Irrtum musste ich lächeln. Eine verständliche Annahme angesichts der Situation. Ich konnte Trask nicht übelnehmen, dass er keine Leichenteile vor seinem Haus rumliegen haben wollte.

Ich wusste aus Erfahrung, wie das war.

Irgendetwas nagte an meinem Unterbewusstsein, entglitt mir jedoch sofort wieder. Nach der kleinen Ruhepause fühlte ich mich besser, und ich stand auf, spülte die Teetasse ab und machte mich daran, die Stiefel in Augenschein zu nehmen, die Trask zurückgebracht hatte. Sie waren nicht dafür gemacht, in Salzwasser getränkt zu werden, aber das Leder war wasserdicht, und sie waren zwar ein bisschen steif, aber durchaus noch tragbar. Ich wollte sie gerade wegstellen, als das nagende Unbehagen zurückkehrte. Stärker diesmal. Ich starrte die Stiefel an und versuchte, darauf zu kommen, woran sie mich erinnerten. Und dann wurde es mir klar.

«Oh, du dämlicher Idiot!», stöhnte ich.

KAPITEL 9

❦

Der Tidefluss führte weniger Wasser als am Vortag. Ich kannte mich nicht aus, aber für mich wirkte es, als könnte es bis zur Flut noch ein, zwei Stunden dauern.

Hoffentlich war das lang genug.

Ehe ich mich auf den Weg machte, versuchte ich, in Gedanken durchzuspielen, was ich brauchen würde. Meine Kamera hatte ich zum Glück mitgenommen. Doch selbst wenn ich fand, wonach ich suchte, stand noch lange nicht fest, wie leicht es sich bergen ließe. Die Wathose war leider drüben bei Trask im Auto, und nach der gestrigen Erfahrung hatte ich nicht vor, schon wieder nass zu werden. Im Studio war nichts Geeignetes zu finden, aber ich riss wenigstens eine Handvoll Mülltüten von der Rolle und steckte sie in die frisch gereinigte Kühlbox. Die Gefrierakkus legte ich in das kleine Eisfach des Kühlschranks. Dann ging ich ins Freie, um zu sehen, was sich finden ließ.

Auf der Vorderseite des Bootshauses führten ein paar Stufen auf einen Steg hinunter. Die Flutmarke etwa auf halber Höhe des Hauses zeigte an, bis wohin das Wasser normalerweise stieg. Die Steine oberhalb waren trocken und blass, die darunter dunkel und feucht. Das Wasser stand momentan noch weit niedriger, ein gutes Stück unter dem Steg. Der

Eingang zum Dock des Bootshauses lag auf der Vorderseite, mit Zugang zum Fluss, eine große, quadratische Öffnung. Sie war durch ein teils unter Wasser liegendes Holzgatter verschlossen und mit einem rostigen, aber solide wirkenden Vorhängeschloss gesichert. So kam ich schon einmal nicht hinein. Doch fast am unteren Ende der Stufen befand sich eine kleine Holztür in der Wand.

Die Luke war lediglich mit einer Schlinge gesichert, also würde keiner etwas dagegen haben, wenn ich mich kurz im Dock umsah. Die rostigen Angeln protestierten quietschend, als ich die Tür aufschob. Modriger Kellergeruch nach Wasser und nassem Mauerwerk schlug mir entgegen. Die Öffnung war ziemlich niedrig, und ich musste mich bücken, um hindurchzugelangen. Ich konnte mich gerade so abfangen, als ich merkte, dass es auf der anderen Seite ein gutes Stück hinunterging. Es war kalt und düster, und ich wartete einen Moment, bis meine Augen sich an das Dämmerlicht gewöhnt hatten. Durch das Gatter auf der Vorderseite fielen Lichtstreifen herein, und als ich die Luke festgeklemmt hatte, war es hell genug, um sich zu orientieren.

Die Renovierungsarbeiten, die das obere Stockwerk in ein Ferienstudio verwandelt hatten, erstreckten sich nicht bis auf diesen Bereich. Ich stand auf einem schmalen Laufgang – zu schmal, um als Steg bezeichnet zu werden –, der an der Wand entlangführte. Bei Flut wäre das ganze Dock vollständig mit Wasser gefüllt, doch jetzt war am Grund das schlammige Flussbett sichtbar. Die glitschigen Planken waren verrottet, darauf ein Sammelsurium aus altem Bootszubehör. Ein Kanu mit klaffendem Loch lag auf die Seite gekippt, halb begraben unter Korkbojen, zerfledderten Schwimmwesten und den Überresten uralter Fischreusen.

Ich hatte gehofft, einen Bootshaken oder dergleichen zu finden, entdeckte aber lediglich ein kurzes Paddel mit abgebrochenem Blatt. Nicht ideal, aber besser als nichts. Ich nahm das Paddel mit ins Freie, schloss die Luke und legte die Schlaufe über den Haken. Dann ging ich die Stufen zurück nach oben, wo ich die Kühltasche abgestellt hatte.

Schon diese winzige Exkursion hatte genügt, um mich zu ermüden. Ich ruhte mich einen Moment aus, wartete darauf, dass mein Atem sich beruhigte, und dachte über den Fluss nach, der sich durch die weite Landschaft aus Sanddünen und Salzmarschen zog. Ich fragte mich, ob ich zu dem, was ich vorhatte, imstande war. Vor nicht mal vierundzwanzig Stunden hatte ich noch Angst, im Krankenhaus zu landen. Und jetzt war ich drauf und dran, kreuz und quer durch den Gezeiten unterworfenes Marschland zu stapfen, um eine wahrscheinlich völlig sinnlose Suche zu unternehmen.

Aber ich war selbst schuld. Krank oder nicht, ich hätte gestern sehen müssen, was ich vor der Nase hatte. Möglich, dass ich meine Chance bereits verpasst hatte, und wenn ich noch länger wartete, würde das garantiert der Fall sein.

Ich nahm die Kühlbox und setzte mich entlang des Flussufers in Bewegung. Der Nachmittag war heller als gestern, aber der Himmel war immer noch von einem Wolkenschleier überzogen, der ihm die Farbe verschütteter Milch verlieh. Einen richtigen Fußweg gab es nicht, nur einen schmalen, matschigen Trampelpfad, wo Marschgräser und Pflanzen nicht ganz so dicht wuchsen. Kurz darauf war auch der verschwunden. Ich versuchte, den Tidefluss im Blick zu behalten, während ich mir am Ufer einen Weg bahnte, aber es dauerte nicht lange, und ich war gezwungen, mich völlig darauf zu konzentrieren, wohin ich meine Füße setzte.

Das Gehen wurde zusehends mühsamer. Die Gezeiten hatten ein kompliziertes Netz aus Wasserläufen in den weichen Sandboden der Marsch gegraben. Der Tidefluss war wie eine Riesenwurzel, von der unzählige kleinere Wurzeln abzweigten, die wiederum winzige Nebenzweige hatten. Ständig versperrten mir schlammige Tümpel und halb gefüllte Gräben den Weg. Manche waren so klein, dass man einfach darüber hinwegsteigen oder -springen konnte; andere ließen mir keine Wahl, als einen Umweg zu machen, in der Hoffnung, irgendwo wieder den Rückweg Richtung Fluss einschlagen zu können. Nachdem ich eine gefühlte Ewigkeit lang einem Wasserlauf gefolgt war, ohne eine Stelle zum Queren zu finden, hielt ich schließlich an, um auszuruhen und mich zu orientieren. Der flachen Landschaft mangelte es abgesehen von mit stacheligem Gras bewachsenen Sandhügeln völlig an Orientierungspunkten. Dicht mit Binsen bewachsene Böschungen ließen die Grenze zwischen Land und Wasser verschwimmen, und das Bootshaus hinter mir war gerade eben noch zu erkennen.

Ich setzte die Kühlbox ab und dachte nach. Ich hatte gehofft, wenn ich dem Fluss landeinwärts folgte, würde ich irgendwann die Stelle wiederfinden, an der ich gestern aus der entgegengesetzten Richtung, von Trasks Haus her, vorbeigekommen war. Ich hatte keine Ahnung, wie weit entfernt die Stelle lag, und war inzwischen so weit vom Kurs abgekommen, dass ich den verdammten Fluss nicht mal mehr sehen konnte. Die Flut kehrte schon wieder in die Salzmarschen zurück, und wenn ich einfach so weitermachte, würde ich mich verlaufen und über kurz oder lang absaufen.

Widerwillig beschloss ich, umzukehren, als ich ein ganzes Stück entfernt in der Marsch jemanden gehen sah. Die Person war zu weit weg, um zu erkennen, ob es sich um einen Mann oder eine Frau handelte, aber als ich näher kam, sah ich, dass es eine Frau war. Eine seltsame Nervosität erfasste mich, als ich sie erkannte.

Rachel Darby kam mir auf der anderen Seite des gefluteten Wasserlaufs entgegen, den ich die ganze Zeit überqueren wollte. Sie trug eine große Tasche aus Segeltuch über der Schulter. Die dichten schwarzen Haare waren zu einem losen Zopf zurückgebunden, und es gelang ihr, selbst noch in Gummistiefeln, alten Jeans und roter Regenjacke gut auszusehen.

Sie blieb stehen und sah mich mit ungläubigem Blick über den Wasserlauf hinweg an. «Ich hätte nicht damit gerechnet, Sie hier draußen anzutreffen.»

«Ich ... ich dachte, ich mache einen Spaziergang.» Mir war bewusst, was für einen seltsamen Anblick ich abgab. Ich hob das abgebrochene Paddel hoch. «Das habe ich mir aus dem Bootshaus geliehen.»

«Aha.» Ihr Blick fiel auf die Kühlbox. «Wollen Sie picknicken?»

«Äh, nein. Ich weiß, das sieht ein bisschen seltsam aus ...»

«Nein, gar nicht, ich bin mir sicher, ein abgebrochenes Paddel ist sehr nützlich.» Sie lächelte nicht, was nur dazu führte, dass ich mir noch alberner vorkam. «Ich werde Sie jetzt nicht fragen, was Sie vorhaben. Es geht mich nichts an, und ich bin mir sicher, dass Sie einen guten Grund dafür haben, hier draußen unterwegs zu sein. Aber sind Sie sicher, dass Sie schon wieder fit genug sind? Sie sahen echt fertig aus, als ich Sie das letzte Mal gesehen habe.»

«Mir geht es schon viel besser.»

In den grünen Augen lag Skepsis. «Na ja, Sie müssen wissen, was Sie tun. In etwa einer Stunde ist Flut, und ich rate Ihnen, dann hier draußen nicht mehr rumzuspazieren. Wenn Sie glauben, es wäre jetzt schon unwegsam, dann warten Sie, bis hier alles unter Wasser steht.»

Ich musterte die Gummistiefel und ihre Umhängetasche und fragte mich, ob die Idee, die mir gerade gekommen war, gut oder schlecht war.

«Wie gut kennen Sie sich hier aus?»

«Gut genug, um zu wissen, welche Stellen man meiden muss.» Sie runzelte die Stirn «Warum?»

«Ich versuche, den Weg zu einem bestimmten Abschnitt am Flussufer zu finden, an dem ich gestern vorbeigekommen bin. Es war nicht weit von Ihrem Haus entfernt, und ich dachte, wenn ich dem Flussverlauf folge, würde ich automatisch hinkommen.» Ich zuckte mit den Schultern. «Ganz so einfach war das leider nicht.»

«Willkommen in den Backwaters», sagte sie, und ich meinte den Anflug eines Lächelns zu sehen, aber vielleicht hatte ich mich auch getäuscht. «Wo genau wollen Sie denn hin?»

«Das weiß ich selbst nicht so richtig. Das Ufer war weggebrochen, und da lag ein altes Boot im Schlamm versunken …»

«Neben einer toten Weide? Dann weiß ich, wo. Es ist nicht weit, aber wenn man nicht weiß, wie man da hinkommt, verläuft man sich leicht, und das ist absolut nicht gut, wenn die Flut kommt. Da Sie gestern von Creek House aus hingefunden haben, könnten Sie warten und es dann noch mal von dort aus versuchen.»

Wenn ich bis nach der Flut wartete, hätte ich keine Chance

mehr. «Können Sie mir nicht sagen, wie ich von hier aus hinkomme?»

«Hier draußen?» Sie klang verärgert. «Das ist keine Gegend, in der man einfach so herumspazieren kann. Ich dachte, das hätten Sie nach der Sache gestern kapiert.»

Ich versuchte, mir meine Ungeduld nicht anmerken zu lassen. «Wenn es nicht wichtig wäre, würde ich es nicht tun.»

Sie schüttelte den Kopf über meine Dummheit. «Hat es was mit meiner Schwester zu tun?»

Das war eine gute Frage, und ich nahm mir ein, zwei Sekunden, ehe ich antwortete. «Nicht, soweit ich es beurteilen kann.»

So viel konnte ich ihr erzählen. Wahrscheinlich war das Ganze sowieso Zeitverschwendung. Aber vergewissern musste ich mich trotzdem.

Rachel ließ den Blick über das Marschland schweifen und strich sich eine vom Wind verwehte Haarsträhne aus dem Gesicht.

«Okay», sagte sie nach einem Augenblick. «Ich bring Sie hin.»

Jeder von uns ging auf seiner Seite des gefluteten Wasserlaufs, bis wir eine schmalere Stelle erreichten. Er war zwar immer noch zu breit, um hinüberzuspringen, doch jemand hatte aus dicken, verwitterten Holzplanken einen Behelfssteg gebaut. Sobald ich auf Rachels Seite war, machte sie sich zuversichtlich auf den Rückweg zum Fluss. Es gab keinen sichtbaren Pfad, doch sie bahnte sich mühelos einen Weg durch die widerspenstige Vegetation, die diesen Teil der Marsch wie eine grüne Matte bedeckte.

Anfangs gingen wir schweigend. Es war eigentlich nicht unangenehm, eher als würden wir beide behutsam nach einem unverfänglichen Gesprächsthema suchen. Rachel brach das Schweigen als Erste.

«Und? Wie ist es im Bootshaus?»

«Schön. Es gefällt mir, es ist hübsch dort.»

«Danke. Es ist noch nicht ganz fertig. Ich habe noch ein paar Kleinigkeiten zu erledigen, ehe es im Sommer vermietet werden kann.»

«Machen Sie das selbst?»

Sie zuckte mit den Schultern. «Dann habe ich wenigstens was zu tun. Das meiste war ja auch schon erledigt, ehe … ehe ich hergekommen bin.» Sie überspielte ihr Zögern. «Andrew ist Architekt, er hat sich um den Umbau gekümmert, und meine Schwester war für die Innenausstattung zuständig. Natürlich haben sie die großen Arbeiten in Auftrag gegeben, es geht jetzt nur noch um den Feinschliff. Den Anstrich ausbessern, Bilder aufhängen, solche Sachen.»

Trask hatte zwar gesagt, er hätte Creek House für seine Frau gebaut, aber mir war nicht klar gewesen, dass er Architekt war. «Ich habe mir die Fotografien Ihrer Schwester angesehen. Ich hoffe, das war in Ordnung.»

«Dazu sind sie da. Jedenfalls sobald ich sie aufgehängt habe. Bis auf ein paar ältere Aufnahmen wie das Motorrad oder das Selbstporträt sind die Bilder hier entstanden. Die Idee war, sie an Gäste zu verkaufen, die im Bootshaus wohnen. Sie sind also alle zu haben. Na ja, bis auf das Selbstporträt. Das wollte ich eigentlich noch wegräumen.» Ein bitterer Unterton lag in ihrer Stimme. «Aber Emma hätte sicher nichts dagegen gehabt.»

Sie schien sich des missbilligenden Tonfalls nicht bewusst

zu sein. Die Erwähnung ihrer Schwester gab mir den Einstieg, auf den ich gehofft hatte.

«Hören Sie. Das mit gestern tut mir leid. Es hätte mir klar sein müssen.»

«Machen Sie sich keine Gedanken. Ich sollte mich entschuldigen, weil ich es Ihnen so schwergemacht habe. Ich kam mir ziemlich blöd vor, als mir klarwurde, dass Sie nicht … Sie wissen schon.»

«Simuliert habe?»

Sie zuckte zusammen, und es war nur halb gespielt. «Ja, so was in der Art. Jetzt mal im Ernst, sind Sie sicher, dass es Ihnen wieder gutgeht? Wir können eine Pause machen, wenn Sie sich ausruhen wollen.»

«Nein. Mir geht's gut.»

Ich versuchte, mehr Überzeugungskraft in meine Stimme zu legen, als ich in mir spürte. Der Marsch querfeldein forderte seinen Tribut. Die Muskulatur in meinen Beinen begann zu schmerzen, und ich hätte nur zu gern die Kühlbox ein paar Minuten abgesetzt. Aber das hätte ich nicht mal zugegeben, wenn wir genug Zeit gehabt hätten. Am Vortag hatte ich wahrlich genug Minuspunkte gesammelt.

«Sie haben also als Hausarzt gearbeitet? Warum haben Sie das Fach gewechselt?»

Das Thema war mir im Augenblick wirklich zu viel. «Lange Geschichte. Sagen wir einfach, ich habe gemerkt, dass ich das hier besser kann.»

«Darf ich wenigstens fragen, was mit Ihrer Milz passiert ist? Hatten Sie einen Autounfall oder so was?»

Das Thema hätte ich am liebsten auch gemieden, aber wenn ich ihren Fragen weiter auswich, sah es so aus, als würde ich sie zurückweisen. Und das war nicht meine

Absicht. Vergebens suchte ich nach einer möglichst undramatischen Weise, es zu erklären, und entschied mich dann für den direkten Weg.

«Ich wurde mit einem Messer angegriffen.»

«Ja, klar!» Alle Ironie verschwand, als sie mir ins Gesicht sah. «Du liebe Güte, das war gar kein Witz, oder?»

Sie wirkte schockiert. Ich hatte nicht vorgehabt, weiter ins Detail zu gehen, doch dann ertappte ich mich, wie ich Rachel von Grace Strachan erzählte. Wie ich mit hineingezogen worden war, als sie auf einer winzigen Insel der Äußeren Hebriden eine Spur blutiger Verwüstung hinter sich hergezogen hatte. Wie ich der Frau schließlich beinahe selbst zum Opfer gefallen wäre, als sie eines Tages auf der Schwelle meiner Wohnungstür in London über mich hergefallen war. Während ich erzählte, wurden die Runzeln auf ihrer Stirn immer tiefer.

«Sie ist einfach bei Ihnen zu Hause aufgekreuzt und hat auf Sie *eingestochen*?», rief sie aus, als ich fertig war. «Gott! Was für ein Miststück!»

Ich wollte eigentlich erklären, dass Grace psychisch krank gewesen, selbst Missbrauchsopfer gewesen war, doch es schien die Mühe nicht wert. «Kann man so sagen.»

«Aber die haben sie erwischt, oder? Sitzt sie im Gefängnis?»

«Nein. Sie ist seitdem spurlos verschwunden. Die Polizei vermutet, dass sie tot ist.» Es wurde Zeit, das Thema zu wechseln. «Und Sie? Sie klingen nicht, als wären Sie von hier.»

«Ich komme ursprünglich aus Bristol, habe aber in Australien gelebt, ehe ich hierhergekommen bin.»

«Was haben Sie dort getan?»

Sie zuckte abschätzig mit den Schultern. «Ich bin Meeresbiologin. Ich habe über die Auswirkungen von Plastikverunreinigungen auf das Barrier Reef geforscht, aber jetzt habe ich mir für eine Weile eine Auszeit genommen, gewissermaßen.»

Ich blieb stehen, um meinen Stiefel aus einer schlammigen Schlinge Schlickgras zu befreien. «Muss ein ziemlicher Tapetenwechsel gewesen sein.»

«Auch nicht größer als der Wechsel vom Hausarzt zum forensischen Anthropologen», konterte sie. «Die Backwaters sind gar nicht so übel. Ich mag den Frieden und die Ruhe, und vom meeresbiologischen Aspekt her ist die Landschaft hier ziemlich cool. Natürlich nicht so exotisch wie das Reef, und zu behaupten, ich würde die Sonne nicht vermissen, wäre gelogen. Aber diese Gegend hat was. Das Ökosystem ist mindestens so komplex wie das Reef, nur eben ein bisschen …»

«Schlammiger?»

Sie lächelte. Es war das erste echte Lächeln, und es brachte ihr Gesicht zum Leuchten.

«Definitiv. Aber die Überlappung von Süß- und Salzwasserökologie ist sehr faszinierend. Und es geht auch nicht nur um Muscheln und Krebse. Aus dem Mündungsgebiet kommen oft Robben hier rauf, manchmal sogar bis Creek House. Haben Sie die Tiere letzte Nacht nicht gehört?»

Ich konnte mich nicht daran erinnern, irgendwas gehört zu haben, nachdem ich ins Bett gegangen war. «Glaube nicht.»

«Das wüssten Sie. Das sind rauflustige Teufel, die kann man nicht überhören. Hören sich an wie betrunkene Labradore. Außerdem gibt es Aale.»

«Aale ...»

Sie drehte sich amüsiert zu mir um. «Ich weiß, die haben echt schlechte Presse. Dabei sind das einmalige Tiere, und wir wissen noch immer kaum etwas über sie. Wussten Sie, dass Aale zum Laichen immer in die Sargassosee zurückschwimmen?»

Ich sah sie an und versuchte, herauszufinden, ob sie einen Witz machte.

«Das stimmt wirklich!», protestierte sie. «Jeder einzelne Aal, den man hier findet, kam in der Sargassosee im nordamerikanischen Atlantik zur Welt. Sobald der Nachwuchs geschlüpft ist, verteilt er sich über die ganze Welt, von Europa bis nach Nordafrika. Die Tiere leben in Flussmündungen oder Süßwassergebieten, bis sie ausgewachsen sind, und schwimmen dann den ganzen Weg zurück in die Sargassosee, um sich zu paaren, und der Kreislauf beginnt von neuem. Aale sind erstaunliche Kreaturen, und es ist ein Verbrechen, dass die Bestände durch Überfischung derart minimiert wurden. Heute gehören Aale zu den gefährdeten Arten, der Bestand ist um fünfundneunzig Prozent gefallen, und niemand ...» Sie verstummte und zuckte schuldbewusst mit den Schultern. «Sehen Sie, was passiert, wenn ich erst mal loslege? Herrlich, Aale und Heimwerken. Wie hedonistisch.»

«Dann waren Sie heute unterwegs, um Aale zu beobachten?», fragte ich und verdrängte das plötzliche Bild des Aals, der aus Leo Villiers' zerstörtem Gesicht geglitten kam.

«Nein, ich wollte mal vor die Tür, und da dachte ich, gehe ich ein bisschen hamstern.» Sie öffnete die Tasche und zeigte mir ein paar lange, glitzernde nasse Pflanzenstränge. «Für Meerfenchel ist es zwar eigentlich noch etwas zu früh, aber wenn man weiß, wo man suchen muss, lässt sich durchaus schon welcher finden. Hier gibt es alles mögliche Meeresgemüse, außerdem Muscheln, Miesmuscheln, Krebse. Das ist schon mal ein Vorteil der Backwaters: Hier kann man nicht verhungern.»

Sie blieb stehen und sah sich um.

«Aber ich höre jetzt auf, Sie zu langweilen. Wir sind da.»

Ich war so in unsere Unterhaltung vertieft gewesen, dass ich nicht aufgepasst hatte, wohin wir gingen. Ein kleines Stück vor uns erhob sich der verrottete Rumpf des alten Bootes aus dem Fluss wie ein riesiger skelettierter Brustkorb. Dahinter war der knorrige Stamm der Weide zu sehen. Die toten Zweige trieben trübselig auf dem Wasser.

«Meinten Sie diese Stelle?», fragte Rachel.

Ich nickte. «Danke für Ihre Hilfe. Ich glaube, jetzt komme ich alleine klar.»

Damit hatte sie offensichtlich nicht gerechnet. «Und wie wollen Sie zurückfinden?»

«Das schaff ich schon.»

Den Weg zu Trasks Haus würde ich von hier aus auf alle Fälle finden, und von dort aus würde ich einfach über die Straße zum Bootshaus zurücklaufen. Oder noch besser, ich nahm das Auto, falls Jamie bis dahin fertig war. Ich war ziemlich am Ende und wollte keinen Rückfall riskieren. Trotzdem war es für das, was ich vorhatte, besser, wenn ich allein war. Und falls ich tatsächlich fand, wonach ich suchte, würde Rachel sicher sowieso nicht dabei sein wollen. Aber sie hatte offenbar andere Vorstellungen. «Nur weil etwas gestern hier war, heißt das noch lange nicht, dass es heute immer noch da ist. Das ist Ihnen schon klar, oder? Ganz egal, was Sie suchen, wenn es schwimmt, ist es inzwischen sicher schon Gott weiß wo gelandet.»

Daran brauchte sie mich nicht zu erinnern. «Ich weiß.»

Rachel sah mich verärgert an. «Das ist albern. Wenn Sie mir sagen, wonach Sie suchen, könnte ich Ihnen eventuell helfen, es zu finden. Ich bin nicht dumm, mir ist klar, dass es nicht hübsch sein wird. Ich habe die Opfer von Haiattacken gesehen. Ich werde mich also weder übergeben noch in Ohnmacht fallen, falls Sie das denken. Und da Sie selbst hier sind und nicht die Polizei, gehe ich davon aus, dass Sie noch gar nicht wissen, ob Sie recht haben.»

«Das stimmt, aber … »

«Hören Sie. Ich bin die letzten paar Monate fast verrückt geworden, weil ich *nichts* tun kann. Sie haben mir schon gesagt, es hätte nichts mit Emma zu tun, also hängt es wahrscheinlich mit Leo Villiers zusammen. Falls Sie also glauben, ich würde mich aufregen, nur weil mir irgendein Körperteil dieses Schweins unter die Augen kommt, kennen Sie mich schlecht.»

Auf ihren Wangen hatten sich rote Flecke ausgebreitet, so wie am Vortag, als sie wütend geworden war. Offenbar hatte ich diese Wirkung auf sie.

«Ich suche einen Turnschuh», sagte ich.

Sie starrte mich ein paar Sekunden lang an. «Okay. Na ja, das ist eine Enttäuschung.»

Für mich nicht, ich würde dankbar sein, wenn ich ihn fand. Schon bei dem Gedanken wallte Ärger über meine Dummheit in mir auf. Ich hatte am Vortag hier am Ufer gestanden, direkt neben dem Schuh, hatte zugesehen, wie er mit anderem im Flussbett gefangenen Treibgut auf dem Wasser herumtrieb. Nur dass ich zu dem Zeitpunkt viel zu beschäftigt damit gewesen war, mich über die verpasste Obduktion zu ärgern, um zu kapieren, was direkt vor meiner Nase lag.

Gut möglich, dass es tatsächlich nur ein alter Turnschuh war. Doch wissen konnte ich es erst, wenn ich ihn gefunden hatte, und Rachel hatte recht. Ob es mir gefiel oder nicht, ich hatte keine Ahnung von den Backwaters. Wenn ich auch nur die winzige Chance haben wollte, etwas zu finden, brauchte ich Hilfe.

«Also. Was ist so besonders an dem Schuh?», fragte sie, als wir zu dem Uferabschnitt gingen, an dem ich am Vortag gewesen war. «Oder sammeln Sie alte Turnschuhe?»

«Nicht freiwillig. Aber da gab es vor ein paar Jahren in British Columbia einen Fall», erzählte ich. «An einem bestimmten Küstenabschnitt wurden immer wieder Schuhe angeschwemmt. Ziemlich viele, etwa ein Dutzend im Laufe von fünf Jahren. Es waren zwar auch Stiefel und andere Schuhe darunter, aber das meiste waren Turnschuhe. Und in jedem dieser Schuhe steckte noch ein Fuß.»

Rachel verzog das Gesicht, doch schockiert wirkte sie nicht. «Wie nett. Und was war's? Ein Serienmörder?»

«Das dachte die Polizei zuerst auch. Oder dass es sich um Opfer des Tsunamis in Asien handelte. Doch dann stellte sich heraus, dass die Schuhe Menschen gehörten, die in Vancouver von einer bestimmten Brücke gesprungen oder gestürzt waren. Die Leichen wurden ins Meer getrieben, und … »

«Und irgendwann fielen die Füße ab.» Rachel nickte. Als Meeresbiologin kannte sie sich mit den Auswirkungen von Wasser auf tote Organismen besser aus als die meisten. «Warum sind sie nicht untergegangen?»

«Wegen der luftgefüllten Kunststoffsohlen.» Ich hielt inne und wischte mir die Stirn ab. Mein Körper signalisierte mir, dass ich es übertrieb, aber wir waren fast da. «Die Sohlen hielten die Schuhe an der Wasseroberfläche, und die

Schuhe selbst verhinderten, dass die Aasfresser sich über die Füße hermachten. Sie trieben Hunderte von Meilen übers Meer, ehe die Meeresströmungen sie irgendwann am selben Küstenabschnitt anspülten.»

«Und Sie glauben, Leo Villiers' Fuß könnte noch in diesem Turnschuh stecken?»

Ich hatte mich bemüht, weder Villiers noch ihre Schwester direkt zu erwähnen, doch Rachel war nicht dumm. «Ich weiß es nicht», gestand ich. «Vielleicht handelt es sich nur um einen alten Turnschuh, den jemand weggeworfen hat. Von der Größe her könnte es allerdings ein Männerschuh gewesen sein.»

Normalerweise hätte ich mich nicht zu einer derartigen Schlussfolgerung hinreißen lassen. Frauenfüße konnten durchaus die Größe von Männerfüßen haben. Doch das kam selten vor, und obwohl ich dem Umstand am Vortag keine Beachtung geschenkt hatte, erinnerte ich mich jetzt daran, dass der Schuh tatsächlich von beträchtlicher Größe gewesen war. Falls Emma Darby nicht anormal große Füße hatte, handelte es sich auf keinen Fall um ihren Schuh, und ich wollte Rachel beruhigen, ohne zu deutlich werden zu müssen.

Sie verstand den versteckten Hinweis trotzdem. «Keine Sorge, meine kleine Schwester war nicht der Turnschuhtyp. Emma war Schwimmerin, aber wenn sie joggen gegangen wäre, hätte sie sogar dazu High Heels getragen.»

Wieder hatte ihre Stimme diesen missbilligenden Tonfall angenommen, aber im Moment hatte ich andere Sorgen, als mir über mögliche Spannungen zwischen den beiden Schwestern Gedanken zu machen. Dann hatten wir das Flussufer erreicht. Der Wasserstand war niedriger als am Vortag, aber der bogenförmige Ausschnitt in der sandigen

Uferböschung war unverkennbar noch derselbe. Treibholz, Plastikflaschen und anderer Müll lagen im Wasser, und ich entdeckte sogar den Puppenkopf vom Vortag wieder.

Aber keinen Turnschuh.

«Sind Sie sicher, dass das die Stelle ist?», fragte Rachel.

«Ganz sicher.»

Ich musterte das schlammige Ufer in beide Richtungen. Obwohl mir klar war, dass die Chance, den Schuh noch vorzufinden, von Anfang an minimal gewesen war, dass die letzte oder vorletzte Flut ihn inzwischen bestimmt weggeschwemmt hatte, war ich trotzdem bitter enttäuscht. Eine Woge der Müdigkeit überkam mich, und wäre Rachel nicht gewesen, hätte ich mich nur noch erschöpft auf die Kühlbox sinken lassen.

«Die Gezeiten haben ihn wahrscheinlich eher in Richtung Meer getrieben und nicht noch weiter landeinwärts», sagte sie mit gerunzelter Stirn. «Ein Stückchen weiter unten gibt es eine Stelle, wo das Ufer weggebrochen ist. Vielleicht ist er dort hängen geblieben.»

Schweigend gingen wir am Flussufer entlang. Mir war inzwischen ziemlich flau. Die Vernunft hätte verlangt, endlich aufzugeben, aber das kam nicht in Frage. Etwa zehn Minuten später erreichten wir eine Stelle, wo die Uferböschung ins Flussbett abgerutscht war und das Wasser staute. Rachel verlangsamte ihren Schritt.

«Hier», sagte sie. «Wenn er hier nicht ist, könnte er überall sein.»

Mein Optimismus entsprach ungefähr meiner Kraft. Ich machte mir heftige Vorwürfe, weil ich die Gelegenheit zur Untersuchung des Turnschuhs nicht schon gestern genutzt hatte, als Rachel plötzlich die Hand ausstreckte.

«Was ist das da drüben?»

Ein kleiner Busch war in den Fluss gerutscht. In dem Nest aus toten Zweigen hatten sich Gräser und Unkraut verfangen, und bei näherem Hinsehen erkannte ich zwischen den grünen Schlingen etwas Helles.

Es war ein auf der Seite treibender Turnschuh.

«Ist er das?» Rachel klang aufgeregt.

«Ich glaube schon.»

Es sei denn, es gab zwei von der Sorte, was zwar möglich, aber nicht wahrscheinlich war. Als wir näher kamen, konnte ich erkennen, dass es sich um einen rechten Schuh handelte. Der Turnschuh trieb nur ein kleines Stück weit vom Ufer entfernt. Er hatte sich mit der Sohle zu uns in den Zweigen des Buschs verfangen. Hätte ich meine Wathose getragen, hätte ich ihn problemlos bergen können, aber mit den Stiefeln würde das nicht ganz so einfach werden. Ich stellte die Kühlbox ab und betrat vorsichtig das bröckelnde Ufer. Die Stiefel versanken augenblicklich im weichen Sand, während ich versuchte, mit dem Paddel an den Schuh zu gelangen. Das Blatt landete wenige Zentimeter entfernt von seinem Ziel im Wasser. Ich wagte mich ein Stückchen weiter vor.

«Hier. Halten Sie sich fest.» Rachel reichte mir ihre Hand. Sie war warm und trocken, und sie gab mir mit festem Griff das notwendige Gegengewicht. Ich beugte mich vor, das Paddel ausgestreckt, und verpasste den Schuh zwar auch diesmal, aber nur noch um Haaresbreite. Beim nächsten Mal traf das Blatt direkt auf den Turnschuh, zog ihn aus den Zweigen heraus und ein Stückchen näher zu mir her.

Ich holte den Schuh noch ein bisschen näher heran und setzte dann mit dem Paddel das Wasser in Bewegung, damit er von selbst auf mich zutrieb.

Rachel ließ meine Hand los, und ich versuchte, das plötzliche Fehlen der Wärme auf meiner Haut zu ignorieren.

«Ich möchte Ihnen ja nur ungern Ihre Illusionen rauben, aber in so was hätte Leo Villiers sich nicht mal tot erwischen lassen», sagte sie.

Ich hatte gerade dasselbe gedacht. Unter der Schlammkruste sah der Turnschuh billig und klobig aus, eher ein Modeartikel für Leute mit wenig Geschmack als zum Training entworfen. Er passte nicht in das Bild, das ich mir von Leo Villiers gemacht hatte, einem Mann, der maßgeschneiderte Kleidung von seinem Herrenausstatter in St James trug und eine handgefertigte Schrotflinte besaß, die ein kleines Vermögen wert war.

«Ist das eine lila Socke?» Rachel lehnte sich über meine Schulter, um besser zu sehen. «*Definitiv* nicht Leo Villiers.»

Obwohl mir fast klar gewesen war, dass es mit dem Turnschuh wahrscheinlich nichts auf sich hatte, spürte ich, wie die Enttäuschung mir auch noch den letzten Rest Energie raubte. Ich wollte den Schuh schon wieder davondriften lassen, als mir klarwurde, dass in einem weggeworfenen Turnschuh wohl kaum noch eine Socke stecken würde. Und dann fiel mir noch etwas auf.

Die verdreckten Schnürsenkel waren zugebunden.

«Es ist vielleicht besser, wenn Sie ein Stückchen beiseitegehen», warnte ich Rachel. Doch zu spät. Der Schuh hatte sich gedreht und wandte uns die Öffnung zu.

Eingebettet in den Turnschuh und halb verborgen in dem farbigen Strumpf ragten bleich Knochen und Knorpel eines Fußgelenks heraus.

❦

KAPITEL 10

«Sie hätten anrufen sollen.»

Lundy klang eher tadelnd als verärgert. Wir standen im Küchenbereich des Bootshauses, auf der Arbeitsfläche wurde der unberührte Tee langsam kalt. Lundy war eleganter gekleidet als bei unserer letzten Begegnung, und ich fragte mich, ob mein Anruf seine Feiertagspläne durchkreuzt hatte.

«Und was hätten Sie mir dann gesagt?», fragte ich ihn müde. «Es hätte genauso gut irgendein alter Turnschuh sein können. Ich bin nur noch mal losgegangen, um mein Gewissen zu beruhigen. Außerdem wäre gar keine Zeit mehr gewesen, vor der nächsten Flut eine Suchaktion auf die Beine zu stellen.»

Ich erntete ein widerwilliges Schnauben. «Schade, dass Sie nicht schon gestern auf die Idee gekommen sind, sofort nachzusehen.»

Weiß ich selbst. Sobald ich den Inhalt des Turnschuhs gesehen hatte, war ich vor eine schwere Wahl gestellt gewesen. Es war mir zwar zuwider gewesen, auf eigene Faust zu handeln – das war Aufgabe der Spurensicherung –, aber die Flut war bereits mit erschreckender Geschwindigkeit in den Tidefluss zurückgekehrt. Wenn ich den Schuh nicht da wegholte, würde das Wasser es tun, und ich hatte nicht riskieren wollen, ihn wieder zu verlieren.

Also hatte ich Fotos gemacht, den Schuh mit Hilfe einer Mülltüte aus dem Wasser geholt und diese dann auf links gedreht, um ihn sicher darin zu verpacken. Wir hatten da draußen keinen Empfang gehabt, und ich hatte Lundy erst anrufen können, nachdem wir wieder ins Bootshaus zurückgekehrt waren.

Der DI war überrascht gewesen, von mir zu hören, zumal als er erfuhr, wo ich mich aufhielt. Trask hatte es offensichtlich nicht erwähnt, als die beiden telefonierten, doch ein resigniertes Seufzen war Lundys einziger Kommentar dazu. Er sei sofort da, hatte er mir am Telefon gesagt und noch hinzugefügt, ich solle mich nicht vom Fleck rühren.

Ich hatte nicht vor, irgendwohin zu gehen. Die Wanderung durch die Marschwiesen hatte mir viel abverlangt, und als Rachel und ich uns endlich auf den Rückweg zum Bootshaus gemacht hatten, war ich erschöpft. Während sie Tee kochte, holte ich die Gefrierakkus aus dem Eisfach, steckte sie in eine Tüte, legte diese zu dem Fuß in die Kühlbox und sank dankbar in den Sessel. Ich konnte Rachel vom Gesicht ablesen, dass sie mehr erfahren wollte, doch sie riss sich zusammen. Gut so. Ich hätte ihr sowieso nichts erzählt.

Ich hatte selbst mehr Fragen als Antworten.

Lundy kam früher als erwartet, zwei Leute von der Spurensicherung im Schlepptau. Er blieb bei mir, während Rachel sie zu der Stelle führte, wo wir den Schuh gefunden hatten. Ich bot nicht an, mitzugehen, weil mir klar war, dass ich mich bereits bis über meine Grenzen verausgabt hatte. Außerdem war der Marsch am Flussufer bei Flut so gut wie unmöglich. Rachel sagte, es gäbe eine Stelle, wo die Straße so nahe am Fundort vorbeiführte, dass man von dort aus hinkommen könnte. Die drei fuhren also mit dem Wagen los und nahmen die Kühlbox samt Inhalt mit. Lundy hatte kaum abgewartet, bis die Tür ins Schloss gefallen war, ehe er sich mir zuwandte.

«Also gut, Dr. Hunter», hatte er gesagt und die Arme vor der Brust verschränkt. «Wie wär's, wenn Sie mir erzählen, was hier eigentlich los ist?» Er stieß einen langgezogenen Seufzer aus. «Ich muss Ihnen ja wohl kaum sagen, wie heikel das ist, oder? Emma Darbys Familie hat wirklich genug durchgemacht, ohne jetzt auch noch in diese Geschichte reingezogen zu werden.»

«Und hätte ich gewusst, dass ihr Ehemann mit Nachnamen Trask heißt, hätte ich ihnen aus dem Weg gehen können», schoss ich zurück. «Okay. Ich gebe es zu, ich habe Mist gebaut. Aber was blieb mir denn anderes übrig?»

Lundy schob sich die Brille ins Haar und massierte seine Nasenwurzel. «Na ja. Was geschehen ist, ist geschehen. Wenigstens haben wir den Fuß. Sie sagen, Sie hätten Fotos gemacht?»

Ich hatte noch keine Gelegenheit gehabt, die Aufnahmen vom Flussufer auf mein Laptop zu laden. Deshalb suchte ich die Bilder direkt auf der Kamera und zeigte sie ihm.

«Die brauche ich per Mail», sagte Lundy und musterte die Fotos auf dem kleinen Bildschirm. «Sieht nicht so aus, als wäre er abgetrennt worden, oder?»

«Nein, soweit ich das von hier aus beurteilen kann, nicht.»

Ich hatte mich gehütet, den Fuß auf eigene Faust zu untersuchen, aber die Vergrößerung der Aufnahmen auf dem Bildschirm der Kamera hatte mir bereits einige Details verraten. Die gebogene Struktur des Talus – des Sprungbeins – ragte sichtbar aus der verdreckten Socke. Zwar hatten Fische, Krebse und Seevögel vom Knorpelgewebe abgefressen, was sie erwischen konnten, aber ein paar zerfledderte Reste hingen noch immer an der bloßgelegten Oberfläche des Fußgelenks. Abgesehen von den winzigen Pickspuren der Aasfresser war die konkave Oberseite des Sprungbeins glatt und zeigte keinerlei Hinweise auf Schnittspuren oder einen durch stumpfe Gewalt oder Scherkräfte verursachten Bruch. Das Wenige, was ich gesehen hatte, reichte für die Aussage, dass der Fuß sich im Laufe des Verwesungsprozesses des Bindegewebes auf natürliche Weise vom Bein gelöst hatte.

Das war an Schlüssen aber auch schon alles, was ich ziehen konnte.

«Sieht für einen Frauenfuß zu groß aus», sagte Lundy und klickte sich zum nächsten Bild. «Sie haben wohl nicht zufällig die Schuhgröße gesehen, oder?»

«Nein. Ich hielt es für besser, ihn sofort einzutüten und in die Kühlbox zu verfrachten. Sah ungefähr nach vierundvierzig aus, aber das ist wirklich nur geraten.»

Falls das irgendwas zu bedeuten hatte, so ließ Lundy sich nichts anmerken. «Irgendeine Vorstellung, wie lange der Fuß im Wasser gelegen haben könnte?»

«Lediglich das Offensichtliche. Lange genug, um sich vom Bein zu lösen, sagen wir, zu dieser Jahreszeit ein paar Wochen. Näheres kann ich ohne eingehende Untersuchung unmöglich sagen.»

«Also, grob gesagt, derselbe Zeitraum wie die Leiche, die wir gestern gefunden haben.»

«Der Fuß wurde vom Schuh geschützt, könnte also

durchaus länger im Wasser gelegen haben. Aber: wahrscheinlich ja.»

«Und von dem zweiten Fuß keine Spur?» Ich sah ihn nur an. Er seufzte. «Ja, okay, blöde Frage.»

Falls ja, hätte ich es längst gesagt. Doch die Ablösung von Füßen und Händen hatte sicher nicht gleichzeitig stattgefunden. Es wäre ein riesiger Glücksfall, wenn die Gliedmaßen am selben Ort gestrandet wären.

Lundy klickte durch die Aufnahmen zurück bis zu dem Foto, das den ganzen Turnschuh zeigte. Er musterte es eingehend, die Lippen geschürzt.

«Wollen Sie es aussprechen, oder soll ich?», fragte ich.

«Was aussprechen?» Er grinste.

«Nach allem, was ich über ihn gehört habe, sieht dieser Schuh nicht nach Leo Villiers aus.»

«Was nicht bedeutet, dass es nicht trotzdem seiner war. Die Menschen haben alle möglichen seltsamen Sachen in ihren Kleiderschränken versteckt.»

«Lila Socken?»

«Zugegeben, die würde ich Leo Villiers eher nicht zutrauen, aber ich habe schon Seltsameres erlebt. Wir bemühen uns derzeit bei seinem Vater noch immer um die Herausgabe der Krankenakten, und bis wir die haben, ist es ebenso gut möglich, dass Leo Villiers farbenblind war. Außerdem weiß niemand, was er tatsächlich getragen hat, als er verschwand. Wir haben keine Genehmigung zur Hausdurchsuchung bekommen und wissen also auch nicht, was er dort alles rumliegen hatte.»

«Keine *Genehmigung*?», fragte ich überrascht. Die Krankenakten zurückzuhalten, ehe jemand offiziell für tot erklärt worden war, konnte ich vielleicht noch verstehen, aber nicht, wie es jemandem möglich sein sollte, die Polizei von einer Hausdurchsuchung abzuhalten, ganz gleich, wer er war. «Und was war damals, als Emma Darby verschwand?»

«Für einen Durchsuchungsbeschluss hatten wir nicht genügend Beweise.» Er schüttelte den Kopf angesichts der unliebsamen Erinnerung. «Die Anwälte seines Vaters haben uns die Hölle heißgemacht. Als er vermisst gemeldet wurde, kam es lediglich zu einer oberflächlichen Hausdurchsuchung, um sicherzugehen, dass er nicht tot in einem der Zimmer lag oder so. Das konnten sie uns schlecht verwehren. Allerdings hatte sich, ehe wir kamen, bereits jemand dort zu schaffen gemacht. Die Haushälterin sagte zwar, sie hätte geputzt, ehe sie merkte, dass er verschwunden war, aber als wir kamen, war das Haus von oben bis unten quasi sterilisiert.»

«War das nicht Vertuschung?»

Lundy zog eine frische Packung Magentabletten aus der Tasche und fummelte die Plastikfolie ab. «Damit wären wir nicht durchgekommen. Es war ja leider nicht so, dass wir gewusst hätten, wonach wir suchen sollten, außer Emma Darbys Leiche vielleicht, also konnten wir auch niemandem die Beseitigung von Beweismitteln unterstellen. Was ich damit sagen will, ist, dass wir nicht genug über Leo Villiers wissen, um behaupten zu können, dass er grundsätzlich nie billige Turnschuhe und lila Socken trug. Falls er vorhatte, sich mit einer Schrotflinte das Hirn wegzupusten, war es ihm wahrscheinlich ziemlich egal, was er dabei an den Füßen hatte.»

Lundy klang, als müsste er sich selbst überzeugen.

«Sie sind darüber aber auch nicht eben glücklich, oder?», fragte ich.

«Was ich bin oder nicht bin, spielt keine Rolle.» Missmutig zermalmte er zwei Magentabletten. «Ganz ehrlich? Ich würde lieber glauben, dass Villiers junior einen zweifelhaften Schuhgeschmack hatte als die Alternative dazu. Nämlich, dass es irgendwo noch eine Leiche gibt, der ein Fuß fehlt.»

Es gab noch eine dritte Möglichkeit, aber dies war nicht der richtige Zeitpunkt, um sich damit zu beschäftigen. Außerdem war ich mir ziemlich sicher, dass Lundy selbst darauf gekommen war.

«Wissen Sie schon, wann Frears den Fuß untersuchen wird?», fragte ich. «Ich würde gern selbst einen Blick darauf werfen.»

Lundy schien sich plötzlich ziemlich unwohl zu fühlen. «Vielen Dank für das Angebot, aber ich glaube, das ist nicht nötig.»

Ich versuchte, mir die Enttäuschung nicht anmerken zu lassen. Ich hatte gehofft, man würde mich bitten, den Fuß zu untersuchen. Gut möglich, dass er uns nicht allzu viel verriet, aber ich hätte gerne die Gelegenheit gehabt, einige Maße zu nehmen und mir den Zustand der Gelenke selbst anzusehen. Und wenn ich dann schon in der Leichenhalle gewesen wäre, hätte ich auch gleich noch einen, wenn auch verspäteten, Blick auf die Leiche werfen können, die wir geborgen hatten. Es fuchste mich immer noch, dass ich die Obduktion verpasst hatte. Selbst wenn ich den Untersuchungsergebnissen des Rechtsmediziners nichts hinzufügen konnte, blieb mir wenigstens die Befriedigung, alles in meiner Macht Stehende getan zu haben.

Diese Chance blieb mir jetzt verwehrt. «Clarke ist sauer auf mich, oder?», fragte ich.

Lundy seufzte. «Dieser Fall ist auch so schon kompliziert genug. Chief Inspector Clarke will es nicht noch komplizierter.»

«Warum macht es die Dinge komplizierter, wenn ich den Fuß untersuche?»

«Na ja, abgesehen davon, dass Sie die Obduktion verpasst haben, sind Sie inzwischen der Hausgast der Familie einer vermissten Person und haben sich mit deren Schwester auf die Jagd nach einem fehlenden Körperteil begeben. Keine schlechte Bilanz für vierundzwanzig Stunden, oder?»

So betrachtet, warf das wirklich kein allzu gutes Licht auf mich, aber wir wussten beide, dass das nicht ganz fair war. «Abgesehen von der Tatsache, dass ich nicht wusste, wer die Leute sind, hatten Sie mir bereits gesagt, ich sei aus den Ermittlungen raus, als ich noch gar nicht daran gedacht hatte, hier zu übernachten.»

«Ich weiß. Und ohne Sie hätten wir den Fuß nicht gefunden, das bestreite ich auch nicht. Aber die Chefin hat sich nun mal entschieden, und …» Er breitete die Hände aus. «Sagen wir so: Ich wage zu behaupten, dass sie ihre Meinung ändert, wenn sie sich erst beruhigt hat. Das ist ja nicht die letzte Ermittlung. Das Beste, was Sie im Augenblick tun können, ist, die Füße stillhalten.»

Mit noch mehr Zurückhaltung als momentan wäre ich beruflich quasi nicht mehr existent. Doch Lundy hatte recht. Die leitende Ermittlerin vor den Kopf zu stoßen, half hier nicht weiter.

Der DI trank einen Schluck Tee und wechselte das Thema. «Wie lange wollen Sie noch hierbleiben?», fragte er und setzte die Tasse ab.

«Nur bis mein Auto fertig ist.» Ich sah ihn mit hochgezogener Augenbraue an. «War das ein Wink mit dem Zaunpfahl?»

Er kicherte. «Nein, ich mache nur höflichen Smalltalk.

Ehrlich gesagt, bin ich erstaunt, dass Trask Sie überhaupt hier hat übernachten lassen. Hat er versucht, mit Ihnen über den Fall zu sprechen?»

Daher wehte der Wind. «Nein. Schon ehe ich wusste, wer er ist, habe ich ihm deutlich zu verstehen gegeben, dass ich nicht über den Fall sprechen werde.»

«Also hat er gefragt, ja?»

«Würden Sie doch auch, oder?» Das klang schärfer, als es gemeint war. Die Bergung des Fußes hatte mich erschöpft, und ich war gereizt, weil man mich abserviert hatte. Seufzend rief ich mir ins Gedächtnis, dass Lundy lediglich seinen Job machte. «Ich habe ihn einfach für sensationslüstern gehalten, aber selbst wenn ich gewusst hätte, dass Emma Darby seine Frau war, hätte ich nichts gesagt. Ich würde mich hüten.»

Das schien Lundy zu genügen. «Na gut. Trotzdem bin ich nicht sicher, dass er Ihnen das Ferienhaus nicht auch deswegen vermietet hat. Wissen Sie, dass die Renovierung das Lieblingsprojekt seiner Frau war? Vielleicht hat er Ihnen deshalb auch angeboten, dass sein Sohn Ihren Wagen repariert. Für mich klingt das ziemlich nach Charme-Offensive. Er war nie glücklich darüber, wie wir den Fall behandelt haben. Gut möglich, dass er der Meinung ist, es könnte nicht schaden, einen freundlichen Polizeiberater im Haus zu haben.»

«Charme-Offensive» war wohl kaum ein Begriff, der auf Trasks Benehmen passte. «Klingt, als wäre er Ihnen nicht sonderlich sympathisch.»

Lundy runzelte die Stirn. Ich durfte nicht vergessen, dass ich in den Fall nicht mehr eingebunden war und nicht das Recht hatte, ihn auszufragen. Doch nach einem Moment des Zögerns zuckte er mit den Schultern.

«Ja, aber das spielt keine Rolle. Auch wenn er ein aggressiver Mistkerl ist, muss man trotzdem Mitgefühl mit ihm und seiner Familie haben. Sie haben letztes Jahr einiges durchgemacht. Schlimm genug, dass seine Frau verschwunden ist, aber dann auch noch rauszufinden, dass sie eine Affäre hatte ... » Er schüttelte den Kopf. «Die Familie ist vom Pech verfolgt. Trasks erste Frau starb, kurz nachdem die Kleine zur Welt gekommen war, irgendeine Komplikation während der Geburt. Er musste ein Baby und einen kleinen Jungen alleine großziehen. Leicht kann das nicht gewesen sein. Dann trifft er plötzlich diese glamouröse Frau, jünger als er, Londoner Erscheinung, die selbst gerade über eine Enttäuschung hinwegkommen muss, heiratet sie und verschleppt sie hierher an den Arsch der Welt, bitte entschuldigen Sie meine Ausdrucksweise. Weiß der Himmel, was die beiden sich dabei dachten, aber dass das nicht gutgehen konnte, war im Grunde klar.»

«Wusste er von der Affäre mit Leo Villiers, ehe sie verschwand?»

«Er sagt, er hätte vermutet, dass sie jemanden trifft, aber nicht, wen. Das kam erst später raus, als wir ihre Telefonverbindungen überprüften. Es gab jede Menge Anrufe auf Villiers' Nummer, und das bis ein paar Tage vor ihrem Verschwinden. Danach deutete im Grunde so ziemlich alles in diese Richtung.»

«Gestern sagten Sie, Trask hätte zwischendurch zu den Verdächtigen gehört?»

Lundy lächelte freudlos. «Er ist der Ehemann, das war reine Routine. Aber als sie verschwand, befand er sich auf einem Architektenkongress in Dänemark. Mehrere Zeugen hatten sie nach seiner Abreise noch gesehen oder mit ihr gesprochen, ehe sie zwei Tage später plötzlich vom Radar verschwand. Seine beiden Kinder waren zu dem Zeitpunkt ebenfalls nicht da, das Mädchen auf einer Klassenfahrt, der Junge im Internat, und deshalb wurde auch erst gegen Ende der Woche Alarm geschlagen, als er zurück war.»

Ich dachte an die schöne, selbstbewusste Frau auf der gerahmten Fotografie. Falls kein Wunder mehr geschah, würde jetzt, wo Leo Villiers tot war, niemals jemand erfahren, was tatsächlich mit ihr geschehen war. Der Tod eines Familienmitglieds war für eine Familie immer schwer zu verkraften, aber dass ein geliebter Mensch einfach verschwand, war noch viel schlimmer. Und falls ihr Mörder die Leiche in den Backwaters beseitigt hatte, würde inzwischen nichts mehr von ihr übrig sein. Ihre Vitalität, ihre Eitelkeit, ihre Ambitionen, alles, was Emma Darbys Persönlichkeit einst ausgemacht hatte, wäre längst ausgelöscht. Mit diesem Mysterium hatte ich noch nie gut umgehen können.

«Dr. Hunter?», sagte Lundy. «Alles in Ordnung?»

Ich riss mich zusammen. Mir war nicht bewusst gewesen, dass meine Gedanken abgeschweift waren. Ich war doch müder, als ich dachte. «Entschuldigung. Ich habe nur nachgedacht.»

Er trank den Tee aus und setzte die Tasse ab. «Na ja, ich sollte mal wieder los. Meine Enkeltochter feiert heute Nachmittag Geburtstag. Sie hat versprochen, mir ein Stück Geburtstagskuchen aufzuheben, aber ich erwarte mir lieber nicht zu viel.»

«Nein. Würde ich auch nicht.» Ich lächelte bei der Erinnerung an die Geburtstagsfeste meiner eigenen Tochter. «Wie alt ist sie?»

«Vier. Eine richtige kleine Madame, unsere Kelly. Weiß jetzt schon, wie sie mich um den Finger wickeln kann.»

«Haben Sie noch mehr Enkelkinder?»

«Das zweite ist unterwegs. Meine Tochter Lee – Kellys Mum – ist wieder schwanger.» Er schüttelte den Kopf. «Es kommt mir wie gestern vor, da hat sie noch selbst die Geburtstagskerzen ausgeblasen. Und was ist mit Ihnen? Haben Sie … äh, haben Sie schon irgendwelche Pläne für die Zeit nach Ihrer Rückkehr?»

Er hatte gerade noch die Kurve gekriegt, aber ich wusste genau, was er eigentlich hatte fragen wollen. *Haben Sie auch Kinder?* Er hatte sich rechtzeitig gebremst, also hatte er entweder seine Hausaufgaben gemacht, oder jemand hatte ihm von meiner Vergangenheit erzählt. Ich war die Frage inzwischen gewohnt, und auch wenn es immer schmerzhaft bleiben würde, brachte sie mich inzwischen nicht mehr aus der Fassung. Doch Lundy wirkte regelrecht erschüttert, und sein sowieso schon rötliches Gesicht war tomatenrot.

«Nein. Keine Pläne», sagte ich, um die peinliche Situation zu überspielen.

«Aha. Na dann. Danke noch mal.» Er streckte mir eine fleischige Hand entgegen. «Gute Fahrt, Dr. Hunter.»

Als Lundy weg war, kippte ich den kalten Tee in den Ausguss und kochte frischen. Ich war zwar immer noch ziemlich fertig, aber das Frösteln war weg und das Fieber auch, beides Hinweise darauf, dass der Infekt nicht noch einmal aufgelodert war. Trotzdem fühlte ich mich nach dem Besuch des DI leer und deprimiert. Ich konnte Clarke im Grunde keinen Vorwurf machen, dass sie mich nicht mehr dabeihaben wollte – ich hatte mich bis jetzt kaum mit Ruhm bekleckert –, aber es war trotzdem enttäuschend. Fragwürdige Umstände hin oder her, schließlich hatte ich mich mit dem Fund des

Fußes zumindest ein wenig rehabilitiert. Ein Ausflug ins Marschland mochte unklug gewesen sein, aber wenigstens würde ich jetzt mit der Gewissheit nach London zurückkehren, etwas Nützliches beigetragen zu haben.

Außerdem hatte es sich schon deshalb gelohnt, weil ich Rachel ein wenig näher hatte kennenlernen können. Seit die Luft zwischen uns gereinigt war, verstanden wir uns gut, und ich hatte die Zeit in ihrer Gesellschaft trotz der Umstände genossen. Ich hatte das Gefühl, ihr ging es genauso. *Ja, klar. Nichts fördert zwischenmenschliche Beziehungen so sehr, wie zusammen ein Stückchen Leiche zu finden.*

Ich nahm den Tee mit zum Sessel am Fenster und beobachtete beim Trinken die Schwimmvögel draußen auf dem randvollen Tidefluss. Ich sagte mir, dass es höchste Zeit war, mich nach meinem Wagen zu erkundigen, entschied dann aber, dass das ruhig noch ein paar Minuten warten konnte. Außerdem hatte Trask gesagt, sie würden sich melden, wenn das Auto fertig war, und den Jungen zu hetzen, würde die Sache auch nicht beschleunigen.

Irgendwie hatte ich keine Eile, nach London zurückzukehren. Die Vorstellung, den Rest des langen Wochenendes allein in einer leeren Wohnung zu verbringen, senkte sich wie ein Sargtuch auf mich. Natürlich konnte ich immer noch zu Jason und Anja rüberfahren, aber es war ziemlich weit und würde sich im Grunde nicht mehr lohnen.

Ich machte es mir in dem Sessel bequem, streckte die Füße aus und sah zu, wie draußen der Nachmittag langsam vorbeizog. Ich hatte von den Backwaters bis jetzt noch nicht viel gesehen, doch mir gefiel es hier. Die tiefgelegenen Salzmarschen und der hohe Himmel strahlten etwas Beruhigendes, Meditatives aus. London mit seinem Lärm und Trubel, wo von Hauptverkehrsadern gesäumte Parks das einzige Grün waren, schien eine Ewigkeit weit weg. Mir war gar nicht klar gewesen, wie überdreht und angespannt ich gewesen war, wie stark belastet von der täglichen Pendlerei und dem grässlichen Verkehr. Außerdem war das Bootshaus eine wunderbare Bleibe: einfach, aber mit allem, was ich brauchte. Ich würde den Frieden und die Ruhe nur ungern verlassen.

Und sonst nichts? Geht es dir tatsächlich nur darum?

Ich hatte nicht gemerkt, dass ich eingenickt war, bis mich Motorengeräusch weckte. Ich setzte mich auf, rieb mir die Augen und sah auf die Uhr: Ich hatte über eine Stunde geschlafen. Ich fühlte mich viel besser, zwar immer noch erschöpft, aber der Kopf war wieder klar. In dem Glauben, Jamie hätte mir meinen Wagen gebracht, ging ich zur Tür, doch ich kam nicht weit. Unter dem Teppich lag irgendwas, woran ich mir den Fuß stieß. Fluchend humpelte ich zur Tür und öffnete im selben Augenblick, als jemand anklopfte.

Rachel stand mit erhobener Hand auf der Türschwelle. «Oh!», sagte sie erschrocken.

«Tut mir leid. Ich dachte, es wäre Jamie», sagte ich und kam mir ziemlich blöd dabei vor.

«Was haben Sie mit Ihrem Fuß gemacht?», fragte sie, als ich mir die Zehen rieb.

Ich richtete mich wieder auf und versuchte, das Pochen zu ignorieren. «Nichts. Ich bin hängengeblieben. Da war was unter dem Teppich.»

«Ich hätte Sie warnen sollen.» Sie verzog das Gesicht. «In den Boden ist eine alte Falltür eingelassen. Der Griff steht ein Stückchen raus, eine kleine Stolperfalle gewissermaßen. Das gehört auch zu den Dingen, die dringend erledigt werden müssen. Bitte sagen Sie mir, dass nichts gebrochen ist.»

«Also für den Griff kann ich nicht garantieren, aber mein Fuß ist okay.» Ich lächelte. Selbst wenn nicht, würde ich das auf gar keinen Fall zugeben. «Wie lief es mit der Spurensicherung?»

«Gut. Es gab nicht viel für sie zu tun. Sie haben lediglich ein paar Fotos vom Fundort gemacht, und das war's im Grunde. Dann haben sie mich zum Haus zurückgefahren.»

Sie hatte sich der Gummistiefel entledigt und ihre rote wasserfeste Jacke aufgeknöpft. Darunter trug sie einen grobgestrickten Pullover mit Zopfmuster, der gut zu ihren Jeans passte.

«Wollen Sie reinkommen?» Ich trat beiseite.

Doch sie schüttelte den Kopf. «Ich kann nicht bleiben. Ich will Fay bei einer Freundin abholen und habe Jamie versprochen, kurz bei Ihnen reinzuschauen. Die gute Nachricht lautet, dass Ihr Wagen fast fertig ist. Er hat einen Ölwechsel gemacht und den Motor zerlegt und gereinigt. Er sagt, Sie können froh sein, dass Sie kein neues Auto haben, weil bei denen die Elektronik viel komplizierter ist und er da nichts hätte machen können.»

Ich bemühte mich, ein wenig Enthusiasmus aufzubringen. «Das ist toll.»

«Freuen Sie sich lieber nicht zu früh. Es gibt auch eine schlechte Nachricht. Sie brauchen neue Zündkerzen. Jamie hat keine, und jetzt haben Sie zwei Möglichkeiten. Etwa fünfundzwanzig Meilen von hier gibt es einen großen Ersatzteilhändler, der auch feiertags geöffnet hat. Jamie hat angeboten, hinzufahren und die Zündkerzen zu besorgen. Er meint, sobald er die Zündkerzen ausgetauscht hat, müsste er den Wagen eigentlich wieder zum Laufen kriegen. Ich glaube, er hat ein schlechtes Gewissen, weil er immer noch nicht fertig ist.»

Das war kaum sein Fehler, und sein Vorschlag bedeutete eine Fahrt von fünfzig Meilen für ihn, und das an einem Feiertagssonntag. Auf den größeren Straßen herrschte mit Sicherheit ziemlich viel Verkehr, und wenn er zurückkam, musste er die Zündkerzen auch noch einsetzen.

«Und die zweite Möglichkeit?», fragte ich.

«In Cruckhaven gibt es eine Tankstelle, die müssten eigentlich auch Zündkerzen haben. Es ist eine kleine Tankstelle, die hat heute sicher geschlossen. Aber morgen früh ist da geöffnet, falls es Ihnen nichts ausmacht, noch eine Nacht hierzubleiben.»

Ich hatte mich derart fest darauf eingestellt, abzureisen, dass ich nicht wusste, wie ich reagieren sollte. Nach der Wanderung querfeldein durch die Marsch hatte ich weiß Gott keine Lust dazu, mich heute Abend noch ins Auto zu setzen und nach London zurückzugurken. Ich hatte mein Glück für einen Tag bereits genug strapaziert, und es war nur vernünftig, mich noch eine Nacht auszuruhen. Doch selbst wenn ich Clarke mit dem Umstand, dass ich Emma Darbys Familie mit in die Sache hineingezogen hatte, nicht bereits verärgert hätte, sah ich leider noch einen weiteren potenziellen Haken.

«Es handelt sich bei der Tankstelle aber nicht zufällig um die von diesem Coker, oder?» Ich dachte an meinen Versuch, einen Mechaniker herzuholen.

Rachel musterte mich argwöhnisch. «Nein. Warum?»

«Nur so.»

Einen Augenblick lang dachte ich, sie würde nachhaken, doch dann entschied sie sich offenbar dagegen. «Es liegt bei

Ihnen, jedenfalls muss ich morgen früh sowieso nach Cruckhaven. Ich kann die Zündkerzen besorgen, und Sie könnten sich am Mittag wieder auf den Weg machen. Hängt ganz davon ab, wie eilig Sie es haben.»

Gar nicht, dachte ich und hatte wieder die leere Wohnung vor Augen.

Meine Entschlossenheit geriet ins Wanken. «Was sagt Ihr Schwager dazu?»

«Andrew ist das völlig egal.» Sie schob sich eine Strähne aus der Stirn, und einen Augenblick lang erkannte ich die Ähnlichkeit mit ihrer Schwester. «Es ist ja nicht so, dass Sie hier draußen irgendwem im Weg wären.»

Ich musste wieder an das Gespräch mit Lundy denken. Ich hatte ihm gesagt, ich würde nur noch bleiben, bis mein Wagen repariert war, hatte aber nicht gesagt, wann das sein würde. Noch eine Nacht machte im Grunde keinen großen Unterschied; jedenfalls nicht, solange Trask keinen Einspruch erhob.

Außerdem war ich offiziell aus den Ermittlungen gekickt worden.

«Kann ich von hier aus nach Cruckhaven laufen?», fragte ich zögernd. Ich hatte die Familie wirklich schon genug genervt und wollte nicht, dass Rachel jetzt auch noch Botengänge für mich erledigte.

«Schon, aber das dauert eine gute Stunde, je nach Wasserstand. Außerdem ist das unnötig, wenn ich selbst fahre.» Ihr plötzliches Lächeln barg einen Hauch Verlegenheit. «Wenn Sie sich dadurch besser fühlen, können Sie ja mitkommen.»

Mir fielen immer noch genug Gründe ein, es nicht zu tun. Doch der Anflug innerer Zerrissenheit war schnell vorüber.

«Sehr gern», antwortete ich.

KAPITEL 11

❧

Ich hatte seit Monaten nicht mehr so gut geschlafen. Die erste Nacht im Bootshaus hatte ich zwar auch durchgeschlafen, aber aus reiner Erschöpfung und während mein Körper die Infektion bekämpfte. Der Schlaf der letzten Nacht hingegen war tief und erholsam gewesen und von einer Qualität, die ich beinahe vergessen hatte.

Nachdem Rachel versprochen hatte, mich um zehn am nächsten Morgen abzuholen, war sie wieder gegangen, und ich hatte mich gefragt, ob meine Entscheidung richtig gewesen war. Es war erst später Nachmittag, und ich hatte keine Ahnung, was ich mit mir anfangen sollte. Es gab weder Internet noch Fernsehen, auch keine Musik oder Bücher. Oder Arbeit. Wenn ich früher an einer Ermittlung beteiligt gewesen war, hatte ich mich in meiner Freizeit mit Berichten und Fallnotizen beschäftigt. Das fiel aus, und obwohl ich mein Laptop dabeihatte, konnte ich nicht mal online gehen, um meine E-Mails abzurufen.

Doch ausnahmsweise nagte das Bedürfnis zu arbeiten, etwas zu *tun*, weniger drängend an mir als sonst. Rachel hatte angeboten, mir frische Lebensmittel zu bringen, aber solange ich mit Eiern und Suppe vorliebnahm, war noch genug übrig, um mich bis zum nächsten Morgen zu versorgen. Wenn ich nicht wollte, musste ich nirgendwohin, und genau so machte ich es. Ich hielt die Stellung im Sessel, schaute zum Fenster hinaus auf die langsam einsetzende Ebbe und versuchte, nicht zu viel in das harmlose Angebot hineinzuinterpretieren, mich mit in den Ort zu nehmen.

Aufgescheucht von meinem knurrenden Magen, bereitete ich mir ein frühes Abendessen aus der restlichen Tomatensuppe, Omelette und Brot zu. Zwar keine Haute Cuisine, doch ich genoss jeden einzelnen Bissen. Als das letzte Abendlicht verblasste, machte ich einen Verdauungsspaziergang am Ufer des schlammigen Flusses entlang, diesmal in entgegengesetzte Richtung, auf das Flussmündungsgebiet zu. Es war ein entschieden leichteres Fortkommen als der morgendliche Marsch in Richtung der Backwaters. Es gab zwar auch hier keinen echten Fußweg, aber der Untergrund war trockener und fester, und der Marschboden war durchsetzt von niedrigen, mit rauen, stacheligen Grasbüscheln bewachsenen Sanddünen. Nach einer Weile erreichte ich einen überwucherten Kieshügel, offenbar Teil eines ehemaligen Flutdamms, der aufgegeben worden war und das Land wieder den Gezeiten überlassen hatte. Ich stieg hinauf und ließ den Blick über die jetzt freiliegende weite Schlicklandschaft schweifen.

Ein Stück landeinwärts war eine Ansammlung Lichter zu sehen, die ich für Cruckhaven hielt, und draußen auf dem Meer zogen beleuchtete Containerschiffe gemächlich über den dunkel werdenden Horizont.

Ich wäre gerne noch weitergelaufen, aber es wurde dunkel. Ich machte kehrt und spürte plötzlich eine irritierende Rastlosigkeit, die sich nicht sofort einordnen ließ. Erst als ich beinahe wieder zurück am Bootshaus war, wurde mir klar, dass der Anblick des Mündungsgebiets mich an die Barrows erinnert hatte und an den Leichnam, den wir dort geborgen hatten.

Ich versuchte, die Erinnerung abzuschütteln, indem ich mir sagte, dass ich mit der Sache nichts mehr zu tun hatte. Es funktionierte nicht. Nicht mehr Teil des Falls zu sein, hinderte mich nicht daran, weiter darüber nachzudenken. Außerdem hatte ich noch nicht völlig damit abgeschlossen: Lundy hatte mich gebeten, ihm meine Aufnahmen von dem Turnschuh zu schicken. Zwar konnte ich vom Bootshaus aus keine Mails versenden, aber wenigstens konnte ich die Fotos von der Kamera auf mein Laptop laden und dazu auch gleich die paar wenigen Bilder, die ich draußen auf den Barrows gemacht hatte.

Und wenn ich bei der Gelegenheit noch einmal einen Blick darauf warf, tat ich damit ja wohl niemandem weh, oder?

Wieder zurück, setzte ich den Kessel auf und schloss die Kamera an mein Laptop an. Bei einer Tasse Tee nahm ich mir noch einmal die Aufnahmen des Turnschuhs vor. Die Details waren auf dem großen Bildschirm des Computers sehr viel deutlicher zu erkennen, doch da der Fuß größtenteils im Schuh verborgen war, verrieten mir die Bilder so gut wie nichts Neues. Eine Zeitlang versank ich im Anblick der grellen lila Socke und zoomte noch etwas näher heran, um den Stoff besser zu erkennen. Das war zwar nicht mein Spezialgebiet, aber das Material sah eher nach Synthetik aus als nach einer Naturfaser, Polyester oder irgendeinem anderen Kunststoff.

Während sich das Material des Strumpfs also nicht mit Eindeutigkeit bestimmen ließ, bestand bezüglich dessen, was ich außerdem entdeckte, kein Zweifel. Auf der Schuhsohle, halb verborgen unter einer Schicht Schlamm, befand sich ein Aufdruck, der mir vorher nicht aufgefallen war. Die Schrift war so klein, dass ich sie auf dem Kamerabildschirm nicht gesehen hatte, doch auf dem Laptop war sie deutlich erkennbar. Ich zoomte den Ausschnitt noch etwas näher heran und spielte mit den Kontrasten, bis die Aufschrift deutlich zu lesen war. Drei Worte, in die Gummisohle des Turnschuhs geprägt oder gestanzt: *Made in China*.

Billige Turnschuhe und grelle Polyestersocken passten definitiv nicht in das Bild, das ich mir von Leo Villiers gemacht hatte. Aber das war jetzt Lundys Problem. Trotzdem öffnete ich im Anschluss auch die Bilder, die ich von der Leiche gemacht hatte, als sie noch auf der Sandbank lag. Der rechte Fußknöchel ragte aus dem durchnässten Hosenbein heraus, aber nicht weit genug, als dass ich sonst irgendwas hätte erkennen können. Ich ging zu den Aufnahmen des Schädels weiter. Die brutale Kopfverletzung war so gravierend wie in meiner Erinnerung. Ich besah mir ein anderes Bild, das eher die Längsseite zeigte. Ich fragte mich, wie genau die Austrittswunde aussah, versuchte, mir die Flugbahn des Geschosses vorzustellen.

Doch zu spekulieren, war sinnlos. Auf ein paar Fotos ließ sich sicher nichts erkennen, was Polizei und Rechtsmediziner nicht bereits herausgefunden hatten. Ich zwang mich, das Laptop zuzuklappen, ehe ich mich zu sehr vereinnahmen ließ, denn mir war klar, dass ich damit nur meinen Frust schürte. Stattdessen kochte ich mir noch eine Tasse Tee, setzte mich im Dunkeln ans Fenster und sah zu, wie die Nacht sich über den Fluss senkte.

Ich wachte in der Nacht nur ein einziges Mal auf, geweckt

von Grunzlauten und eigenartigem Klagegeheul. Robben, wurde mir schlaftrunken klar. Rachel hatte recht, dachte ich und glitt sofort zurück in den Schlaf. Sie hörten sich an wie betrunkene Labradore.

Danach schlief ich durch, bis der Handywecker losging. Ich fühlte mich so erholt wie seit Ewigkeiten nicht mehr. Welcher Bazillus mich auch niedergestreckt hatte, die einzigen verbliebenen Nachwehen waren dumpfe Reste von Schmerzen in den Gelenken und ein mörderischer Hunger. Ich duschte und rasierte mich, toastete, was von dem Brot noch übrig war, und aß es mit den letzten beiden Eiern zum Frühstück. Weil ich nicht wusste, ob ich nach der Fahrt nach Cruckhaven noch einmal ins Bootshaus zurückkommen würde, spülte ich das Geschirr und packte meine wenigen Sachen zurück in die Tasche.

Danach blieb mir nichts weiter zu tun als zu warten. Ich setzte mich wieder ans Fenster, versuchte, nicht auf die Uhr zu sehen oder mir einzugestehen, wie nervös ich langsam wurde. *Sie nimmt dich mit zur Tankstelle, um Zündkerzen zu besorgen. Hör auf, dich aufzuführen wie ein Schuljunge.* Als draußen Autoreifen knirschten, sprang ich auf und hätte mir fast zum zweiten Mal den Zeh an dem unter dem Teppich versteckten Griff der Falltür gestoßen. Ich sah mich noch einmal im Bootshaus um, und in mir regte sich Bedauern, weil dies das letzte Mal sein würde.

Dann griff ich nach Jacke und Tasche und eilte hinaus.

Rachel stand in die geöffnete Hintertür des alten weißen Defender gebeugt und schaffte Platz. Auf der Rückbank herrschte ein heilloses Durcheinander an Sportausrüstung, dazwischen lag etwas Zerknülltes, das nach einem Neoprenanzug aussah. Gut möglich, dass Trasks Sohn sich mit Motoren auskannte, aber Ordnung war definitiv nicht seine Stärke.

«Morgen», sagte Rachel und schob eine Kiste mit aufgerollten Seilen beiseite. «Ich schwöre, ich habe keine Ahnung, woher Jamie ständig diesen ganzen Krempel anschleppt. Sie sollten mal sein Zimmer sehen – ich habe nur einen einzigen Blick hineingeworfen und dann so schnell wie möglich die Tür wieder zugemacht. Hier. Wollen Sie die Tasche abstellen? Jetzt ist Platz.»

Heute trug sie eine Wildlederjacke, darunter einen schwarzen Pullover und die obligatorischen Jeans. Falls sie sich geschminkt hatte, dann so dezent, dass es mir nicht auffiel, aber die Haare waren auf alle Fälle sorgfältiger zurückgebunden als sonst. Sie waren straffer zurückgekämmt, und die glatte Stirn und die ausgeprägten Gesichtszüge kamen besser zur Geltung. Ich erlaubte mir die flüchtige Frage, ob sie das für mich getan hatte, und schalt mich augenblicklich für meine lächerlichen Gedanken.

Ich klemmte meine Tasche in den Fußraum und stieg dann auf den Beifahrersitz.

«Ich habe abgeschlossen», sagte ich und reichte ihr den Schlüssel. «Macht der Gewohnheit. Ich habe in meiner Londoner Wohnung gerade einen Einbruchsversuch hinter mir. Aber hier draußen müssen Sie sich wegen so was sicher eher keine Sorgen machen.»

«Sie würden sich wundern», antwortete sie und ließ den Motor an. «Kurz nachdem ich hergekommen bin, gab es eine ganze Einbruchserie. Bei Andrew waren sie auch.»

«Haben sie viel mitgenommen?» Ich war erstaunt, dass Diebe sich die Mühe machten, bis hier rauszukommen.

«Nichts, das sich nicht ersetzen ließe, nur Computer und das Übliche. Aber das Timing war nicht ideal. Da fragt man sich schon, was das für Leute sind da draußen, oder?»

Rachel wirkte klein und zierlich hinter dem riesigen Lenkrad, aber sie schien mit dem Defender gut zurechtzukommen. Sie fuhr selbstsicher und war den Umgang mit dem widerspenstigen Schaltknüppel offensichtlich gewohnt.

«Ich hatte auch mal so einen», sagte ich in dem Versuch, die Stimmung zu heben. «Ich dachte immer, er wäre alt, aber im Vergleich zu diesem war der so gut wie neu.»

«Ja. Jamie sagt, das wäre eins der allerersten Modelle. Er hat ihn bei einem Schrotthändler entdeckt und aus Ersatzteilen wieder zusammengebaut.» Das hatte Trask mir bereits erzählt, aber mir war nicht klar gewesen, welch großartige Arbeit sein Sohn geleistet hatte. Der uralte Landrover war hervorragend restauriert. Wir fuhren in eine Kurve, und Rachel schaltete kraftvoll herunter. «Und? Mochten Sie ihn?»

«Ja, sehr», sagte ich. In einem Defender zu sitzen, brachte so einige Assoziationen mit sich, allerdings nicht nur angenehme. Aber das war schließlich nicht Schuld des Fahrzeugs.

«Ja, das sind echte Ackergäule. Leider ohne Servolenkung, man kommt sich immer ein bisschen vor wie in einem Panzer. Aber auf diesen Straßen macht das richtig Spaß.»

«Ich kann mir vorstellen, dass der Schnorchel hier auch ziemlich praktisch ist.»

Sie lächelte spitzbübisch. «Vor allem, wenn irgendein Stadtmensch mal wieder von der Flut überrascht wird.»

«Autsch.»

«Keine Sorge. Sie sind nicht der Erste und mit Sicherheit auch nicht der Letzte.» Ihr Lächeln erstarb, als sie sah, was vor uns war. «Na, toll!»

Mitten auf der Straße, mit dem Rücken zu uns, watschelte eine schlaksige Gestalt am Fluss entlang. Selbst von hinten erkannte ich den Mann sofort wieder. Es war der, den ich auf dem Weg in die Leichenhalle beinahe überfahren hätte. Er schien den näher kommenden Landrover überhaupt nicht zu bemerken.

«Komm schon, Edgar, geh zur Seite», seufzte Rachel und bremste auf Schneckentempo ab.

«Kennen Sie den Mann?», fragte ich.

«Den kennt hier jeder. Das macht der ständig.»

«Ich weiß. Ich hätte ihn neulich fast überfahren.» Sie warf mir einen Blick zu, und ich zuckte mit den Schultern. «Deshalb habe ich ja den Umweg genommen.»

«Ich wette, das sah zu dem Zeitpunkt nach einem guten Plan aus.» Sie kurbelte das Fenster runter und streckte den Kopf hinaus. «Edgar? Edgar, können Sie bitte zur Seite gehen?»

Es kam mir vor wie ein Déjà-vu. Gemächlich und ohne sich umzusehen, schlurfte der Mann weiter. Der riesige Regenmantel schlackerte ihm um die Knie, und die schlamm-verkrusteten Gummistiefel schleiften im Rhythmus seiner Schritte über den Asphalt.

«Was hat er da?», fragte ich. Seine Arme waren gebeugt, und er hielt etwas an die Brust gedrückt, aber von hinten ließ sich nicht erkennen, was es war.

«Weiß der Himmel. Er rettet ständig irgendwas, auch wenn es überhaupt nicht nötig ist.» Rachel beugte sich wieder zum Fenster hinaus. «Bitte, Edgar. *Edgar!*»

Die schlaksige Gestalt spazierte weiter geradeaus und gab durch nichts zu erkennen, dass sie uns gehört hatte.

«Verflucht noch mal!», murrte Rachel und hielt an. Sie stieg aus, und eine Sekunde später stieg auch ich aus dem Wagen. Der Mann hatte auf mich zwar nicht gewalttätig gewirkt, aber ob ausgemergelt oder nicht, er überragte Rachel trotzdem um einiges. Und mich auch.

Rachel hatte ihn eingeholt und ging neben ihm her. «Hallo, Edgar. Ich bin's, Rachel.»

Er schien ihre Anwesenheit erst jetzt zu bemerken. Er sprach, ohne sie anzusehen oder langsamer zu werden.

«Ich hab's eilig.»

«Ich weiß. Aber Sie müssen am Straßenrand laufen, nicht mitten auf der Straße. Das habe ich Ihnen doch schon mal erklärt.» Rachels Tonfall war freundlich, aber bestimmt. «Was haben Sie denn da?»

«Er hat sich verletzt.»

Wenigstens antwortete er ihr, und das war entschieden mehr, als ich von unserer Begegnung behaupten konnte. Seine Stimme klang tief und gepresst, als wäre er gestresst. Ich hielt mich schräg hinter den beiden und konnte erkennen, dass er sich ein Bündel Stacheln gegen die Brust drückte. Ein Igel, schlaff und reglos. Ich erinnerte mich an die Möwe, die er bei unserer Begegnung getragen hatte.

«Er ist tot, Edgar», sagt Rachel sanft. «Sie können ihm nicht mehr helfen.»

«Er ist verletzt.»

Sie warf mir einen resignierten Blick zu. «Okay, Edgar. Aber Sie müssen trotzdem am Straßenrand laufen. Am *Rand*, ja? Nicht in der Mitte. Sonst werden Sie überfahren, so wie vorgestern, ja? Erinnern Sie sich noch an Dr. Hunter?»

Ein Blick aus den hervorstehenden Augen des Mannes streifte mich flüchtig. «Hallo, Edgar», sagte ich.

Sein Adamsapfel fing an zu hüpfen, aber das war das einzige Anzeichen dafür, dass er mich registriert hatte. Rachel senkte die Stimme. «Vielleicht ist es besser, wenn Sie stehen bleiben. Edgar kann mit neuen Dingen nicht umgehen.»

Unsicher musterte ich die Vogelscheuche in Männergestalt. «Sind Sie sicher?»

«Keine Sorge. Der ist harmlos.»

Also ließ ich mich ein Stück zurückfallen, während sie ihn wieder einholte. Allerdings blieb ich ihnen auf den Fersen, falls sie sich doch getäuscht haben sollte. Auch wenn ich nicht das Gefühl hatte, dass Gefahr von ihm ausging, aber Angst macht den Menschen unberechenbar. Ausgemergelt oder nicht – wenn Edgar sich aufregte, tat er womöglich unbeabsichtigt jemandem weh.

Doch Rachel hatte ihm bereits die Hand auf den dürren Arm gelegt und steuerte ihn sanft an den Straßenrand. Sie redete beruhigend auf ihn ein, so leise, dass ich nicht mitbekam, was sie sagte. Doch was auch immer es war, es schien zu funktionieren. Ohne ihn aus den Augen zu lassen, um sicherzugehen, dass er blieb, wo er war, kam sie zurück.

«Okay. Fahren wir, ehe er es sich anders überlegt.»

Wir stiegen wieder ins Auto. Rachel fuhr los, hielt den Defender im Schneckentempo und fuhr mit möglichst großem Abstand an dem ausgemergelten Kerl vorbei.

«Kommt er allein zurecht?», fragte ich.

«Hier draußen herrscht nicht viel Verkehr. Und selbst wenn wir ihn nach Hause bringen würden, er würde auf der Stelle kehrtmachen und wieder loslaufen.»

«Wissen Sie, was ihm fehlt?»

«Gesundheitlich? Keine Ahnung. Er scheint einfach nicht mitzubekommen, was um ihn herum geschieht. Ich habe mich schon gefragt, ob er womöglich Autist ist, aber das weiß offenbar keiner so genau. Jedenfalls hat er eine Schwäche für verletzte Tiere. Ständig rettet er irgendwas. Weiß der Himmel, was er mit den ganzen Viechern anstellt.»

Ich war zwar kein Psychiater, hielt es jedoch durchaus für denkbar, dass er irgendwo ins autistische Spektrum passte. Nach allem, was ich bis jetzt mitbekommen hatte, war das allerdings wahrscheinlich nicht sein einziges mentales Problem. «Wo lebt er?»

«In einem runtergekommenen Cottage in den Backwaters. Ich bin schon ein paarmal dort vorbeigekommen, und es sieht ziemlich verwahrlost aus. Wenn Sie glauben, wir leben abgelegen, sollten Sie das mal sehen.»

«Er lebt allein?» Ich war überrascht. Ich hatte nicht den Eindruck, als wäre Edgar in der Lage, für sich zu sorgen.

«Inzwischen schon. Angeblich war er früher Schriftsteller oder Wissenschaftler. Verheiratet, mit einer kleinen Tochter. Bis die Kleine irgendwann verschwunden ist. Ist eines Tages aus dem Haus gegangen und nie wiedergekommen. Alle dachten, sie wäre ertrunken, aber Edgars Frau gab ihm die Schuld und verließ ihn. Er ist nie darüber hinweggekommen. Und jetzt wandert er den ganzen Tag durch die Backwaters und sucht nach seiner Tochter. Wenn man glaubt, was die Einheimischen erzählen.»

Ich sagte nichts. Die unheimliche Parallele zu Emma Darby traf mich ins Mark. Falls die Geschichte stimmte, war Rachels Schwester nicht das erste Opfer der Backwaters gewesen.

«Es gibt keine Verbindung zu Emma, falls Sie das denken.» Rachel hatte mein Schweigen richtig gedeutet. «Selbst wenn es tatsächlich passiert ist, ist es über zwanzig Jahre her. Abgesehen davon, dass es wahrscheinlich nur ein Gerücht ist. Edgar soll ständig irgendwelche Tiere retten, heißt es, weil er seine Tochter damals nicht retten konnte, aber das ist mir ein bisschen zu weit hergeholt. Manche Leute behaupten sogar, er hätte sie selbst umgebracht. Ziemlich viel heiße Luft, wenn Sie mich fragen.»

Wir hatten den Stadtrand erreicht. Rachel verstummte. Wir passierten ein verwittertes Ortsschild mit der Aufschrift *Willkommen in Cruckhaven*. Darunter hatte jemand *und jetzt verpiss dich* gesprüht.

«Netter Slogan», sagte ich.

«Warten Sie, bis Sie die Stadt gesehen haben.»

Wir fuhren an einer Ansammlung kleiner Bungalows vorbei und kamen dann auf eine Hauptstraße mit Backsteinhäusern und Läden mit Raupverputzfassade. Rachel parkte den Defender neben einer Ufermauer aus Beton, aus der stummelige Metallpoller ragten.

«Hier. Jamie hat aufgeschrieben, welche Sorte Zündkerzen Sie brauchen.» Rachel reichte mir einen handgeschriebenen Zettel. «Die Tankstelle ist ein Stück weiter die Straße runter. Nicht zu verfehlen. Ich muss ein paar Besorgungen machen. Wollen wir uns also hier wieder treffen, sagen wir, in einer halben Stunde?»

Ich willigte ein und versuchte, mir die unerwartete Enttäuschung nicht anmerken zu lassen. *Was hattest du denn erwartet? Dass sie dich begleitet und mit dir Händchen hält?* «Gibt es noch irgendwelche Sehenswürdigkeiten, wo ich schon mal hier bin?»

«Kommt drauf an. Mögen Sie Galerien und Museen, tolle Architektur und bereichernde Debatten?»

«Das interpretiere ich als nein», sagte ich und warf einen Blick aus dem Fenster auf die triste Hafenstadt.

«Tja, leider. Was auch immer Cruckhaven mal hatte, ist schon lange, ehe ich herkam, im Schlick versunken. Es gibt eine *Fish & Chips*-Bude, die vielleicht geöffnet hat, und vorne am Kai ist ein Café, in dem sie sich wirklich Mühe geben. Wenn Sie also von den Sehenswürdigkeiten genug haben, die machen einen ganz anständigen Latte.»

«Wollen wir uns nicht dort treffen?»

Das war mir einfach so rausgerutscht. Rachel wirkte überrascht, und ich verfluchte mich dafür, sie in Verlegenheit gebracht zu haben. Ich wollte mich gerade irgendwie aus der Situation herauswinden, als sie mich ihrerseits überraschte.

«Springt auch ein Stück Kuchen für mich raus?»

Ich tat, als müsste ich nachdenken. «Vielleicht.»

Sie grinste. «Dann bis gleich.»

KAPITEL 12

❦

Es gibt kaum einen deprimierenderen Anblick als eine Arbeiterstadt, in der niemand mehr arbeitet. So sah Cruckhaven aus. Jede normale Küstenstadt ist an einem langen Wochenende voller Leben, hier jedoch war die Hauptstraße nahezu menschenleer, und die Hälfte der Läden an der kleinen Hafenpromenade hatte geschlossen. Ein altes Souvenirgeschäft sah aus, als wäre es seit Jahren nicht geöffnet worden. Das Schaufenster war mit gelber Folie beklebt, die die Waren vor der Sonne schützen sollte, deren Ecken sich allerdings gelöst hatten und traurig herunterhingen. Hinter der Scheibe lagen tote Fliegen zwischen Krebsangeln, Muschelschmuck und ausgebleichten Postkarten, als hätte der Besitzer eines Tages zugeschlossen und wäre nie wiedergekommen.

Ein paar Menschen waren immerhin unterwegs, wenn auch nicht viele. Gestresste junge Mütter schoben mit leerem Blick Kinderwagen vor sich her, auf einer Bank lümmelten ein paar Teenager herum und beäugten die Passanten, als seien sie auf Beutefang. Auf dem Hinweg war ich mit den Gedanken so bei der bevorstehenden Bergung gewesen, dass ich das Städtchen kaum wahrgenommen hatte. Jetzt sah ich, was für ein öder und trauriger Ort es war.

Ich stellte mich an die Hafenkante und schaute aufs Wasser hinaus. Obwohl die Ebbe noch nicht voll eingesetzt hatte, sah ich anstelle von Wellen nur öligen Schlick. Der Hafen war komplett verschlammt, sogar Unkraut und drahtige Gräser wuchsen in seinem Becken. Ein wackliger, provisorisch wirkender Holzsteg führte zu den wenigen Booten, die in den letzten verbliebenen Wasserpfützen lagen.

Ich beobachtete einen schwarz-weißen Vogel mit stelzenartigen Beinen, der im Schlick herumpickte. Lundy hatte gesagt, dass das Mündungsgebiet seit Jahren immer mehr versandete, und hier, weiter landeinwärts, schien das Problem noch größer zu sein. In ein paar Jahren wäre der Hafen gänzlich verschluckt, dann hätte Cruckhaven seine Existenzberechtigung vollends eingebüßt.

Kein Wunder, dass Sir Stephen Villiers' Pläne für einen Yachthafen im Ort auf Zustimmung stießen. Seit unserer Begegnung zweifelte ich nicht daran, dass er alle Hindernisse aus dem Weg räumen würde, erst recht die Einwände von Umweltschützern. Den Menschen, die hier ihren Lebensunterhalt zusammenkratzen mussten, erschien die Aussicht auf neue Jobs und Erneuerung sicher wie ein Rettungsanker. Aber ich erinnerte mich auch an die fast beiläufige Art, mit der Sir Stephen die sterblichen Überreste seines Sohnes betrachtet hatte, und war froh, meine Zukunft nicht in die Hände eines dermaßen kalt wirkenden Menschen legen zu müssen. Ein Bündnis mit dem Teufel.

Ich hatte lange genug getrödelt, wandte mich ab und schlug die Richtung ein, in der laut Rachel die Tankstelle lag. Ein Stück weiter draußen war das Mündungsgebiet weniger verschlammt, kleine Wellen überspülten den Schlick. Ich kam an einer toten Möwe vorbei, deren Kopf mit ausgepickten Augen halb im Wasser trieb, und musste an Edgar und seine Suche nach verletzten Tieren denken. Oder nach toten, wie dem Igel, den er mit sich herumgetragen hatte: Er schien den Unterschied nicht zu kennen.

Ich hoffte, die Geschichte über seine verlorene Tochter, die Rachel mir erzählt hatte, wäre nur ein lokaler Mythos, aber ganz frei erfunden konnte sie wohl nicht sein. Selbst wenn die Einzelheiten im Laufe der Zeit verschwommen sein mochten, so würde das Verschwinden eines jungen Mädchens in einer kleinen Gemeinde nicht in Vergessenheit geraten, auch nicht nach zwanzig Jahren. Und es war gar nicht so unwahrscheinlich, dass ihr Vater noch immer nach ihr suchte. Auch ich war nach dem Tod von Kara und Alice nicht immer zurechnungsfähig gewesen. Trauer kann selbst Menschen vernichten, die von Familie und Freunden unterstützt werden; bei jemandem, der allein in einer so einsamen Gegend wie den Backwaters lebte, war es leicht vorstellbar, dass die Seele Schaden nahm.

Es hätte auch mich erwischen können …

Was immer Edgar widerfahren sein mochte, es würde mich beruhigen, wenn der Sozialdienst ein Auge auf ihn haben würde. Gerade nahm ich mir vor, mich später darum zu kümmern, als ich ein Tankstellenschild erblickte. Doch noch davor stand auf der Flussseite der Straße ein anderes, größeres Schild aus Holz, von dem die Farbe abblätterte.

Coker's Marine and Auto.

Darunter in kleineren Buchstaben:

Abschleppdienst, Ersatzteile und Reparaturen. Letzteres war anscheinend nicht seine Stärke.

Das Schild hing über einem einstöckigen Fertigbauhaus an einem schmalen Kai. Boote in verschiedenen Größen und Verfallszuständen waren auf engen Ankerplätzen vertäut oder standen auf dem schlammüberzogenen Kai aufgereiht, die Unterseiten mit Algen überzogen. Vor dem Gebäude parkte ein Pick-up, daneben standen ein paar mehr oder weniger reparaturbedürftige Fahrzeuge.

Als mir klarwurde, was ich da vor mir hatte, blieb ich stehen. Kurz überlegte ich, hinzugehen und denjenigen zu suchen, mit dem ich gesprochen hatte – vermutlich Coker persönlich –, aber es wäre unsinnig gewesen, Streit anzufangen. Ganz offensichtlich war er aus irgendeinem Grund schlecht auf Trask zu sprechen, und zwar aus einem gewichtigen, wenn er deswegen einen Auftrag ablehnte. Der Laden schien nicht gerade gut zu laufen.

Bevor ich weitergehen konnte, kam hinter einem der Boote ein Mann hervor. Er war mittleren Alters, ein ölverschmierter blauer Overall spannte sich über seinem kräftigen Körper, auf dem schmutzig blonden Haar saß eine verdreckte Baseballkappe. In der Hand hatte er irgendein Motorenteil, das er mit einem fettigen Lappen abwischte. Aus schweren, aufgedunsenen Gesichtszügen blickten mich listige Augen an, und er hob fragend den Kopf.

«Kann ich Ihnen helfen?»

Dieselbe raue Stimme wie am Telefon. «Nein danke.»

«Warum interessieren Sie sich dann so für meinen Laden?» An seinem Lächeln war nichts Freundliches. «Oder bewundern Sie die Aussicht?»

«So ungefähr.»

«Ja, da stehen viele drauf. Was macht das Auto? Immer noch im Arsch?» Sein Lächeln vertiefte sich angesichts meiner Überraschung. Ein abgebrochener Schneidezahn verlieh ihm etwas Wölfisches. «Ich hab ein Ohr für Dialekte. Und hier kommen nicht viele Besucher her.»

«Warum bloß.»

Das Lächeln verrutschte ein wenig. «Trasks Sohn hat's wieder zum Laufen gebracht, wie?»

«Ja.» Ich wäre gerne weitergegangen. Aber irgendwie hielt ich es nicht für ratsam, ihm den Rücken zuzudrehen.

Der Mann nickte. Er wischte weiter das Motorenteil ab, drehte es langsam in seinen Händen. «Hab ich mir gedacht. Sie wohnen also da draußen bei denen?»

«Wieso fragen Sie?»

«Weil Sie ihm etwas ausrichten können.» Sein Gesicht verzog sich, er ließ jede Höflichkeit fahren. «Sagen Sie dem Scheißkerl ...»

In dem Moment ging die Tür des Gebäudes auf, und ein Mädchen trat heraus. «Dad, ich weiß nicht, wo ...»

Es war das Mädchen, das ich vor zwei Tagen bei Jamie gesehen hatte. Heute war sie nicht ganz so spärlich bekleidet, trotzdem wirkten die roten Jeans und der enganliegende Pullover zwischen all dem Schrott fehl am Platz. Als sie mich erkannte, verstummte sie kurz. Dann sprach sie hastig weiter.

«Ich, ähm, ich kann die Dose mit dem Kleingeld nicht finden. Weißt du, wo sie ist?»

Ein guter Versuch, der ihren Vater jedoch nicht täuschen konnte. Mit zusammengezogenen Augen blickte er von ihr zu mir.

«Kennst du den?»

«Nein, natürlich nicht!», sagte das Mädchen schnell.

«Warum hat es dann so ausgesehen?» Seine Tochter blinzelte und klappte den Mund auf, als hoffte sie, es würde von selbst eine Ausrede herauskommen. Er wandte sich an mich. «Und?»

Das Mädchen hinter ihm warf mir einen flehenden, fast panischen Blick zu.

«Was, und?», fragte ich.

«Lassen Sie den Scheiß. Woher kennen Sie sich?»

«Wir kennen uns nicht.» Das war keine richtige Lüge: Ich hatte das Mädchen zwar gesehen, kannte es aber nicht. «Woher denn auch?»

«Ich bin nicht bescheuert, sie hat Sie irgendwo gesehen.»

Ich hatte eine Ahnung, was hier vor sich ging. Erst wollte ich sagen, er solle doch seine Tochter fragen, aber das Mädchen wirkte starr vor Angst. Was immer ihr Vater mit Trask für ein Problem haben mochte, es musste so groß sein, dass er auf keinen Fall erfahren durfte, dass sie Trasks Sohn besucht hatte.

«Ich bin vor ein paar Tagen hier vorbeigefahren», sagte ich. «Vielleicht hat sie mich da gesehen.»

«Was suchen Sie hier draußen?»

«Das geht Sie nichts an», sagte ich lässig, erwiderte kühl seinen Blick und sah, wie ihm Zweifel kamen und er sich fragte, wer ich wohl sein mochte. Seine Tochter stand neben ihm und riss nervös an ihrem rot lackierten Daumennagel herum. Der richtige Moment zum Gehen.

«Hat mich gefreut», sagte ich und ließ offen, wen ich meinte.

Dann wandte ich mich um und setzte meinen Weg fort.

Die Tankstelle lag nur ein kurzes Stück weiter die Straße entlang. Sie war klein, zwei Zapfsäulen boten eine Benzinmarke an, von der ich noch nie gehört hatte. Immerhin verkaufte sie außer den benötigten Zündkerzen auch noch ein paar

Grundnahrungsmittel, sodass ich die Lebensmittel, die Rachel ins Bootshaus gebracht hatte, ersetzen konnte.

Als ich auf dem Rückweg bei Coker vorbeikam, rechnete ich halb damit, wieder angepöbelt zu werden, doch es war niemand zu sehen.

Zurück am Hafen, fand ich einen Bankautomaten und zog genug Geld, um hoffentlich Jamie damit bezahlen zu können. Falls es nicht reichte, würde ich den Rest schicken müssen, wenn ich wieder in London war. Der Gedanke an die Rückkehr deprimierte mich, ich verdrängte ihn und machte mich auf den Weg zu meiner Verabredung mit Rachel.

Der Coffee Shop hieß genau so, und zwar in Großbuchstaben geschrieben, um jeden Zweifel auszuräumen. Es handelte sich eher um eine altmodische Teestube als um ein Café. In einer Glastheke lagen Gebäck und Sandwiches, auf den dicht an dicht stehenden Tischen waren rot-weiß karierte Decken. Eine kleine Türglocke klimperte fröhlich, als ich eintrat.

Rachel war nirgends zu sehen. Auch sonst keiner: Ich war der einzige Gast. Hinter der Theke stand eine müde wirkende Frau mit einem warmen Lächeln. Ich bestellte einen Kaffee und setzte mich an einen Fenstertisch. Auch wenn es mir schon besserging, war ich doch froh, nach dem Spaziergang sitzen zu können. Der Hafen draußen wirkte nicht mehr ganz so hässlich, wenn man das ölverdreckte Hafenbett nicht sehen konnte. Fast vermochte ich mir vorzustellen, dass Cruckhaven früher einmal ein ganz hübsches Städtchen gewesen sein musste, bevor das Mündungsgebiet verschlammt und das Wasser verschwunden war.

Ich nahm mir vor, beim Warten nicht auf die Uhr zu sehen, aber der Vorsatz war schnell vergessen. Rachel kam zehn Minuten zu spät. Keine lange Zeit, trotzdem fing ich gerade an, mir Sorgen zu machen, sie könnte es sich anders überlegt oder unsere Verabredung gar vergessen haben, als ich sie über die Hafenpromenade gehen sah.

Sie trug eine Einkaufstüte in der Hand und wirkte gedankenverloren. Als sie mich durch die Scheibe erblickte, hellte sich ihre Miene auf. Begleitet vom Bimmeln der Türglocke, trat sie ein.

«Tut mir leid, dass ich zu spät komme», sagte sie lächelnd. «Hi, Debbie, wie geht's dir?»

«Ich überlebe.» Die Frau hinter der Theke schien sich zu freuen, sie zu sehen. «Ich habe frisch gebackene Orangen-Zimt-Muffins. Oder Kaffee-Walnuss-Kuchen von gestern.»

Rachel gab sich leidend. «Du bist ein schlechter Einfluss, weißt du das? Was nehmen Sie?»

Sie setzte sich und sah mich erwartungsvoll an, aber ich war kein Süßmaul. «Ich belasse es beim Kaffee, danke.»

«Er nimmt den Kuchen», sagte Rachel mit einem Grinsen. «Und ich einen Muffin und einen Latte, bitte.»

«Dann also Kaffeekuchen», sagte ich lächelnd.

«Sie können mich unmöglich alleine essen lassen.» Rachel sah der Frau hinter der Theke zu, die an der Espressomaschine stand und unsere Unterhaltung mit dem Zischen des heißen Wasserdampfes übertönte. «Ich komme fast immer her, wenn ich in der Stadt bin. Debbie hat letztes Jahr ihren Mann verloren und muss zwei kleine Kinder durchbringen, sie kann jede Hilfe gebrauchen. Außerdem ist alles hausgemacht, und sie ist eine Spitzenbäckerin.»

«Schon gut, überredet. Haben Sie alles bekommen, was Sie brauchten?»

«Ja, es waren nur ein paar Dinge, die ausgegangen waren. Irgendwer hat unsere Eier und die Milch aufgebraucht.»

«Gut, dass ich auch welche gekauft habe.» Ich hielt meine Einkaufstüte hoch.

Sie lachte. «Das ist mir eine Lehre. Ehrlich, Sie hätten sich keinen Kopf machen müssen deswegen. Ich wollte eine Ausrede, um ein paar Stunden aus dem Haus zu kommen. Tut ganz gut, ab und an ein bisschen Abstand zu haben.»

Es war der erste Hinweis auf die Anspannung, unter der die Familie stehen musste, und war ihr wohl auch eher versehentlich herausgerutscht. Sie sprach schnell weiter.

«Und, haben Sie Zündkerzen bekommen?»

«Ja, habe ich. Und eine Auseinandersetzung mit dem Mann von der Bootswerkstatt gehabt. Coker, heißt er so?»

Sie zog eine Grimasse. «Was ist passiert?»

Ich erzählte ihr von meinem Anruf bei Coker und seiner aggressiven Reaktion. «Es geht mich ja nichts an, aber zwischen ihm und Ihrem Schwager scheint keine große Liebe zu herrschen.»

«So könnte man das auch sagen.» Rachel hielt inne, als Debbie Kaffee und Kuchen abstellte, und lächelte sie an. «Danke, Debbie. Das sieht verboten gut aus.»

Sie hatte recht. Ich betrachtete das Kuchenstück auf meinem Teller und fragte mich, wie ich es schaffen sollte. Rachels Lächeln verschwand, als Debbie hinter die Theke zurückkehrte. Sie wandte sich seufzend mir zu.

«Tut mir leid, ich hatte keine Ahnung, dass Sie schon mit Darren Coker aneinandergeraten sind, sonst hätte ich Sie gewarnt. Er hat eine Art Rachefeldzug laufen, aber ich hätte nicht gedacht, dass Sie da mit hineingezogen werden würden.»

«Sie müssen mir nichts erklären. Ich hoffe nur, ich habe es nicht schlimmer gemacht.»

Mit einem grimmigen Lächeln rührte sie ihren Kaffee um. «Keine Sorge, schlimmer geht nicht.»

«Da bin ich nicht so sicher. Cokers Tochter war ebenfalls da.»

«Stacey?» Rachel blickte auf, der Kaffee war vergessen. «Was wissen Sie von ihr?»

«Ich bin ihr neulich am Haus begegnet. Sie hat mich erkannt, und ihr Vater hat es bemerkt.»

«O Gott, war sie schon wieder bei Jamie draußen?»

«Ich habe Coker nichts davon gesagt, und sie hat es abgestritten. Aber ich fürchte, er hat ihr nicht geglaubt. Ich dachte, Sie sollten das wissen», erklärte ich mit einigem Unbehagen. Offenbar hatte ich mich stärker in fremde Angelegenheiten verstrickt als beabsichtigt.

Rachel schloss seufzend die Augen. «Ja, Sie haben recht. Vermutlich können Sie sich denken, dass Jamie mit Stacey eine Vorgeschichte hat. Sie waren noch halbe Kinder, aber es gab ziemlichen Ärger und … na ja, jede Menge Probleme. Ihr Vater hat ihr verboten, ihn zu sehen, und ehrlich gesagt, hat Jamie auch kein Interesse an ihr. Aber Stacey ist nicht der Typ, der ein Nein akzeptiert.»

«Das hatte ich irgendwie vermutet.»

Das wurde mit einem Lächeln quittiert, wenn auch einem angespannten. Sie stach mit der Gabel in den Muffin. «Ich kann ihrem Vater nicht vorwerfen, sie beschützen zu wollen. Sie ist seine einzige Tochter, und Andrew ist nicht gerade taktvoll, wenn er die Kontrolle verliert. Aber Coker ist viel zu weit gegangen, hat einen albernen Kleinkrieg angezettelt. Wie bei den Montagues und Capulets, nur dass alles auf Einseitigkeit beruht und Stacey keine Julia ist.»

Sie sah überrascht aus, als ich lachen musste.

«Ich weiß, ich klinge parteiisch. Aber das Ganze ist passiert, bevor ich hierherkam, ich habe also nichts damit zu tun. Ich habe zum ersten Mal davon erfahren, einen Monat nach … nachdem ich hier angekommen war, als ich Coker zufällig in der Stadt begegnet bin. Ich hatte keine Ahnung, wer er überhaupt ist, und er hat diese … diese Hasstirade losgelassen, wie recht es Andrew geschehen wäre, dass Emma verschwunden ist, dass sie eine arrogante Schlampe wäre und Schlimmeres. Ich meine, wer sagt denn so was? Und zu jemandem, den er noch nie gesehen hat?»

Ihr Gesicht war gerötet, ich wusste nicht, ob sie eher erschüttert oder wütend war. «Was haben Sie erwidert?»

«Dass er sich verpissen soll.» Sie spießte den Muffin mit der Gabel auf. «Schien zu wirken.»

Ich versuchte, mir vorzustellen, wie diese schlanke Frau den grobschlächtigen Werkstatteigentümer in die Schranken verwies, und fand es gar nicht so schwer. «Haben Sie der Polizei davon erzählt?»

«Nein, was denn auch? Aber Coker wurde nach Emmas Verschwinden vernommen, wegen des Ärgers zwischen seiner Tochter und Jamie. Eher Routine als alles andere. Er ist ein Arschloch, aber mehr nicht.» Sie deutete auf meinen Teller, ihr Mund verzog sich zu einem Lächeln. «Sie sollten Ihren Kuchen essen.»

Ich verstand den Wink, und von nun an sprachen wir über unverfängliche Dinge und vermieden alles Persönliche. Sie erzählte, dass Cruckhaven einst eine blühende kleine Hafenstadt gewesen war, die von der Austernfischerei profitierte und eine kleine Fischereiflotte vorweisen konnte. Aber schrumpfende Fischbestände und das Verschlammen des Mündungsgebiets hatten den Ort hart getroffen.

«Ich glaube, am Anfang hat keiner begriffen, dass die Verschlammung solch ein Problem werden würde.» Rachel hielt den Kaffeebecher mit beiden Händen über die Muffinkrümel auf ihrem Teller. «Weil es nicht über Nacht geschehen ist, ließ es sich lange ignorieren. Die Leute machten sich eher Sorgen um die kleiner werdenden Fischbestände als um das Austrocknen des Hafens, und als sie endlich aufwachten, war es zu spät.»

«Könnte man ihn nicht immer noch ausbaggern?»

«Ja, aber es ist inzwischen so schlimm, dass das unerschwinglich wäre. Noch zehn Jahre, und hier sieht alles aus wie in den Backwaters – entweder Schlickflächen oder Salzmarschen. Für die Umwelt keine so schlechte Sache, für die Leute, die hier leben, allerdings eine schleichende Katastrophe. In gewisser Hinsicht schlimmer als eine Sturmflut. Wenn die vorbei ist, kann man wenigstens neu aufbauen, selbst nach so etwas wie der großen Flutkatastrophe von 1953. Haben Sie davon gehört?»

Hatte ich nicht. Mein Geschichtswissen war diesbezüglich bestenfalls dürftig, und Sturmfluten und Umweltkatastrophen schienen jedes Jahr einzutreten. Anscheinend war das nichts Neues.

«Ein Desaster», fuhr Rachel fort und setzte ihren Becher ab. «Eine Sturmflut hat Großbritannien und halb Nordeuropa überschwemmt und an der Ostküste Hunderte von Menschen das Leben gekostet, den Südosten traf es am härtesten. Canvey Island stand unter Wasser, Cruckhaven wurde fast fortgespült. Das hat die Stadt noch überlebt, aber diesmal ist es anders. Ohne den Hafen wird sie sich kaum erholen können.»

«Was ist mit den Plänen für den Yachthafen? Würde das

nicht alles ändern?» Erst als ich es bereits ausgesprochen hatte, ging mir auf, dass alles, was mit der Familie Villiers zusammenhing, vermutlich nicht das beste Gesprächsthema war. Doch falls es Rachel etwas ausmachte, zeigte sie es nicht.

Sie hob nur abwehrend die Hand. «Ich will gar nicht erst mit dem Thema anfangen. Gut, wenn man es ordentlich angehen würde, ließe sich der Schaden vermutlich sogar begrenzen. Ich bin kein Ökofreak, man muss Kompromisse machen. Aber der Plan besteht im Grunde darin, der ganzen Gegend die Abrissbirne überzuziehen, die Marschen unter Beton und Asphalt zu begraben und einen Wasserpark zu errichten. Und weil sie von der verzweifelten Lage der Menschen hier wissen, halten sie ihnen die Karotte von Jobs und Wachstum vor die Nase und machen jeden Einwand platt. Gott, wenn ich den Namen Villiers nur höre, könnte ich ... » Sie brach ab und grinste verlegen. «Na ja. Egal. Wir sollten uns auf den Rückweg machen. Ich habe Fay versprochen, später einen Ausflug mit ihr zu unternehmen, und sie wartet nicht gern.»

Bei diesen Worten lächelte sie, ihre Zuneigung zu Trasks Tochter war offensichtlich. Ich fragte mich, ob sie deshalb so lange bei der Familie geblieben war. Auch ich hatte nicht bemerkt, wie die Zeit vergangen war, der Uhr hinter der Theke nach hatten wir über eine Stunde hier gesessen. Als wir aufstanden, schien irgendetwas in mir abzusacken. Ich bestand darauf zu bezahlen und lobte den Kuchen, obwohl meine Zähne sich immer noch wie mit Zuckerguss überzogen anfühlten.

«Was haben Sie jetzt vor? Vermutlich will die Polizei, dass Sie sich den Fuß von gestern ansehen?», fragte Rachel auf dem Rückweg zum Landrover. Sie schnitt eine Grimasse. «Keine Sorge, war nur eine Frage. Ich will *wirklich* keine Details hören.»

«Keine Angst. Ich werde sowieso nicht daran arbeiten.»

Sie sah überrascht aus. «Wie kommt's? Ich dachte, Sie wären der richtige Mann für solche Fälle.»

«Die Polizei ist wohl der Meinung, ich hätte genug getan.»

«Aber ohne Sie hätten die den Fuß nicht mal gefunden.»

Ich zuckte mit den Schultern, wollte das Thema nicht vertiefen. «So ist das eben manchmal.»

«Dann fahren Sie also direkt nach London zurück?»

«Sobald mein Auto repariert ist.»

Rachel war still, als wir über die Hafenpromenade spazierten. Ich war überrascht gewesen, wie leicht es mir fiel, mit ihr zu reden, und hatte gedacht, es würde ihr ebenso gehen. Jetzt schien zwischen uns eine Spannung zu liegen. Sie wirkte in Gedanken versunken, als wir den Landrover erreichten. Sie zog die Schlüssel hervor, schloss auf und hielt inne.

«Verstehen Sie das nicht falsch, aber … »

Ihr Handy klingelte und schnitt ihr das Wort ab. *Was soll ich nicht falsch verstehen*, fragte ich mich beunruhigt. War ich in irgendein Fettnäpfchen getreten? Sie stellte die Einkaufstüte auf dem Fahrersitz ab, um ans Handy zu gehen.

«Hi, Andrew, ich wollte gerade … Nein, warum?»

Ich sah die Veränderung in ihrem Gesicht. Was immer es war, es war nicht gut.

«Wann?» Sie hörte zu. «Okay, ich bin auf dem Weg.»

«Alles in Ordnung?», fragte ich, als sie das Handy in die Tasche steckte und die Einkäufe auf den Rücksitz warf.

«Wir müssen los.»

Sie war eingestiegen und ließ das Auto an, ich beeilte mich, auf die Beifahrerseite zu kommen. Kaum saß ich, wendete sie bereits den Wagen.

«Was ist passiert?»

Rachel sah blass und entschlossen aus, aber das knirschende Geräusch beim Wechseln der Gänge verriet ihre Gemütslage.

«Fay ist weg.»

KAPITEL 13

❧

Rachel sagte auf der Rückfahrt nach Creek House kaum ein Wort. Sie wusste selbst auch nicht mehr, als dass Trasks Tochter vor etwa einer Stunde nach einem Streit mit ihrem Bruder abgehauen und seitdem nicht wieder aufgetaucht war. Gleiches galt für Fays Hund.

«Haben Sie irgendeine Idee, wo sie hingegangen sein könnte?», fragte ich.

In einer engen Kurve wurde sie etwas langsamer, aber nicht viel. Wir fuhren eine andere, schnellere Strecke zurück, bei Ebbe schaffte es der alte Landrover über die nur wenig unter Wasser stehenden Dämme. «Wahrscheinlich in die Backwaters. Sie hatte keine Lust mehr, auf mich zu warten, und wollte, dass Jamie mit ihr im Boot rausfährt. Er war zu beschäftigt, da ist sie schmollend abgezogen.»

Ich spürte den Selbstvorwurf in ihren Worten und hatte ebenfalls ein schlechtes Gewissen. Hätte ich Rachel nicht zum Kaffee überredet, wäre sie längst zu Hause gewesen. Außerdem war Jamie wahrscheinlich mit meinem Wagen beschäftigt.

«Hat sie so was schon mal getan?»

«Ein-, zweimal. Andrew hat ihr verboten, alleine loszugehen, aber das zieht nicht immer.»

Das beruhigte mich etwas. Das Verschwinden des Mädchens schien eher an einem Wutanfall zu liegen als an irgendetwas Schlimmerem.

Wir hatten einen Fahrdamm erreicht, den ich als jenen erkannte, auf dem mein Wagen im Wasser stecken geblieben war. Er war immer noch teilweise überflutet und nur als heller Streifen unter dem Wasser sichtbar, doch Rachel zögerte nicht, legte den ersten Gang ein und fuhr mitten hinein, dass das Wasser nur so spritzte. Ich verkrampfte mich, entspannte mich aber schnell wieder. Ganz offensichtlich machte sie das nicht zum ersten Mal, und mit seinem Schnorchel war die Überquerung für den Landrover kein Problem.

Nachdem wir rumpelnd das andere Ufer erreicht hatten, gab sie wieder Gas. Wir fuhren am Bootshaus vorbei und waren bereits nach kurzer Zeit an Creek House, von Trask abgeschleppt, hatte es wesentlich länger gedauert. Als wir knirschend auf der Kieseinfahrt hielten, kam bereits Jamie angerannt. Mein eigener Wagen stand mit offener Kühlerhaube in der Nähe. Rachel zog die Handbremse an und sprang aus dem Auto.

«Ist sie wieder da?»

«Nein.» Jamie sah bleich und besorgt aus. Er würdigte mich kaum eines Blickes. «Dad holt das Boot.»

«Was ist passiert?», wollte Rachel wissen, während sie zum Haus rannten. Da ich nicht wusste, was ich sonst tun sollte, folgte ich ihnen.

«Nichts, aber du kennst ja Fay. Als ich nicht bereit war, alles stehen und liegen zu lassen und mit ihr im Boot rauszufahren, ist sie ausgeflippt.»

«Hast du sie weggehen sehen?»

«Nein, aber kurz danach kam Dad raus und fragte, wo

sie ist. Im Haus war sie nicht, und Cassie ist auch weg. Da sie nirgendwo in der Nähe sind, muss sie in die Backwaters gelaufen sein. Gott, sie ist so eine verzogene kleine … »

«Das reicht.» Trask war ums Haus herumgekommen, als wir aus dem Wäldchen traten. In den Händen hielt er ein aufgerolltes Nylonseil. «Wenn du ein bisschen mehr Geduld mit ihr hättest, würde sie sich vielleicht nicht so aufführen.»

«Das sagt der Richtige», murmelte Jamie. Sein Vater warf ihm einen scharfen Blick zu.

«Wie war das?»

«Nichts.»

Ich kam mir mehr denn je wie ein Eindringling vor. Das war eine Familienangelegenheit, ich hatte hier nichts verloren. Und wurde ganz sicher nicht gebraucht.

Allerdings konnte ich mich auch nicht in Luft auflösen. «Kann ich helfen?», fragte ich.

Nach einem weiteren Blick auf seinen Sohn wandte sich Trask mir zu. «Nein, schon gut. Sie können … »

Wir alle hörten den Hund gleichzeitig. Vom Pfad her war ein leises Winseln zu vernehmen, kurz darauf tauchte der kleine Mischling zwischen den Bäumen auf. Aber Trasks Tochter war nicht bei ihm. Das Fell des jungen Tieres war nass und verdreckt, als wäre es im Fluss gewesen, außerdem hinkte der Hund merklich. Als er uns sah, winselte er wieder und humpelte auf uns zu. An einigen Stellen war das Fell nicht nur schlammverklebt, sondern auch dunkler verfärbt.

«Sie blutet!», rief Rachel aus, rannte auf den Hund zu und kniete sich vor ihn. «Sie hat am ganzen Körper Schnittwunden!»

Das Tier jaulte und ließ sich schwanzwedelnd von Rachel untersuchen. Es zitterte erbärmlich, die blutenden Wunden waren jetzt gut zu erkennen.

«Das sieht nach Bissen aus. Irgendwas muss sie angegriffen haben», sagte Jamie.

«Darf ich mal sehen?», fragte ich.

Jamie trat beiseite. Der Hund winselte, als ich sein dickes Fell zurückstrich, um die Wunden untersuchen zu können. Sie waren größtenteils oberflächlich, entweder gerissene Schnitte oder kleine Punkte.

«Das sind keine Bisswunden», sagte ich. Zähne oder Klauen wären viel tiefer ins Fleisch eingedrungen. Ich war erleichtert, dass die Schnitte nicht glatt genug waren, um von einem Messer zu stammen. «Es sieht eher nach Rissen aus. Als wäre sie irgendwo hängen geblieben.»

«Und wo?», fragte Jamie, als wäre alles meine Schuld.

Ich wusste keine Antwort. Trask interessierte sich ohnehin nicht mehr für den Hund. Er lief in der Richtung, aus der das Tier gekommen war, in das Birkenwäldchen hinein, die Hände als Trichter an den Mund gelegt.

«Fay! *Fay!*»

Keine Antwort. Er starrte in die leere Landschaft und kehrte dann zu uns zurück.

«Ich fahre mit dem Boot in die Backwaters. Jamie, du fährst am Fluss entlang Richtung Bootshaus. Nimm dein Handy mit und ruf mich sofort an, wenn du was findest.»

«Was, wenn da kein …»

«Mach's einfach!»

«Was ist mit mir?», fragte Rachel.

«Du bleibst hier. Falls Fay zurückkommt, gib mir Bescheid.»

«Aber …»

«Ich diskutiere nicht.»

Er lief bereits ums Haus herum auf den Fluss zu. Ich folgte ihm. «Ich komme mit Ihnen.»

«Ich brauche keine Hilfe.»

«Wenn sie verletzt ist, vielleicht schon.»

Er starrte mich an, als wäre er wütend, dass ich seine Befürchtung in Worte gefasst hatte. Doch bevor er etwas erwidern konnte, mischte Rachel sich ein.

«Er ist Arzt, Andrew. Du hast Cassie gesehen.»

Trask zögerte und nickte dann knapp. Wir hatten die Vorderseite des Hauses erreicht, die fast gänzlich aus Glas bestand und auf den Fluss hinauszeigte. Auf dem Wasser lag ein Schwimmsteg, an dem ein kleines Fiberglasboot mit Außenbordmotor vertäut war. Der Steg schwankte unter Trasks Schritten, als er zum Boot lief und einstieg.

«Binden Sie die Leine los.»

Ich tat wie geheißen und stieg ein, grünes Wasser schwappte um den algenüberzogenen Kiel des schaukelnden Bootes. Ich setzte mich an den Bug, und Trask ließ unter Knattern und mit einer blauen Rauchwolke den Motor an. Dann gab er Gas und lenkte uns flussaufwärts.

Ich blickte zurück und sah Rachel neben dem Hund knien und uns nachstarren.

Trask sagte kein Wort, während das Boot in die Backwaters vordrang. Die einsetzende Ebbe hatte die Schlickufer zu beiden Seiten bereits freigelegt, aber in der Mitte blieb noch genug Wasser unter dem Kiel des kleinen Bootes.

Ich bemerkte Möwen, die über irgendetwas im Schlamm kreisten und darauf hinabstießen, aber es war nur eine Plastiktüte. «Hat Ihre Tochter ein Handy?»

«Nein.» Ich dachte, mehr würde nicht kommen. Trask hielt den Blick starr flussaufwärts gerichtet. «Ich hatte ihr gesagt, sie wäre noch zu jung dafür.»

Ein Kommentar erübrigte sich. Er würde erst dann seines Lebens wieder froh werden, wenn seine Tochter unversehrt gefunden war. «Wo könnte sie hingegangen sein? Gibt es viele Möglichkeiten?»

Er steuerte um eine kleine aufgewühlte Stelle im Wasser herum, der einzige Hinweis auf die dort liegende Sandbank. «Ein paar, aber die sind zu Fuß schwer zu erreichen. Im Boot kommen wir besser voran.»

Die Salzmarsch machte hohen, mit Flatterbinsen bewachsenen Uferhängen Platz. Mit ablaufendem Wasser wuchsen sie fast über unseren Köpfen und bildeten einen Kanal für das Boot. Ab und zu rief Trask den Namen seiner Tochter und erhielt lautstarke Antworten der aufgeschreckten Vögel, sonst blieb es still. An einigen Stellen klafften Lücken im Ufer, wo kleinere Seitenarme des Flusses abzuzweigen schienen, die sich aber aus der Nähe als Sackgassen herausstellten. Kein Wunder, dass hier kaum jemals Boote herkamen: Die Gegend war so unzugänglich wie unübersichtlich, in diesem Labyrinth aus Schilf und Wasser konnte man sich leicht verirren.

Das Wasser stand bereits beträchtlich niedriger als bei unserer Abfahrt: Die Ufer ragten zu beiden Seiten wie schlammige Wände auf. Wir waren gezwungen, uns genau in der Mitte des Flusses zu halten, und weit würden wir nicht mehr kommen, ohne auf Grund zu laufen. Als wir eine Stelle erreichten, an der eine lange Sandbank den Fluss teilte, stellte Trask den Motor auf Leerlauf und kaute auf seiner Unterlippe.

«Was ist los?»

«Ich weiß nicht, welchen Weg sie von hier aus gegangen wäre, und die Ebbe ist zu tief, um beide abzusuchen.»

Er stellte den Motor aus. Das Boot schaukelte, als er aufstand und in die Stille hineinrief.

«*Fay!*»

Nach wie vor keine Antwort. Das einzige Geräusch war das Schwappen des Wassers gegen den Kiel des langsam rückwärts treibenden Bootes. Mit grimmiger Miene rief Trask noch einmal den Namen seiner Tochter, dann setzte er sich wieder und wollte den Motor starten.

«Moment», sagte ich.

Gerade als er sich bewegte, meinte ich, etwas gehört zu haben. Er hielt inne, lauschte.

«Ich kann nichts ... »

Da war es wieder. Die angstvolle Stimme eines Mädchens. «Daddy!»

«Alles gut, Fay, ich komme!», brüllte Trask und ließ den Motor an.

Die Knöchel der Hand, mit der er das Ruder umklammerte, traten weiß hervor, während er das Boot in die linke Flussgabel hineinsteuerte. Verrottete Holzpfosten ragten wie kaputte Zähne aus dem Uferschlick. Wir passierten die in sich zusammengefallenen Überreste eines Wellblechschuppens, umfuhren eine Flussbiegung und sahen Trasks Tochter.

Sie lag halb im Wasser, war schlammverschmiert und weinte bitterlich. Um sie herum stach etwas aus dem Wasser hervor, das ich auf den ersten Blick für irgendeine Art Gewächs hielt, das die Ebbe freigelegt hatte. Dann begriff ich, was es war.

Der Fluss war voller Stacheldraht.

«Es tut *weh*, Daddy!», schluchzte Fay, während wir aus dem Boot sprangen und durch das kalte Wasser auf sie zuwateten.

«Ich weiß, schon gut, Liebling. Versuch, dich nicht zu bewegen.»

Das konnte sie sowieso nicht. Nur ein Arm war frei, der andere im rostigen Draht gefangen. Die Stacheln hatten sich in Kleidung und Fleisch gebissen, die Schlammschicht auf ihrem Körper war mit Blut durchsetzt. Nur der Oberkörper war zu sehen, doch auch unter Wasser schien der Stacheldraht sie gefangen zu halten.

Ihr Gesicht war bleich und tränenüberströmt. «Cassie ist ins Wasser gesprungen und hat angefangen zu *schreien*! Ich wollte ihr helfen, aber sie hat sich befreit, und ich bin reingefallen und ... und ...»

«Schsch, schon gut. Cassie geht es gut, sie hat nach Hause gefunden.»

Trask stand jetzt neben Fay und tastete vorsichtig nach dem Stacheldraht. Er war ein anderer Mann als der, den ich bisher gesehen hatte, sanft und geduldig. Aber in seinen Augen stand Angst, als er sich an mich wandte.

«Sie müssen den Draht halten, während ich sie losmache», sagte er leise.

«Wir sollten den Rettungsdienst rufen ...», hob ich an, doch er schüttelte den Kopf.

«Die brauchen viel zu lange hier raus. Ich lasse sie so nicht länger hier.»

Ich konnte ihn verstehen: Wenn das meine Tochter gewesen wäre, hätte ich auch nicht warten wollen. Ich war nur nicht überzeugt, dass wir sie befreien konnten, ohne ihre Verletzungen zu verschlimmern.

Doch Trask war entschlossen. Als Fay begriff, was wir vorhatten, geriet sie in Panik. «Nein, nein, nein, nicht …!»

«Schsch, du musst jetzt tapfer sein. Komm, sei ein großes Mädchen.»

Sie kniff die Augen zusammen und drehte den Kopf weg, als ihr Vater sich an die Arbeit machte. Da ich ahnte, dass sie später noch gebraucht würde, zog ich meine Jacke aus und warf sie ans trockene Ufer. Dann ging ich Trask zur Hand. So kurz nach meiner Genesung war es ein Risiko, wieder bis auf die Knochen durchnässt zu werden, aber ich hatte keine Wahl. Trask hockte mit grimmig entschlossenem Gesichtsausdruck bis zur Brust im trüben Wasser und tastete nach den Stacheldrähten. Der Schlamm gab meine Füße bei jedem Schritt mit einem lauten Schmatzen frei, während ich versuchte, die Drähte zu nehmen und beiseitezuhalten. Es war nicht leicht. Zwar hatte ich mir zum Schutz die Ärmel meines Pullovers über die Hände gezogen, doch Trask und ich bluteten bald.

Trotzdem wusste ich, dass wir Glück gehabt hatten. Hätte gerade Flut statt Ebbe eingesetzt, wäre alles anders ausgegangen. Während Trask seine Tochter befreite, nahm ich den Draht in Augenschein. An dieser Stelle des Flusses bildete eine Sandbank einen natürlichen Staudamm, sodass auch bei Ebbe noch Wasser zurückblieb. Nur einige der Drähte brachen überhaupt durch die Oberfläche, von den Bewegungen des Mädchens nach oben gezogen. Normalerweise wäre der Draht vollständig untergetaucht. Wütend dachte ich an den Idioten, wer auch immer er war, der den Draht hier abgelegt hatte.

Trask verzog vor Anstrengung das Gesicht, er steckte bis zu den Schultern im Wasser.

«Gut gemacht. Nur einen noch», sagte er zu seiner Tochter. Er warf mir einen Blick zu. «Achtung, gleich müssen Sie den Draht wegziehen.»

Seine Schultern spannten sich an, Fay schrie vor Schmerz auf, als Trask sie aus dem Wasser hob, Wasser tropfte von den beiden herunter. Der Draht war schwerer, als ich gedacht hatte, ich zog ihn langsam hinter mir her, sodass Trask seine Tochter ans Ufer tragen konnte. Fay weinte und klammerte sich an ihren Vater, der tröstend auf sie einredete. Sie zitterte und blutete, aber keine der Wunden schien tief zu sein. *Gott sei Dank*, dachte ich und ließ den Draht los.

In diesem Augenblick merkte ich, dass Fay mit schreckgeweiteten Augen an mir vorbeischaute. Ich wandte mich um. In der Flussmitte drehte sich ein Strudel, als würde dort ein großer Fisch schwimmen, dann durchbrach etwas die Oberfläche.

Die im Stacheldraht verfangene Leiche stieg langsam aus dem Wasser, Arme und Beine hingen wie die einer kaputten Marionette herunter. Als Fays Schrei ertönte, drehte der bleiche Schädel seine leeren Augenhöhlen dem Himmel entgegen.

Dann, als würde er sich vom Tageslicht zurückziehen wollen, versank der Körper wieder im Wasser und verschwand.

KAPITEL 14

❧

Die Schwarzkopfmöwe hatte etwas gefunden. Mit schiefge-
legtem Kopf stand sie da, beäugte den Schlamm, stach dann
mit dem Schnabel zu und zog nach einem kurzen, ungleichen Kampf eine kleine braune Krabbe aus dem Schlick. Die
Krabbe strampelte mit den Beinen, als sie auf den Rücken
geworfen wurde, und kämpfte bis zum letzten Moment um
ihr Leben. Dann stieß der gelbe Schnabel wieder zu, riss den
weichen Bauch auf, und die Krabbe wurde zu einem weiteren Glied der Nahrungskette.

Während die Möwe sich ihrer Mahlzeit widmete, wandte
ich den Blick ab. Neben mir am Ufer stand Lundy und starrte
den am Draht im Wasser hängenden Torso an.

«Das nennen Sie also die Füße stillhalten, ja?»

Es wurde ohne Vorwurf gesagt. Aber wir wussten beide,
dass das hier etwas anderes war als der Fund des Turnschuhs.

Es änderte alles.

Der Körper hing wie ein Haufen nasser Wäsche im Draht.
Das Wasser im Fluss war noch nicht weit genug gefallen, um
ihn ganz freizulegen, aber von der Hüfte aufwärts bot er sich
inzwischen in seiner ganzen grauenhaften Pracht dar. Polizisten und das Spurensicherungsteam warteten mit Over-

alls bekleidet am Ufer auf den tiefsten Wasserstand, damit sie sich an die unerfreuliche Aufgabe des Bergens machen konnten. Wenigstens auf die Taucher konnte man verzichten: Bis die einträfen, stünde das Wasser so niedrig, dass nichts für sie zu tun bliebe.

Trotzdem schien die Wartezeit sehr lang.

Nachdem wir Fay befreit hatten, war ich mit Trask nach Creek House zurückgefahren. Es machte keinen Sinn, bis zum Eintreffen der Polizei am Fluss zu bleiben. Zum einen, weil die Leiche wieder im Wasser versunken war. Zum anderen, weil ich mich umziehen musste. Ich hatte gerade eine Erkältung überwunden und wollte mein Glück nicht herausfordern.

Ich steuerte das Boot, Trask hielt seine Tochter im Arm. Am Fluss konnten wir ihre Wunden nicht versorgen, doch obwohl einige danach aussahen, als würden sie genäht werden müssen, waren sie nicht tief genug, um zu ernsthaftem Blutverlust zu führen.

Beunruhigender war die Infektionsgefahr durch das verseuchte Wasser. Ein verwesender Körper bot allen möglichen Bakterien Lebensraum, manche davon waren tödlich. Ich war von Berufs wegen gegen die meisten davon geimpft, außerdem nahm ich sowieso Antibiotika. Fay aber würde die gesamte Palette an Impfungen bekommen müssen, ebenso ihr Vater. Wir hatten uns beide die Hände am Stacheldraht aufgerissen, Trask viel schlimmer als ich.

Allerdings glaubte ich an kein ernsthaftes Risiko. Sie waren mit der Leiche nicht direkt in Kontakt gekommen, und das Salzwasser im Fluss war aufgrund der Tide immer frisch. Die größte Gefahr für Fay waren Schock und Unterkühlung, denn zu dieser Jahreszeit war das Wasser noch kalt.

Ich hatte Trask meine Jacke gegeben, um Fay darin einzuwickeln, viel mehr konnte ich nicht tun. Nur eine kleine Sache noch.

Trasks Gesicht war kreidebleich, als ich den Motor anließ und im tieferen Wasser der Flussmitte Kurs auf sein Haus nahm. Er sagte nichts, doch seine Gedanken waren unschwer zu erraten.

Als ich seine Schulter berührte, fuhr er zusammen. «Es war ein Mann», sagte ich leise. «Okay? Es war ein Mann.»

Er schien in sich zusammenzusacken, richtete sich mit sichtbarer Mühe wieder auf und nickte. Während ich Gas gab und das Boot durch den Fluss rauschte, hielt er seine Tochter fest umarmt.

Ich hoffte bloß, ich hatte das Richtige getan.

In Wahrheit war es unmöglich, das Geschlecht des Toten mit einem einzigen kurzen Blick zu bestimmen. Unter normalen Umständen hätte ich nie so eine Aussage getroffen. Aber Fay brauchte ihren Vater, und Trask machte den Eindruck, am Rand eines Nervenzusammenbruchs zu stehen. Kein Wunder. Vor zwei Tagen war die Leiche des mutmaßlichen Mörders seiner Frau gefunden worden. Das reichte schon, ohne dass er sich auch noch fragen musste, ob wir gerade *ihre* Überreste gefunden hatten.

Und deswegen hatte ich eher als Arzt denn als forensischer Anthropologe gesprochen. Wenn ich recht behielt, hatte ich der Familie qualvolle Tage des Wartens ersparen können. Wenn nicht … nun ja, ich hatte schon Fehler aus schlechteren Gründen gemacht.

Von Creek House aus hatte ich Lundy angerufen, ihm berichtet, was passiert war, und mich mit ihm draußen am Fluss verabredet. Jamie hatte seine Schwester und seinen

Vater, dessen Hand böse zerschnitten war, ins Krankenhaus gefahren. Ich hatte trockene Kleidung aus meiner Tasche angezogen und, so gut es ging, meine Hände versorgt. Nachdem Fay in eine Decke gewickelt worden war, wurde meine Jacke nicht länger gebraucht. Doch da sie nass und verdreckt war, bot mir Rachel eine alte Jacke an und ein paar Gummistiefel von Trask als Ersatz für meine durchweichten Stiefel. Ich nahm beides gerne. Im Großen und Ganzen fühlte ich mich ganz gut. Vielleicht ein bisschen zittrig, aber das lag wahrscheinlich am Adrenalin. Als Rachel sagte, dass sie den verletzten Hund zum Tierarzt bringen würde, bat ich sie, mich so nahe wie möglich an der Stelle des Flusses abzusetzen, an der wir die Leiche entdeckt hatten.

Der Fußweg dorthin war leichter als gedacht. Die Straße verlief über eine kleine Brücke, die kaum fünfzig Meter vom Fundort entfernt lag. Hier hatte sich auch die Polizei versammelt, und ein kleiner Trampelpfad führte von der Brücke zum Fluss hinunter. Von dort brauchte man nur wenige Minuten, um das kleine Staubecken zu erreichen, in dem wir die Leiche gesehen hatten.

Als Erste trafen ein paar uniformierte Police Constables ein. Einer blieb an der Brücke, während der andere mir zum Fluss folgte. Wenig später folgte der Rest der Mannschaft, die bei Leichenfunden erforderlich ist. Als Lundy und Frears ankamen, war das Wasser gesunken, als hätte jemand den Stöpsel aus der Wanne gezogen, und die Schlaufen des Stacheldrahts ragten wie Dornengestrüpp aus dem Wasser.

Zentimeter um Zentimeter kam auch die Leiche zum Vorschein. Zuerst der Schädel, dessen Krone wie eine

Qualle die Oberfläche durchbrach. Dann Schultern, Brust und Arme. Sie trug eine schwere Lederjacke, die schwarz oder braun gewesen sein mochte, aber jetzt zu dreckig und nass war, um die Farbe bestimmen zu können. Der Tote hing mit dem Gesicht nach unten. Ein Ellbogen war verbogen, die Hände waren abgefallen, aus den Ärmeln ragten Knochenstümpfe heraus. Der Kopf war seitwärts gedreht und sah aus, als würde er ebenfalls gleich abfallen; er wurde eher vom Stacheldraht gehalten als von noch vorhandenem Gewebe.

Frears wartete, bis das Wasser niedrig genug stand, um einen Blick auf die Leiche zu werfen, und fuhr dann zur Leichenhalle zurück. Es war klar, dass die Befreiung der Überreste aus dem Stacheldraht einige Zeit in Anspruch nehmen würde, und der Rechtsmediziner schien kein geduldiger Mensch zu sein. Allerdings wurde er hier wirklich nicht mehr benötigt. Clarke hatte bei Gericht zu tun, aber bis zu ihrem Eintreffen war Lundy allein in der Lage, die Bergung zu leiten.

Auch ich hatte keinen Grund hierzubleiben: Als Zeuge hatte ich genau genommen nicht einmal das Recht dazu. Aber da mich niemand wegschickte, setzte ich mich mit dem Kaffeebecher, den Lundy mir gegeben hatte, auf einen kleinen Hügel und sah zu, wie die Ebbe langsam ihr Geheimnis preisgab.

«Wirklich ein Anblick, den man einem Kind ersparen sollte, wie?», sagte Lundy, als die Spurensicherer begannen, in den Fluss zu waten. «Kein guter Badeort für einen Hund. Meinen Sie, er hat's gerochen?»

«Wahrscheinlich.»

Ich hatte schon darüber nachgedacht. Der Geruchssinn

eines Hundes wäre in der Lage, einen stark verwesten Körper wahrzunehmen, wenn er bei ablaufendem Wasser näher unter der Oberfläche trieb. Rachel hatte mir erzählt, dass Trask den Hund erst nach Emmas Verschwinden gekauft hatte, sie hatten ihn also noch keine sieben Monate. Der lange, nasse Winter hatte sie vermutlich von Spaziergängen in den Backwaters abgehalten. Es war also möglich, sogar wahrscheinlich, dass der neugierige junge Hund bis heute keine Chance gehabt hatte, den interessanten Geruch, der aus dem Wasser aufstieg, zu entdecken.

Die Spurensicherer arbeiteten sich jetzt durch den Draht zu der Leiche vor. Zwar trugen sie brusthohe Wathosen und dicke Handschuhe, aber ich beneidete sie nicht um ihre Arbeit. Lundy sah ihnen zu, während er weitersprach.

«Ich habe auf dem Weg hierher mit Trask telefoniert. Er meinte, Sie hätten gesagt, es sei ein Mann.» Sein Ton war gleichermaßen fragend wie vorwurfsvoll.

«Ich dachte mir, er hat schon genug Sorgen, ohne sich auch noch fragen zu müssen, ob das hier seine Frau ist.»

«Und wenn Sie sich irren?»

«Dann entschuldige ich mich. Aber wenn das eine Frau ist, glaube ich nicht, dass es sich um Emma Darby handelt.»

Lundy nickte. «Nein, ich auch nicht.»

Die untere Körperhälfte steckte noch im Wasser, die Größe war also schwer abzuschätzen. Doch auch wenn die Leiche aufgequollen war und eine dicke Lederjacke trug, waren der kräftige Brustkorb und die breiten Schultern deutlich erkennbar. Die Person, wer immer sie sein mochte, war ziemlich stämmig gewesen.

Das musste nicht heißen, dass sie männlich war. Vor allem bei stark verwesten Leichen ist die Bestimmung des

Geschlechts nicht so einfach, wie viele glauben. Zwar gibt es skelettale Unterschiede zwischen Männern und Frauen, doch die Grenze ist häufig verschwommen. Beispielsweise kann das Skelett eines jungen Mannes dem einer erwachsenen Frau ähneln. Und nicht alle ausgewachsenen Männer entsprechen dem Bild großknochiger Maskulinität, genauso wenig wie jede Frau notwendigerweise klein und zart ist.

Ich hatte einmal mit einen Skelett zu tun gehabt, das über einen Meter achtzig groß war. Der Schädel wies einen schweren, kantigen Unterkiefer und ausgeprägte Augenwülste auf, alles männliche Indikatoren. Die Polizei mutmaßte, es würde sich um einen achtzehn Monate zuvor verschwundenen Familienvater handeln, bis das ovale Becken und die Breite des großen Sitzbeinausschnitts bewiesen, dass es ein weibliches Skelett war. Anhand von Zahnarztakten wurde es schließlich als eine siebenundvierzig Jahre alte Lehrerin aus Sussex identifiziert.

Soweit mir bekannt war, wurde der verschwundene Mann nie gefunden.

Trotzdem war mir beim Anblick der im Stacheldraht hängenden Leiche eines klar. Sie war zu groß, um zu der schlanken Frau zu passen, deren Selbstporträt ich im Bootshaus gesehen hatte.

Das Wasser im Fluss hatte seinen niedrigsten Stand erreicht. Durch die Sandbank staute sich ein knapp zwanzig Meter langes und bis zu einem Meter tiefes Wasserreservoir zurück. Dem Spurensicherungsteam war es gelungen, den Körper bis unter die Hüften freizulegen, doch die Füße und ein großer Teil der Beine steckten noch im Wasser.

Zwischen Lundy und dem Spurensicherungsteam entspann sich eine Debatte, wie sich der Körper am besten bergen ließe. «Könnt ihr alles samt Draht rausziehen?», rief Lundy, während die Spurensicherer durch das schlammige Wasser wateten.

Eine junge Frau, unter dem Schutzanzug geschlechtslos und anonym, schüttelte den Kopf. «Zu schwer. Ich glaube, der Draht hat sich am Grund verfangen. Wir müssen versuchen, erst die Leiche abzubekommen.»

«Okay, aber passt auf die Stacheln auf. Ich will keine Arbeitsunfallformulare ausfüllen müssen.»

Das wurde mit einem schnaubenden Lachen quittiert. Nachdenklich betrachtete Lundy die Leiche. «Wie lange, würden Sie sagen, ist sie da drin gewesen?»

Eine gute Frage. Bis Trask und ich gekommen waren, war der Körper auch bei Ebbe mit Wasser bedeckt gewesen. Damit war er langsamer verwest, als wäre er Sonnenlicht und Luft ausgesetzt gewesen, und da er vom Stacheldraht gehalten wurde, hatten die Gezeitenströme ihn nicht hin und her gezerrt, sodass die Abnutzung geringer war.

Trotzdem gab es zu viele Unbekannte, um mehr als eine grobe Einschätzung abgeben zu können. «Schwer zu sagen. Die Auflösung hat begonnen, und es hat sich ziemlich viel Leichenwachs gebildet. Das dauert eine Weile, also mindestens ein paar Monate.»

«Aber Monate, nicht Jahre?»

«Ich nehme es an.» Denn sonst wäre der Kopf bereits abgefallen. Auch wenn der Körper vollständig untergetaucht war, das Wasser war relativ flach und warm und bewegte sich ständig. «Wird in der Gegend sonst noch jemand vermisst?»

«Nur Emma Darby, und die können wir ausschließen.

Noch mal zur Sicherheit, dieser Körper hat länger im Wasser gelegen als der draußen auf den Barrows?»

Lundys Gesicht verriet nichts, doch ich wusste, was er dachte. Das Auffinden einer zweiten Leiche so kurz nach der ersten bedeutete eine mögliche – und unerwünschte – Komplikation, vor allem, wenn sie anscheinend etwa zur selben Zeit ums Leben gekommen war.

Wenigstens in der Hinsicht konnte ich ihn beruhigen. «Viel länger. Die hier ist in einem viel schlechteren Zustand, auch wenn der Verwesungsprozess unter Wasser langsamer abläuft als an der Luft. Viel hängt davon ab, wie lange sie getrieben ist, bevor sie hier hängen blieb.»

«*Wenn* sie denn getrieben ist.»

Ich sah ihn an. «Sie glauben nicht daran?»

Er wackelte mit dem Kopf. «Ich bin nicht sicher. Sie sieht mir ein bisschen zu gut gefesselt aus.»

Ich hatte mich mehr auf die Leiche als auf den Draht konzentriert und war davon ausgegangen, dass sie von der Flut hier angespült worden war. Jetzt betrachtete ich die Drahtschlaufen genauer, an denen Grasbüschel und zerrissene Plastikstreifen hingen wie verwitterte Luftschlangen. Die Stacheln hatten sich wie Angelhaken in Kleidung und Fleisch des Toten eingegraben, dafür hatte das Eigengewicht des Körpers gesorgt. Mit jedem Ansteigen und Abfallen des Wassers hatten sich die rostigen Spitzen tiefer eingebohrt. Aber an so vielen Stellen? Und so fest um die Leiche herumgewickelt? Sogar am Rücken hatten sich Drahtschlaufen verhakt, scheinbar zufällig. Auch das konnte von der natürlichen Strömung des Wassers verursacht worden sein: Außer den Gezeiten hatten auch Stürme und Fluten den Körper und den Draht bewegt.

Doch Lundy hatte das Samenkorn des Zweifels gesät, und ich verstand, was er meinte. Vorhin war ich wütend auf den Idioten gewesen, der den Stacheldraht einfach so im Fluss entsorgt hatte.

Vielleicht war das ganz und gar nicht *einfach so* geschehen.

Die Bergung der Leiche aus dem Fluss war noch schwieriger als gedacht. Die Verwesung war zu weit fortgeschritten, um den Stacheldraht im Wasser entfernen zu können, und so wurde entschieden, den Draht auseinanderzuschneiden. Lundy hatte mich darüber eher informiert, als dass er um meinen Rat gefragt hätte, aber auch ich hielt dies für die beste Vorgehensweise. Erst dann gab er dem Spurensicherungsteam das Startsignal.

Bei jedem Draht, der zerschnitten wurde, sackte der Körper ab und brachte die ganze Spirale zum Vibrieren. Es dauerte über eine halbe Stunde, bis schließlich der letzte Draht auseinanderschnappte. Die stachelbewehrten Enden standen wie dicke Borsten ab, als die Leichenreste auf eine Trage gelegt und ans Ufer gebracht wurden. Ich ging aus dem Weg, als sie abgesetzt wurde und sich der vertraute Verwesungsgeruch ausbreitete. Ein paar Fliegen summten heran, aber das hier ging selbst für ihren Geschmack zu weit.

Zum ersten Mal sah ich die Leiche aus der Nähe, und nichts sprach gegen mein Bauchgefühl, dass sie männlich war. Ein großer Mensch, kein Riese, aber weit über einen Meter achtzig groß. Die Jacke sah nach einem dicken, schwarzen Bikerteil aus, der Reißverschluss war verrostet. Ein schwarzes Shirt, dreckig und zerrissen, hing lose über schwarzen Jeans. Das rechte Bein stand in einem seltsamen

Winkel ab, unter dem Knie schaute etwas heraus; wie der linke Ellbogen waren wohl auch Tibia und Fibula am Bein gebrochen. Ich erwartete, dass auch die Füße abgefallen wären, und hatte schon überlegt, ob der in dem Turnschuh gefundene rechte Fuß wohl eher von dieser Leiche stammte als von Leo Villiers. Lundy hatte nichts dazu gesagt, und ich fand es immer noch unwahrscheinlich, dass so ein billiger Schuh einem reichen, wenn auch erfolglosen Politiker gehören sollte.

Doch als der Körper aus dem Wasser auftauchte, sah ich, dass er wadenhohe Lederstiefel trug, die die schmalen Fußgelenke wahrscheinlich geschützt hatten, sodass die Füße nicht abgefallen waren. Während ich Stiefel und Lederjacke betrachtete, bahnte sich in meinem Kopf ein Gedanke an.

Der mir jedoch entwischte. Es gab ja auch Wichtigeres zu bedenken. Die Augen waren von Aasfressern ausgepickt worden, das Haar hatte sich größtenteils vom Schädel gelöst und nur wenige Strähnen von unbestimmbarer Farbe zurückgelassen. Kopf und Hals waren mit Leichenwachs überzogen, was dem Toten das Aussehen einer bleichen Schaufensterpuppe verlieh. Doch das konnte die Zerstörung im Gesicht nicht verbergen: Es war von der Stirn abwärts mit klaffenden, parallelen Schnitten zerfurcht, die sich durch Fleisch und Knochen zogen. Die Nase war wie ausradiert, und ein diagonaler Schlitz hatte Zähne und Unterkiefer abgetrennt. Die Schnitte setzten sich auf Hals und Brustkorb fort, hatten das dicke Leder durchtrennt und die darunterliegenden Rippen freigelegt.

Ich warf Lundy einen Blick zu, um zu sehen, ob er das Gleiche dachte wie ich. Dies war die zweite in der Gegend gefundene Leiche, bei der die charakteristischen Gesichtsmerkmale zerstört worden waren. Diesmal nicht mit einer Schrotflinte, aber der Schaden war genauso gravierend.

«Ich weiß», beantwortete Lundy meine unausgesprochene Frage. «Muss aber nicht unbedingt was heißen.»

«Schiffsschraube», stellte einer der Spurensicherer fest, ein großer Kerl mit vor Anstrengung rotem Gesicht. «Hab ich schon öfter gesehen. Die Leiche treibt dicht unter der Oberfläche, dann kommt ein Boot, und *bäm!*»

Er schlug sich mit der Faust in die offene Hand. Lundy warf ihm einen missbilligenden Blick zu und wandte sich wieder an mich.

«Was meinen Sie, Dr. Hunter?»

«Wäre möglich», gab ich zu. Die Wunden konnten post mortem entstanden sein, und auf den ersten Blick schienen sie von kleinen Schiffsschrauben verursachten Schnitten zu entsprechen. Zumindest soweit ich das unter der Adipocire erkennen konnte. Doch die Theorie hatte einen Haken.

«Ich kann mir allerdings nicht erklären, wie die Schiffsschraube das Gesicht getroffen haben soll», sagte ich. «Nicht in dem Ausmaß. Der Körper ist mit dem Gesicht nach unten getrieben, nicht auf dem Rücken liegend.»

«Ich weiß, wie Leichen im Wasser liegen», erwiderte der Spurensicherer patzig. «Das Boot könnte ihn umgedreht haben. Das würde auch das gebrochene Bein und den kaputten Arm erklären.»

Ich war nicht überzeugt, aber es war sinnlos zu streiten. Bis der Körper in der Leichenhalle eingehend untersucht werden konnte, war sowieso alles Spekulation. Und das würde jemand anders übernehmen, dachte ich bitter. Lundy hatte mir einen Gefallen getan und mich der Bergung beiwohnen lassen, aber ich machte mir keine Illusionen, dass

Clarke ihre Meinung aus heiterem Himmel ändern und mich wieder in die Ermittlung holen würde. Sie war schon vor dieser Leiche sauer genug auf mich gewesen.

Die DCI war immer noch nicht eingetroffen. Als die Leichenreste gerade vorsichtig in einen Leichensack gehoben wurden, bekam Lundy einen Anruf von ihr. Er trat ein Stück beiseite und betrachtete beim Telefonieren die Leiche. Er hörte zu, nickte, beendete das Gespräch und kam zurück.

«Das war die Chefin. Sie wurde bei Gericht aufgehalten und kommt direkt zur Leichenhalle.»

Während er telefoniert hatte, hatte ich nachgedacht. Dies war meine letzte Chance. Vielleicht war es aussichtslos, aber ich musste es probieren.

«Sie werden einen forensischen Anthropologen benötigen.»

Lundys Augenbrauen gingen in die Höhe, doch er nickte nur. «Sie haben wahrscheinlich recht. Was machen die Hände?»

Die hatte ich völlig vergessen. Ich streckte meine pflasterbeklebten Finger aus und merkte erst jetzt, wie wund sie waren.

«Alles in Ordnung.» Die paar Schnitte würden mich nicht aufhalten. «Hören Sie, wo ich schon mal da bin, wäre es da nicht dumm, mich nicht einen Blick auf die Leiche werfen zu lassen?»

«Das ist Sache der Chefin.» Er sah amüsiert aus. «An Ihrer Stelle würde ich sie lieber nicht als dumm bezeichnen.»

Ich hatte mich von meinem Frust verleiten lassen. «Ich würde es ihr jedenfalls gern vorschlagen.»

«Wie Sie meinen. Sie können Sie ja in der Leichenhalle fragen.»

«In der Leichenhalle …?» Ich hatte erwartet, er würde entweder ablehnen oder mich abwimmeln. «Heißt das … Clarke *will*, dass ich die Leiche untersuche?»

«Keine Ahnung, davon hat sie nichts gesagt.» Lundy wurde wieder ernster. «Wir hätten Ihre Meinung gerne in einer anderen Sache.»

KAPITEL 15

❧

Die Leichenhalle war in einem unauffälligen Gebäude gleich neben dem Krankenhaus untergebracht. Ich meldete mich am Empfang, bekam den Untersuchungsraum genannt und wurde zum Umziehen geschickt. Ich schloss meine Sachen in einen Spind ein und zog saubere OP-Kleidung über, Trasks alte Gummistiefel tauschte ich gegen weiße Gummischuhe aus.

Ich wusste immer noch nicht, wozu ich hier war. Lundy hatte nur gesagt, dass Clarke mich vor Ort erwarten würde. «Sie wird Ihnen alles erklären», hatte er gemeint. «Am besten gehen Sie unvoreingenommen an die Sache ran.»

Das versuchte ich sowieso immer, und mir war klar, dass ich mehr nicht aus ihm herausbekommen würde. Lundy selbst wollte bis zur vollständigen Bergung des Stacheldrahts am Fluss bleiben und war nicht mit zur Leichenhalle gekommen. Er beauftragte einen redseligen jungen Police Constable, mich hinzubringen, da mein eigener Wagen immer noch ohne Zündkerzen am Haus von Trask stand. Es war nicht abzusehen, wann dieser Zustand sich ändern würde.

Clarke wartete im Untersuchungsraum auf mich. Ihr blasses, schmales Gesicht sah unter den grellen Lampen wie ausgeblichen aus. Frears war ebenfalls anwesend und in voller

Montur, während Clarke sich mit einem Laborkittel begnügt hatte. Als ich eintrat, unterbrachen sie ihr Gespräch. Als die Tür hinter mir zufiel, legte sich die kalte, klimatisierte Luft wie eine kühle Decke um mich.

«Ah, Hunter. Schön, dass Sie es einrichten konnten», begrüßte Frears mich fröhlich. Sein Cherubengesicht passte nicht zu der Chirurgenkappe. «Haben Sie diesmal alle nassen Hindernisse überwinden können?»

«Ich bin nicht gefahren», erwiderte ich.

Er lachte bellend. «Falls es ein Trost ist, das Gleiche ist mir auch mal passiert. Hat meinen alten Jaguar komplett geschrottet.»

Ich lächelte beflissen und sah mich in dem gut ausgestatteten, modernen Raum um. Zwei Untersuchungstische aus Stahl standen ein Stück voneinander entfernt. Auf einem lag ein Körper, halb verdeckt von Clarke und Frears.

Auf dem anderen lag auf einem Stahltablett der verweste Fuß.

Clarkes Laune schien sich seit unserer Begegnung am Kai der Austernfischerei nicht verbessert zu haben, aber vielleicht war sie einfach so. «Danke, dass Sie gekommen sind, Dr. Hunter.»

«Gerne. Auch wenn ich immer noch nicht weiß, warum ich hier bin.»

Aber ich bekam langsam eine Ahnung. Clarke sah Frears an und überließ die Erklärung ihm. Er ging zu dem Fuß.

«Erkennen Sie den?»

«Beim letzten Mal steckte er noch in einem Schuh, aber ich vermute, es ist der aus dem Fluss.»

«Würden Sie mir sagen, was Sie davon halten?»

Verwundert nahm ich Einweghandschuhe aus dem

Spender und zog sie vorsichtig über die Pflaster an meinen Händen. Trotz der kühlen Luft war unter dem strengen Geruch nach Desinfektionsmittel noch ein anderer, säuerlicher Geruch wahrnehmbar. Der Fuß war groß, bleich, aufgequollen und mit der für Wasserleichen charakteristischen Wachshaut überzogen. Die schmutzig weiße Adipocire hatte an den Stellen, an denen der Fuß die Farbe der lila Socke angenommen hatte, einen leicht violetten Ton. Die Zehen sahen aus wie dicke weiße Radieschen, darin eingebettet gelbe Nägel. Und sie waren zu normalerweise schmerzhaften Hammerzehen verkrümmt. Aus dem Fußgelenk ragten Knorpel und Knochen hervor. Dieser Teil war als einziger den Elementen und Aasfressern ausgesetzt gewesen, und der Talus – das Sprungbein oben am Gelenk, das an Tibia und Fibula anliegt – war angekratzt und löchrig.

«Und?», hakte Frears nach.

«Ich kann Ihnen wenig sagen, das Sie nicht schon wissen. Rechter Fuß, schätzungsweise Größe dreiundvierzig oder vierundvierzig. Vermutlich von einem männlichen Erwachsenen, möglich wäre aber auch eine Frau mit großen Füßen. Solche Hammerzehen sieht man normalerweise eher bei alten Menschen.» Ich hielt inne, überlegte, was sich sonst noch sagen ließe, und zuckte mit den Schultern. «Das ist mehr oder weniger alles, außer dass das Vorkommen von Adipocire und die Tatsache, dass der Fuß vom Körper gelöst ist, darauf hinweisen, dass er eine beträchtliche Zeitspanne im Wasser gelegen haben muss.»

«Wie lange?», fragte Clarke.

«Das kann man auf den ersten Blick hin nicht sagen.» Der Schuh hatte den Fuß geschützt und die Adipocire-Bildung eventuell beschleunigt. «Wenn ich raten müsste, würde ich sagen, mindestens, tja, vier Wochen. Aber es könnte auch viel länger sein.»

«Weiter.»

«Es gibt keine Anzeichen von Verletzungen, nur oberflächliche Kratzer auf dem Talus, die zu Witterung und Aasfressern passen. Ich sehe keine Schnittkanten oder irgendetwas, das auf Abhacken oder Absägen hindeuten würde. Also ist er anscheinend auf natürlichem Wege abgefallen. Kann ich mir die Röntgenbilder ansehen?»

Frears nickte. «Könnten Sie zuerst den Knochenumfang messen?»

Ich lächelte verwirrt. Das war Grundlagenarbeit. «Warum? Haben Sie das noch nicht getan?»

«Tun Sie mir den Gefallen.»

Frears lächelte nicht mehr. Clarke sowieso nicht. Sie sahen zu, wie ich einen Messschieber von einem zweiten Stahltablett nahm. «Es wäre besser, erst das Weichgewebe zu entfernen. Ich könnte … »

«Messen Sie den Knöchel einfach so, wie er ist. Es liegt genug Knochen offen.»

Langsam wurde das Ganze absurd. Ich öffnete den Messschieber weit genug, um ihn an den Talus zu setzen, und schob ihn dann zusammen, bis er den Knochen umfasste.

«Genau 4,96 Zentimeter in der Breite», sagte ich. Dann öffnete ich den Messschieber wieder, um auch die Länge des Knochens zu messen.

«Das ist nicht nötig», sagte Frears und ging zum anderen Untersuchungstisch. «Und jetzt möchte ich Sie bitten, auch hier die Breite von Tibia und Fibula zu messen. Natürlich am rechten Bein.»

Ich hatte es schon geahnt, und die Schusswunde im

Schädel der Leiche bestätigte, dass es der Mann aus dem Mündungsgebiet war. Die Kleidung war entfernt worden, die verwesten Überreste lagen nackt auf dem Tisch. Auch sie waren aufgequollen und hatten den Zersetzungszustand erreicht, in dem der Körper sich verflüssigt. Arme und Beine endeten in dicken Stümpfen. Der Schädel war durch die Elemente und Aasfresser eine bleiche Wüste der Zerstörung; vom Schlamm gesäubert, trat die Schusswunde noch deutlicher hervor. Über Brust und Bauch verlief der Y-förmige Obduktionsschnitt, meiner Vermutung nach waren die inneren Organe zu weit verwest gewesen, um noch viel an Informationen herzugeben. In tieferem, kälterem Wasser wurden sie manchmal durch die Adipocire konserviert, aber ich bezweifelte, dass das hier der Fall gewesen war. Die Genitalien waren noch mehr oder weniger intakt, durch die Kleidung vor Insekten und Aasfressern geschützt, was zumindest die Bestimmung des biologischen Geschlechts vereinfachte. Trotzdem zweifelte ich angesichts des Zustands der Leiche daran, dass die Obduktion neue Erkenntnisse gebracht hatte.

«Wenn Sie dann so weit wären», sagte Frears mit einem dünnen Lächeln.

Ich ließ den ersten Messschieber auf dem Tisch liegen und wechselte die Handschuhe, um kein genetisches Material vom Fuß zum Körper zu übertragen. Zwar hatte ich den Knöchel nur mit dem Schieber berührt, aber ich wollte keine Kreuzkontamination riskieren.

Vor allem, wenn ich mit meiner Ahnung recht behielte.

Die Köpfe der Tibia und Fibula waren von verbleibenden Geweberesten gesäubert worden, die Enden der Knochen ragten hervor. Die dickere Tibia, oder der Schienbeinknochen, liegt auf der oberen Fläche des Talus auf, die schmalere Fibula verläuft an der Außenseite entlang. Ich wählte einen anderen Messschieber vom Instrumententablett, der für innere Oberflächen bestimmt war, und maß vorsichtig die Verbindung von Tibia und Fibula, wie ich es beim Talus getan hatte. Zur Sicherheit führte ich die Messung doppelt durch.

Und wandte mich an Frears. «4,97 Zentimeter.»

Er sah Clarke an. «Wie ich Ihnen gesagt hatte. Wir können noch x-mal nachmessen, es wird sich nichts ändern.»

Clarke ignorierte ihn. «Sie haben nicht genau dieselbe Größe. Der Knöchel ist etwas schmaler», sagte sie trotzig.

Frears presste die Lippen zusammen und verschränkte die Arme, als hätte er das alles schon einmal durchdiskutiert. Er sah mich mit hochgezogenen Augenbrauen an, als wollte er sagen: *Versuchen Sie's.*

«Einen kleinen Unterschied gibt es immer», erklärte ich Clarke. «Auch die linke und rechte Seite sind nie identisch. Würde die Differenz mehr als einige Millimeter betragen, dann wären es vermutlich zwei verschiedene Körper. Aber ein Zehntelmillimeter ist ein sehr genauer Treffer.»

«Ihrer Meinung nach gehört der Fuß also definitiv zu diesem Körper?»

«Ohne weitere Untersuchung kann ich nichts Definitives sagen. Aber es ist sehr wahrscheinlich.» Auch wenn sich nicht gänzlich ausschließen ließ, dass zwei verschiedene Menschen Fußgelenke von gleicher Größe hatten, wäre die Chance, beide tot in derselben Gegend aufzufinden, doch zumindest äußerst gering. Ich betrachtete den Fuß. «Ich nehme an, es gibt einen Grund, warum Sie dies nicht für den Fuß von Leo Villiers halten?»

«Wir haben seine genauen Maße nicht, aber er hatte Schuhgröße dreiundvierzig. Dieser Fuß ist fast achtundzwanzig Zentimeter lang, das entspricht Größe fünfundvierzig.» Sie klang persönlich beleidigt.

«Schuhgrößen können variieren», gab ich den Advocatus Diaboli. Hier war offensichtlich noch anderes im Spiel als eine abweichende Schuhgröße.

«Stimmt», sagte Frears. «Aber Leo Villiers hat sich mit neunzehn den rechten Fuß beim Rugbyspielen gebrochen. Wir durften die Röntgenbilder von damals einsehen, die zeigen, dass der zweite und dritte Mittelfußknochen ziemlich zerbröselt waren. Die Röntgenbilder dieses Fußes zeigen intakte Knochen. Keine verheilten Brüche, keine Kallusbildung, nichts.»

«Schon gut, Julian, ich bin sicher, Dr. Hunter braucht es nicht schriftlich», warf Clarke säuerlich ein.

Das stimmte. Und der Grund für ihre schlechte Laune war mir jetzt klar. Die unterschiedliche Schuhgröße mochte nichts beweisen, doch Knochen lügen nicht. Beim Verheilen bildet sich an der Bruchstelle ein Kallus, der auch nach Jahren noch auf Röntgenbildern sichtbar ist. Wenn dieser Fuß also von der Leiche im Estuary stammte, dann gab es nur eine Schlussfolgerung.

Vor uns lag nicht Leo Villiers.

«Hat die Obduktion irgendwas ergeben?», fragte ich und vergaß für den Moment, wie peinlich es war, sie verpasst zu haben.

«Keine rauchenden Colts, wenn Sie das meinen. Natürlich abgesehen von dem, der den Schädel zerfetzt hat.» Frears schien seinen Sinn für Humor wiedergefunden zu haben. «Kein Schaumpilz in den Atemwegen oder Lungen, der auf Tod durch Ertrinken hinweisen würde, aber wir können wohl sowieso davon ausgehen, dass er bereits tot war, als er im Wasser gelandet ist. An dem, was vom Unterkiefer noch übrig ist, haben wir Schwarzpulverspuren gefunden, und die Wunden zeigen, dass die Kugeln sehr eng gepackt waren. Im Körper wurde keine Kugel gefunden, und auf die Entfernung würde sich auch die Ausbreitung nicht unterscheiden, ich kann also nicht sagen, ob es Vogelschrot oder grobes Schrot war.»

«Aber der Lauf steckte nicht im Mund?», fragte ich.

Der Rechtsmediziner lächelte kühl. «Nein. Dann wäre sogar noch weniger vom Schädel übrig, wie Sie sicher wissen.»

In der Tat: Wenn die Schrotflinte sich beim Abfeuern hinter den Zähnen befunden hätte, wäre der Schädel durch die Ausdehnung der heißen Gase buchstäblich in Stücke gerissen worden.

«Ist das von Bedeutung?», fragte Clarke.

«Hängt davon ab», sagte Frears. «Ich nehme an, Dr. Hunter hat Zweifel, dass die Wunde selbst verschuldet wurde. Die Abmessungen, nicht wahr, Dr. Hunter?»

«Er hätte die Flinte umdrehen und dann den Abzug betätigen müssen», erläuterte ich Clarke. «Wenn der Lauf von außen gegen den Mund gedrückt wurde, dann musste er noch weiter greifen als im Mund.»

«Wir warten noch darauf, dass der Hersteller uns die Länge des Laufs mitteilt», sagte sie ungeduldig. «Die fehlende Flinte ist eine Maßanfertigung von Mowbry, dort müssten also auch seine Armmaße bekannt sein.»

«Was ist mit der Flugbahn?», fragte ich. Die war offensichtlich sehr flach gewesen, denn die Austrittswunde lag eher im unteren Teil des Schädels. Die Flinte musste also horizontal vor das Gesicht gehalten worden sein. Wäre der Schaft auf dem Boden abgestützt worden, hätte der Lauf aufwärts gezeigt.

«Das sagt uns nur, dass die Flinte ausgestreckt vor ihm war», entgegnete Frears. «Und dass er eher gestanden als gekniet oder gesessen hat, als die Waffe abgefeuert wurde.»

«Oder dass ein anderer ihn erschossen hat», sagte ich.

Die Selbstmordtheorie war nur so lange haltbar gewesen, wie wir davon ausgegangen waren, bei dem Toten würde es sich um Leo Villiers handeln, der durch den Mordverdacht seine Ehre verloren hatte und depressiv geworden war. Nun lag der Fall ganz anders.

«Ich sagte, die Wunde *könnte* selbst verschuldet sein, nicht, dass sie es ist», sagte Frears verärgert. «Es war nicht eindeutig feststellbar, wie ich in meinem Obduktionsbericht ausführlich dargelegt habe. Was Ihnen bekannt wäre, wenn Sie anwesend gewesen wären.»

«Schon gut, machen wir weiter», sagte Clarke ungeduldig. «Was haben wir sonst noch?»

«Was ist mit dem hinten im Mund steckenden Metallstück?», fragte ich Frears. «Sie sagten, im Körper seien keine Kugeln gefunden worden, was war das also?»

«Ah, ja.» Er sah Clarke an. Auf ihr Nicken hin holte er eine kleine Plastiktüte und gab sie mir. «Wissen Sie, was das ist?»

Ich war schon beim ersten Blick darauf nicht überzeugt gewesen, dass es sich um eine Schrotkugel handelte, und jetzt sah ich, dass ich recht gehabt hatte. In der Tüte lag ein kleiner Ball aus Stahl, etwa fünf Millimeter im Durchmesser und an einer Seite leicht verformt. Nein, nicht verformt, wie ich sah, als ich ihn ans Licht hielt. Etwas war dort abgebrochen.

«Das ist ein Zungenpiercing aus Stahl», sagte ich und gab die Tüte zurück. Ich hatte mich früher schon mit Körperpiercings beschäftigt und analysiert, wie sich Stahlringe, Stäbe und Stecker in vergrabenen Körpern bewegen, wenn in der Erde das Weichgewebe verfault.

Frears sah enttäuscht aus. «Eine Zungen-Barbell, um genau zu sein», fügte er hinzu. «Der Rest muss von den Schrotkugeln mitgerissen worden sein. Nicht gerade das, was man bei einem aufstrebenden Jungpolitiker wie Leo Villiers erwarten würde, wie?»

«Woher sollen wir wissen, dass er nicht zum Punk geworden ist, bevor er sich erschossen hat?», warf Clarke entnervt ein. «Wir wissen nicht mal sicher, ob das Piercing wirklich in der Zunge gesteckt hat. Vielleicht hat es sich auch mit dem ganzen anderen Zeug dort verfangen, als der Körper im Wasser lag.»

«Das ist höchst unwahrscheinlich», hob Frears an, doch Clarke wollte nichts davon hören.

«Das ist mir völlig egal, ich brauche Sicherheit. Und damit meine ich einhundertprozentige Sicherheit. Sir Stephen Villiers ist absolut überzeugt, dass das hier sein Sohn ist, und drängt auf eine offizielle Bestätigung. Wenn ich ihm widersprechen muss, dann will ich es verdammt gut begründen können.»

«Geben seine Arztakten sonst noch was her?», fragte ich. Gestern hatte Lundy noch gesagt, sie hätten keinen Zugang bekommen, aber jetzt lag das Röntgenbild des Fußes vor. Wenn Sir Stephen die Akten seines Sohns endlich freigegeben hatte, ließ sich darin vielleicht etwas zur Identifizierung finden.

Clarke schnaubte verärgert. «Wissen wir nicht. Sir Stephen hat uns lediglich das Röntgenbild gegeben, und das war schon, wie Blut aus einem Stein quetschen. Für die gesamten Akten benötigen wir einen Gerichtsbeschluss, und wenn das hier nicht die Leiche seines Sohns ist, bin ich nicht sicher, ob wir einen bekommen.»

«Das ist doch absurd», sagte ich. «Was soll denn da drinstehen, das geheim zu halten wichtiger wäre als die Identifizierung seines Sohnes?»

«Keine Ahnung, und es ist mir ehrlich gesagt auch egal. Sir Stephen hat klargestellt, dass er die Freigabe mit allen Mitteln verhindern wird, kurzfristig werden sie uns also sowieso nicht weiterhelfen.»

«Dann werden Sie auf die DNA-Analyse warten müssen», verkündete Frears. «Tut mir leid, aber mehr kann ich nicht tun.»

Schweigen. Ich wandte mich um, betrachtete den Fuß und überlegte. Clarke musste es bemerkt haben.

«Dr. Hunter?»

Ich dachte noch einen Moment länger nach. «Sie haben vermutlich DNA-Proben sowohl vom Fuß als auch vom Körper genommen?»

Sie sah Frears an. Der zuckte mit den Schultern. «Natürlich, aber wir bekommen die Ergebnisse erst in einigen Tagen. Ich nehme an, DCI Clarke würde gerne früher Bescheid wissen.»

Neue DNA-Testmethoden, die angeblich innerhalb von Stunden Ergebnisse bringen sollten, befanden sich im Entwicklungsstadium. Sie würden den Prozess der Identifizierung völlig umkrempeln, doch solange sie noch nicht Standard waren, blieb nur die alte, langsame Methode der Analyse.

Oder etwas Bodenständigeres.

«Es gibt immer noch den Aschenputtel-Test», sagte ich.

Clarke sah mich nur an. Frears runzelte die Stirn. «Ich verstehe nicht.»

Ich betrachtete die Stümpfe von Tibia und Fibula.

«Haben Sie Klarsichtfolie?»

Es dauerte eine Weile, die Klarsichtfolie aufzutreiben. Für solche Dinge gab es in einer Leichenhalle normalerweise wenig Verwendung, so modern und gut ausgestattet sie auch sein mochte. Am Ende schickte Frears eine junge Obduktionsassistentin los, um irgendwo eine Rolle zu besorgen.

«Und wenn Sie sie aus der Kantine klauen müssen, finden Sie eine und bringen Sie sie her, klar?», befahl Frears.

Wir waren zum Warten in den Besprechungsraum gegangen. Frears hatte sich bald darauf entschuldigt, um sich um etwas anderes zu kümmern, und in der Zwischenzeit war Lundy eingetroffen. Die Bergung des Stacheldrahts aus dem Fluss war beendet. Vor uns auf dem Tisch stand Tee aus dem Automaten, und Lundy brachte seine Chefin auf den neuesten Stand.

«Das Ende steckte unter einem Betonklotz fest. Anscheinend ein alter Zaunpfosten», berichtete er.

«Könnte der zufällig dort weggeworfen worden sein?», fragte Clarke.

«Vielleicht, aber wer kommt auf die Idee, so was da rauszuschaffen? In der Nähe stehen keine Zäune, und es gibt bestimmt bequemere Orte zum Müllabladen.»

«Sie meinen also, jemand hat absichtlich die Leiche damit beschwert?»

Ich hatte mich das seit Lundys Bemerkung, der Körper wäre zu fest eingewickelt, um zufällig in den Draht getrieben zu sein, auch schon gefragt. Gedankenverloren strich sich der DI über den Schnauzbart.

«Ich glaube, wir sollten es nicht ausschließen», sagte er dann. «Es war reiner Zufall, dass wir ihn gefunden haben. Der Fluss staut sich dort an einer Sandbank und läuft nie ganz leer. Und die Straße ist ganz in der Nähe. Jemand könnte die Leiche mit dem Auto gebracht und sie dann von der Brücke an den Fluss getragen haben. Wenn man sie mit Stacheldraht umwickelt und versenkt, stehen die Chancen gut, dass sie nie gefunden wird. Und selbst wenn, würde es erst mal nach einem Unfall aussehen.»

Clarke kniff sich mit Daumen und Zeigefinger in den Nasenrücken und drückte mehrmals zu. Ich konnte ihre Kopfschmerzen fast sehen. «Dr. Hunter, Sie sagten, er hätte vermutlich schon seit mehreren Monaten im Wasser gelegen?»

«Angesichts des Zustands und so weit ich sehen konnte, ja.»

«Es kann also nicht Leo Villiers sein?»

«Ich wüsste nicht, wie das gehen sollte», sagte ich. Villiers war seit maximal sechs Wochen verschwunden, und die jetzt aufgefundene Leiche war mit Sicherheit um einiges länger im Wasser.

Ein Klopfen an der Tür kündigte die Rückkehr der Obduktionsassistentin an. Frears kam hinzu, als wir in den Untersuchungsraum zurückgingen.

«Ich nehme an, das ist keine Standardmethode?», kom-

mentierte Lundy, während er sich Einweghandschuhe über-
zog, in denen seine dicken Finger wie blaue Würste aussahen.

«Nicht so richtig. Vor Gericht hätte sie vermutlich keinen
Bestand, aber zumindest finden wir dadurch mit ziemlicher
Sicherheit heraus, ob der Fuß zum Körper gehört oder
nicht.»

Lundy starrte die nackte Leiche an. «Wenn er passt, dann
ist die Kacke am Dampfen.»

Er hatte recht, aber ich konnte es nicht ändern. Die
Obduktionsassistentin, eine junge Asiatin namens Lan,
reichte mir die Klarsichtfolie.

«Ich konnte nur eine Zwölfmeterrolle kriegen. Reicht
das?»

«Das reicht auf jeden Fall», sagte ich.

Die Forensik entwickelte sich ständig weiter, und die
Technologie hatte den eher handfesten Ansatz, mit dem ich
ausgebildet worden war, schon lange überholt. Der gute, alte
Gips, mit dem man früher Abdrücke genommen hat, wurde
von Silikon abgelöst, das effektiver war und den Knochen
nicht so leicht beschädigte. Im Moment waren Scanner in
der Entwicklung, die auch diese Methode obsolet machen
würden, weil sich damit eine perfekte Kopie eines Knochens
per 3D-Drucker herstellen ließe.

Doch wir besaßen weder das eine noch das andere, und
selbst wenn, sowohl für die Scanner als auch für Abgüsse
musste der Knochen erst einmal gründlich gesäubert werden. Das dauerte seine Zeit, und Clarke wollte rasch eine
Antwort. Also würde ich auf Mittel mit weniger Hightech
zurückgreifen müssen.

Eine Rolle Klarsichtfolie und eine ruhige Hand.

Die Obduktionsassistentin stellte sich hinter Clarke, Frears und Lundy, sie war offensichtlich neugierig zu erfahren, was ich vorhatte. Die ganze Gruppe sah schweigend zu, als ich ein Stück Folie abriss, es sorgfältig über die offen daliegende Oberfläche des Gelenkknochens legte und glatt strich. Als ich sicher war, dass sich keine Falten gebildet hatten, wickelte ich Folie um den Rest des Fußes.

«Ziemlich unkonventionell, das muss ich sagen», bemerkte Frears amüsiert. Die Rolle des Zuschauers schien ihm nichts auszumachen, obwohl ich dahinter weniger professionelle Höflichkeit vermutete als vielmehr die Möglichkeit, sich zu distanzieren, sollte das hier schiefgehen.

«Wissen Sie auch, was Sie da tun?», fragte Clarke skeptisch. «Es wird zu keiner Kreuzkontaminierung kommen?»

«Das sollte nicht passieren», erwiderte ich ohne aufzusehen. Die Klarsichtfolie würde das Risiko verringern, außerdem waren bereits von Fuß und Leiche DNA-Proben genommen worden. Und falls weitere notwendig sein sollten, konnte man sie tief aus dem Knochen nehmen.

Aber ich glaubte sowieso nicht, dass Kreuzkontamination ein Problem werden würde. Der eingewickelte Fuß erinnerte an ein Fleischstück in der Metzgertheke, als ich ihn beiseitelegte und mich der Leiche zuwandte. Wieder ersetzte ich die Handschuhe gegen ein frisches Paar, dann riss ich ein zweites Stück Folie von der Rolle und strich es über den Enden von Tibia und Fibula am rechten Bein glatt.

Ich trat zurück und betrachtete mein Werk einen Moment lang, dann nahm ich den eingepackten Fuß.

«Gut, schauen wir mal, was wir hier haben.»

Ohne die stützende Gewebeschicht würde das Fußgelenk nie so gut zusammenpassen wie im Leben. Doch obwohl die Folie nur ein unzureichender Ersatz war, legten Fuß und Bein sich aneinander wie zwei alte Freunde. Sanft drehte ich den Fuß, probierte die Bewegungsreichweite aus, doch es gab sowieso keinen Zweifel. Nicht einmal Zwillinge haben identische Gelenkflächen. Im Laufe der Zeit bilden sich durch Abnutzung immer Unterschiede. Doch hier behinderten keine Ritzen oder Unebenheiten die Geschmeidigkeit der Bewegung. Ein absoluter Treffer.

Ich setzte den Fuß ab. Schweigen, dann sprach Clarke.

«Scheiße.»

Allen war klar, was das bedeutete. Wenn dies nicht der Fuß von Leo Villiers war, dann konnte das auch nicht seine Leiche sein. Was bedeutete, dass es nun zwei unbekannte männliche Tote zu identifizieren galt. Und Emma Darbys sterbliche Überreste lagen womöglich immer noch irgendwo da draußen und warteten auf ihre Entdeckung.

«Nun, damit wäre die Selbstmordtheorie wohl erledigt», merkte Frears an. Seine blauen Augen funkelten. «Etwas Gutes hat die Sache: Wir müssen nicht lange nach einem Verdächtigen suchen.»

KAPITEL 16

❧

Für den Rückweg nahm ich ein Taxi. Lundy hatte angeboten, mich bringen zu lassen, aber ich zog die Eigenständigkeit vor. Leider hatte ich nicht daran gedacht, dass ich dem Taxifahrer den Weg zeigen musste. Der junge Mann wurde zusehends unglücklicher, als die Zivilisation in ein Labyrinth aus in das flache Marschland gefurchten Wasserwegen überging.

«Wissen Sie auch bestimmt, wo Sie hinwollen? Hier draußen ist gar nichts», sagte er nervös, als die einspurige Straße eine enge Kurve beschrieb und über eine kleine, buckelförmige Brücke führte.

Ich hoffte es. Manches erkannte ich wieder, aber die Strecke, die ich aus London genommen hatte, war eine andere als die von der Leichenhalle, und auf der Hinfahrt im Polizeiauto hatte ich nicht richtig aufgepasst. Außerdem wurde es allmählich dunkel, die Flüsse und Kanäle waren von der Flut mit Wasser gefüllt und hatten das Aussehen der Landschaft völlig verändert.

Am Ende beschloss ich, dass ich zu Fuß schneller ankommen würde, selbst wenn ich irgendwo falsch abbiegen sollte, und sagte dem Fahrer, ich würde das letzte Stück zu Fuß gehen. Seine Laune verbesserte sich angesichts eines großzügigen Trinkgelds sehr, er wendete umständlich auf der engen Straße, winkte mir zum Abschied fröhlich zu und verschwand um die nächste Kurve. Ich stand da und lauschte dem leiser werdenden Motorengeräusch und dem sanften Schwappen der Wellen im Marschland, dann machte ich mich auf der einsamen Straße auf den Weg.

Nachdem ich nachgewiesen hatte, dass der Fuß zu der Sandbank-Leiche gehörte, hatte Clarke mich gebeten, in der Leichenhalle zu bleiben.

«Wenn das nicht Leo Villiers ist, will ich verdammt noch mal wissen, wer dann», hatte sie noch gesagt, bevor sie und Lundy gegangen waren. «Alter, Herkunft, alles, was uns helfen kann, ihn zu identifizieren oder den Todeszeitpunkt zu bestimmen. Können Sie uns dabei helfen, Dr. Hunter?»

«Ich tue mein Bestes», sagte ich und wandte mich an Frears. «Haben Sie Puppen von Schmeißfliegen oder deren Hüllen in der Kleidung gefunden?»

«Nein, aber im Wasser würde ich die auch nicht erwarten.»

Ich auch nicht, aber genau das war der Punkt. Schmeißfliegen sind unglaublich widerstandsfähig. Sogar im tiefsten Winter reicht ein bisschen Sonne, um sie hervorzulocken. Doch unter Wasser können sie keine Eier legen, und auch wenn die Leiche bei Ebbe freigelegt war, hätten die Eier die nächste Flut nicht überlebt. Wenn sich also Schmeißfliegen hätten nachweisen lassen, würde das bedeuten, dass der Körper einen längeren Zeitraum als nur zwischen zwei Fluten im Freien gelegen hatte. Das würde den Verwesungsfortgang extrem verzerren und damit auch die Berechnung des Todeszeitpunkts.

Ohne Schmeißfliegen konnten wir wenigstens das ausschließen.

Während Frears ging, um die Obduktion der Leiche aus dem Stacheldraht vorzunehmen, machte ich mich an meine eigene grausige Aufgabe. Wahrscheinlich zweifelte keiner von uns mehr daran, dass Leo Villiers seinen Tod vorgetäuscht hatte. Was am Anfang wie eine Selbsttötung ausgesehen hatte, war zu einer Mordermittlung geworden, und diesmal gab es eine Leiche, die mit Villiers in Verbindung gebracht werden konnte.

Das würden nicht einmal die Anwälte seines Vaters wegreden können.

Ich war optimistisch, Clarke weitere Informationen über den in Leo Villiers' Kleidern gefundenen Mann geben zu können. Zuerst sah ich mir die vor der Obduktion gemachten Röntgenaufnahmen an. Die Hammerzehen am Fuß deuteten auf einen älteren Menschen hin, doch die Gelenke sagten etwas anderes aus. Sie waren in gutem Zustand und zeigten kaum altersbedingte Abnutzungserscheinungen.

Darüber dachte ich mit dem Röntgenbild des Fußes in der Hand nach. Vor allem der zweite Zeh war heftig deformiert, und wenn das nicht am Alter lag, musste es erblich oder beruflich bedingt sein. Ich vermutete Letzteres, aber um mehr herauszufinden, musste ich die Knochen selbst untersuchen, und dafür gab es nur einen Weg.

Einen verwesenden menschlichen Körper von verbleibendem Weichgewebe zu befreien, ist nie angenehm. Mit einer Gummischürze und dicken Gummihandschuhen ausgestattet, entfernte ich so viel wie möglich davon mit Messern und Scheren, schnitt, so dicht es ging, am Knochen, ohne ihn zu beschädigen. Wenn das Skelett all seine Informationen preisgegeben hatte, würde es zusammen mit den Organen und dem Rest des Körpers bis zur Beerdigung oder Einäscherung aufbewahrt werden.

Auf dem Untersuchungstisch lag jetzt eine Art grausiges Strichmännchen, eher anatomische Karikatur als menschliches Wesen. Aber ich war noch nicht fertig. Vorsichtig durchtrennte ich an den Gelenken die Sehnen und nahm die Überreste wie ein Hühnergerippe auseinander. Die einzelnen Körperteile wurden dann in große Pfannen mit einer schwachen Reinigungslösung gelegt und köchelten über Nacht in einem Digestorium. Ein Skelett zu säubern, konnte sehr zeitaufwendig sein und mehrere Reinigungsgänge in warmer Lösung und das Behandeln mit einem Entfettungsmittel erforderlich machen, bevor man es untersuchen konnte. Wenn die Überreste allerdings dermaßen verwest waren wie diese hier, war diese Prozedur unnötig. Die Knochen würden bereits am folgenden Morgen so weit sein, dass ich sie untersuchen und Clarke hoffentlich etwas Nützliches mitteilen konnte.

Sobald die Pfannen also vor sich hin köchelten, gab es für mich nichts mehr zu tun. Ich hatte versucht, Frears zu finden, aber Lan, die junge Obduktionsassistentin, teilte mir mit, dass er schon gegangen war. Die Obduktion hatte offensichtlich nicht lange gedauert, was nicht überraschend war. Ein Rechtsmediziner hätte seine Mühe, etwas von einem so stark verwesten Körper wie dem aus dem Fluss abzulesen.

Das war mein Job.

Ich war enttäuscht, nicht erfahren zu können, was Frears herausgefunden hatte. Dies war bereits die zweite Obduktion, die ich verpasst hatte, wenn auch aus anderen Gründen.

Doch als ich mich im Umkleideraum wusch und umzog, holten mich die Ereignisse des Tages ein. Ich konnte kaum glauben, dass ich erst heute Morgen mit Rachel in Cruckhaven Kaffee getrunken hatte. Es war ein langer Tag gewesen, und das bleierne Gefühl in meinen Gliedmaßen, als ich jetzt die leere Straße entlangschlurfte, zeigte mir, dass ich mich von meiner Erkältung noch nicht gänzlich erholt hatte.

Ich war froh, endlich die Abzweigung nach Creek House zu erreichen. Der Gedanke, Rachel wiederzusehen, machte mich gleichermaßen froh wie nervös, und ich ermahnte mich, dass weder zu dem einen noch dem anderen Anlass bestünde. Der zerbeulte weiße Defender stand am Birkenwäldchen, doch Trasks grauer Landrover war nicht in Sicht. Mein eigenes Auto entdeckte ich ein Stück weiter, ein seltsam vertrauter Anblick in dieser fremden Umgebung.

Ich ging zwischen den Birken hindurch und die Holzstufen zur Haustür hoch. Durch die Glasscheibe fiel Licht, ein warmes, gemütliches Schimmern, das angesichts dessen, was diese Familie durchgemacht hatte, eine Illusion war. Die Tür ging auf, und Rachel stand vor mir.

Sie sah ebenfalls müde aus, lächelte mich aber an. «Hi.»

Ohne ein weiteres Wort trat sie beiseite und ließ mich ein. Als ich vorhin im Haus gewesen war, um meine Kleidung zu wechseln, hatte ich mich kaum umgesehen. Anders als gewöhnlich befand sich das Badezimmer im Erdgeschoss. Vom Flur gingen Türen ab, die vermutlich in die Schlafzimmer führten. Die Inneneinrichtung hatte einen skandinavischen Touch, war aber zu bewohnt, um noch minimalistisch zu sein. An den Wänden waren schwarze Streifen von Schuhen und Fahrradreifen, auf dem abgezogenen Dielenboden lagen Schuhe und Gummistiefel wild durcheinander. Eine

Holztreppe führte hoch in den oberen Stock, von wo leise Musik herunterdrang.

«Wie geht's Fay?», fragte ich, als Rachel die Tür hinter mir schloss. Ich roch einen leichten Hauch von Sandelholz. Zu leicht für Parfüm, eher Seife oder Shampoo.

«Meckert über die Impfungen, was ein gutes Zeichen ist», sagte Rachel mit einem Lächeln. «Sie behalten sie zur Beobachtung über Nacht da. Keiner der Schnitte ist tief, aber sie haben ihr eine Bluttransfusion verpasst, außerdem war sie leicht unterkühlt. Andrew meint, sie kommt morgen wieder nach Hause. Möchten Sie einen Kaffee oder so?»

«Nein danke, ich wollte nur meine Sachen abholen. Und die hier zurückbringen.» Ich zeigte auf Trasks alte Jacke und die Gummistiefel, die ich immer noch trug. Rachel lachte. «Ja, ich verstehe, dass Sie die loswerden wollen. Warum ziehen Sie die Sachen nicht aus und kommen auf ein Getränk mit nach oben? Andrew ist noch im Krankenhaus, und Jamie besucht einen Freund, es ist also niemand da. Ich würde mich über Gesellschaft freuen.»

Der Flur wurde nur von dem Licht aus dem oberen Stockwerk erhellt. Rachel trug ein kurzes schwarzes T-Shirt, das gerade bis zu ihren Jeans reichte und die schlanken, leicht gebräunten Arme zeigte. Ihr Lächeln war vorsichtig, und die Unsicherheit in ihren Augen entsprach der meinigen.

«Klingt gut», sagte ich.

Mit einem beeindruckenden Wohnbereich hatte ich durchaus gerechnet, aber Trask hatte sich selbst übertroffen. Das gesamte obere Stockwerk schien aus einer einzigen offenen Fläche zu bestehen, einzelne Bereiche waren durch Bücherregale abgetrennt, die ein Gefühl von Abgeschiedenheit erzeugten. Der Schieferboden war mit diversen Läufern belegt, um einen Holzofen herum waren gemütlich aussehende Sofas und Sessel arrangiert. Der größte Bereich war einer edlen, modernen Küche vorbehalten, die durch eine niedrige Holzvitrine von einem Rosenholz-Esstisch mit Formholzstühlen abgetrennt war.

Am beeindruckendsten war jedoch die Glaswand, die die gesamte Front einnahm und das Bogenfenster im Bootshaus in den Schatten stellte. Sie zeigte direkt auf den Fluss, und die deckenhohen Glaspaneele ließen sich auf einen langen Balkon hin öffnen. Dahinter war nichts als der langsam dunkler werdende Himmel über einer sich im Zwielicht verlierenden Landschaft aus Marsch und Fluss.

«Schöne Aussicht», sagte ich.

Rachel sah kaum hin, als würde sie die riesige Glasfläche nicht mehr wahrnehmen.

«Das war Andrews Hauptidee für das Haus. Als er Emma kennenlernte, hat er es selbst entworfen. Ich glaube, sie war leider nicht ganz so wild darauf.» Sofort schien sie das Gesagte zu bereuen. «Und, wie geht es Ihnen? Keine Nachwirkungen vom erneuten Durchnässtwerden im Fluss?»

«Nein, alles gut.»

«Ich habe übrigens Ihre Sachen gewaschen. Die Jacke ist noch feucht, Sie sollten Andrews also lieber fürs Erste behalten.»

«Danke», sagte ich überrascht. «Das hätten Sie nicht tun müssen.»

«Sie hätten auch nicht mit Andrew mitgehen müssen und haben es getan.» Sie lächelte flüchtig. «Möglicherweise müssen Sie in neue Stiefel investieren. Ich habe sie so gut wie möglich gereinigt, aber sie haben schon mal besser ausgesehen.»

Kein Wunder. Sie waren innerhalb von wenigen Tagen zweimal baden gegangen. «Geht es Fays Hund gut?» Ich hatte den kleinen Mischling nirgendwo gesehen.

«Cassie? Die wird wieder. Die Tierärztin musste sie betäuben, um sie nähen zu können, und behält sie über Nacht da.» Rachel ging zu der großen Kücheninsel. «Oh, bevor ich es vergesse, Ihr Auto ist fertig. Jamie hat die Zündkerzen ausgetauscht.»

«Wann?» Bei all den Ereignissen überraschte es mich, dass er dafür Zeit gehabt hatte.

«Heute Nachmittag. Ich habe ihn am Krankenhaus abgeholt, als ich von der Tierärztin kam. Ich glaube, ehrlich gesagt, er war froh, etwas zu tun zu haben.»

Das waren eigentlich gute Neuigkeiten, aber die Erleichterung, die ich noch vor ein oder zwei Tagen empfunden hätte, wollte sich nicht einstellen. Jetzt würde ich jeden Tag von London aus zur Leichenhalle fahren müssen. Trotzdem: Es gab keinen Grund mehr, noch länger hierzubleiben.

«Was möchten Sie trinken? Tee, Kaffee oder was Stärkeres?», fragte Rachel.

«Hm? Oh, nur Kaffee, bitte.»

«Haben Sie was gegessen? Ich könnte Ihnen ein Sandwich machen», bot sie an. Ich hatte den ganzen Tag nichts gegensen und merkte jetzt, wie hungrig ich war. Rachel lächelte, als sie mein Zögern bemerkte. «Ich nehme das mal als Ja.»

Ich setzte mich auf einen Hocker neben der Kücheninsel. An der gegenüberliegenden Wand hing ein Foto von Emma Trask mit Fay und Jamie. Im Hintergrund war das London Eye zu sehen, und Fay und Jamie waren beide jünger und lachten, während Emma in die Kamera lächelte. Es sah wie ein natürlicher Moment aus, doch Emmas Lächeln hatte dieselbe Künstlichkeit wie auf dem Selbstporträt im Bootshaus.

Rachel hatte den Kessel aufgesetzt und Lebensmittel aus dem Kühlschrank geholt. Als sie das Brot aufschnitt, wirkte sie angespannt. Abrupt hielt sie inne und ließ das Messer sinken.

«Ich muss die Frage stellen. Andrew sagte, Sie hätten ihm erzählt … dass die Leiche, die Sie heute gefunden haben, ein Mann war. Keine Frau. Stimmt das?»

«Ja.»

«Es ist also definitiv nicht Emma?»

«Nein, definitiv nicht.»

Sie atmete aus, ihre Schultern wurden wieder weicher. «Okay. Tut mir leid, ich wollte Sie nicht festnageln. Es ist nur … Ich meine, jetzt sind *zwei* Tote aufgetaucht? Was zum Teufel ist hier los?»

«Ich weiß es nicht», sagte ich. Was die Wahrheit war.

Rachel nickte und lächelte reuig. «Zum Henker, ich will ein Glas Wein. Was ist mit Ihnen? Es wäre unhöflich, mich alleine trinken zu lassen.»

Ich dachte an die Antibiotika, aber nur kurz. «Ich möchte auf keinen Fall unhöflich sein.»

Sie lachte, ein echtes, volles Lachen, das sich wie eine Befreiung anhörte. Während sie die Sandwiches machte, schenkte ich uns Wein ein. Wir stießen an.

«Gott, das tut gut», sagte sie seufzend, als sie einen Schluck genommen hatte. Sie setzte das Glas auf der Granitfläche der Kücheninsel ab. «Fahren Sie dann jetzt nach London zurück?»

«Vermutlich.»

«Aber Sie arbeiten noch mit der Polizei zusammen? Hier draußen, meine ich?»

«Wahrscheinlich eher in Chelmsford, aber ja.»

Sie hielt den Blick auf die Sandwiches gesenkt. «Sie können gerne noch im Bootshaus bleiben, wenn Sie möchten.»

Das kam so unerwartet, dass mir die Worte fehlten. «Äh, ich weiß nicht …»

«Nein, natürlich», sagte sie rasch. «Bestimmt wollen Sie nach Hause. Ich dachte ja nur, es würde Ihnen Zeit sparen. So eine lange Fahrt ist irgendwie unsinnig.»

Da hatte sie recht. Ich dachte an all die Gründe, die dagegen sprachen, auch daran, was Clarke und Lundy sagen würden. Aber wir waren über den Punkt hinaus, wo das wirklich noch wichtig schien. Und es wäre wirklich *viel* sinnvoller, in der Gegend untergebracht zu sein. Mir war klar, dass ich mir eine Entscheidung schönredete, die ich längst gefällt hatte, und alle Gegenargumente wurden unwirksam, als ich die Röte sah, die sich auf Rachels Hals ausbreitete.

«Sind Sie sicher, dass das gehen würde?»

«Natürlich. Warum denn nicht?» Sie schenkte mir ein kurzes Lächeln, und ich spürte ein Flattern in meiner Brust. Rachel beschäftigte sich damit, die Sandwiches auf Teller zu legen. «Also, erzählen Sie mir was von sich. Sie wollten nicht, dass ich jemanden anrufe, als Sie krank waren, und ich weiß, dass Sie nicht verheiratet sind. Sind Sie getrennt, geschieden …?»

Ich hatte das Gefühl, von einer zu hohen Stufe zu stolpern. «Verwitwet. Meine Frau und meine Tochter sind vor ein paar Jahren bei einem Autounfall ums Leben gekommen.»

Meine Stimme blieb gleichmäßig. Die Worte hatten einen

großen Teil ihrer Wucht verloren, waren durch Wiederholung abgeschliffen. Rachels Augen weiteten sich, dann streckte sie den Arm aus und legte ihre Hand auf meinen Arm.

«Das tut mir leid.» Es lag Traurigkeit in ihren Worten, aber nichts von der oft üblichen Verlegenheit oder dem peinlich Berührtsein. Sie ließ ihre Hand noch einen Moment länger auf meinem Arm liegen, dann zog sie sie weg. «Wie alt war Ihre Tochter?»

«Sechs. Sie hieß Alice.» Ich lächelte.

«Ein schöner Name.»

Fanden wir auch. Ich nickte. Rachels Blick war sanfter geworden.

«Geben Sie sich deshalb solche Mühe?»

«Ich verstehe nicht.»

«Ihre Arbeit. Die ist mehr als ein Job für Sie, stimmt's? Sie liegt Ihnen am Herzen.»

Ich rang einen Moment lang mit mir, dann zuckte ich mit den Schultern. «Nein, es ist nicht nur ein Job.»

Schweigen, aber kein unangenehmes. Rachel schob mir einen Teller mit Sandwiches hin. «Sie sollten was essen», sagte sie lächelnd.

Draußen wurde der Himmel immer dunkler, und der Raum wirkte kleiner und intimer. Bald würde man Licht machen müssen, aber noch schien Rachel sich im Halbdunkel wohl zu fühlen. Sie sah jünger und entspannter aus, und ich glaubte nicht, dass das nur am Licht lag.

Sie sah auf und bemerkte meinen Blick. «Was?» Sie lächelte fragend.

«Nichts. Was ist mit Ihnen? Haben Sie vor, hierzubleiben, oder gehen Sie zurück nach Australien?»

Die falsche Frage. Sie legte ihr Sandwich auf den Teller zurück.

«Ich weiß es nicht. Ich stand wohl an einem Scheideweg, auch schon, bevor Emma verschwunden ist. Ich hatte mich gerade von meinem Freund getrennt, nach sieben Jahren. Er war ebenfalls Meeresbiologe. Und mein Boss, was alles etwas ... schwierig machte.»

«Was war passiert?»

«Ach, das Übliche. Eine zweiundzwanzigjährige Doktorandin, die im Bikini besser aussah.»

«Das bezweifle ich», sagte ich, ohne nachzudenken.

Ich sah ihre Zähne im Dämmerlicht weiß schimmern, als sie lächelte. «Danke, aber das muss ich ihr lassen. Ich kenne Tintenfische mit mehr Moral, aber im Zweiteiler sah sie bombastisch aus. Danach bin ich nach England zurückgekommen, um über das Ganze nachzudenken. Um den Kopf klarzukriegen und zu begreifen, was ich will. Das einzig Gute, das dabei rausgekommen ist, wenn man das so sagen kann, ist, dass ich hier war, als Emma verschwand.»

Die Stimmung änderte sich, als hätte uns ein kalter Lufthauch gestreift. «Sie waren hier vor Ort?»

«Nein, bei Freunden in Poole. Aber zumindest im Lande. Wir hatten vor, uns zu treffen, haben es aber nie geschafft. Es schien nicht zu eilen.»

Das tat es nie. «Sie sagten, sie war jünger als Sie?»

«Fünf Jahre. Ehrlich gesagt, standen wir uns nie besonders nah. Sie war immer die Selbstsichere und Extrovertierte. Und sie schaffte es, von allen gemocht zu werden. Wenn sie jemandem ihre Aufmerksamkeit schenkte, hatte man das Gefühl, die Sonne würde auf einen scheinen. Leider hielt das nie sehr lange an.» Sie lachte verlegen und setzte ihr Glas ab.

«Wow. Keine Ahnung, wo das herkam. Ich klinge wie eine richtig blöde Kuh.»

«Sie klingen wie eine große Schwester.»

«Jetzt sind Sie diplomatisch.» Sie griff nach der Weinflasche und schenkte uns nach. «Sie dürfen keinen falschen Eindruck von Emma bekommen. Sie konnte wunderbar sein. Sie ist toll mit Fay umgegangen, obwohl sie nicht gerade der mütterliche Typ war. Emma hatte mit Kindern nichts am Hut, darum hat sie Fay eher wie einen Teenager behandelt. Wie eine kleine Schwester. Fay hat sie vergöttert. Deswegen ist das letzte Jahr besonders schwer für sie gewesen. Wahrscheinlich noch schwerer als für alle anderen.»

«Sind Sie deshalb geblieben?»

Ich dachte, ich wäre vielleicht zu weit gegangen. Rachel antwortete erst nicht, betrachtete ihre Finger, die langsam den Stiel des Weinglases drehten.

«Das war einer der Gründe, ja», sagte sie schließlich. «Am Anfang schien es nicht *richtig*, wieder abzufahren, ohne zu wissen, was mit Emma geschehen war. Wir alle erwarteten, ziemlich bald Klarheit zu haben, rechneten täglich mit einem Anruf der Polizei, aber er kam nie. Und je länger es dauerte, desto schwieriger wurde es zu sagen, okay, ich habe lange genug gewartet, ich haue ab. Ich weiß, dass Emma nur die Stiefmutter war und dass Fay und Jamie nicht wirklich meine Familie sind. Obwohl sie das jetzt irgendwie sind. Ergibt das Sinn?»

Sie sah mich fragend an. Es war so dunkel, dass ihre grünen Augen zu leuchten schienen. «Ich finde schon», sagte ich.

«Es geht weniger um Andrew und Jamie, die kommen klar. Um Fay mache ich mir Sorgen. Wenn sie in der Stadt leben würde, umgeben von anderen Menschen, wo sie Freunde hätte, wäre vielleicht alles einfacher. Aber hier draußen ... hat sie nichts.»

Ich blickte durch das riesige Fenster auf die Schattenlandschaft hinaus. Das Licht war fast gänzlich vom Himmel verschwunden, nur das Glitzern der Wellen unterschied den dunklen Fluss noch vom Marschland.

«Das hier scheint auch nicht gerade der richtige Ort für Ihre Schwester gewesen zu sein», sagte ich nach einer kurzen Pause.

Sie starrte ihr Glas an. «Das ist noch untertrieben. Sie hat Andrew kennengelernt, als eine Freundin von ihr ein neues Haus bauen ließ. Andrew war der Architekt, und die Freundin bat Emma, mit der Innenausstattung zu helfen. Sie hatte immer eine künstlerische Ader und hat sich neben der Fotografie auch damit befasst. Davor hatte sie übrigens noch Landschaftsdesign- und Malereiphasen. Sie war gerade aus einer langen Beziehung raus, mit so einem hyperselbstbewussten Medientypen, der auf Martial Arts und Selbsthilfe stand. Hielt sich für einen Musiker und Filmemacher, weil er ein paar protzige Musikvideos produziert hatte. Ein echter Idiot.»

«Sie mochten ihn wohl?»

«Merkt man, wie?» Ihr Lächeln verflog rasch. «In gewisser Hinsicht waren sie sich sehr ähnlich. Beide extrovertiert und voller Pläne, die nie verwirklicht wurden. Es war immer eine On-off-Beziehung, und sie hat Andrew in einer der Trennungsphasen kennengelernt. Sechs Monate später waren sie verheiratet.»

Rachel betrachtete das Foto ihrer Schwester mit Fay und Jamie, als würde sie immer noch zu verstehen versuchen, was passiert war.

«Ich wäre fast tot umgefallen, als ich die Einladung zur Hochzeit bekam. Unsere Eltern leben nicht mehr, und wir hatten eher selten Kontakt. Dass Emma heiraten wollte, war nicht so überraschend, sie war immer impulsiv. Aber Andrew schien ganz und gar nicht ihr Typ zu sein, und *hier rauszuziehen* ...» Sie schüttelte den Kopf. «Emma brauchte Menschen um sich, sie mochte Galerien und Partys. Nicht Schlick und Marschen.»

«Haben Sie mit ihr darüber gesprochen?»

«Ich bin die große Schwester, natürlich habe ich das.» In ihrer Stimme lag ein Lächeln. «Sie meinte, ich hätte zu viel Angst vor Veränderung und dass sie genug von ihrem Leben mit Wichsern vergeudet hätte. Dem konnte ich nicht widersprechen. Sie meinte, sie wolle zur Ruhe kommen, das Haus sollte sowohl für sie als auch für Andrew eine Art Musterhaus sein. Er würde Häuser entwerfen, sie die Inneneinrichtung übernehmen und nebenbei noch ein bisschen fotografieren. Alles würde wunderbar sein. Und dann tauchte Leo Villiers auf.»

Sie brach ab, trank einen Schluck Wein. Ich wartete ab. Der dunkle Raum war perfekt für eine Beichte, und ich spürte, dass Rachel froh war, mit jemandem reden zu können.

«Villiers hatte Andrew für einen Auftrag angeheuert», fuhr sie fort. «Er besitzt dieses großartige alte Haus am Estuary, ich glaube, Emma hat irgendwo Fotos davon. Villiers wollte es völlig verändern, und sie hat Andrew überredet, sie das Innendesign machen zu lassen.»

Ich dachte daran, wie Lundy mir das Haus gezeigt hatte. Ein großes viktorianisches Gebäude mit Flügelfenstern zum Meer. «Hat Sie Ihnen von der Affäre erzählt?»

«Nein, aber ich wusste, dass da was lief. Sie hatte mir

gesagt, dass es zwischen Andrew und ihr Probleme gab, und ich vermutete, dass sie einen anderen hatte. Doch sie wollte nicht sagen, wer es war, und da … wurde alles ein bisschen hitzig. Ich hatte selber Beziehungsprobleme und habe es mit schwesterlichen Ratschlägen vermutlich übertrieben. Emma sagte, ich solle mich um meinen eigenen Kram kümmern, und hat aufgelegt. Das war das letzte Mal, dass ich mit ihr gesprochen habe.»

Ich meinte jetzt etwas besser zu verstehen, warum sie bei einer Familie blieb, die sie kaum kannte. Schuldgefühle waren ein starkes Motiv, erst recht, wenn noch Trauer dazukam.

«Hat Andrew etwas gewusst?», fragte ich. «Von der Affäre, meine ich?»

«Er redet nicht darüber, schon gar nicht mit mir. Nur einmal hat er zugegeben, geahnt zu haben, dass Emma einen anderen haben musste, weil sie ständig nach London fuhr. Aber er hat erst hinterher begriffen, wer es war, als die Polizei ihm sagte, dass Emma halbnackt in Villiers' Schlafzimmer gesehen worden war. Gott, es war schrecklich. Andrew ist schnurstracks zu Villiers gefahren, um ihn zur Rede zu stellen. Es war niemand da, trotzdem war es dumm von ihm.»

«Wann war das?»

«Oh, lange bevor Villiers verschwand. Und, ja, die Polizei weiß davon.» Der trockene Unterton in Rachels Stimme zeigte, dass sie wusste, was ich dachte. «Andrew und Jamie haben sich deswegen furchtbar gestritten. Jamie hat ihm Egoismus vorgeworfen und ihm gesagt, er solle gefälligst an Fay denken. Er hatte recht, und Gott weiß, was passiert wäre, wenn Villiers zu Hause gewesen wäre.»

«Es geht mich zwar nichts an», sagte ich vorsichtig, «aber

wenn Emma darüber geredet hat, ihn zu verlassen, dann hat sie das vielleicht einfach getan?»

Rachel schüttelte den Kopf. «Das war auch mein erster Gedanke. Aber inzwischen hätte jemand von ihr gehört. Wie gesagt, Emma brauchte Menschen um sich, ein stiller Abgang war nicht ihre Art. Sie war bekennende Türenknallerin, ohne Szenen und Wutanfälle hätte sie sich nicht aus dem Staub gemacht. Und auf keinen Fall ohne ihre Sachen. Sie hatte nur ihre Tasche und die Kamera bei sich. Ihre Kleider, ihr Pass, sogar das Auto sind noch da. Das Mini-Cabrio, das abgedeckt draußen steht. Die Polizei hat es verlassen an einer alten Austernfischerei gefunden, nicht weit von hier. Keiner von uns hat seither damit fahren wollen.»

Ich war froh, dass die Dunkelheit meine Überraschung verbarg. Lundy hatte keinen Grund gehabt, das zu erwähnen, aber es musste der Austernbetrieb sein, von wo aus die Bergungsaktion gestartet war.

Rachel spielte geistesabwesend mit ihrem fast leeren Weinglas. «Keiner sagt es offen, aber wahrscheinlich ist sie da hingefahren, um sich mit Villiers zu treffen. Was dann geschah, weiß niemand. Und wahrscheinlich werden wir es nie herausfinden, weil dieser … dieser verdammte Feigling sich lieber selber umgebracht hat.»

Nein, dachte ich, *hat er nicht. Er hat jemand anderen umgebracht, um es so aussehen zu lassen.*

Die Nähe zwischen uns, die ich vorhin gespürt hatte, verflüchtigte sich. Der letzte Rest verflog, als draußen eine Autotür zugeworfen wurde.

«Das wird Andrew sein», sagte Rachel, richtete sich auf und sah sich um, als fiele ihr jetzt erst wieder ein, wo sie war. «Es ist dunkel geworden.»

Sie stand auf und knipste das Licht an. Das Zwielicht vor dem Fenster wurde schwarz, Fluss und Marsch verschwanden, als die Scheibe zu einem Spiegel wurde, der den Raum reflektierte. Die Haustür wurde geöffnet, dann kamen Trasks schwere Schritte die Treppe herauf.

Er sah erledigt aus. Sein Gesicht war bleich, die Falten darin tiefer als zuvor. Seine Kleidung immer noch schlammverschmiert, insgesamt wirkte er zehn Jahre älter als heute Morgen. Als er mich erblickte, hielt er verwundert inne.

«Wie geht es ihr?», fragte Rachel, während er zur Spüle ging.

«Sie schläft. Die Ärzte sagen, sie kann morgen nach Hause.» Er drehte den Wasserhahn auf und ließ ein Glas volllaufen. Sein Adamsapfel ging auf und nieder, während er gierig trank, dann setzte er das Glas mit einem Seufzer ab. «Wo ist Jamie?»

«Mit Liam und den anderen unterwegs. Er hat nicht gesagt, wo er hinwollte.»

Verärgerung zog über Trasks Gesicht, aber er schien selbst dafür zu müde zu sein. Ich sah, dass sein Blick auf den Weingläsern und übrig gebliebenen Sandwiches lag. Rachels ebenso. Ich dachte, sie würde ihm ein Glas anbieten, aber das tat sie nicht.

«Soll ich dir was zu essen machen?»

«Ich nehme mir später was. Ist das ein Höflichkeitsbesuch, Dr. Hunter?»

«Nein, ich bin gekommen, um meine Sachen zu holen.» Ich erhob mich. Trask konnte jetzt keinen Gast gebrauchen. «Ich bin froh, dass es Fay gutgeht.»

«David ist noch ein paar Tage hier», sagte Rachel. «Ich habe gesagt, dass er gern im Bootshaus bleiben kann.»

In den blutunterlaufenen Augen flackerte so etwas wie Interesse auf. «Arbeiten Sie mit der Polizei zusammen?»

«Nur Routinearbeit im Labor.»

Ich hoffte, das wäre vage genug, um ihn ruhigzustellen. Er nickte, das Interesse flaute ab. «Bleiben Sie so lange, wie Sie wollen.»

Verlegenes Schweigen. «Na, ich mache mich besser auf den Weg.»

«Ich bringe Sie zur Tür», sagte Rachel, als ich zur Treppe ging. Wir waren auf dem Weg nach unten, da rief Trask mir nach.

«Dr. Hunter.» Er stand oben an der Treppe. «Wenn Sie morgen Abend da sind, können Sie mit uns zu Abend essen. Gegen halb acht.»

Rachel sah so überrascht aus, wie ich mich fühlte. Ich zögerte und wägte schnell ab, ob ich zusagen sollte oder nicht. Aber angesichts all dessen, was bereits passiert war, sah ich keinen Grund, abzulehnen. «Sehr gerne.»

Meine Stiefel waren nach dem zweiten Bad steif, taten aber ihren Dienst. Rachel gab mir meine noch feuchte Jacke und die frisch gewaschene Kleidung und bestand darauf, dass ich die Lebensmittel, die ich heute Morgen als Ersatz gekauft hatte, mitnahm. Sie wirkte in sich gekehrt, und als die Tür hinter mir zufiel, hoffte ich, sie bedauerte ihre Offenheit nicht.

Die Nacht brach schnell über die Backwaters herein, als ich mich durch das Birkenwäldchen hindurch auf den Weg zum Auto machte. Die weißen Stämme wirkten in der Dunkelheit gespenstisch, und die Äste wogten in dem Wind, der das leise Schwappen der Wellen herantrug. Auf halbem Wege fiel mir ein, dass ich den Schlüssel nicht hatte. Ich wandte mich um und wollte zum Haus zurückgehen, hielt aber inne, als die Tür sich öffnete und Rachel heraustrat. Sie kam durch die Bäume hindurch auf mich zu und hielt den Autoschlüssel hoch.

«Suchen Sie den?», fragte sie und gab ihn mir.

«Könnte helfen. Danke.»

«Ich habe auch den fürs Bootshaus noch. Sie hatten ihn mir heute Morgen wiedergegeben.»

Das hatte ich völlig vergessen. Froh, dass ich nicht erst hingefahren war und vor der Tür gestanden hatte, wartete ich, während Rachel die Schlüsselansammlung am Ring durchsuchte.

«Tut mir leid, irgendwo hier ist er. Ich habe Emmas Ersatzschlüssel benutzt und weiß immer noch nicht, wofür die Hälfte von denen hier ist.» Sie hatte Mühe, in der Dunkelheit etwas zu erkennen. «Okay, hier ist er.»

Unsere Finger berührten sich, als sie mir den Schlüssel zum Bootshaus gab. Nur flüchtig, doch ich spürte ein Kribbeln wie bei einem elektrischen Schlag. Rachel wirkte verlegen.

«Hören Sie, was ich Ihnen vorhin gesagt habe …»

«Keine Sorge. Ich erzähle niemandem davon», versicherte ich ihr. Und war enttäuscht, weil sie das Gefühl hatte, es erwähnen zu müssen.

«Oh, nein, so meinte ich das nicht», sagte sie rasch und berührte meinen Arm. «Ich wollte nur … ich wollte mich bedanken. Ich jammere normalerweise nicht so rum, aber hier draußen gibt es niemanden, mit dem ich reden kann.»

«Sie haben nicht gejammert. Und ich habe gerne zugehört.»

Sie stand so dicht vor mir, dass ich in der kühlen Abendluft ihre Körperwärme fühlen konnte. Der Moment dauerte an.

«Na dann», sagte sie, lächelte kurz und wandte sich zum Gehen. «Wir sehen uns morgen.»

Na dann. Ich sah ihr nach, als sie zum Haus zurücklief, wartete, bis die Tür hinter ihr zugefallen war, und ging schließlich weiter zu meinem Auto. Es war innen immer noch feucht und strömte einen modrigen Geruch aus, der ewig bleiben würde, aber ich nahm ihn kaum wahr. Ich merkte, dass ich immer noch lächelte. Der Motor startete beim ersten Versuch, und das Auto schien besser zu fahren als zuvor. Jamie hatte gute Arbeit geleistet, ich nahm mir vor, ihm zu danken – und ihn zu bezahlen –, wenn ich ihn morgen beim Abendessen sah.

Doch in Gedanken war ich bei Rachel, während ich zum Bootshaus zurückfuhr. *Sie hat ein paarmal deinen Arm berührt, jetzt übertreib mal nicht.* Ich sollte mich auf meine Arbeit im Labor morgen konzentrieren. Und selbst wenn ich nicht zu viel hineininterpretierte, hatte ich morgen einen arbeitsreichen Tag vor mir.

Wie sich herausstellte, wurde er noch arbeitsreicher als erwartet. Denn am folgenden Morgen fand die Polizei auf Leo Villiers' Grundstück ein Grab.

KAPITEL 17

❧

Lundy rief mich kurz vor der Mittagszeit an. Ich hatte den Morgen damit verbracht, das zerlegte Skelett von den Barrows abzuspülen, nachdem es über Nacht in der Reinigungslösung vor sich hin geköchelt hatte. Obwohl die Knochen im Digestorium gelegen hatten, roch es frappierend nach Rindereintopf. Der nächste Schritt würde sein, das Skelett zusammenzusetzen, ein zeitaufwendiger Prozess, bei dem alle zweihundertsechs Einzelknochen in die anatomisch korrekte Position gelegt werden mussten. Da der Schädel zertrümmert war, würde es noch mehr Zeit in Anspruch nehmen. Weil Clarke ungeduldig auf Informationen wartete, hatte ich als Erstes die Oberfläche von bestimmten Knochen untersucht. Ich hoffte, ihr bis zum Abend wenigstens eine vorläufige Zusammenfassung geben zu können.

Lan steckte den Kopf durch die Tür, als ich gerade das Becken abspülte. «DI Lundy am Telefon, Dr. Hunter.»

Mein Handy hatte ich mit meinen Sachen im Spind eingeschlossen, um bei der Arbeit ungestört zu sein. Ich legte das Becken in eine Stahlpfanne, zog die Handschuhe aus und ging, um den Anruf anzunehmen.

«Wie schnell können Sie am Haus von Leo Villiers sein?», fragte Lundy ohne Umschweife.

«Wie schnell brauchen Sie mich?»

«Jetzt wäre gut.»

Clarke hatte keine Zeit vergeudet und sich einen Durchsuchungsbeschluss besorgt. Nachdem klar war, dass die Leiche in den Kleidern von Villiers nicht Villiers war, ließ sich eine komplette Durchsuchung des Grundstücks leicht begründen. Die Polizei war im Morgengrauen eingetroffen, und ein Leichenhund hatte in einer entlegenen Ecke des Gartens etwas gefunden, das nach einem versteckten Grab aussah.

«Ganz offensichtlich wurde da etwas begraben», sagte Lundy. «Der Hund hat angeschlagen, und man kann den Umriss klar erkennen. Das Loch ist halbherzig wieder zugeschüttet worden, aber die Erde hat sich nicht setzen können und wölbt sich. Wir haben begonnen, hätten Sie aber gerne dabei, wenn wir was finden.»

Das klang, als wäre das Grab noch recht frisch. Es konnte Jahre dauern, bis eine Leiche so weit verwest war, dass die aufgeschüttete Erde wieder absank, aber Gras und Vegetation wuchsen schnell zurück. Da die Pflanzen Nährstoffe aufnahmen, die der Körper in den Boden abgab, war der Unterschied oft mit bloßem Auge zu erkennen. Aber wenn noch nichts nachgewachsen war, ließ das vermuten, dass das Loch irgendwann im Winter ausgehoben worden war, nach der letzten Vegetationsphase.

Ich sah zum Untersuchungsraum hinüber, wo die gereinigten Skelettknochen auf mich warteten. Ich hatte erst ungefähr die Hälfte aus der Reinigungslösung genommen, der Rest konnte gut noch darin liegen bleiben.

«Geben Sie mir eine Stunde», sagte ich.

Ein junger Constable stand am Tor der Privatstraße von Willets Point und ließ mich warten, während er anrief, um zu fragen, ob er mich durchlassen könne. Die Straße führte über die Landzunge, durch einen Wald hindurch gelangte man zu gepflegten Rasenflächen. Das Gras sah frisch gemäht aus, jemand musste sich darum gekümmert haben, vermutlich der erste Schnitt des Frühlings. Zuchtbäume wuchsen auf dem Rasen, Rotholz, Zedern und andere, die mir unbekannt waren. Eine wunderschöne Magnolie stand kurz vor der Blüte, Knospen mit cremefarbenen Spitzen saßen auf den Ästen wie Kerzen.

Die Straße bog sich um eine Ansammlung von Rhododendronsträuchern herum, dahinter lag versteckt das Haus von Leo Villiers. Wenn man es so nennen konnte: Eine richtige Villa war es nicht, aber immer noch imposant genug. Die Auffahrt führte zur Rückseite des Gebäudes, dahinter hatte ich freie Sicht auf das Mündungsgebiet und die offene See. Ein schöner Flecken Erde, von der kreuz und quer geparkten Polizeiwagenflotte verunstaltet.

Lundy wartete schon auf mich und sah auf die Uhr, als ich ausstieg.

«Dr. Hunter. Gute Zeit.»

«Es lagen kaum Dämme auf dem Weg.»

Er grinste. «Das stimmt. Schutzklamotten gibt's da drüben. Wir können reden, während Sie sich umziehen.»

Wir gingen zu einem Transporter, in dem Kisten mit Einweganzügen und anderen Utensilien standen, die zu einer Tatortuntersuchung gehören.

«Ist Clarke hier?», fragte ich, während ich das Benötigte zusammensuchte.

«War sie, aber sie wurde weggerufen. Tut mir leid, dass

wir Ihre Arbeit in der Leichenhalle unterbrechen mussten, aber wir hätten Sie gerne bei der Bergung dabei.»

Ich setzte mich auf die Ladefläche des Transporters, um den weißen Overall überzuziehen. «Irgendeine Ahnung, was da liegt?»

«Bisher nicht, aber sie haben noch nicht sehr tief gegraben.»

«Was ist mit dem Haus?»

«Komischerweise sieht es so aus, als hätte jemand ein bisschen aufgeräumt.» Sein Ton war heiter, sein Blick ernst. «Nach Villiers' Verschwinden wurde alles akribisch sauber gemacht, wie wir sehen konnten, bevor die Anwälte uns vor die Tür gesetzt haben. Aber nun hat sich jemand noch mal richtig Mühe gegeben. Ich rede nicht von Staubwischen und Fegen, das Haus sieht aus, als wurde es einer Industriereinigung unterzogen. Alles stinkt nach Bleiche.»

Ich hielt mitten im Überziehen des Plastiküberschuhs inne und sah ihn an. «Wenn schon nach Villiers' Verschwinden sauber gemacht wurde, warum dann jetzt noch einmal?»

«Genau, warum?» Lundy lächelte trocken. «Ist ja nicht verboten, aber eigentlich war das Haus verriegelt. Die Putzfrau wurde entlassen, trotzdem ist offensichtlich irgendwer drin gewesen. Und zwar vor kurzem. Wenn ich der zynische Typ wäre, würde ich sagen, jemand hat geahnt, dass wir hier nach der Entdeckung der Leiche im Estuary alles durchsuchen würden, und wollte nichts dem Zufall überlassen.»

«Sir Stephen?», fragte ich mit gedämpfter Stimme, während ich den Reißverschluss des Overalls hochzog.

«Das halte ich zumindest für wahrscheinlicher, als dass Leo zurückgekommen wäre, um ein bisschen Frühjahrsputz zu machen.» Lundy betrachtete das Haus. «Ich bezweifle, dass Sir Stephen selbst den Feudel geschwungen hat, würde aber wetten, dass er die Anweisung dazu gegeben hat.»

Ich riss die Plastikverpackung von einem Mundschutz und zog Handschuhe über. «Denken Sie, er wusste, dass es nicht die Leiche seines Sohns war?»

«Ich denke, er weiß mehr, als er zugibt. Was das sein mag, kann ich genauso wenig sagen wie Sie.» Lundy wedelte ungeduldig mit der Hand. «Kommen Sie, das Grab liegt weit hinten.»

Begleitet vom Kreischen der Möwen, folgten wir dem Weg ums Haus herum, das aufs Wasser hinausblickte. Nur die abschüssige Rasenfläche und ein einfacher hölzerner Anlegesteg trennten es vom offenen Meer. Ein kleines Dingi mit Außenbordmotor dümpelte an einer Stelle, an der es noch genug Wasser unter dem Kiel hatte. Die Ebbe hatte Felstümpel und einen kleinen, halbrunden Strand freigelegt, bei schlechtem Wetter allerdings schlugen die Wellen bestimmt über den Anleger hinweg. Der Wind blies direkt vom Meer und war selbst heute stark genug, um den weiten Overall knatternd flattern zu lassen. Einzig die Seefestung stand noch zwischen Haus und Horizont, etwa eine Viertelmeile weiter draußen. Die klobigen Gebilde ragten wie zerfallene Bohrtürme aus dem Wasser.

Eigentlich seltsam, dass Villiers sie nicht hatte abreißen lassen, weil sie den Ausblick störten.

Rechts und links des säulenbesetzten Hauseingangs lagen große Erkerfenster. Anstelle von einzelnen, in Holz- oder Steinrahmen gesetzten Scheiben gab es hier lediglich gewölbtes Glas – eine beeindruckende Handwerksleistung, die den Fenstern die leicht vergrößernde Wirkung eines Goldfischglases verlieh. Dahinter sah ich die gespenstisch weißen Gestalten des Spurensicherungsteams leise ihre Arbeit tun.

«Das war früher die Sommerresidenz der Familie», erzählte mir Lundy, als wir über den Rasen auf ein weiteres Rhododendrondickicht zugingen. «Stand jahrelang leer, bis Leo beschloss, hier einzuziehen. Natürlich hat er als Erstes die Hälfte rausgerissen und alles *modernisiert*. Sie sollten es sich innen ansehen. Wie aus einer Zeitschrift.»

«War das Emma Darbys Werk?»

Er nickte. «Es hätte allen viel Kummer erspart, wenn sie den Auftrag abgelehnt hätten. Okay, hier wären wir.»

Er hielt ein paar Meter neben dem Rhododendron vor einem rechteckigen Loch an, um das ein Team von Spurensicherern in verschmutzten Overalls kniete und mit Schaufeln in der Erde wühlte. Über das Loch war mit orangenem Faden ein Gitter gespannt, es war etwa neunzig Zentimeter mal einen Meter zwanzig groß und fünfundvierzig Zentimeter tief. Damit schien es für einen Erwachsenen zu klein zu sein, was aber nichts heißen musste. Ich hatte mit mehr als einem Mord zu tun gehabt, bei dem der Mörder das Opfer zusammengefaltet hatte, um es zu beerdigen, und dabei Knochen gebrochen und Gelenke zerrissen hatte.

«Schon fündig geworden?», fragte Lundy.

Einer der Spurensicherer richtete sich auf. «Noch nicht, aber es dauert wohl nicht mehr lange. Wir können es schon riechen.»

Der Mann war unter dem Kapuzenoverall und dem Mundschutz anonym, doch ich erkannte die Stimme. Es war der große Spurensicherer vom Fluss, der gesagt hatte, die Verletzungen im Gesicht des Stacheldrahttoten wären von einer Schiffsschraube verursacht worden.

«Dr. Hunter kennen Sie ja schon», sagte Lundy. «Er wird uns helfen.»

«Halleluja», murmelte der Spurensicherer, machte mir aber Platz.

Ich war schon zu lange im Job, um meine Energie auf Kleinkriege zu verschwenden. Ich kniete mich neben ihn. «Die Erde sieht ziemlich weich aus. Wann, würden Sie sagen, wurde das Grab ausgehoben?»

Der Spurensicherer schniefte unter seinem Mundschutz. «Höchstens vor ein paar Monaten. Wahrscheinlich weniger. Die Erde ist obendrauf gelegt worden, hat sich aber nicht gesetzt. Und es gibt keine ... »

«Hab was.»

Der Ausruf seiner Kollegin änderte sofort die Atmosphäre. Alle sahen gebannt zu, als sie vorsichtig mit der Schaufelspitze an etwas kratzte, das aus der dunklen Erde hervorragte.

«Irgendeine Art Gewebe. Könnte ein Mantel sein.»

Ich warf Lundy einen Blick zu. Er hob die Augenbrauen, schwieg aber, während das Objekt weiter freigelegt wurde. Ein Stück dunklen Stoffs kam zum Vorschein, verbunden mit dem deutlichen Geruch von Verwesung.

«Da ist irgendwas drin eingewickelt», sagte die Frau. «Moment ... Oh.»

«Was haben Sie gefunden?», fragte Lundy und versuchte, an ihr vorbei einen Blick in das Grab zu erhaschen.

«Fell. Es ist ein Tier.» Sie klang fast enttäuscht. «Sieht nach einem Hund aus.»

Die Spannung schwand, als wäre ein Schalter umgelegt worden. Lundys Seufzen konnte genauso gut Enttäuschung wie Erleichterung bedeuten. «Okay, na, schauen wir uns mal den Rest an. Und seht nach, dass da nichts drunter versteckt ist. Den Trick habe ich wirklich schon öfter erlebt.»

Ich kannte ihn auch. Lundy winkte mich zu sich. Ich zog den Mundschutz ab, und wir traten ein paar Schritte beiseite.

«Villiers' Beagle», sagte er mit einem Blick auf das dreckige braun-weiße Fell, das die Spurensicherer jetzt ausgruben. «Den er kurz vor seinem Verschwinden hat einschläfern lassen.»

Ich nickte und erinnerte mich, dass die Tierärztin die Letzte war, die Leo Villiers lebend gesehen hatte. Zumindest soweit wir wussten.

«Er muss den Hund sehr gemocht haben, wenn er ihn selbst beerdigt hat», sagte ich. Die meisten Menschen würden das wohl dem Tierarzt überlassen.

«Er hat ihn angeblich schon als Teenager bekommen. Die Tierärztin meinte, er sei regelrecht erschüttert gewesen, als er ihn einschläfern ließ. Sogar sie war überrascht, aber es schien zur Selbstmordtheorie zu passen. Der Tropfen, der das Fass zum Überlaufen brachte, so in der Art.» Lundy betrachtete das Grab, sein Schnauzbart bewegte sich missbilligend. «Wenigstens ein Tod, den er nicht vorgetäuscht hat.»

«Soll ich hierbleiben, bis sicher ist, dass da nicht noch was drunterliegt?»

Er schüttelte den Kopf. «Nein, ich denke, mehr werden wir nicht finden. Entschuldigen Sie den Fehlalarm. Sie können gerne in die Leichenhalle zurückfahren. Je mehr wir über denjenigen wissen, den wir von der Sandbank geholt haben, desto eher bekommen wir vielleicht eine Ahnung, was hier eigentlich los ist.»

Ich zog vorsichtig die Handschuhe aus, um die Pflaster

nicht mit abzureißen. Ich hatte mich umsonst umgezogen, aber so war das eben manchmal. «Kommt sonst noch jemand aus der Gegend in Frage?»

«Soweit wir wissen, nicht. Die Einzigen, die in der Gegend als vermisst gemeldet wurden, sind Emma Darby und Leo Villiers, und dass die es nicht sind, steht ja fest.»

«Nun, wer immer er ist, er war noch keine dreißig», sagte ich. «Die Hammerzehen am Fuß sind irreführend und haben nichts mit dem Alter zu tun. Von dem ausgehend, was ich bisher an Knochen gesehen habe, würde ich sagen, er war Anfang bis Mitte zwanzig.»

Ich hatte absichtlich bestimmte Knochen aus der Lösung genommen und mich zunächst auf die konzentriert, die mir am ergiebigsten erschienen waren. Die Spitzen der sternalen Rippenpaare veränderten sich mit dem Alter, ebenso die ohrmuschelförmige Oberfläche des Darmbeins am Becken: Beide wurden mit den Jahren porös und aufgeraut. Ich hatte einige raue Stellen an den Knochen gefunden, aber keine Porosität. Um absolute Klarheit zu bekommen, würde ich zwar eine noch viel genauere Untersuchung durchführen müssen, war aber ziemlich sicher, mit meiner Schätzung nicht danebenzuliegen.

«Ein gutes Stück jünger als Leo Villiers also», sagte Lundy. «Sonst noch was, das uns einen Hinweis darauf gibt, nach wem wir suchen müssen? Das Alter hilft, aber im Moment wissen wir ja nicht einmal, ob er schwarz oder weiß war.»

Ich hatte daran gearbeitet, aber die Menschen waren im Tod genauso kompliziert wie im Leben. Die Bestimmung der ethnischen Herkunft war schon bei besser erhaltenen Überresten knifflig. Die Hautfarbe war oft irreführend und veränderte sich im Laufe des Verwesungsprozesses. Der Tod war ein großer Gleichmacher, der helle Haut dunkel färbte und umgekehrt. Das Skelett konnte einige Hinweise auf den genetischen Hintergrund geben, doch auch die waren selten eindeutig, wie diese Leiche bewies. Als man sie für Leo Villiers hielt, wurde allgemein angenommen, sie wäre weiß. Davon konnten wir jetzt nicht mehr ausgehen, und es gab noch ein weiteres Problem. Die meisten ethnischen Informationen ließen sich am Schädel ablesen, doch der war bei der Sandbank-Leiche durch den Schuss stark beschädigt. Nicht nur der Unterkiefer fehlte, auch der Kieferknochen unter der Nasenhöhle, in dem früher die Vorderzähne gesteckt hatten, war in Bogenform abgesplittert. Die verbleibenden schwarzen Stumpen der Backenzähne reichten nicht für die Arbeit eines forensischen Zahnarztes.

«Ich kann Ihnen nicht sagen, ob er schwarz oder weiß war», sagte ich zu Lundy. «Bisher habe ich bloß ein paar erste Eindrücke gesammelt und auch nur wenige Knochen begutachtet. Das, was vom Nasenrücken noch übrig ist, steht nicht sehr weit vor, was eher auf einen Schwarzen oder Asiaten hindeuten könnte. Allerdings sind die Augenhöhlen eher eckig als quadratisch oder rund, was für einen Weißen spräche.»

«Er könnte also gemischter Abstammung sein?»

«Möglicherweise. Oder er hatte einfach nur sehr eigene Gesichtszüge.»

Lundy blies die Wangen auf. «Na, damit haben wir ein bisschen mehr in der Hand. Allerdings, wenn er wirklich gemischter Abstammung war …»

«Was dann?», hakte ich nach.

Doch er schüttelte den Kopf. «Ich habe nur laut gedacht. Kommen Sie, ich gehe mit Ihnen zum Wagen zurück.»

Doch nach wenigen Schritten klingelte sein Handy. Er hielt an, um den Anruf anzunehmen. Seine Miene veränderte sich.

«Jetzt, hier, meinen Sie?» Was immer der Anrufer sagt, beruhigte ihn nicht. Seine breiten Schultern sackten nach unten. «Himmelherrgott. Dann mal los.»

Er steckte das Handy ein.

«Wir haben Gesellschaft.»

Sir Stephen Villiers war nicht allein gekommen. Zwar wurde er diesmal nicht vom Polizeichef begleitet, doch das machte er durch die Anwesenheit von drei Anwälten wett, zwei Männern mittleren Alters in teuren, aber langweiligen Anzügen und einer Frau mit mattschwarzen Haaren. Die drei trotteten in unbewusster Ehrerbietung hinter ihm her, der Älteste knapp hinter seiner Schulter, der zweite Mann und die Frau noch einen halben Schritt dahinter. Als sie über den Rasen auf uns zukamen, boten sie damit den Anblick einer Mutterente mit ihrer Brut. Nur raubtierhafter.

Ich hatte zu Lundy gesagt, dass ich in die Leichenhalle zurückfahren würde, weil ich davon ausgegangen war, dass er lieber allein mit Leo Villiers' Vater sprechen würde. Er hatte geistesabwesend genickt, mich dann aber zurückgerufen.

«Ich hab's mir anders überlegt, Dr. Hunter. Würden Sie noch kurz bleiben? Es könnte helfen, Sie dabeizuhaben.» Er arrangierte seine Gesichtszüge zu einem freundlichen Lächeln, als die Gruppe auf uns zusteuerte. «Kann ich etwas für Sie tun, Sir Stephen?»

«Wo ist Ihre Vorgesetzte?»

Eine Stimme wie Eis. Leo Villiers' Vater war so makellos gekleidet wie bei unserer letzten Begegnung, ein mittelgrauer

Kaschmirmantel über einem dunkleren grauen Anzug. Alles an ihm wirkte akkurat, von den sauber geschnittenen Fingernägeln bis hin zum Scheitel im lichter werdenden Haar. Doch das wurde bereits von der steifen Meeresbrise zerzaust, und unter dem kontrollierten Äußeren brodelte eine kaum gezügelte Wut.

«Sie ist im Moment nicht da», antwortete Lundy. «Waren Sie mit ihr verabredet? Wenn sie gewusst hätte, dass Sie kommen, wäre sie sicher …»

«Ich will, dass Sie mein Grundstück verlassen.»

Lundys Augenbrauen schossen nach oben. «Ich war der Annahme, dass das Haus Ihrem Sohn gehörte. Irre ich mich da?»

Der Chefanwalt mischte sich hastig ein. «Das Haus und das Grundstück gehören zum Besitz der Familie Villiers, und was Sie machen, ist schlicht und einfach Belästigung. Wenn Sie nicht gehen, werden wir Anzeige wegen unerlaubten Betretens und Sachbeschädigung erstatten.»

«Nun, das wäre nicht schön», sagte Lundy ruhig. «Allerdings haben wir einen Durchsuchungsbeschluss für das Grundstück. Ich dachte, das wüssten Sie, aber wenn Sie möchten, kann ich gerne …»

«Wir erkennen die Gültigkeit des Durchsuchungsbeschlusses nicht an. Er wurde auf einer völlig haltlosen Grundlage ausgestellt, ich sehe darin nichts anderes als die Absicht, meinem Mandanten unnötig seelisches Leid zuzufügen.» Der Anwalt klang wesentlich aufgewühlter als sein Auftraggeber, der Lundy weiterhin kalt ansah. Der DI blieb ungerührt.

«Nun, haltlos würde ich das nicht gerade nennen», sagte er. «Ich würde sagen, eine Leiche mit zerschossenem

Gesicht ist Grund genug. Vor allem, wenn sie Leo Villiers'
Kleider und seine Uhr trägt.» Lundy sah Sir Stephen mit
hochgezogenen Augenbrauen an. «Sie wissen doch, die
Leiche, die Sie identifiziert haben?»

Sir Stephen starrte ihn an. «Wollen Sie behaupten, ich
würde lügen?»

«Gott behüte.» Bei jedem anderen hätte es unaufrichtig
geklungen. «Die Kleidung ist bestimmt von Ihrem Sohn,
nur die Leiche nicht. Sie als sein Vater, hätte ich gedacht,
würden herausfinden wollen, was passiert ist.»

«Da gibt es nichts herauszufinden. Mein Sohn ist bei
einem tragischen Unfall ums Leben gekommen, und vor
drei Tagen wurde seine Leiche entdeckt. Ich habe sie selbst
gesehen, und bis jetzt schien die Polizei derselben Meinung
zu sein. Und auf einmal soll ich annehmen, dass Sie sich
geirrt haben? Das riecht nach Inkompetenz.»

«Nein, es zieht nur neue Fakten in Betracht. Dr. Hunter
hier ist forensischer Anthropologe. Wie Sie sich erinnern,
hat er schon bei der Bergung Zweifel geäußert, dass der Tote
lange genug im Wasser gelegen hat, um Ihr Sohn sein zu können. Und er hat weitere Beweise dafür gefunden.»

Sir Stephens Kopf drehte sich so, dass seine kalten Augen
mich anstarrten. Alle drei Anwälte taten es ihm nach. *Danke,
Lundy*, dachte ich.

«Was für Beweise?»

Ich warf Lundy einen Blick zu, doch sein Gesicht war
ausdruckslos. *Dann mal los.* «Wir konnten feststellen, dass
der rechte Fuß, der im Fluss gefunden wurde, zu der Leiche
aus dem Estuary gehört. Ihr Sohn hatte sich beim Rugbyspielen den Fuß gebrochen, also müssten an dem gefundenen Fuß die verheilten Brüche sichtbar sein. Sind sie aber

nicht. Und wenn das nicht sein Fuß ist, ist er auch nicht der Tote.»

Sir Stephen betrachtete mich abschätzig. Er zuckte mit keinem Muskel, trotzdem wurde seine Verachtung mehr als deutlich. «Sie sagen, der Fuß wurde im Fluss gefunden.»

«Ja, das ist ... »

«Also nicht in der Nähe der Stelle, an der mein Sohn gefunden wurde. Nicht einmal im Mündungsgebiet.»

«Nein, aber ... »

«Wieso nehmen Sie dann an, es wäre seiner? Vermutlich können Sie Ihre Theorie mit einer DNA-Analyse untermauern?»

Er wusste genau, dass ich das nicht konnte; Clarke hatte ihm sicher gesagt, dass wir noch auf das Ergebnis warteten. «Noch nicht, aber die Messungen, die ich vorgenommen habe, zeigen ... »

«Messungen.» Nichts als Hohn lag in dem Wort. Dann wandte er sich wieder an Lundy. «Und das sind Ihre Beweise?»

«Sobald wir die DNA-Ergebnisse haben ... »

«Ich bin sicher, sie werden den Tod meines Sohnes bestätigen. Aber noch haben Sie sie nicht, stimmt's? All das hier ... » Eine Hand zeigte verächtlich auf das Haus. « ... basiert also auf der Meinung eines in Ungnade gefallenen forensischen Experten, der in dem Ruf steht, ein Querulant zu sein?»

Ich wusste nicht genau, ob mich eher die Beleidigung verblüffte oder die Tatsache, dass er sich nach der Leichenbergung die Mühe gemacht hatte, sich über mich zu informieren. Das Blut schoss mir ins Gesicht, ich wollte etwas erwidern, aber Lundy kam mir zuvor.

«Dr. Hunters Ruf steht hier nicht zur Debatte, Sir Stephen. Er hat sich den gebrochenen Fuß Ihres Sohns nicht ausgedacht, lediglich auf Ungereimtheiten zwischen den Leichenresten und der ärztlichen Akte Ihres Sohnes hingewiesen. Die anhand der von Ihnen selbst zur Verfügung gestellten Röntgenbilder erhärtet werden. Aber wenn Sie der Identifizierung wirklich weiterhelfen wollen, können Sie uns jederzeit die übrigen Akten geben. Das wäre außerordentlich hilfreich.» Lundy klang genauso freundlich wie immer, aber niemand ließ sich davon täuschen. Sir Stephens Chefanwalt beeilte sich, das Schweigen zu füllen.

«Mein Mandant hat seine Haltung in dieser Sache bereits deutlich gemacht. Die ärztlichen Akten sind vertraulich und werden es bleiben. Als Zeichen des guten Willens wurde im Fall der Röntgenaufnahme eine Ausnahme gemacht, aber …»

«Die Arztakten meines Sohnes enthalten rein gar nichts, das dieser Ermittlung weiterhelfen würde.» Sir Stephen sprach, als würde sein Anwalt nicht existieren. «Wenn die Polizei Grund zu einer gegenteiligen Annahme hat, dann erläutern Sie uns diesen bitte. Wenn nicht, dann lässt sich die Arbeitszeit der Polizei sicher produktiver nutzen, als sie hier zu vergeuden. Wie ich Ihren Vorgesetzten nahelegen werde.»

«Das können Sie gerne tun», erwiderte Lundy vergnügt. «Eine ist gerade im Anmarsch.»

Clarke kam mit versteinerter Miene und wehendem Regenmantel ums Haus herum und über den Rasen auf uns zugeeilt. Lundy schürzte die Lippen, als er ihr Gesicht sah.

«Sie können jetzt fahren», murmelte er mir zu, als sich Sir Stephen und seine Entourage DCI Clarke zuwandten. «Ich melde mich später.»

Clarke nahm mich im Vorbeigehen nicht zur Kenntnis, aber uns stand beiden nicht der Sinn nach Höflichkeiten. Auf dem Rückweg zu den hinter dem Haus geparkten Autos glühte mein Gesicht immer noch, so wütend war ich über das, was Sir Stephen gesagt hatte. *Ausgerechnet dieser eingebildete, arrogante* … Herrgott noch mal, was für eine Art von Mensch fragte nicht einmal, um wessen Leiche es sich nach Meinung der Polizei handeln könnte?

Oder warum sie in den Kleidern seines Sohns aufgefunden worden war?

Bei den Plastikmülleimern für die Schutzkleidung zog ich so heftig am Reißverschluss meines Overalls, dass er steckenblieb. Übellaunig und leise fluchend zerrte ich daran herum, bis das Papier riss.

«Nicht Ihr Tag heute?»

Ich hatte niemanden in der Nähe bemerkt. Der Mann, der mich angesprochen hatte, stand an einen edlen schwarzen Mercedes gelehnt, und eher der Wagen als sein Gesicht kam mir bekannt vor. Dann sah ich die vernarbten Wangen und erkannte Sir Stephens Fahrer wieder. Er hatte mich an der Austernfischerei nach der Leiche im Estuary ausgefragt.

Er rauchte wieder, hinter seinem Rücken stieg Qualm auf. Von dort, wo er stand, hatte er den Pfad ums Haus herum gut im Blick.

«Sie können sich entspannen, sie sind noch im Gespräch», sagte ich und versuchte, mich aus dem halb aufgezogenen Overall herauszuwinden.

Er lächelte, nickte kurz und nahm einen weiteren Zug. Er sah älter aus, als ich ihn in Erinnerung hatte, definitiv eher fünfzig als vierzig. Wenn er nicht neben dem Wagen gestanden hätte, ich hätte ihn nicht wiedererkannt. Trotz der Aknenarben war er kein Mensch, der aus der Masse herausstach. Seine Züge waren angenehm, aber unauffällig, und das ordentlich geschnittene Haar hatte die Art Nicht-Farbe, die im Alter eher heller als grau wurde. Auf den zweiten Blick nahm ich eine gewisse Gedrungenheit an ihm wahr. In seinem dunkelblauen Anzug – eine haltbare Synthetikfaser – hätte er genauso gut Buchhalter oder Beamter sein können. Er hätte alles sein können.

«Nicht noch eine, oder?», sagte er und deutete auf das Haus.

«Noch eine was?»

Er quittierte mein Ausweichen mit einem Lächeln. «Leiche. Erst die im Mündungsgebiet, dann die von gestern. Scheint eine Schwemme zu sein.»

«Was ist mit gestern?»

Soweit mir bekannt war, hatte die Polizei das Auffinden der zweiten Leiche nicht öffentlich gemacht. Es würde sich irgendwann herumsprechen, aber die entlegene Lage der Backwaters verlangsamte das. Trotzdem schien Sir Stephens Fahrer irgendetwas zu wissen. Er zuckte mit den Schultern und nahm einen weiteren Zug.

«Wie Sie wollen. Ich frage Sie ja gar nicht, was Sie wissen, ich sage nur, was ich gehört hab.»

«Was haben Sie gehört?»

«Na, wenn Sie mir nichts sagen, warum sollte ich Ihnen was sagen?» Er lächelte, als hätte er einen Scherz gemacht. Doch seine Augen blickten wachsam und intelligent zwischen den Lachfältchen hervor. Er blies eine Rauchwolke zur Seite, weg von mir. «War nur Spaß. Ich weiß bloß, dass gestern noch eine Leiche aufgetaucht ist. Einer der Vorteile meines Jobs. Die Leute denken, man gehört zur Einrichtung, und vergessen, dass man Ohren hat.»

Also hatte irgendwer Sir Stephen informiert, und sein Fahrer hatte es mitbekommen. Ich fragte mich, ob es eine offizielle Mitteilung gewesen war oder eine Gefälligkeit. Ich mühte mich damit ab, den Overall endlich loszuwerden, und tat so, als würde ich nicht merken, dass der Fahrer mich beobachtete.

«Er war schon immer so.»

Ich sah ihn an und hatte keine Ahnung, was er meinte.

«Der Sohn vom Alten.» Er lächelte durch den Zigarettenrauch. «War immer schon ein Wichser. Manche Menschen kapieren nicht, wie gut es ihnen geht.»

Das wurde so flapsig gesagt, dass mir keine gute Erwiderung einfiel. Ich musste nicht weiter nach einer suchen. Ich stieg aus dem Overall, schmiss ihn in den Eimer und nickte in Richtung Haus.

«Ihr Boss scheint fertig zu sein.»

Sein Kopf fuhr herum, als Sir Stephen und seine Anwälte ums Haus kamen. Die Diskussion mit Clarke schien kurz gewesen zu sein. Ohne sichtbare Eile nahm der Fahrer Haltung an, die Zigarette war wie von Zauberhand verschwunden.

Da ich nichts mehr mit irgendeinem von ihnen zu tun haben wollte, wandte ich mich ab und ging.

KAPITEL 18

❦

Bis kurz nach sechs arbeitete ich in der Leichenhalle. Ich wäre auch länger geblieben, doch da ich bei Trask zum Abendessen eingeladen war, wollte ich mich vorher noch umziehen. Außerdem hätte ich sowieso nicht mehr viel tun können.

Ich hatte den Nachmittag damit verbracht, den Rest der gesäuberten Knochen aus dem Reinigungssud zu heben, sie abzuspülen und dann, bereits in richtiger Position, zum Trocknen auf einen Sektionstisch zu legen. Von allem Weichgewebe befreit, waren die Knochen, von den eleganten Rippenbogen bis zu den kompliziert geformten Rückenwirbeln, cremeweiß und glatt. Vor mir lag ein auf seine elementarsten mechanischen Komponenten reduzierter Mensch, organische Formen, die keinerlei Hinweis mehr auf die Person gaben, die sie einst gebildet hatten.

Trotzdem würden sie uns mit ein wenig Glück mehr darüber erzählen, wer dieser Mensch gewesen war.

Das Zusammensetzen eines Skeletts ist Übungssache und wird mit der Zeit zunehmend leichter. Im Grunde handelt es sich um immer neue Variationen des gleichen Puzzles. Die Einzelteile sind einem vertraut und doch stets anders.

Bis auf die unübersehbare Ausnahme des Schädels war das Skelett in gutem Zustand. Nicht nur, dass jeglicher Hinweis auf ein weiteres gewaltsames Trauma fehlte, es gab auch keine alten Verletzungen, Deformationen oder Anzeichen für Zersetzung aufgrund von Krankheit oder Alter. Das auffälligste an diesem Skelett war seine Unauffälligkeit.

Wäre Zeitdruck kein Thema gewesen, hätte ich mit der Untersuchung gewartet, bis es vollständig zusammengesetzt war. Doch das würde ich sowieso tun, ehe ich den abschließenden Bericht verfasste. Schon während der Arbeit mit den einzelnen Knochen hatte ich eine gute Vorstellung von ihrem Zustand und ihren Merkmalen gewinnen können, und es begann sich ein Bild abzuzeichnen. Begleitet vom sanften Surren der Dunstabzugshaube ließ ich den in mir brodelnden Ärger über Sir Stephen abfließen und verlor mich ganz im Tun. Die Arbeit war unkompliziert und monoton, und ich hatte die Handgriffe schon so oft getätigt, dass sie inzwischen beinahe meditative Qualität besaßen. Als ein Mitarbeiter der Abteilung zu mir kam, um mir zu sagen, dass Lundy am Telefon war, stellte ich überrascht fest, wie schnell der Nachmittag vergangen war.

Ich ließ den Geruch von Chemikalien und Fleischbrühe hinter mir und ging, um den Anruf entgegenzunehmen. Lundy begann mit einer Entschuldigung.

«Ich hätte Sie nicht in diese Lage bringen dürfen», sagte er. «Ich dachte, es wäre hilfreich, wenn er es aus erster Hand erfährt, aber mir hätte klar sein müssen, dass Sir Stephen Sie ins Visier nehmen würde.»

«Das habe ich schon schlimmer erlebt», antwortete ich. «Ich war lediglich überrascht, dass er sich die Mühe gemacht hat, Nachforschungen über mich anzustellen.»

Lundy kicherte. «Da, wo er steht, kommt man nicht hin, wenn man die Dinge dem Zufall überlässt. Ich wage zu behaupten, der weiß sogar, was wir morgens frühstücken, die Chefin eingeschlossen.»

«Wie ist die Sache gelaufen?» Ich musste an das versteinerte Gesicht denken, mit dem Clarke heranmarschiert war, um mit Sir Stephen zu sprechen.

«Oh, Gleichstand, würde ich sagen. Diplomatie ist nicht eben ihre Stärke, aber sogar Sir Stephens Anwälte können keine sicheren Beweise wegdiskutieren.»

Ich hatte auf der Rückfahrt von Leo Villiers' Haus zur Leichenhalle Gelegenheit gehabt, noch einmal über die Sache nachzudenken. Wie ich es auch betrachtete, Sir Stephens gesamte Haltung wirkte völlig aus dem Lot. «Was glauben Sie? Weshalb beharrt er so sehr darauf, dass es sich um die Leiche seines Sohnes handelt? Ihm muss doch klar sein, dass die DNA-Analyse die Wahrheit irgendwann ans Licht bringt. Was hat es also für einen Sinn? Das kann doch nicht nur Leugnen sein.»

Ich kannte zwar Menschen, die sich weigerten, den Tod eines geliebten Angehörigen zu akzeptieren, aber der umgekehrte Fall war mir noch nie begegnet. Ich hörte Lundy schnauben.

«Wunschdenken vielleicht? Eines ist ihm jedenfalls vollkommen klar: Wenn es sich bei der Leiche nicht um Leo handelt, gerät sein Sohn automatisch unter Mordverdacht. Diesmal ist es nicht wie bei Emma Darby. Diesmal haben wir ein totes Opfer und Beweise, die eindeutig in Leo Villiers' Richtung weisen. Das tut seinem Ruf natürlich gar nicht gut. Möglicherweise wäre Sir Stephen ein toter Sohn lieber als eine lebendige Demütigung.»

Welche Schwächen Leo Villiers auch haben mochte, in welche negative Richtung auch immer er sich entwickelt hatte, derartige Gefühle eines Vaters für sein eigen Fleisch und Blut blieben mir unverständlich. Doch wenn ich an den eiskalten, makellos gekleideten Mann dachte, dem ich vorhin begegnet war, dann hatte Lundy womöglich recht.

«Sind Sie noch dran, Dr. Hunter?»

«Ja.» Ich lenkte meine Gedanken zurück ins Hier und Jetzt. «Haben Sie im Haus noch etwas gefunden?»

«Im Grunde nicht. In dem Grab lag tatsächlich nur der Hund, und das Haus wirkte ja wie sterilisiert. Sämtliche Schränke in bester Ordnung, keine Schmutzwäsche im Wäschekorb. Wir haben lediglich herausgefunden, dass neben der Mowbry womöglich eine weitere Schusswaffe fehlt.»

«Womöglich?»

«Das durchblicken wir noch nicht völlig. Die Mowbry hatte in Villiers' Arbeitszimmer einen eigenen Schrank. Als die Haushälterin Villiers als vermisst meldete, sagte sie, der Schrank sei offen und leer gewesen, deshalb wussten wir damals sofort, dass die Waffe fehlte. Als er das Haus letztes Jahr umbauen ließ, hat er aus dem Waffenzimmer einen Fitnessraum machen lassen. Der Waffenschrank wanderte zusammen mit anderem Zeug, das er nicht mehr wollte, in den Keller. Seitdem hat niemand mehr nachgesehen.»

«Villiers hatte sein eigenes Waffenzimmer?» Ich hatte gedacht, er hasste die Jagd.

«Tja. Das war schon vorher da. Sir Stephen ist dem Vernehmen nach schon immer ein begeisterter Schütze gewesen, hat früher, wenn die Familie herkam, stets Jagdgesellschaften veranstaltet. Bis auf die Mowbry stammten sämtliche Waffen noch aus der Zeit. Der Waffenschrank sollte eigentlich sechs Gewehre enthalten, aber jetzt sind es nur noch fünf.

Niemand, mit dem wir gesprochen haben, scheint zu wissen, wo das fehlende Gewehr hin ist. Und falls doch, dann sagt keiner was.»

«War der Waffenschrank gesichert?»

Lundy seufzte. «War er. Soweit wir wissen, hatten nur Leo Villiers und sein Vater einen Schlüssel, aber die Haushälterin hat uns gesagt, dass in der Schreibtischschublade ein Ersatzschlüssel lag.»

«Und der ist verschwunden.»

«Oh, nein, der ist immer noch da.» Der DI machte eine kurze Pause. «Ich vermute, die Waffe taucht wieder auf. Aber egal. Wie läuft es bei Ihnen? Haben Sie schon irgendwas gefunden, das uns verrät, wen wir aus dem Wasser gefischt haben?»

«Nicht wirklich. Nur dass immer noch alles auf einen Mann Mitte zwanzig hindeutet. So gut wie keine Abnutzung oder Haarrisse an den Gelenken, außerdem keine offensichtlichen angeborenen Knochendefekte. Das Skelett ist ungewöhnlich gut proportioniert. Breite Schlüsselbeine und Schulterblätter, wohlgeformte Rippen, schmale Hüften. Ich kann zwar nicht mit Gewissheit sagen, dass er Sportler war, aber der Oberkörper hatte die klassische V-Form, und er hatte wahrscheinlich eine gute Muskulatur, um diesen Knochenbau zu stützen.»

«Also war er gut gebaut?»

Ein guter Knochenbau bedeutet nicht automatisch eine gute Figur. Ein Mensch kann das Skelett eines Sportlers haben und trotzdem fettleibig oder unsportlich sein, und die Leiche, die wir aus dem Mündungsgebiet geholt hatten, war bereits zu stark verwest und aufgebläht gewesen, um daraus Rückschlüsse zu ziehen. Doch die Tatsache, dass der Mann noch jung gewesen war, legte den Schluss nahe, dass er körperlich aktiv gewesen war. Und der Größe der Kleidung nach, die er getragen hatte, schien er nicht übergewichtig gewesen zu sein.

«Ich vermute, schon, ja. Einzige Ausnahme bilden die Hammerzehen, aber bei jemandem seines Alters könnte ich mir gut vorstellen, dass sie sich auf eine Verletzung durch wiederholte Belastung zurückführen lassen. Oder auch einfach nur auf schlechtes Schuhwerk als Kind. Wobei, dafür erscheint mir die Deformation zu ausgeprägt.»

Ich konnte Lundy förmlich denken hören. «Gut. Lassen wir das für den Augenblick beiseite. Sie hatten erwähnt, dass das Opfer möglicherweise gemischter Abstammung sei. Sind Sie nach wie vor dieser Meinung?»

«Ich weiß noch nicht mehr als das, was ich Ihnen bereits gesagt habe, und das begründet sich lediglich auf der Form der Augenhöhlen. Mit Bestimmtheit kann ich dazu nichts sagen.» Mir fiel ein, dass Lundy in Leo Villiers' Haus auch schon darauf angespielt hatte. «Warum? Haben Sie eine Idee, um wen es sich handeln könnte?»

«Eigentlich nicht. Wahrscheinlich ist es gar nichts, aber es hat mich an den Fremden erinnert, der sich laut Villiers' Gärtner vor dem Haus rumgetrieben hatte, ehe Leo Villiers verschwand. Er konnte den Kerl nicht richtig sehen, meinte aber, er sei jung und eher dunkelhäutig gewesen. ‹Wie ein Einwanderer oder Flüchtling›, hatte er es ausgedrückt. Was mich auf den Gedanken gebracht hat, dass es in unmittelbarer Umgebung so gut wie keine Einwanderer gibt. Keine Jobs, keine Wohnungen, und um mit einem Boot anzulanden, gibt es an der Küste jede Menge Stellen, die besser geeignet sind. Was sollte ein Flüchtling also in dieser Gegend?»

«Dann glauben Sie, es könnte sich um jemanden gemischter Abstammung handeln?»

«Das wäre möglich. Die Boulevardpresse hetzt die Leute gegen Einwanderer auf, und Cruckhaven ist nicht unbedingt ein Ort, den man als multikulti bezeichnen würde. Vielleicht hat der Gärtner einfach voreilige Schlüsse gezogen.»

Ich musste an die deprimierende Stadt von gestern denken, an die geschlossenen Läden und die Gruppe aggressiv wirkender Teenager. Vielleicht hatte er recht. Trotzdem war die Vermutung in meinen Augen ziemlich weit hergeholt. «Das heißt noch lange nicht, dass es sich um denselben Mann handelt. Oder erklärt, was er bei Leo Villiers' Haus zu suchen hatte.»

«Nein. Sie haben recht», stimmte Lundy mir zu. «Kurz zuvor hatte es eine Einbruchserie in frei stehenden Häusern gegeben, und die Vermutung lautete, da hätte jemand die Lage sondiert. Villiers hatte eine vernünftige Alarmanlage, und es wurden keine weiteren Vorkommnisse gemeldet, deshalb erschien es uns damals nicht weiter relevant. Zumal wir dachten, Villiers hätte sich das Leben genommen. Jetzt frage ich mich allerdings, ob nicht doch mehr dahintersteckt.»

Das erinnerte mich an etwas. «Rachel hat mir erzählt, bei den Trasks sei ebenfalls eingebrochen worden. Kurz nachdem ihre Schwester verschwunden war.»

«Ja. Das ist richtig», erwiderte Lundy nachdenklich. «Jetzt, wo Sie's sagen. Das war einer der ersten Einbrüche.»

«Glauben Sie, es gibt eine Verbindung?»

Er antwortete nicht sofort. Durch den Hörer drang ein kratzendes Geräusch. Einen Augenblick lang dachte ich, die Leitung wäre gestört, doch dann wurde mir klar, dass er sich über den Schnauzbart strich. «Ich wüsste zwar gerade nicht, worin die Verbindung bestehen könnte, aber langsam sieht es so aus, als hätten wir es mit ein paar Zufällen zu viel zu tun.»

Das sah ich genauso. Ich spürte, dass Lundy das Gespräch beenden wollte, und redete schnell weiter. «Ich habe vorhin vor dem Haus mit Sir Stephens Chauffeur gesprochen», sagte ich und umriss die Unterhaltung in groben Zügen. «Er hat mir zwar nicht direkt erzählt, woher er von einer zweiten Leiche wusste, hat aber angedeutet, er hätte es eher am Rande mitbekommen.»

«Was für eine Überraschung», sagte Lundy säuerlich. «Nach Sir Stephens Adressbuch zu urteilen, würde es mich nicht wundern, wenn er schon vor uns weiß, was läuft. Hat sein Fahrer versucht, Sie auszuhorchen, oder war er einfach nur neugierig?»

«Keine Ahnung, ich habe ihm jedenfalls nichts erzählt. Glauben Sie, er wollte Sir Stephen Bericht erstatten?»

Lundy schnaubte. «Sagen wir, ich glaube nicht, dass Sir Stephen jemanden für sich arbeiten lässt, der seinen Mund nicht zu halten weiß. Es sei denn, es ist in seinem Sinne.»

Ich auch nicht. «Deshalb war ich auch so erstaunt, dass er so offenherzig über Leo Villiers herzog. Ich kann mir nicht vorstellen, dass Sir Stephen das gutheißen würde, wenn er davon wüsste.»

«Ich auch nicht.» Lundy klang nachdenklich. «Okay. Überlassen Sie das mir.»

Wir beendeten das Gespräch. Lundy hatte nicht mit Frears gesprochen und kannte die Obduktionsergebnisse von der Leiche aus dem Stacheldraht noch nicht, die ich jetzt untersuchen sollte. Doch er versprach, mir den

Obduktionsbericht zu mailen, sodass ich ihn wenigstens noch durchgehen konnte, ehe ich anfing, an den Knochen zu arbeiten.

Ich war wirklich neugierig. Vor allem auf die Röntgenbilder.

Ich wollte das erste Skelett fertig zusammensetzen und im Anschluss, ehe ich ging, die zweite Leiche exartikulieren und einweichen.

Es hatte länger gedauert als erwartet, und als ich vor dem Bootshaus einbog, dämmerte es bereits. Ich stellte den Motor ab, blieb noch einen Moment sitzen und genoss die Stille. Direkt am Tidefluss gelegen, wirkte das Bootshaus wie ein Teil der Landschaft, so wie Dünen und Schlickgras. Dies war meine Lieblingstageszeit: dieser lange Augenblick, wenn der Tag zwischen Nachmittag und Abend innehält. Ich war müde, aber es war eher die Müdigkeit nach getaner Arbeit als die Erschöpfung aufgrund einer Krankheit.

Ich stieg aus dem Wagen, räkelte mich und holte meine Sachen aus dem Kofferraum. Ich hatte unterwegs an einem Supermarkt haltgemacht: Wenn ich doch noch ein paar Tage blieb, brauchte ich mehr als Brot und Eier. Ich hob die Tüten aus dem Kofferraum, machte einen Schritt zurück, um die Klappe zu schließen, und wäre um ein Haar von einem vorbeirasenden Auto überfahren worden.

«Himmel!»

Ich wankte, vom Luftstrom regelrecht mitgerissen. Es war ein alter weißer Kleinwagen mit rotem Rallyestreifen. Ich hatte gerade noch einen Blick auf die blonden Haare der Fahrerin erhaschen können, ehe der Wagen verschwunden war und das gelbe Licht der Scheinwerfer von den Weißdornhecken verschluckt wurde, die sich wie ein Tunnel über die Straße bogen. Erschüttert von dem Beinahezusammenstoß, aber nicht so sehr, dass ich Stacey Coker nicht erkannt hätte, starrte ich dem Auto hinterher. Ich glaubte nicht, dass sie mich überhaupt bemerkt hatte, und während mein Puls sich langsam wieder beruhigte, wurde mir klar, dass sie aus Richtung Creek House gekommen war.

Das erklärte vielleicht, weshalb sie so raste.

Ich schloss das Bootshaus auf, packte die Einkäufe aus und setzte Teewasser auf. Ich streifte die Stiefel von den Füßen und ging zum Sofa an meine Reisetasche. Ich fluchte, weil ich mir schon wieder den Fuß an dem versteckten Falltürgriff gestoßen hatte. Zu spät fiel mir Rachels Warnung ein, und ich rieb mir, noch ein bisschen weiterfluchend, die schmerzenden Zehen. Dann klappte ich den Teppich zurück, um mir die Sache endlich näher anzusehen.

In eine hölzerne Falltür im Boden war ein schwerer Eisenring eingelassen. Er war zwar teils versenkt, stand aber immer noch weit genug über, um jemanden stolpern zu lassen. Es handelte sich offenbar um eine Ladeluke für das unter mir liegende Dock, und sie stammte sichtlich aus Zeiten, als das Bootshaus noch seinem ursprünglichen Zweck und nicht als schicke Ferienwohnung gedient hatte. Ich versuchte, die Falltür anzuheben, aber sie ließ sich nur ein winziges Stück bewegen. Offensichtlich war die Luke von unten versperrt oder verriegelt. Sosehr ich auch schob und drückte, der Ring weigerte sich beharrlich, flach zu liegen, und ich überlegte, die schwere Baumscheibe rüberzuzerren, die als Couchtisch diente. Doch der Ring stand zu weit hoch, um etwas draufzustellen, und schließlich gab ich auf und klappte den Teppich wieder zurück.

Das Wasser kochte. Ich sah auf die Uhr und brühte mir eine Tasse Tee auf. Dann zog ich mich zum Abendessen um.

Ich parkte auf der kiesbestreuten Fläche direkt vor dem Fußweg, der durch das Birkenwäldchen führte. Es war dunkel hier draußen, dunkler als am Bootshaus. So abgelegen mein Domizil auch war, es lag ein ganzes Stück näher am Mündungsgebiet und bekam noch ein paar Lichtreflektionen von den umliegenden Ortschaften ab. Hier draußen gab es nur den Fluss und die Backwaters, und an einem mondlosen Abend wie diesem war die Dunkelheit beinahe absolut.

Zwischen den kahlen Ästen der Birken hindurch drang vage die Außenbeleuchtung des Hauses, aber von so weit entfernt, dass die Dunkelheit ringsum eher noch betont wurde. Ich benutzte die Taschenlampenfunktion meines Telefons, um mich zu orientieren, bis ich so nah am Haus war, dass ich sie nicht mehr brauchte. Ich schaltete die Lampe aus und trat im gleichen Moment aus dem Wäldchen, als Jamie um die Hausecke bog. Er wirkte völlig in sich versunken, und auf seinem Gesicht lag ein Stirnrunzeln. Ich trat aus den Schatten.

«Hi», sagte ich.

Er machte einen Satz nach hinten und riss den Kopf in die Höhe. «Scheiße!»

«Tut mir leid, ich wollte dich nicht erschrecken.»

«Klar, nein, ich war nur ... »

Er wirkte durcheinander und verlegen. «Dein Dad hat mich zum Abendessen eingeladen.»

«Ach so. Er ist im Haus.»

Er ging an mir vorbei. «Warte mal kurz», sagte ich. «Ich konnte mich noch gar nicht dafür bedanken, dass du mein

Auto repariert hast», sagte ich. «Du hast da einen echt tollen Job gemacht.»

Er zuckte mit den Schultern. Es war ihm sichtlich unangenehm. «Schon okay.»

Da er sich offensichtlich nicht unterhalten wollte, nahm ich den Umschlag mit dem Geld aus der Tasche, das ich am Automaten geholt hatte, und streckte es ihm entgegen.

«Hier. Ich hoffe, das reicht für deine Bemühungen.»

Jamie musterte den Umschlag mit finsterem Blick. «Was ist das?»

«Ich möchte meine Schulden bezahlen.»

«Ich will kein Geld.»

«Das hätte ich in einer Werkstatt auch bezahlt. Wahrscheinlich mehr», fügte ich hinzu und dachte an Coker. «Wenn du im Herbst auf die Uni gehst, wirst du das Geld brauchen können.»

Er kniff die Lippen zusammen. Selbst in dem schwachen Lichtschein der Außenbeleuchtung war die Ähnlichkeit mit seinem Vater nicht zu übersehen.

«Ich gehe nicht auf die Uni.»

Da hatte sein Vater zwar etwas anderes gesagt, aber Jamie wäre nicht der erste Teenager, der mit seinen Eltern hinsichtlich seiner Zukunftspläne nicht einer Meinung war. In diese Auseinandersetzung würde ich mich jedenfalls nicht einmischen. «Na ja, dann nimmst du es eben für eine Auszeit. Oder wofür auch immer. Es ist nicht viel, aber vielleicht hilft es dir.»

«Ich habe doch schon gesagt, ich will kein Geld.» Sein Tonfall war barsch, und ehe ich noch etwas sagen konnte, ging er in Richtung Parkplatz davon.

Ich stand mit dem Umschlag in der ausgestreckten Hand

da. *Na, das lief ja super.* In der Hoffnung, dass Rachel oder sein Vater das Geld für ihn entgegennehmen würde, steckte ich den Umschlag wieder ein, stieg die Stufen hoch und klopfte.

Trask öffnete mir. Er sah mich ausdruckslos an, und ich fragte mich, ob er die Einladung zum Abendessen vergessen hatte.

«Ich bin doch nicht zu früh, oder?», fragte ich in der Hoffnung, ihm damit einen Wink zu geben.

«Nein. Nein, natürlich nicht. Kommen Sie rein.» Er schloss die Tür hinter mir. Im Flur war es dunkel, doch über die Treppe fiel Licht aus dem oberen Stockwerk. «Ich muss noch kurz etwas fertig machen, aber Rachel ist oben in der Küche. Ich bin in einer Minute bei Ihnen.»

Er ging durch den Flur auf eine halb geöffnete Tür zu, durch die ich im Lichtschein einer Arbeitslampe ein Reiß-brett sah. Ich ging die Treppe hinauf. Die Essensgerüche wurden stärker, doch der Duft nach Eintopf mit Fleischein-lage weckte unerwünschte Assoziationen zu den Pfannen mit siedenden Knochen im Sektionsraum.

Rachel war am Herd beschäftigt, während Fay auf einem Barhocker an der Arbeitsinsel aus Granit saß und mit einem langstieligen Löffel lustlos in einer Schüssel rührte. Der Hund lag mit waidwundem Blick zu ihren Füßen. Das Fell war an vielen Stellen großzügig abrasiert und entblößte mit Pflaster beklebte Inseln nackter Haut. Der Hund trug einen Plastikkragen um den Hals, damit er nicht an den Verbänden nagen konnte.

Als er mich sah, hob er den Kopf und schlug kurz mit dem Schwanz auf den Boden. Dann ließ er den Kopf mit einem tragischen Seufzer wieder sinken. Rachel wandte den Blick von den blubbernden Töpfen auf dem Herd ab und strahlte mich übertrieben fröhlich an.

«Hi! Ich habe Sie gar nicht gehört! Das Essen ist in einer Viertelstunde fertig.»

«Kann ich helfen?»

Sie blies sich eine Haarsträhne aus dem Gesicht. Sie wirkte verschwitzt und genervt. «Nein danke. Machen Sie es sich bequem.»

Ich schaute Trasks Tochter an. Sie war blass und hatte Augenringe. An Händen und Handgelenken trug sie Pflaster, und unter dem langärmligen Oberteil zeichneten sich an den Armen wulstige Verbände ab.

«Hallo, Fay. Wie geht es dir?»

Sie zuckte ausdruckslos mit den Schultern. «Gut.»

«*Danke*, gut», sagte Rachel und fing sich einen giftigen Blick ein. «Wir haben versucht, den Arzt zu überreden, ihr auch so einen Kragen zu verpassen. Aber aus irgendeinem Grund hat er sich geweigert.»

Fay bedachte sie mit einem weiteren vernichtenden Blick und wandte sich wieder der Rührschüssel zu. Rachel warf mir über den gesenkten Kinderkopf hinweg einen Blick zu und verdrehte die Augen. Ich hielt die Flasche in die Höhe, die ich mitgebracht hatte. Der weiße Bordeaux war ursprünglich für Jason und Anja bestimmt gewesen. Er kam direkt aus dem Bootshauskühlschrank.

«Soll ich den aufmachen?»

«Ja, bitte.» Sie fügte ein stummes *Danke!* hinzu.

«Dad trinkt keinen Wein», sagte Fay, ohne den Kopf zu heben.

«Nein. Aber ich», sagt Rachel. «Und Dr. Hunter hätte vielleicht auch gern ein Glas.»

Das Mädchen schaute argwöhnisch drein. «Und warum? Es ist doch gar kein besonderer Anlass.»

«Muss es auch nicht. Manche Leute trinken zum Essen gern einen Schluck Wein.»

«Meinst du Alkoholiker?»

«Nein, die meine ich nicht», sagte Rachel übertrieben geduldig. «Komm schon, Fay, fang jetzt bitte nicht damit an.»

«Womit?»

«Das weißt du ganz genau.»

«Nein. Weiß ich nicht.»

Das Mädchen starrte sie herausfordernd an. Rachel schüttelte genervt den Kopf. «Okay. Schön. Kannst du den Hundekuchen jetzt bitte wegstellen und den Tisch decken?»

«Ich bin müde», sagte Fay, knallte die Schüssel auf die Anrichte und trampelte die Treppe hinunter.

Rachel seufzte, als die Schritte verklangen. «Dabei ist sie noch nicht mal im Teenageralter.»

«Kein Wunder, dass sie nach gestern so drauf ist.»

«Ja, ich weiß. Aber diese Prinzessinnen-Allüren sind nichts Neues, sie weiß lediglich, dass sie momentan damit durchkommt.» Sie lächelte freudlos. «Und? Froh, dass Sie gekommen sind?»

Das war ich ursprünglich tatsächlich gewesen, aber inzwischen fragte ich mich, ob es wirklich eine gute Idee gewesen war. Einladung hin oder her, in diesem Haus herrschte auch ohne meine Gegenwart schon genug Anspannung.

«Ich habe die Jacke vergessen, die Sie mir geliehen haben», zog ich mich auf sicheres Terrain zurück.

«Macht nichts. Die ist sowieso alt. Die können Sie einfach im Bootshaus hängen lassen.» Sie nickte demonstrativ in Richtung Weinflasche. «Der Korkenzieher liegt in der obersten Schublade.»

«Meinetwegen müssen Sie den nicht extra aufmachen.»

«Nein. Hören Sie bitte nicht auf Fay. Sie ist ... eben einfach Fay. Andrew trinkt nicht mehr, aber es stört ihn nicht, wenn andere es tun. Emma hat definitiv gern getrunken, und ich hätte jetzt wirklich auch gern ein Glas.» Sie zuckte zusammen. «Gott, jetzt klinge ich tatsächlich wie eine Alkoholikerin. Aber das war heute mal wieder einer dieser Tage.»

Ich suchte den Korkenzieher, öffnete die Flasche und schenkte den Wein in die Gläser, die Rachel mir hingestellt hatte. «Kann ich wirklich nicht helfen?», fragte ich, während sie mit den Töpfen hantierte.

«Nein danke. Es ist fast fertig. Aber Sie könnten den Hundekuchen in den Gefrierschrank stellen. Auf der Arbeitsinsel steht eine Kuchenform, da können Sie den Teig reinfüllen.» Sie deutete auf die Rührschüssel, in der Fay so lustlos herumgerührt hatte. Sie enthielt eine bräunliche Masse. Direkt daneben stand eine Kuchenform.

«Aha? Und was wird das, ein Leckerli für Cassie?», fragte ich unsicher und löffelte die klebrige Masse in die Kuchenform.

Rachel fing an zu lachen. «Nein. Das ist der Nachtisch. Biskuitbrösel, Rosinen und zerlassene Schokolade, so eine Art Kalter Hund. Hundekuchen ist nur der familieninterne Scherzname, weil es aussieht wie, na ja ...»

«Hundefutter?»

Ich war froh, sie lachen zu sehen. «Schmeckt besser, als es aussieht. Versprochen.»

Schritte auf der Treppe verrieten, dass Trask sich zu uns

gesellte. In der hellen Küchenbeleuchtung stellte ich fest, dass er besser aussah als beim letzten Mal, wenn auch nicht viel. Der fadenscheinige Pullover war durch ein ausgeblichenes schwarzes Jeanshemd ersetzt worden, und die unrasierten, grau melierten Bartstoppeln wurden langsam zu einem richtigen Bart. Er trug Jeans, die Brille hatte er auf den Kopf geschoben.

Er registrierte die gefüllten Weingläser. «Gute Idee.»

Rachel wirkte erstaunt, als er an den Schrank trat und ein zusätzliches Glas herausnahm. «Entschuldige. Ich dachte, du möchtest keinen.»

«Tja. Tue ich aber.»

Er schenkte sich schwungvoll ein, und Rachel wandte sich ab, aber es gelang ihr nicht ganz, ihr Unbehagen zu verbergen. Ich hoffte, ich hatte nicht versehentlich in ein Wespennest gestochen, indem ich den Wein mitgebracht hatte.

Trask trank einen Schluck und nickte anerkennend. «Den haben Sie aber nicht in Cruckhaven gekauft.»

«Nein. Bei Tesco.»

«Ah, dachte ich mir doch gleich, dass ich die Hanglage kenne.» Er gab sich Mühe, gesellig zu sein. Sie hatten in letzter Zeit sicher nicht oft Gäste zum Essen im Haus.

«Danke für die Einladung», sagte ich. «Ich habe mich wirklich darüber gefreut.»

«Machen Sie sich nicht lächerlich, das ist das Mindeste, was wir tun können», sagte er, aber es klang nach einer hohlen Floskel. Er trank noch einen Schluck Wein, nahm die Flasche zur Hand und schenkte uns allen nach. Mir auch, ehe ich ihn aufhalten konnte. «Wo steckt Fay eigentlich? Ich dachte, sie sollte helfen?»

«Hat sie auch. Sie musste nur mal kurz aufs Klo.» Rachel

trug einen Topf zur Spüle und schüttete das Kochwasser ab. Vielleicht konnte ich ihrer Stimme die kleine Notlüge nur deshalb anhören, weil ich Bescheid wusste. Trask schien jedenfalls nichts zu merken.

«Und Jamie?»

«Der ist draußen beschäftigt», sagte ich.

Trasks Gesicht wurde hart. «Womit?»

«Keine Ahnung», sagte ich und hoffte, dass ich nicht zu viel gesagt hatte.

Er warf Rachel einen Blick zu. «Ich habe gesagt, dass er heute mit uns zu Abend essen wird. Ich hoffe für ihn, dass er nicht schon wieder die Fliege macht.»

«Macht er nicht. Er weiß Bescheid.» Rachels Tonfall klang betont neutral, so, als wäre sie diese Form von Mediation gewohnt. «Kann bitte jemand den Tisch decken?»

Ich stand auf, doch Trask winkte ab. «Das mache ich. Ich wage zu behaupten, dass Sie heute schon genug geleistet haben, Dr. Hunter.»

Diese Anspielung auf meine Arbeit verursachte mir kribbelndes Unbehagen. «Nennen Sie mich David», sagte ich, ohne weiter auf ihn einzugehen.

Trask holte Besteck und geflochtene Sets aus einer Schublade und machte sich daran, den großen Rosenholz-Esstisch zu decken. «Und? Wissen Sie schon, wie lange Sie noch bleiben werden?»

«Wahrscheinlich ein paar Tage. Aber falls es ein Problem ist, dass ich noch länger im Bootshaus wohne, finde ich sicher auch was anderes.»

«Wäre es ein Problem, hätten wir Sie nicht dort untergebracht.» Er deckte den Tisch zu Ende und trank noch einen Schluck Wein. Er musterte die beinahe leere Flasche, ging an den Kühlschrank und suchte eine neue heraus. «Und? Wie laufen die Ermittlungen?»

Ich sah, wie Rachel ihm einen nervösen Blick zuwarf. «Machen Fortschritte.»

«Fortschritte.» Er nahm den Korkenzieher aus der Schublade und ritzte mit der Spitze die Folie um den Flaschenhals ein. «Was ist mit dem Ding aus dem Fluss? Schon irgendeine Ahnung, wer das ist?»

«Andrew, ich bin mir sicher, dass David darüber nicht ...»

«Ich bin mir sicher, David kann selbst antworten.» Er drehte den Korkenzieher in die Flasche. «Ich bin ein guter Junge gewesen. Ich habe mit keinem Sterbenswörtchen nach Villiers gefragt. Und ich denke, ich habe ein Recht darauf, zu erfahren, mit wessen Leiche meine Tochter sich ein Bad im Stacheldraht geteilt hat.»

Mit einem lauten *Plopp* löste sich der Korken aus dem Flaschenhals. Trask stellte die Flasche ab und sah mich herausfordernd an, während Rachel uns besorgt beobachtete.

«Es tut mir leid, aber ich kann Ihnen nichts dazu sagen», erwiderte ich, was aus jedem Blickwinkel betrachtet die Wahrheit war.

«Wollen Sie damit sagen, die Polizei hat sich noch nicht dazu geäußert?»

«Nein, nicht zur Identität.»

Ich wusste es tatsächlich nicht. Ich hatte noch nicht einmal Gelegenheit gehabt, den von Lundy wie versprochen gemailten Obduktionsbericht zu lesen, den ich mir noch schnell runtergeladen hatte, ehe ich losgefahren war. Trask schien mit der Antwort nicht zufrieden zu sein, aber ehe er noch etwas sagen konnte, fiel unten die Haustür ins Schloss.

«Das ist sicher Jamie.» Rachel wirkte erleichtert über die Unterbrechung. Sie ging zur Treppe und rief hinunter: «Jamie, kannst du Fay bitte sagen, sie soll hochkommen? Das Essen ist fertig.»

Wir begaben uns an den Esstisch. Stumm schenkte Trask Rachel und mir den restlichen Wein ein, den ich mitgebracht hatte, und bediente sich aus der frisch entkorkten Flasche. Ich bemerkte, dass Rachel ihn unsicher musterte, doch sie sagte nichts.

Mir wurde klar, dass ich Trasks Einladung nie hätte annehmen dürfen. Das Bootshaus zu mieten, war eine Sache, aber mit dem Mann zu Abend zu essen eine ganz andere. Natürlich war es zu viel verlangt, zu erwarten, dass er das Thema Ermittlungen ausklammern würde. Außerdem hätte ich über genug Verstand verfügen müssen, um zu erkennen, in was für eine Lage ich mich selbst damit brachte. Alle nicht unmittelbar in die Ermittlungen Eingeweihten glaubten nach wie vor, Leo Villiers wäre tot und dass es seine Leiche wäre, welche die Polizei aus dem Mündungsgebiet geborgen hatte. Und ich setzte mich gerade mit der Familie einer Vermissten zum Abendessen an einen Tisch und tat, als wüsste ich nicht, dass ihr mutmaßlicher Mörder noch am Leben war.

Was hatte ich mir dabei gedacht?

Rachel brachte ein paar Schüsseln an den Tisch, und ich spürte ihren Blick auf mir. Ich zwang mich zu einem Lächeln. Jetzt war ich nun mal hier. Ich musste das Beste daraus machen.

Fay kam die Treppe heraufgetrottet, eine Leidensmiene äußerster Langeweile auf dem Gesicht. «Wo ist Jamie?», fragte Trask.

Seine Tochter zerrte mit lautem Scharren einen Stuhl

über den Boden und ließ sich daraufplumpsen. «Der sagt, er hat keinen Hunger.»

«Ich gehe ihn holen», sagte Rachel eilig, aber Trask war schon auf den Beinen. Er trug denselben schmallippigen Ausdruck zur Schau, den ich vorhin bei seinem Sohn gesehen hatte.

«Nein. Mach du weiter.»

Er ging die Treppe hinunter, und Rachel sah ihm angespannt nach. Während Fay damit beschäftigt war, den Hund, der sofort gekommen war und jetzt zu ihren Füßen lag, zu kraulen und ihm gut zuzureden, erhob ich mich vom Tisch und trat zu Rachel an den Ofen.

«Ich sollte gehen», sagte ich leise.

Rachel warf einen Blick zu Fay hinüber, holte den Schmortopf aus dem Ofen und setzte ihn ab. Dann wandte sie sich mir zu. «Wenn Sie jetzt gehen, wird es noch schlimmer.»

Das war schwer vorstellbar. «Tut mir leid. Ich hätte nicht kommen dürfen.»

«Ich bin froh darüber», sagte sie leise.

Sie sah mich mit ihren grünen Augen an, und ich merkte, wie sich etwas in mir löste, ein Knoten, der schon so lange in mir gewesen war, dass ich ihn gar nicht mehr bemerkte. Rachel sah mir immer noch in die Augen, als Schritte auf der Treppe die Rückkehr von Trask und seinem Sohn verkündeten. Sie nahm einen Stapel Teller von der Anrichte und hielt sie mir hin. «Bitte?»

Ach, was soll's. Innerlich über mich selbst den Kopf schüttelnd, nahm ich ihr die Teller ab. Trask und Jamie kamen in dem Moment herein, als ich das Geschirr auf dem Tisch verteilte. Sie wirkten beide wenig glücklich und nahmen schweigend ihre Plätze ein. Jamie stieß demonstrativ einen

Seufzer aus und hielt den Blick starr auf seine zu dem Hund hinuntergebeugte Schwester gerichtet.

«Ihr könnt einen Wettbewerb veranstalten, wer mehr Verbände hat.»

«Halt den Mund.»

«Ich glaube, Cassie gewinnt. Wir sollten sie ab jetzt Frankencassie nennen.»

«Sicher nicht!»

«Meister, Meister, es *lebt*! Es bellt!»

«Hör auf! Du siehst selber aus wie Frankenstein.»

«Und ich habe einen Hund erschaffen! Sitz! Frankencassie, sitz!»

«Sei *still*!», sagte seine Schwester zu ihm, aber sie hatten inzwischen beide angefangen zu lachen.

«Es ist gut, jetzt beruhigt euch wieder», sagte Trask, und der kurze Augenblick verflog. Das Schweigen senkte sich wieder über den Tisch, als Rachel den Schmortopf brachte.

Das Kratzen der Kelle in dem gusseisernen Topf hallte zu laut durch den Raum. Ich sah zu dem großen Fenster hin und stellte fest, dass die Nacht es wieder in einen dunklen Spiegel zurückverwandelt hatte. Der Fluss war hinter einer unscharfen Reflexion des Raumes verschwunden, wo an einem identischen Tisch wie unserem noch fünf Menschen versammelt saßen. Sie wirkten ebenso wenig fröhlich wie wir.

«Nehmt euch auch Ofenkartoffeln und Broccoli», sagte Rachel, während sie aus dem Schmortopf Fleisch und Soße auf die Teller schöpfte.

Fay verzog das Gesicht. «Ich *hasse* Broccoli.»

«Ja. Weil das gut für die grauen Zellen ist und du keine grauen Zellen hast.» Der Tonfall ihres Bruders war genauso neckend wie eben, aber diesmal sah seine Schwester ihn böse an.

«Ich bin schlauer als du.»

«Ja, klar. Träum weiter.»

«Bin ich! Wenn du so schlau bist, warum hast du dann dein Probeexamen versemmelt?»

«Es reicht!», fuhr Trask seine Kinder an. «Fay, iss dein Gemüse und hör mit der Angeberei auf.»

«Ich gebe nicht ...»

«Ich sagte, es reicht!»

Das Besteckklappern unterstrich die Stille noch. «Das schmeckt köstlich», sagte ich und hob die Gabel zum Mund.

Rachel lächelte, dankbarer für den Versuch, Konversation zu machen, als für das Kompliment. «Danke. Nennt sich Huhn Stroganoff, aber das ist nur ein schicker Name für Schmortopf mit Huhn und Pilzen.»

«Es ist sehr gut», sagte Trask pflichtschuldig. Er schenkte sich nach. Wieder merkte ich, wie Rachel ihn argwöhnisch beobachtete. Und Jamie ebenfalls.

«Bekomme ich auch ein Glas?»

«Nein.»

«Warum nicht?»

«Können wir jetzt einfach zu Abend essen, ja?»

«Ich verstehe nicht, warum ich nicht auch ein Glas Wein kriege. Ich bin achtzehn. Wenn ich weggehe, trinke ich schließlich auch.»

«Aber nicht unter meinem Dach. Sobald du auf die Uni gehst, kannst du tun und lassen, was du willst, aber bis dahin tust du, was ich sage.»

Jamies Gesicht hatte sich verdunkelt. «Ich gehe nicht auf die Uni, das habe ich dir schon mal gesagt.»

Trask brütete kurz vor sich hin und aß dann weiter. «Fang nicht wieder damit an.»

«Tue ich nicht. Du hast das Thema angesprochen.»

«Dann lass du es wieder fallen. Jetzt wird diese Diskussion jedenfalls nicht geführt.»

«Schön. Da gibt es sowieso nichts zu diskutieren. Das ist meine Entscheidung, und ich habe sie bereits getroffen.»

Fay hatte langsam weitergekaut und die beiden mit großen Augen angesehen. «Ich will nicht, dass Jamie weggeht.»

Ihr Bruder lächelte sie angespannt an. «Schon okay. Ich gehe nirgendwohin.»

«Fay, du hältst dich da raus!», sagte Trask. «Und Jamie, du machst deiner Schwester keine Versprechungen, die du nicht halten kannst. Es ist nicht fair, ihr falsche Hoffnungen zu machen.»

«Was hat denn Fairness damit zu tun?», wollte Jamie wissen. «Es ist mein Leben, und ich kann damit machen, was ich will!»

«Jamie …», mahnte Rachel, doch weder er noch sein Vater beachteten sie.

«Sicherlich nicht!», fuhr Trask ihn an. «Ich lasse nicht zu, dass du dich wie ein Idiot aufführst und aus jugendlichem Leichtsinn deine Zukunft wegwirfst!»

«Ach so! Ja, klar, du bist natürlich Experte auf dem Gebiet. Von Anfang an wollte keiner hier raus, und jetzt schau dir doch an, was daraus geworden ist!»

Trask sprang auf. Die Stuhlbeine scharrten misstönend über den Holzfußboden. Hätte sein Sohn nicht am anderen Tischende gesessen, Trask hätte ihn wohl geohrfeigt. Verzweifelt überlegte ich, womit ich die Situation entschärfen könnte, aber mir fiel nichts ein.

«Was willst du? Mich schlagen?» Jamie war bleich geworden. «Na los, worauf ...»

«*Hört auf!*» Rachels Stimme durchschnitt die aufgela-
dene Atmosphäre im Raum. «Himmel noch mal, *hört auf*!
Und zwar beide!»

Alle starrten sie an. Sie hielt den Blick auf die Tischplatte
gesenkt, ihre Brust hob und senkte sich schwer. Die Anspannung verstärkte sich mehr und mehr. Trask holte Luft, um
etwas zu sagen, doch im selben Augenblick kam plötzlich
von unten lautes Hämmern.

Jemand war an der Haustür.

KAPITEL 19

❧

Es war, als wäre eine Blase geplatzt. Ein oder zwei Sekunden lang reagierte keiner von uns, dann kam Trask als Erster wieder zu sich.

«Wer zum Teufel ist das?» Er drehte sich zur Treppe um. Wer auch immer da unten vor der Haustür war, wollte unsere Aufmerksamkeit. Ich spürte den Boden vibrieren, so heftig waren die Schläge gegen das Holz. Der Hund fing an zu bellen und trug das Seine zu dem Lärm bei.

«Ich gehe. Still, Cassie», sagte Rachel und stand auf. Trask sah verärgert aus. Er gebot ihr mit einer Geste Einhalt.

«Nein. Du bleibst hier.» Offensichtlich froh über den Vorwand, verschwand er nach unten. «Schon gut! Ist ja schon *gut*!»

Das Hämmern riss nicht ab. Rachel wandte sich an Jamie: «Alles okay?»

Er nickte, aber sein Gesicht war immer noch hochrot. «Ja.»

«Die treten noch die Tür ein!», sagte Fay, als das Hämmern sogar noch lauter wurde. Sie klang entrüstet und ängstlich zugleich.

«Meine Güte! Schon *gut*, habe ich gesagt!», war Trasks

Stimme von unten zu hören. Die Haustür wurde entriegelt, und der Lärm brach ab. «Okay. Was zum …»

«Wo steckt das kleine Arschloch?»

Plötzlich war Tumult zu hören. Dann polterten schwere Schritte die Treppe herauf, ich sprang auf, und plötzlich kam Coker ins Zimmer gestürmt.

Der ölverschmierte Arbeitsoverall und die Cap waren durch Jeans und ein kurzärmeliges T-Shirt ersetzt worden, das sich eng über Bizeps und Bauch spannte. Der korpulente Besitzer der Bootswerkstatt kam mit wutverzerrtem Gesicht direkt auf Jamie zu.

«Du kleiner Scheißer! Ich bring dich um!»

Ich trat Coker mit erhobenen Händen in den Weg, um ihn aufzuhalten. Ich hatte keine Chance. Er stieß mich beiseite, und als ich seinen Arm packte, spürte ich seine massige Kraft.

«Gehen Sie mir aus dem Weg, verdammte Scheiße!»

Er versuchte, sich loszureißen, und sein Handrücken landete, ob mit Absicht oder aus Versehen, mitten in meinem Gesicht. Eine Glühbirne explodierte vor meinen Augen und blendete mich, und brennender Schmerz schoss mir durch die Nase. Ich klammerte mich an ihn und atmete, während ich versuchte, ihn zurückzuhalten, seinen scharfen Geruch nach Öl und Schweiß ein. Ich spürte, wie sich unter dem Fett die Muskulatur anspannte, doch anstatt mich einfach abzuschütteln, erstarrte er auf einmal.

Ich blinzelte, um wieder klar zu sehen, und dann merkte ich auch, warum.

Rachel hatte Fay den Arm um die Schultern gelegt und hielt mit der anderen Hand den bellenden Hund am Halsband fest. Jamie hatte sich vor die beiden gestellt, blass, aber wild entschlossen. Das lange Brotmesser in seiner Faust war direkt auf Coker gerichtet.

«Was hast du damit vor?», rief Coker höhnisch.

Doch er blieb auf Abstand. Ich hielt noch immer seinen Arm gepackt, und während ich mich fragte, was ich jetzt tun sollte, drückte Rachel Fay schon das Hundehalsband in die Hand und machte einen Schritt auf Coker zu.

«Was zum Teufel ist *los* mit Ihnen? Was fällt Ihnen eigentlich ein?»

Coker war offensichtlich verblüfft darüber, dass sie sich ihm entgegenstellte. Er deutete mit dem Kinn zu Jamie rüber.

«Fragen Sie ihn!»

Jamie machte ein verwirrtes Gesicht, dann wanderte sein Blick an Coker vorbei, und sein Ausdruck veränderte sich. «Dad? Bist du okay?»

Trask war am Ende der Treppe aufgetaucht, erschüttert und zerzaust, aber unverletzt. Mit geballten Fäusten nahm er die Szene in sich auf.

«Sie haben fünf Sekunden, um zu verschwinden. Dann rufe ich die Polizei.»

Coker riss sich von mir los. «Gut! Nur zu! Und erzählen sie denen, was Ihr beschissener Sohn getan hat!»

«Und das wäre?»

«Er hat versucht, Stacey zu vergewaltigen!»

Jamie starrte ihn entgeistert an. «*Was?* Das ist doch völliger Schwachsinn!»

«Sie hat mich angerufen, völlig verängstigt!», geiferte Coker. «Sie hat gesagt, du steigst ihr seit Wochen nach, akzeptierst kein Nein. Und weil sie ihre Meinung nicht geändert hat, hast du es schließlich mit Gewalt versucht!»

«Ich, mit *Gewalt*, bei ihr? Sie machen wohl Witze. Sie hat mich *angebettelt*, sie zu … »

Trasks Stimme war wie ein Peitschenhieb. «Das reicht!»

«Aber Dad … »

«Ich sagte, es *reicht*. Und leg um Gottes willen das Scheißmesser weg!» Er wandte sich an Coker. «Wann soll das passiert sein?»

«Es gibt kein soll, die beiden haben sich heute Nachmittag nach der Arbeit gesehen», spie Coker ihm entgegen. «Sie hat mich heulend angerufen. Ich musste ihr versprechen, nicht zur Polizei zu gehen. Sie wollte nicht, dass das kleine Schwein Schwierigkeiten kriegt.»

Jamie warf die Arme in die Luft. «Ach, bitte! Sie ist hier rausgekommen, wollte, dass ich mit ihr morgen auf irgendeine Scheißparty fahre, und weil ich nein gesagt habe, hat sie mir eine gepfeffert und ist abgehauen! Die macht ständig Ärger!»

«Sie hätte dir die Eier abreißen sollen, anstatt dir nur eine reinzuhauen.» Coker hatte die Fäuste geballt, aber er riss sich zusammen. «Stacey wäre nie noch mal hier rausgekommen. So dämlich ist sie nicht! Du hast sie angerufen und so getan, als müsstest du ihr dringend etwas sagen, hast sie überredet, sich mit dir irgendwo außerhalb der Stadt zu treffen, und dann bist du über sie hergefallen! Hast ihr fast das Oberteil zerrissen!»

«Dad! Das ist Schwachsinn!»

«Jamie war den ganzen Tag zu Hause», sagte Trask mit eisiger Stimme. «Ich weiß zwar nicht, was Ihre Tochter getan hat, aber ich kann Ihnen versichern, dass mein Sohn nirgendwo war.»

«Woher wollen Sie das wissen? Haben Sie ihn etwa die

ganze Zeit unter Beobachtung gehabt, oder was?», höhnte Coker. «Sie haben schon mal für ihn gelogen, und jetzt tun Sie es wieder.»

Der Streit ging mich nichts an, aber ich wusste etwas, das sie nicht wussten, und das durfte ich nicht für mich behalten. «Um welche Uhrzeit war das?», fragte ich.

Coker starrte mich an. «Was zum Teufel geht Sie das an?»

«Etwa vor einer Stunde hätte mich vor dem Bootshaus fast ein weißer Ford Fiesta mit Rallyestreifen über den Haufen gefahren», sagte ich. «Er kam von hier und raste Richtung Stadt.»

Mit malmendem Kiefer verdaute Coker diese Information. «Scheiß drauf! Stacey würde sich niemals wieder in dieser Gegend blicken lassen.»

Ich zögerte kurz und beschloss dann, es ihm zu erzählen. «Am Wochenende ist sie auch hier gewesen. Ich habe sie gesehen, während ich darauf gewartet habe, dass mein Auto repariert wird.»

Hätte er den Auftrag angenommen, hätte er sie womöglich mit eigenen Augen zu sehen bekommen, aber den Hinweis sparte ich mir. Trask sah seinen Sohn wütend an.

«Stacey war hier?»

Coker gab Jamie nicht die Chance zu antworten und ließ seinen Zorn an mir aus. «Sie lügen doch! Sie decken die!»

«Herrgott noch mal! Warum sollte ein völlig Fremder sich die verdammte Mühe machen, sich so was auszudenken?», herrschte Trask ihn an. «Und wie wär's, wenn Sie ausnahmsweise mal kurz an meine Tochter denken würden? Sie ist heute Morgen aus dem Krankenhaus entlassen worden, und

Sie kommen einfach so in ihr Zuhause gestürmt und bedrohen uns?»

Bis zu dem Augenblick hatte Coker Fay wahrscheinlich überhaupt nicht bemerkt. Unsicherheit lag in seinem Blick, als er auf das verängstigte Mädchen hinunterblickte, das sich hinter Rachel versteckte, und jetzt fielen ihm auch die Pflaster und Verbände auf den dünnen Armen auf.

Aber er war zum Rückzug noch nicht bereit und griff Jamie aufs Neue an.

«Stacey denkt sich so was doch nicht einfach aus! Ich weiß genau, dass du ihr was angetan hast, du kleines Arschloch!»

Er erntete ein bitteres Hohnlachen. «Ja, klar. Weil sie ja auch so eine …»

«Jamie!» Trask starrte seinen Sohn böse an und wandte sich wieder an Coker. «So. Sie haben gesagt, was Sie sagen wollten. Und jetzt raus, oder ich hole die Polizei.»

Kurz hatte Coker gewirkt wie in die Ecke getrieben. Jetzt kehrte sein Zorn zurück. Er drohte Jamie mit dem Zeigefinger. «Komm du meiner Tochter noch ein einziges Mal zu nahe, dann bring ich dich um!» Er drängte sich an mir vorbei und rumpelte die Treppe hinunter. Einen Augenblick später fiel donnernd die Haustür zu. Ein paar Sekunden lang rührte sich keiner vom Fleck, sagte keiner ein Wort. Dann wandte Trask sich an seinen Sohn.

«Was hast du getan?»

«Ich habe gar nichts getan! Du weißt, wie sie ist.»

«Ja, das weiß ich, und ich frage dich, was du getan hast, das sie dazu getrieben hat, ihrem Vater eine derartige Lüge aufzutischen. Also? Was hast du zu ihr gesagt?»

«Nichts. Ich hab nur … Ich habe sie fette Kuh genannt

und ihr gesagt, sie soll sich endlich verpissen und irgendwo verrecken, okay? Sie hat mich einfach nicht in Ruhe gelassen. Ich meine, wieso kapiert die das nicht, und ...»

«In mein Arbeitszimmer.»

«Dad, ich schwör dir ...»

«Sofort.»

Mit hängenden Schultern folgte Jamie seinem Vater die Treppe hinunter. Als er am Tisch vorbeikam, knallte er das Messer hin, das er in der Hand gehalten hatte.

Es kreiselte auf der Tischplatte um die eigene Achse, wurde langsamer und blieb schließlich liegen.

Rachel begleitete mich zum Wagen. Sie hatte den halbherzigen Versuch unternommen, mich zum Bleiben zu bewegen, doch wir wussten beide, dass es besser war, wenn ich ging. Während sie mir ein wenig Essen einpackte, taten wir, als würden wir die lauten Stimmen nicht hören, die aus Trasks Arbeitszimmer drangen. Während ich ihr zusah, wie sie etwas von dem Huhn Stroganoff in eine Plastikschüssel löffelte, tat sie mir plötzlich leid. Die Umstände und ihr Gewissen zwangen sie, bei einer Familie zu bleiben, mit der sie einzig eine gemeinsam durchlittene Tragödie verband.

Es war kalt geworden, und die feuchte Nachtluft roch nach Marschland. «Was macht die Nase?», fragte sie, während wir über den Pfad durch das Birkenwäldchen liefen.

Ich tastete behutsam danach. Die Stelle, an der Coker mich erwischt hatte, war zwar noch empfindlich, aber wenigstens blutete es nicht. «Ich werd's überleben.»

«Freut mich.» Ihr Lächeln versiegte. «Kein besonders friedliches Abendessen, oder?»

«Das war ja wohl kaum Ihr Fehler.»

«Nein, aber offensichtlich zerren wir Sie ständig in unsere Probleme mit rein. Wissen Sie noch, als ich Ihnen erzählte, es gäbe eine Geschichte zwischen Jamie und Stacey? Na ja, es war doch ein bisschen komplizierter.»

Das hatte ich mir schon gedacht. «War sie schwanger?»

Rachel nickte. «Das war alles, ehe ich herkam. Jamie hatte mit ihr Schluss gemacht, was Coker ihm schon übel genug genommen hat. Dann verkündete Stacey, sie sei schwanger, und behauptete, Jamie wäre der Vater. Das wäre möglich gewesen, aber … sie ist ein gutes Stück älter als er, und sagen wir so: Er war nicht der einzige Kandidat. Jedenfalls ist Coker völlig ausgerastet und hat Jamie die Schuld gegeben. Es gab einen unglaublichen Krach, und Emma hat nicht eben zur Glättung der Wogen beigetragen. Sie bezeichnete Stacey unter anderem als ‹fettes Flittchen›, und das gehörte eher noch zu den netteren Dingen. Schließlich kam es zu einer Abtreibung, aber die ganze Sache hat jede Menge offener Wunden zurückgelassen. Wie Sie vielleicht bemerkt haben dürften.»

«Was wird Stacey Ihrer Meinung nach jetzt unternehmen?»

«Ich hoffe, sie lässt ihn endlich in Ruhe. Ich bin froh, dass Sie sie gesehen haben, sonst stünde ihr Wort gegen das von Jamie, und die Dinge hätten sehr unangenehm werden können. Sie war außer sich und hat sich wohl deshalb zu einer solchen Anschuldigung verstiegen. Ich wage zu behaupten, dass sie ihre Lüge längst bereuen wird, wenn Coker nach Hause kommt.» Sie zuckte müde mit den Schultern. «Egal, es ist nicht allein ihre Schuld. Jamie hätte so was nicht sagen dürfen. Ich glaube, im Moment stehen alle ziemlich unter Druck.»

Das war untertrieben. Ich hatte nur einen Abend bei

der Familie verbracht und fühlte mich völlig ausgelaugt. «Tut mir leid, falls der Wein noch dazu beigetragen haben sollte.»

«Wegen Andrew, meinen Sie?» Sie schüttelte den Kopf. «Das ist eigentlich kein Thema. Wie ich schon sagte, er ist kein Alkoholiker oder so. Aber er hat nach Emmas Verschwinden angefangen, mehr zu trinken, und damit aufgehört, als ihm klarwurde, dass die Dinge ihm entglitten.»

«Indem er Leo Villiers konfrontierte, zum Beispiel?»

«Ja, das war auch nicht besonders konstruktiv. Und Sie haben ja gesehen, wie schnell die Dinge zwischen ihm und Jamie eskalieren können. Die beiden sind sich sehr ähnlich und reiben sich ständig aneinander. Wenn Andrew getrunken hat, ist es schlimmer.»

Wir hatten das Wäldchen durchquert und standen vor meinem Wagen. Rachel blickte zum Haus zurück, ein zwischen den Silhouetten der Bäume gerade eben zu erkennender dunkler Würfel mit gelb strahlenden Fenstern.

«Alles okay?», fragte ich.

«Bei mir?» Sie hob die Schultern. «Ja. Mir geht's gut.»

Es klang nicht danach. In mir hatte sich eine Anspannung aufgebaut, und ich redete drauflos, ohne groß nachzudenken. «Hören Sie, falls Sie morgen Abend noch nichts vorhaben, könnten wir doch essen gehen. Oder auf einen Drink oder so.»

Sie wirkte erstaunt, und mein Magen zog sich zusammen. *Wo kam das denn plötzlich her?* Vor nicht mal einer Stunde hatte ich bereut, Trasks Einladung angenommen zu haben; und jetzt fragte ich Rachel, ob sie Lust hätte, mit mir auszugehen. Hätte ich gekonnt, ich hätte die Worte zurückgenommen.

Doch sie lächelte. «Eigentlich gerne. Allerdings gibt es in dieser Gegend nicht gerade viel Auswahl.»

«Kein Problem. War sowieso eine blöde Idee.»

«Nein! Es ist eine gute Idee. Ich sage ja nicht, dass ich nicht möchte, ich sage nur, dass wir dazu meilenweit fahren müssten.» Sie zögerte. «Wenn Sie Lust haben, könnte ich uns im Bootshaus etwas kochen.»

«Äh … ja … Sind Sie sicher?»

«Klar. Wie wär's gegen sieben?»

Ich sagte, sieben Uhr sei in Ordnung.

Auf der Rückfahrt zum Bootshaus schwankte ich zwischen Euphorie und Besorgnis. Es sei lediglich ein Abendessen, redete ich mir ein; dass Rachel wahrscheinlich für jede Gelegenheit dankbar war, mal einen Abend aus Creek House rauszukommen. Trotzdem war mir klar, dass ich mich damit eher noch mehr in die innerfamiliären Probleme der Trasks verstrickte und die Dinge damit zumindest potenziell komplizierter machte.

Egal. Von den Umständen mal abgesehen, hatte ich mich seit … na ja … einer Ewigkeit nicht mehr so gefühlt.

Im Bootshaus stellte ich den Heizlüfter an, um die nächtliche Kühle zu vertreiben, und nahm das noch immer warme Essen mit an den Tisch. Mit dem sanften warmen Luftstrom im Hintergrund, schaltete ich das Laptop ein und aß, während ich die Mail öffnete, die Lundy mir heute Nachmittag geschickt hatte. Neben dem Obduktionsbericht von den menschlichen Überresten aus dem Stacheldraht hatte mir der DI ein Bild von der maßgefertigten Schrotflinte geschickt, die gleichzeitig mit Leo Villiers verschwunden war. Ich mochte keine Waffen und war auch noch nie Fan vom Schießsport gewesen, doch selbst ich musste zugeben, dass es sich um ein wunderbares Stück Handwerkskunst handelte.

Die Mowbry war doppelläufig, wobei die beiden Läufe übereinander angeordnet waren anstatt, wie sonst üblich, nebeneinander. Der Schaft bestand aus poliertem Mahagoni und der Doppellauf aus rauchig blauschwarzem Metall, das beinahe zu leuchten schien. Das charakteristischste Merkmal jedoch waren die aufwendig ziselierten Silberbeschläge mit der Gravur von Leo Villiers' Initialen.

Allerdings hatte der Tote, der in der Leichenhalle lag, die ästhetische Schönheit der Waffe, die ihn ermordet hatte, sicher nicht zu schätzen gewusst.

Lundy hatte dem Foto einen Zweizeiler angefügt.

Zur Info: Lauflänge 81 cm. Laut Frears für die Estuary-Leiche zu lang, um Waffe gegen sich zu richten und Abzug zu bedienen.

Ging man davon aus, dass der Schuss aus Leo Villiers' abgängiger Mowbry stammte, was wir taten, schloss das einen Selbstmord endgültig aus. Nicht dass er noch ernsthaft in Betracht gezogen wurde, seit wir wussten, dass es sich bei der Leiche nicht um Leo Villiers handelte.

Ich öffnete die Datei mit dem Obduktionsbericht. Nicht eben der ideale Lesestoff zum Abendessen, aber mein Beruf hatte mich schon vor langem davon geheilt, allzu zimperlich zu sein. Dennoch fiel es mir ausnahmsweise schwer, mich zu konzentrieren. Meine Gedanken wanderten ständig zu Rachel zurück, bis die Worte auf dem flimmernden Bildschirm endlich meine Aufmerksamkeit fesselten. Als mein Gehirn schließlich verarbeitet hatte, was ich da las, ließ ich die Gabel mitsamt dem Stückchen Hähnchenfleisch, das darauf steckte, sinken. Die Brüche an Arm und Bein, die ich hatte entdecken können, während die Leiche im Stacheldraht hing, waren nicht die einzigen Verletzungen, die dem Körper zugefügt worden waren. Es gab noch andere. Eine *Menge* anderer Verletzungen. Ich griff nach Papier und Stift. Mir war bereits aufgefallen, dass der Kopf unnatürlich lose herunterhing, selbst wenn man den Zeitraum mit in Betracht zog, den die Leiche unter Wasser gelegen hatte. Der Kopf ist wegen der dicken Muskel- und Sehnenstränge, die ihn stützen, normalerweise das letzte Körperteil, das sich während des Verwesungsprozesses im Wasser vom Rumpf löst. Nun las ich, dass zwei Halswirbel gebrochen waren, und zwar offenbar unter extremer Gewalteinwirkung. Außerdem waren die rechte Tibia und Fibula nicht nur direkt am Schienbeinansatz gebrochen, sondern auch am Knie. Das gleiche Bein wies eine ausgerenkte Hüfte auf. Der runde Kopf des Oberschenkelknochens war komplett aus der Gelenkpfanne gerissen.

Nachdenklich tippte ich mir mit dem Stift ans Kinn. Natürlich war es theoretisch möglich, dass die multiplen Traumata durch die Kollision des im Wasser treibenden Leichnams mit einem Boot herrührten, und das würde ebenfalls die tiefen Schnittwunden im Gesicht erklären. Aber dazu hätte die Kollision schon sehr heftig sein müssen. Und es hätte wahrscheinlich auch mehr als nur eines Zusammenstoßes bedurft, dachte ich angesichts des Ausmaßes der Verletzungen.

Dann entdeckte ich etwas, das mich wirklich vom Stuhl riss.

Ich las den Abschnitt ein zweites Mal und öffnete den Anhang mit den begleitenden Röntgenaufnahmen. Das Ausmaß der grauenvoll scharfen Schnittwunden an den

Gesichtsknochen war selbst auf den grobkörnigen 2-D-Aufnahmen gut zu erkennen. Die Schiffsschraube – falls es denn eine Schiffsschraube gewesen war – hatte massive Schäden verursacht und machte aus jeglicher potenzieller Rekonstruktion eine komplizierte Herausforderung.

Doch mich interessierte etwas anderes. Die ganze Welt schrumpfte zu dem vom Bildschirm meines Laptops beleuchteten Stückchen Tisch zusammen, als ich die Röntgenaufnahme des Kraniums vergrößerte. Ich zoomte einen bestimmten beschädigten Bereich heran und beschwerte mich leise über die sehr beschränkten Ansichtsmöglichkeiten von zweidimensionalen Röntgenbildern. Dann entdeckte ich es, wie ein Muster, das sich plötzlich aus einem Puzzle ergab.

«Und wie bist du da hingeraten?», murmelte ich und starrte den Bildschirm an. Mein lauwarmes Essen interessierte mich nicht mehr.

Danach war ich viel zu aufgedreht, um zur Ruhe zu kommen. Mein Geist vibrierte noch immer, als ich zu Bett ging. Gedanken an Rachel durchzuckten meinen Kopf wie kleine Blitze, gefolgt von Überlegungen zu dem Fall. Ich hatte zum ersten Mal das Gefühl, als würde endlich ein Lichtstrahl ins Dunkel dringen, als würden die Dinge endlich an ihren Platz rutschen; was mein eigenes Leben betraf und was die Ermittlungen anging. Aber ich hätte es besser wissen müssen.

Denn Stacey Coker kam an jenem Abend nicht nach Hause.

KAPITEL 20

✦

Wie Lundy später berichtete, war Coker, nachdem er aus dem Haus gestürmt war, heimgefahren, um seine Tochter zur Rede zu stellen. Seine Frau hatte sich vor Jahren von ihm scheiden lassen, und er lebte mit Stacey allein in einem Bungalow in der Nähe seiner Bootswerkstatt. Als er merkte, dass seine Tochter nicht da war, versuchte er, sie auf dem Handy zu erreichen, jedoch ohne Erfolg. Dann machte er sich ein Bier auf und saß wutschnaubend da, während er darauf wartete, dass sie nach Hause kam.

Doch Stacey kam nicht nach Hause.

Anfangs machte Coker sich keine Sorgen. Selbst als auch die Anrufe bei ihren Freunden kein Ergebnis brachten, war er mehr wütend als besorgt. Es wäre nicht das erste Mal, dass seine Tochter ihre Freundinnen überredet hatte, für sie zu lügen. Erst später, als die beharrlichen Verneinungen doch langsam nach Wahrheit klangen, dämmerte ihm, dass es diesmal anders war. Trotzdem war Coker noch immer davon überzeugt, dass seine Tochter sich nicht nach Hause traute, weil sie die Konfrontation mit ihm vermeiden wollte. Deshalb machte er sich erst in den frühen Morgenstunden des nächsten Tages auf die Suche nach ihr.

Nachdem er diejenigen ihrer Freundinnen abgeklappert

hatte, bei denen sie sich am wahrscheinlichsten verkriechen würde, erinnerte Coker sich daran, dass ich Stacey am Bootshaus hatte vorbeifahren sehen. Von dort aus gab es zwei Möglichkeiten, um zurück nach Cuckhaven zu fahren. Die eine galt als Hauptstraße, das war diejenige, die Coker am Vorabend selbst genommen hatte. Weil er auf dem Weg seiner Tochter nicht begegnet war, entschied er sich jetzt für die zweite Strecke. Diese führte ein Stückchen weiter in die Backwaters hinein und war zwar nicht so gut befahrbar, aber dafür bestens geeignet für jemanden, der nicht riskieren wollte, gesehen zu werden. Etwa eine Meile vor dem Bootshaus streiften Cokers Scheinwerfer eine Lücke in der Weißdornhecke am Straßenrand, an der er beinahe vorbeigefahren wäre. Aber sein Instinkt ließ ihn anhalten. Er stellte den Motor nicht ab, damit die Scheinwerfer die Lücke in der Hecke beleuchten konnten, stieg aus und entdeckte an den Zweigen frische Bruchstellen. Der Tidefluss dahinter war randvoll und dunkel. Trotzdem sah Coker unter der schwarzen Wasseroberfläche einen hellen Fleck schimmern.

Der hintere Kotflügel und das Rad eines Wagens.

Als die Polizei eintraf, hatte die Ebbe eingesetzt, und alle vier Räder des auf dem Dach liegenden Autos ragten aus dem Wasser. Reifenspuren markierten die Stelle in der Kurve, wo es von der Straße abgekommen war, ehe es sich überschlagen hatte und in schrägem Winkel über die flache Böschung ins Wasser gerutscht war. Das kleine weiße Auto mit dem roten Rallyestreifen auf der Kühlerhaube war verkehrt herum im Fluss gelandet, zwar auf dem Dach, aber trotzdem verkantet. Die Fahrertür stand offen, doch – wie Coker selbst längst festgestellt hatte, nachdem er ins Wasser gesprungen war – von der Fahrerin fehlte jede Spur. Nur eine Handtasche lag noch im Innenraum. Sie enthielt Stacey Cokers Geldbörse und ihren Führerschein.

«Sieht aus, als wäre sie zu schnell in die Kurve gefahren, hätte die Kontrolle verloren und wäre dann über die Böschung in den Fluss gekippt», erzählte Lundy mir.

Wir saßen in der Krankenhaus-Cafeteria an einem kleinen Tisch etwas abseits. Nicht dass viel los gewesen wäre: Der Mittagsansturm war vorüber und nur noch die Hälfte der Tische besetzt. Lundy war unangemeldet in der Leichenhalle aufgetaucht, um mir zu erzählen, was passiert war. Er hatte sich sichtlich unwohl gefühlt, während er bei mir am Seziertisch stand, hatte mit den losen Münzen in seiner Hosentasche geklimpert, während ich das verweste Gewebe der zweiten Leiche von den Knochen löste und mich daranmachte, die verbindenden Sehnen und Knorpel der großen Gelenke zu durchtrennen. Sich an so etwas zu stören, sah einem Police Officer nicht ähnlich, und beim Bergen der beiden Leichen hatte Lundy sich auch keinerlei Skrupel anmerken lassen. Dennoch wirkte er erleichtert, als ich ihm vorschlug, Mittagspause zu machen, und so begaben wir uns in die nahegelegene Cafeteria.

«Der Sicherheitsgurt war geöffnet. Es besteht also die Möglichkeit, dass sie sich befreien konnte und aus dem Wagen gekrochen ist», fuhr er fort und schüttelte ein zweites Tütchen Zucker in seinen Styroporbecher. «Oder sie war nie angeschnallt und wurde aus der Tür geschleudert, als der Wagen sich überschlug. In jedem Fall müssen wir davon ausgehen, dass die Flut sie fortgetragen hat, anderenfalls hätten wir sie inzwischen gefunden.»

Ich versuchte immer noch, diese neue Tragödie zu verdauen. Ich war heute Morgen über die Hauptroute in die

Leichenhalle gefahren und hatte deshalb nichts von dem abgesperrten Gebiet in den Backwaters mitbekommen, wo Stacey Cokers Auto gefunden worden war. Ich hatte keine Ahnung von den jüngsten Ereignissen, bis Lundy kam, um sich von mir die Vorkommnisse des Vorabends bestätigen zu lassen. Coker hatte der Polizei erzählt, dass seine Tochter am Bootshaus vorbeigerast war, was mich zur letzten Person machte, die sie vor dem Unfall gesehen hatte und wahrscheinlich auch zur letzten Person, die sie lebend gesehen hatte.

«Wie schnell war sie unterwegs?», wollte Lundy wissen.

Ich erinnerte mich an den Luftzug des vorbeirauschenden Fahrzeugs, der mich fast umgeweht hätte. «Sie war in einer Sekunde an mir vorbei, es ist schwer zu sagen. Auf alle Fälle schnell.»

Lundy nickte missmutig. Er sah müde aus. Die Augen waren verquollen, und er hatte eine ungesunde Gesichtsfarbe. Aber er war heute Morgen auch früh aus dem Bett geworfen worden. «Typisch. Sie war auf alle Fälle von Haus aus ein bisschen hitzköpfig, und sie hatte gerade einen Streit mit Jamie Trask hinter sich. Sie hat schon fünf Punkte wegen überhöhter Geschwindigkeit auf ihrem Konto.»

«Und was passiert jetzt?»

Er rührte den Tee mit einem Plastiklöffel um. «Die Helikoptereinheit und die Küstenwache sind unterwegs, und wo es in den Backwaters geht, sind Suchmannschaften zu Fuß im Einsatz. Aber Sie haben die Zustände dort ja selbst gesehen. Als ihr Dad das Auto fand, war die Flut schon wieder auf dem Rückzug, sie kann also überall gelandet sein. Die größte Chance, sie zu finden, besteht, falls die Ebbe sie zurückgezogen hat, weil sie dann früher oder später auf den Barrows angespült wird.»

Er sprach von einer Leiche, nicht von einer verletzten Vermissten. «Sie glauben also nicht, dass eine Chance besteht, dass sie noch am Leben ist?»

«Eine Chance besteht immer.»

Sein Tonfall ließ keinen Zweifel daran, wie unwahrscheinlich das seiner Meinung nach war. Selbst wenn es Stacey gelungen war, aus dem Auto zu kriechen, und sie nicht hinausgeschleudert worden war, hätte sie sich gegen den Sog des eiskalten Wassers behaupten müssen. Ich konnte mich noch lebhaft erinnern, wie überraschend stark er gewesen war, als mein Wagen auf dem Damm steckengeblieben war. Und dort war das Wasser nur knietief gewesen, und ich hatte keinen Unfall hinter mir. Benommen, vielleicht verletzt, das Gewicht durchnässter Kleidung am Körper und in der Dunkelheit womöglich desorientiert, wäre es bestimmt nicht leicht gewesen, das Ufer zu erreichen.

Die Tatsache, dass wir dieses Gespräch jetzt führten, legte nahe, dass sie es nicht erreicht hatte.

«Wie wird Coker damit fertig?»

Lundy trank mit unter dem Schnauzbart gespitzten Lippen einen Schluck Tee. «Wie zu erwarten. Wenn Jamie Trask nur einen Funken Verstand hat, geht er ihm aus dem Weg.»

Das war mir noch gar nicht in den Sinn gekommen, aber Lundy hatte recht. Jamie war zwar nicht für den Unfall verantwortlich, aber das würde Coker vermutlich anders sehen.

Wir verstummten inmitten des hallenden Geklappers der Cafeteria. Ich würgte pflichtbewusst ein labberiges Käsesandwich hinunter, und Lundy zog die Frischhaltefolie von einem abgepackten Stück Obstkuchen. Obwohl er bereits zu Mittag gegessen hatte, beschloss er, dass für ein Stück Kuchen noch Platz war. Um mir Gesellschaft zu leisten, hatte er mit verlegenem Grinsen gesagt.

«Eigenartige Orte», sagte er plötzlich und sah sich in der halb leeren Cafeteria um. «Krankenhauscafés, meine ich. Sehen überall gleich aus, egal, wo man hingeht. Alles wirkt normal, dabei ist gar nichts normal, wenn Sie verstehen, was ich meine.»

Darüber hatte ich noch nie nachgedacht, aber ich hatte schließlich früher in einem Krankenhaus gearbeitet und unterrichtet. Das veränderte die Perspektive. «Die Menschen müssen essen.»

«Wahrscheinlich.» Abwesend brach er kleine Stückchen Styropor aus dem Becherrand. «Ich bin morgen schon wieder hier. Im Krankenhaus, meine ich.»

Ich sah über den Tisch hinweg zu, wie er seinen Kuchen aufaß, und fragte mich, ob das der Grund für seine seltsame Stimmung war. «Ist alles in Ordnung?»

Der DI wirkte verlegen, als sei es ihm peinlich, etwas gesagt zu haben. «Ach, reine Routine. Eine Endoskopie. Die vermuten, ich könnte ein Magengeschwür haben. Viel Lärm um nichts, aber Sie wissen ja, wie Ärzte sind.»

Natürlich war mir aufgefallen, dass Lundy Säureblocker nahm, und ich hatte eine Magenverstimmung vermutet. Er lächelte mich entschuldigend an und gab damit zu verstehen, dass er vergessen hatte, dass ich selbst als Hausarzt tätig gewesen war.

Er wechselte das Thema. «Wie kommen Sie mit der Leiche aus dem Fluss voran? Hatten Sie schon Gelegenheit, einen Blick in den Obduktionsbericht zu werfen, den ich Ihnen geschickt hab?»

«Ja, hatte ich.» Stacey Coker hatte bis jetzt unser Gespräch bestimmt, und ich hatte noch nicht die Gelegenheit gehabt, auf meine Entdeckung vom Vorabend zu sprechen zu kommen. «Es gibt sehr viel mehr Knochenbrüche, als ich erwartet hätte.»

«Könnten die nicht vom Zusammenstoß mit einem Boot herrühren?»

«Schon, aber um zu solchen Traumata zu führen, hätte das Boot sehr schnell oder sehr groß sein müssen. Beides ist in den Backwaters schwer vorstellbar.»

«Wir wissen nicht, woher die Leiche stammt. Sie könnte aus dem Mündungsgebiet oder von noch weiter draußen angeschwemmt worden sein.»

«Um dann lange genug an der Oberfläche zu treiben, um sich derart in dem Stacheldraht zu verfangen?»

Lundy zerlegte konzentriert den Becherrand. «Ich weiß. Klingt ziemlich unwahrscheinlich, oder? Aber es ist schwer vorstellbar, was außer einer Schiffsschraube derartige Gesichtsverletzungen verursacht haben könnte.»

«Na ja.»

Seine Augenbrauen schossen in die Höhe. «Haben Sie etwas gefunden?»

«Möglicherweise», sagte ich. «Aber die Röntgenaufnahmen allein geben nicht detailliert Aufschluss. Ich kann erst mehr sagen, wenn ich den Schädel selbst untersucht habe.»

«Tja. Halten Sie mich auf dem Laufenden. Ich habe mir übrigens den Chauffeur von Sir Stephen näher angesehen. Er heißt Brendan Porter. Neunundvierzig Jahre alt, arbeitet seit über zwanzig Jahren für die Villiers'. War als junger Kerl ein ziemlich übler Bursche, ist dann mit achtzehn zum Militär und hat dort die Kurve gekriegt. Ist als Aushilfe eingesprungen, als Sir Stephens Stammfahrer krank war, und hat ihn schließlich abgelöst. Wirkt auf den ersten Blick seltsam, aber da er die ganze Zeit dageblieben ist, scheint er seine Nische gefunden zu haben.»

«Sie glauben also, er wollte mich aushorchen?»

«Ich bin mir sicher, wenn Sie was Interessantes zu sagen gehabt hätten, hätte er es gemeldet. Ich vermute einen Schuss ins Blaue, entweder weil er neugierig ist oder weil er sich bei seinem Boss einschmeicheln wollte. Vielleicht hatte er gehofft, Sie wären mitteilsamer, wenn er Leo schlechtmacht.»

Ich dachte an das wissende Lächeln, mit dem der Mann über den Sohn seines Arbeitgebers hergezogen war. Eindeutig meine Reaktion abwartend. «War das nicht riskant? Was, wenn Sir Stephen davon erfahren hätte?»

Lundy schnaubte. «Würden Sie ihm so was erzählen?»

Nein. Zugegebenermaßen eher nicht. Trotzdem. Dieser Porter war entweder sehr überheblich oder absolut von seiner Position überzeugt, um ein derartiges Risiko einzugehen. «Und dass er von dem zweiten Leichenfund wusste?»

«Da haben wir wenig Handhabe. Die Leute werden immer reden, und die Lokalpresse ist inzwischen ebenfalls an dem Thema dran. Auch das ist nur logisch, nachdem Trask mit seiner Tochter im Krankenhaus war. Die offizielle Linie lautet: unbekannte männliche Leiche mit einem Todeszeitpunkt vor dem Verschwinden von Leo Villiers. Deshalb gehen sie von einem Unfalltod aus, der mit keiner laufenden Ermittlung in Zusammenhang steht. Was ja immer noch möglich wäre.»

Ich sah ihn fragend an. Er lächelte.

«Ich weiß, ich glaube auch nicht an Zufälle. Doch im

Augenblick ist es besser, den Ball flachzuhalten. Einschließlich Sir Stephen, der sich sowieso weigert, uns zu glauben, sind noch immer alle der Meinung, bei der Leiche aus dem Estuary würde es sich um Leo Villiers handeln. Es liegt nicht in unserem Interesse, daran etwas zu ändern, zumindest bis die Ergebnisse der DNA-Analyse vorliegen. Falls Villiers noch am Leben ist, haben wir bessere Chancen, ihm auf die Spur zu kommen, wenn er sich in Sicherheit wähnt.»

«Glauben Sie, er hält sich womöglich noch in der Nähe auf?»

Lundy runzelte die Stirn. Er hatte sich wieder dem Rand seines Teebechers zugewandt. «Ich bezweifle es, aber möglich wäre es natürlich. Wir haben die National Crime Agency eingeschaltet, um zu überprüfen, ob er sich ins Ausland abgesetzt hat, aber bislang hat der Abgleich der Passdaten keinen Treffer ergeben. Falls er das Land verlassen hat, dann nicht über eine offizielle Grenze. Jedenfalls nicht unter seinem Namen.»

Was nicht unbedingt etwas zu bedeuten hatte. Jemand mit Leo Villiers' Geld und Möglichkeiten konnte sich jederzeit eine neue Identität zulegen. Außerdem herrschte an dieser Küste nun wirklich kein Mangel an versteckten Buchten und isolierten Tideflüssen, wo Boote völlig unbeobachtet kommen und gehen konnten.

Doch da war noch etwas, das mir keine Ruhe ließ.

«Wenn Villiers das alles tatsächlich inszeniert hat, um es nach Selbstmord aussehen zu lassen, ist er ein großes Risiko eingegangen», sagte ich. «Er konnte unmöglich wissen, wie lange es dauern würde, bis die Leiche entdeckt wird oder ob überhaupt. Sie hätte ebenso gut schon nach ein paar Tagen angeschwemmt werden können, zu einem Zeitpunkt, wo es noch möglich gewesen wäre, Fingerabdrücke zu nehmen, wo noch alle Gliedmaßen vorhanden waren. Wir hätten sofort gewusst, dass er es nicht ist.»

«Hätten wir.» Lundy nickte bedächtig. «Aber wir wissen noch zu wenig über die Hintergründe. Vielleicht konnte Villiers nicht klar denken. Kann kaum jemand, der gerade einen Mord begangen hat.»

Da war natürlich was dran, und ich hatte genau das selbst schon öfter erlebt. Nur wenige Mörder verfügen über genug Geistesgegenwart – vom Know-how ganz zu schweigen –, um alle Eventualitäten vorauszuplanen. In diesem adrenalingeschwängerten Ausnahmezustand werden Details übersehen, und oft genug die am nächsten liegenden.

Ich war allerdings nicht überzeugt, dass das hier der Fall war. Obwohl ich generell für das Konzept *Instinkt* nicht viel übrig hatte, war mir im Laufe der Zeit klargeworden, dass Erfahrungen ihre ganz eigene Form von muskulären Erinnerungen prägen können. Unser Gehirn verarbeitet ununterbrochen Informationen, ohne dass sie zwangsläufig in unser Bewusstsein treten. Auch wenn wir sie nicht als solche wahrnehmen, können bestimmte Erkenntnisse auf körperlicher Ebene vorhanden sein. Genau so erging es mir jetzt. Ich konnte nicht sagen, weshalb – noch nicht –, aber irgendetwas saß noch nicht am rechten Fleck.

«Glauben Sie das tatsächlich?», fragte ich.

«Ich? Was ich glaube, spielt keine Rolle. Ich bin bloß ein kleiner DI.» Lundy fegte sich die Styroporbrösel in die Hand und stand schwerfällig auf. «Aber wenn Sie mich fragen, kratzen wir gerade mal ein bisschen an der Oberfläche.»

Als ich für den Tag mit der Arbeit Schluss machte, hatte es angefangen zu regnen. Ich hielt auf dem Rückweg an einem Supermarkt und verbrachte mehr Zeit als nötig mit der Frage, welchen Wein ich nehmen sollte. Rachel hatte nicht gesagt, was sie kochen wollte, und schließlich entschied ich mich für je eine Flasche Rot und Weiß, in der Hoffnung, dass es nicht so aussah, als würde ich sie betrunken machen wollen.

Als ich die Backwaters erreichte, regnete es heftiger, und eine steife Brise kam vom Meer. Von der flachen Landschaft ungebremst, fegte der Wind über Sanddünen und Marschen und peitschte schlecht gelaunt die langen Gräser. Ich stellte den Wagen vor dem Bootshaus ab, schnappte mir meine Tüten und eilte ins Haus. Ich duschte und zog mich um und bemühte mich dabei nach Kräften, die wachsende Nervosität zu ignorieren, die sich in meiner Magengrube breitmachte. Als ich den kleinen Tisch am Fenster deckte und merkte, dass es im Bootshaus keine Weingläser gab, dachte ich allen Ernstes kurz darüber nach, noch mal loszufahren und welche zu kaufen. Dann riss ich mich am Riemen. *Nimmst du eben Wassergläser. Himmel noch mal, entspann dich!*

Eine Weile gelang mir das auch, doch während die Zeit verstrich, schlich die Nervosität sich langsam wieder ein. Ich machte mir Sorgen, ob es nicht besser gewesen wäre, noch einmal nachzufragen, ob Rachel auch wirklich kam. Die Neuigkeiten über Stacey Coker hatten die Familie mit Sicherheit schwer getroffen – die Polizei hatte Jamie bestimmt über den Streit befragt und Trask über Cokers Auftritt am Vorabend. Doch ich entschied mich gegen einen Anruf, weil ich der Familie ihren Raum lassen wollte. Außerdem ging ich davon aus, dass Rachel sich meldete, falls sie ihre Meinung geändert hatte.

Inzwischen war ich mir dessen nicht mehr sicher. Ich hatte gerade beschlossen, noch zehn Minuten zu warten und dann aufzugeben, als ich draußen ein Auto vorfahren hörte. Ich öffnete in dem Augenblick die Haustür, als Rachel von Jamies altem Defender auf mich zugelaufen kam, Einkaufstüten in der einen Hand und mit der anderen den Mantel gegen den Regen über den Kopf haltend. Ich trat beiseite und ließ sie herein.

«Hallo. Tut mir leid, dass ich zu spät komme», sagte sie atemlos, schüttelte draußen den Mantel aus und schloss die Tür. Sie trug schon wieder Jeans, diesmal aber eine neuere, weniger ausgewaschene, und der V-Ausschnitt ihres Oberteils entblößte ein zierliches Goldkettchen. Ich erhaschte einen Hauch Parfüm, leicht und unaufdringlich.

«Ist nicht weiter schlimm.»

«Ich wollte nur sichergehen, dass es Fay gutgeht, ehe ich ging, und dann hat Andrew ... Egal. Jedenfalls hat es länger gedauert, als ich dachte.»

Ich nahm ihr den Mantel ab, hängte ihn auf und fragte mich dabei, was sie über Trask hatte sagen wollen. «Wie geht es Ihnen allen?»

«Wegen Stacey?» Sie seufzte. «Ehrlich gesagt, stehen wir immer noch unter Schock. Die Polizei war vorhin da, um Jamies Aussage aufzunehmen. Er macht sich Vorwürfe, obwohl das sinnlos ist. Aber wenn so was passiert, kann man nicht viel sagen.»

Zumindest nichts, was half. Das wusste ich selbst nur zu gut. «Möchten Sie einen Schluck Wein? Wir haben die Wahl zwischen Pinot noir und Sauvignon blanc.»

«Ich nehme den Sauvignon, danke.» Rachels Lächeln war müde und dankbar. Sie fing an, die Einkäufe auszupacken. «Es gibt Krabbenpuffer. Ich hoffe, Sie mögen Schalentiere. Zum Nachtisch gibt es leider nur Hundekuchen, aber bei dem ganzen Trubel bin ich zu nichts anderem gekommen. Außerdem haben Sie gestern nichts davon abbekommen, jetzt können Sie ihn wenigstens probieren.»

«Ich kann's kaum erwarten.»

Ihr Lachen war angespannt und klang trotzdem echt. «Okay. Verstehe. Wenn das so ist, bekommen Sie nichts ab.»

«Das war ernst gemeint!», protestierte ich und entkorkte den Wein.

«Na gut.» Sie nahm das angebotene Glas und trank einen Schluck. Ihre Schultern entspannten sich, und sie seufzte. «O ja, tut das gut!»

Von ihr ging noch immer eine spürbare Anspannung aus, und ich glaubte nicht, dass es nur mit Cokers Tochter zusammenhing. Doch ich würde sie nicht unter Druck setzen. Sie würde es mir erzählen, wenn sie bereit war – oder eben nicht. Was auch immer ihr auf der Seele lag, schien sie aus ihren Gedanken zu verbannen, als sie das Essen zubereitete.

Wir aßen an dem kleinen Tisch. Der Regen trommelte gegen die Fensterscheibe, doch im milden Schein der Lampe war die Atmosphäre im Bootshaus warm und behaglich. Wir unterhielten uns über Belangloses, ohne dabei Stacey Coker oder Rachels Schwester und die Ermittlungen direkt zu meiden. Es war vielmehr so, als würden wir das Bedürfnis an sich aufschieben, darüber zu sprechen. Sie erzählte aus ihrem früheren Leben, von der Sonne und dem Outdoor-Lifestyle, den sie während ihrer Zeit am Barrier Reef gepflegt hatte. Unbefangen erzählte sie mir ein wenig mehr über ihre

Beziehung mit dem Meeresbiologen und deren Ende, nachdem er mit einer Doktorandin geschlafen hatte.

«Im Rückblick betrachtet war es fast komisch. An dem Vormittag, als ich ihn zur Rede gestellt hatte, verklemmte sich eine unserer Unterwasserkameras in vierzig Fuß Tiefe zwischen den Felsen. Rick war so erpicht darauf, mir aus dem Weg zu gehen, dass er sich freiwillig zum Tauchgang meldete, obwohl wir in der Nähe einen Tigerhai gesichtet hatten.» Bei der Erinnerung grinste sie verschlagen, das Weinglas zwischen beiden Händen. «Normalerweise hätten wir abgewartet, aber ich glaube, für ihn war der Tigerhai das kleinere Übel.»

«Sind Sie so furchteinflößend?»

«Ich hab durchaus meine Momente. Der Hai zeigte kein aggressives Verhalten, sonst hätte ich ihn nicht ins Wasser gelassen. Aber ich war ziemlich sauer auf ihn. Unmittelbar ehe er reinging, nahm ich einen Eimer Fischabfälle und sagte zu ihm, ich würde, während er runterging, die Fische anfüttern.»

«Das ist gemein», sagte ich. «Das haben Sie nicht getan, oder?»

«Nein. Aber es hat ihm die Selbstgefälligkeit aus dem Gesicht gewischt.»

Wir räumten den Tisch ab, und ich kochte Kaffee, während Rachel das Dessert vorbereitete. Misstrauisch beäugte ich den Hundekuchen.

«Was war da gleich wieder drin?»

«Hauptsächlich raffinierter Zucker und gesättigte Fette. Hier.»

Sie schnitt eine schmale Scheibe ab und bot sie mir an. Argwöhnisch biss ich hinein. «Gott! Das ist köstlich!»

«Sag ich doch.» Sie lächelte.

Ich wusste nicht mehr, wann ich mich zuletzt in der Gegenwart eines anderen Menschen derart wohl gefühlt hatte. Am Wein konnte es nicht liegen, denn wir hatten beide nicht viel getrunken. Doch dann zögerte sie plötzlich, und ich spürte, wie sich subtil die Stimmung änderte. Noch ehe sie das Wort ergriff, wusste ich, was kam.

«Tut mir leid, dass ich so schlecht gelaunt gewesen bin», sagte sie. «Vorhin, als ich gekommen bin.»

«Ist mir nicht aufgefallen.»

Sie schenkte mir ein ironisches Lächeln. «Ja, klar. Der Tag heute war ein einziger Albtraum. Außerdem muss ich die ganze Zeit an gestern Abend denken. Hätte Coker den anderen Weg durch die Backwaters genommen, hätte er Stacey vielleicht noch rechtzeitig gefunden. Können Sie sich vorstellen, wie er sich fühlen muss? Zu wissen, dass seine Tochter noch am Leben wäre, wenn er eine andere Route genommen hätte?»

O ja, nur allzu gut. «Sich mit solchen Gedanken zu quälen, führt zu nichts. So was passiert einfach manchmal. Manche Leute werden vom Blitz getroffen, manche nicht. Man kann es weder vorhersehen noch verhindern.»

«Ich weiß, aber das macht es nicht besser. Und dann gab es heute Nachmittag auch noch Streit mit Andrew. Ich habe gesagt, er soll Fay von hier fortschaffen, irgendwohin, wo andere Kinder in ihrem Alter sind. Wo ein bisschen *Leben* herrscht. Ich möchte auch wissen, was mit Emma geschehen ist, aber vielleicht erfahren wir das nie. Und dann Jamie … Sie haben ihn ja gestern Abend selbst gehört. Er sagt, er geht auf keine Universität. Er hat das Gefühl, bleiben zu müssen und sich um Fay kümmern. Und um seinen Dad, auch wenn er das niemals zugeben würde. In gewisser Hinsicht ist er fürsorglicher als Andrew, aber es wäre keinem von ihnen gedient, wenn er bliebe. Man kann sein Leben nicht unendlich auf die lange Bank schieben und auf etwas warten, das vielleicht nie eintritt. Früher oder später muss man sich weiterbewegen.»

«Sprechen Sie von denen oder von sich?», fragte ich sie.

«Ich weiß es nicht. Wahrscheinlich beides.» Rachel starrte in ihr Glas. «Andrew sagte mir, das ginge mich nichts an, und ich könnte jederzeit gehen. Wir waren beide wütend und aufgebracht, aber vielleicht hat er recht. Vielleicht ist es wirklich Zeit zu gehen. Ich weiß nicht, was ich hier noch ausrichten kann. Vielleicht bin ich nur eine weitere Erinnerung an Emma, und davon gibt es weiß Gott schon genug.»

Es klang nicht verbittert, nur resigniert. Der Wind fegte einen Regenschauer gegen das Bootshaus. Es hörte sich an, als würden Kieselsteine aufs Dach geworfen. Mein Blick schweifte unwillkürlich zu den gerahmten Fotografien ihrer Schwester, die noch immer in einem Stapel an der Wand lehnten. Zuvorderst stand die Aufnahme der Silhouetten fliegender Gänse vor dem Sonnenuntergang in den Backwaters.

«Das meinte ich.» Rachel war meinem Blick gefolgt. Sie stand auf und ging zu den Fotografien hinüber. «Ich weiß nicht mal, ob die besonders gut sind oder nicht. Trotzdem wäre es schade, sie zu verstecken. Kennen Sie sich mit Fotografie aus?»

«Eigentlich nicht.»

«Ich auch nicht. Emma war die Künstlerische von uns beiden, aber sie hatte keine Geduld. Bei ihr musste immer alles spontan wirken, und wenn eine Aufnahme nicht gelang, dann inszenierte sie eben. Das hier? Gänse im Sonnenuntergang? Sie hat mir erzählt, sie hätte die Kamera in Position gebracht und dann einen Stein ins Wasser geworfen, um sie aufzuscheuchen. Und das hier?» Sie zog die Aufnahme von dem Motorrad am Strand aus dem Stapel – das auf Hochglanz polierte Chrom vor der Kulisse irgendwie fehl am Platz. «Ich kann mir einfach nicht vorstellen, dass die Maschine zufällig so auf einer Düne parkte.»

Irgendwas nagte an den Rändern meines Bewusstseins. Ich hatte an meinem ersten Morgen im Bootshaus nicht weiter über die Bilder nachgedacht. Ich stand vom Tisch auf und trat zu Rachel, die weiter den Stapel Fotografien durchging.

«Darf ich noch mal?»

«Natürlich.» Rachel trat beiseite und machte mir Platz. «Das war kein Wink mit dem Zaunpfahl, ja? Sie müssen keins kaufen.»

Ich lächelte, aber abwesend. Ich ging zurück zu dem Bild mit dem Motorrad. «Wann ist das entstanden?»

«Ich weiß es nicht. Jedenfalls ist das eine der älteren Aufnahmen, denn ich glaube, das Motorrad gehört ihrem Exfreund. Wissen Sie noch? Der Möchtegernmusiker, von dem ich erzählt habe? Der hatte genauso ein Machospielzeug wie das hier. Eine Harley-Davidson oder so was in der Art.»

«Ach so? Dann ist das Bild gar nicht in dieser Gegend entstanden?»

«Nein, das muss an irgendeinem anderen Strand sein. Emma war nie hier, ehe sie mit Andrew zusammenkam, und da war sie schon von ihrem Ex getrennt. Warum?»

«Nur so.»

Die aufgeweichte Motorrad-Lederjacke und die Bikerstiefel der Leiche aus dem Stacheldraht waren mir in den

Sinn gekommen. Doch wenn dies eine alte Aufnahme war und nicht aus dieser Gegend stammte, gab es keinen Zusammenhang mit den sterblichen Überresten aus den Backwaters. Ich wollte das Bild schon wieder zwischen die anderen schieben, als Rachel mir die Hand auf die Schulter legte.

«Warten Sie kurz.»

Stirnrunzelnd beugte sie sich darüber. Auch ich sah mir das Bild noch einmal an, konnte aber nicht erkennen, was ihre Aufmerksamkeit erregt hatte. «Was ist denn?»

«Wahrscheinlich gar nichts», sagte sie zweifelnd. «Es mag blöd klingen, aber eigentlich habe ich mir diese Bilder vorher noch nie wirklich angesehen. Nicht genau jedenfalls. Das waren einfach nur … Emmas Fotografien.»

Ich wartete ab. Beinahe zögernd deutete sie auf den Bildhintergrund.

«Ich bin mir nicht sicher, aber … sieht das da nicht aus wie die Seefestung? Draußen vor dem Meer?»

Ich sah genauer hin. Da war undeutlich etwas zu sehen, eine klobige Silhouette, die sich aus dem Wasser erhob, doch der Hintergrund war zu unscharf, um Genaueres zu erkennen. «Es wäre möglich. Aber könnte es nicht auch eine Bohrinsel oder ein Bohrkran sein?»

Rachel antwortete nicht. Sie ging suchend die anderen Bilder durch, hielt schließlich inne und versuchte, einen Rahmen aus dem Stapel zu ziehen. Ich nahm etwas Gewicht vom Stapel, um es ihr leichter zu machen. Das zweite Bild zeigte eine Möwe, die an einer Sanddünenkante auf einem stacheligen Grasbüschel thronte und herausfordernd in die Kamera starrte.

«Da.»

Sie klopfte mit dem Fingernagel ans Glas. Im Hintergrund war offensichtlich dieselbe Konstruktion zu sehen wie auf dem Bild mit dem Motorrad. Zwar auch in ziemlicher Entfernung, aber weitaus deutlicher.

Die charakteristisch pyramidenförmigen Beine und darauf die plumpen Türme der Maunsell-Seefestung.

«Das hier wurde aus einem anderen Winkel aufgenommen, aber ich weiß jetzt, wo das ist», sagte Rachel. «Das sind die Dünen draußen am Ende des Deichs. Von dort aus hat man einen guten Blick auf die Festung.»

«Sind Sie sicher, dass es dieselbe ist?»

Lundy hatte mir erzählt, es gäbe an der Südostküste noch mehr dieser alten Seefestungen aus dem Zweiten Weltkrieg. Doch Rachel klang überzeugt.

«Absolut. Ich bin oft genug dort gewesen. Und sehen Sie hier. Man sieht, dass nur noch drei Türme übrig sind, und der eine ist teils eingestürzt. Es ist dieselbe Festung. Ich bin mir sicher. Mist! Unfassbar, dass mir das nicht früher aufgefallen ist. Ich habe das Motorrad gesehen und automatisch gedacht, das Foto müsste alt sein.»

Sie klang aufgebracht, etwas, das ich gut verstehen konnte. Rachel hatte ja gewusst, dass ihre Schwester eine Affäre mit Leo Villiers hatte. Falls das mit dem Motorrad stimmte, wäre es ein Hinweis darauf, dass Emma Darby sich außerdem weiter mit ihrem Exfreund getroffen hatte, als sie bereits mit Trask verheiratet war. Das würde eine ganze Reihe unangenehmer Schlussfolgerungen nach sich ziehen, und zwar nicht nur für die Familie. Es hieße, dass in die Geschichte noch jemand verwickelt war, jemand, von dem die Polizei nichts ahnte. Ein Mann, der ein Motorrad besaß und deswegen möglicherweise Motorradkleidung getragen hatte.

So wie der Leichnam im Stacheldraht.

Allerdings wusste Rachel davon nichts. Das Ganze konnte nach wie vor falscher Alarm sein. «Hat Ihre Schwester digital oder analog fotografiert?»

Die meisten Fotografen arbeiteten inzwischen mit Digitalkameras. In dem Fall würden die Bilddaten Aufschluss über das Entstehungsdatum liefern. Doch Rachel schüttelte den Kopf.

«Digital. Aber die meisten ihrer Bilder gingen verloren, als die Computer bei dem Einbruch gestohlen wurden. Wir haben diese Bilder nur, weil Emma, ehe sie verschwand, Abzüge in Auftrag gab und der Laden die Bilder noch im System hatte.»

«Selbst wenn das Bild dort entstanden ist, heißt das noch nicht, dass es sich um das Motorrad ihres Exfreunds handelt.» Doch ich glaubte selbst nicht recht, was ich da sagte. «Kennen Sie das Motorrad gut genug, um es wiederzuerkennen?»

«Nein, aber wie viele Menschen mit einem derart albernen Motorrad konnte Emma schon gekannt haben? Ganz zu schweigen von jemandem, der es unbedingt auf einer dämlichen Sanddüne inszeniert haben will!» Rachel wirkte inzwischen regelrecht wütend. «Das würde haargenau zu Mark passen. Er würde sein bescheuertes Statussymbol liebend gerne fotografieren und rahmen lassen.»

«Mark?»

«Emmas Ex. Gott, wie war noch gleich sein Nachname? Irgendwas Kirchliches. Vicars oder Church?» Sie schüttelte den Kopf. «Nein. Chapel. Das ist es. Mark Chapel.»

Ich prägte mir still den Namen ein. «Wahrscheinlich steckt nichts dahinter, aber Sie wissen, dass Sie Lundy davon erzählen müssen», sagte ich sanft.

«Ach Gott. Wahrscheinlich. *Mist*! Immer, wenn man glaubt, es könnte nicht mehr schlimmer kommen.»

Sie sah so unglücklich aus, dass ich die Hand ausstreckte und ihr den Arm um die Schultern legte. Sie lehnte sich an mich, den Kopf auf meiner Schulter. Allzu deutlich war ich mir ihres Dufts und ihrer Körperwärme bewusst. Sie hob den Kopf und sah mich an. Keiner von uns sagte ein Wort, und dann ließ plötzlich ein heftiger Windstoß das Bootshaus erbeben. Alles knarzte und quietschte, und der Moment war vorbei.

Rachel löste sich seufzend von mir. «Es ist spät. Ich sollte gehen.»

Ich traute mich nicht, etwas zu sagen, als sie die Jacke anzog. Das Lächeln, das sie mir schenkte, war ein wenig schief und bedauernd zugleich.

«Danke für den Abend und … na ja, für dein Ohr.»

«Jederzeit wieder.»

Sie griff nach der Klinke, und eine Böe drückte die Tür auf und schickte einen kalten Schauer Regenwasser herein. Rachel verzog das Gesicht. «Die Wettervorhersage hat ausnahmsweise nicht gelogen.»

«Warte. Ich hole meinen Mantel.»

«Schon gut. Es ist nicht nötig, dass wir beide nass werden.»

Ich bestand nicht weiter darauf, denn es wäre ihr nicht recht gewesen. Umrahmt von der Dunkelheit hinter der weit geöffneten Haustür, lächelte sie mich noch einmal an. Hinter ihr glitzerte der schräg fallende Regen wie Lamettafäden.

«Also dann. Gute Nacht.»

Und damit war sie weg. Ich hörte nur noch ihre knirschenden Schritte auf dem Schotter, denn es war zu dunkel, um etwas zu sehen. Ich schloss die Tür mit Nachdruck gegen den Widerstand des Windes. Ich blieb in der plötzlichen Stille stehen, nicht in der Lage zu entscheiden, ob ich wütend auf mich sein sollte, weil ich fast in Versuchung geraten wäre, oder weil ich nichts unternommen hatte.

Seufzend nahm ich die Kaffeetassen und trug sie zur Küchenzeile. Während das Wasser in die Metallspüle lief, meinte ich plötzlich ein Geräusch zu hören. Ich stellte das Wasser ab und lauschte. Doch draußen tobte nur der Wind. Dann, als ich gerade den Hahn wieder aufdrehen wollte, hörte ich es noch einmal. Diesmal war es eindeutig. Ein abgehackter, kurzer Schrei.

Das war Rachel.

KAPITEL 21

❦

Ich rannte zur Tür und riss sie auf. Als ich hinauslief, schlug mir Regen ins Gesicht und klebte mir das Hemd auf die Haut. In dem Lichtstreifen der Haustür war der blasse Umriss des weißen Defender zu erkennen. Die Fahrertür stand offen, doch die Lichter waren nicht eingeschaltet.

«Rachel?», schrie ich, angestrengt bemüht, im Dunkeln irgendwas zu erkennen.

«Ich bin hier. Ich …»

Von der Straße her war Keuchen zu hören und ein Handgemenge. Meine Augen gewöhnten sich langsam an die Dunkelheit, und während ich auf die Geräusche zulief, erkannte ich im Schatten zwei miteinander ringende Umrisse. Ehe ich sie erreicht hatte, riss die größere Gestalt sich los. Ich versuchte, den Mann zu packen, als er an mir vorbeitorkelte, bekam aber nur öligen, nassen Stoff zu fassen. Ich erhaschte einen Blick auf wilde Augen in einem ausgemergelten Gesicht, dann riss er sich los. Ich verlor das Gleichgewicht und fiel auf ein Knie in den Schlamm, während platschende Schritte sich im Regen entfernten.

«David?»

Ich rappelte mich auf. Rachel kam auf mich zu. «Ich bin hier. Bist du verletzt?»

«Nein. Alles … alles in Ordnung, ich bin nur …» Ihre Stimme zitterte. «Das war Edgar.»

«Ich weiß.» Ich wischte mir den Schlamm von den Händen. Ich hatte den hageren Mann auch im Dunkeln erkannt und war ihm nahe genug gewesen, um den ranzigen, animalischen Geruch wahrzunehmen. *So viel zum Thema harmlos.* «Was ist passiert?»

«Ich wollte gerade ins Auto steigen, da hat er mich erschreckt. Ich habe ein Geräusch gehört, mich umgedreht, und Edgar stand einfach da. Ich hab geschrien, vielleicht hat ihn das aufgeregt, jedenfalls hat er mich gepackt und angefangen, wirres Zeug zu reden. Ich wollte mich losmachen, und in dem Moment bist du gekommen.»

Sie klang beinahe wieder normal. «Bist du sicher, dass es dir gutgeht?», fragte ich.

«Ja. Alles gut, nur ein bisschen zittrig. Ich glaube nicht, dass er versucht hat, mir weh zu tun. Er wirkte eher total aufgewühlt.»

Da war er nicht der Einzige, dachte ich, während mein Puls sich langsam wieder beruhigte. Von Edgar war nichts mehr zu sehen, aber es war so dunkel, dass er drei Meter entfernt stehen könnte, ohne dass ich was wüsste, und der prasselnde Regen erstickte alle etwaigen Geräusche.

«Ich habe ihn noch nie so erlebt. Glaubst du, es geht ihm gut?», fragte Rachel.

Mein Hauptaugenmerk hatte nun wirklich nicht Edgars Wohlbefinden gegolten, aber sie hatte nicht unrecht. Ob er tatsächlich vorgehabt hatte, ihr etwas anzutun oder nicht, er war definitiv nicht imstande, an einem Abend wie diesem allein draußen durch die Gegend zu laufen. Es war schon genug passiert. Ich starrte in die Dunkelheit.

«Hast du irgendeine Idee, wohin er unterwegs gewesen sein könnte?»

«Nein. Sein Haus liegt jedenfalls nicht in dieser Richtung. Außerdem ist Flut. Es könnte böse enden, wenn er versehentlich in Richtung Marschland weiterschlurft.»

Damit war die Sache klar. Es war schon bei Tageslicht und Ebbe eine Herausforderung, heil durch die Backwaters zu kommen. Aber bei Nacht, wo noch dazu sämtliche Flüsse und Gräben randvoll standen? Nicht auszudenken. Ich seufzte. «Okay. Ich fahre ihn suchen.»

«Ich komme mit.»

«Das ist nicht nötig. Den finde ich schon.»

«Und dann? Fährst du wieder in den nächsten Fluss? Du kennst dich hier nicht aus.» Sie boxte mich leicht gegen die Brust, doch sie lächelte dabei. «Du bist klitschnass. Zieh dir was über, ich lasse inzwischen das Auto an.»

Ich wehrte mich nicht. Ich eilte zurück ins Bootshaus, tauschte das nasse Hemd gegen einen Pullover, schnappte mir die Jacke und ging wieder nach draußen. Rachel war bereits dabei, den Landrover zu wenden, und das Licht der Scheinwerfer verwandelte den Regen in feine Silberfäden.

«Wandert er nachts oft so durch die Gegend?», fragte ich, als ich eingestiegen war.

Rachel bremste vor der nächsten Kurve ab und gab erst wieder Gas, nachdem sie sich vergewissert hatte, dass die Straße vor uns frei war. «Glaub ich nicht. Ich bin ihm ein paarmal in der Dämmerung begegnet, aber noch nie so spät. Selbst Edgar würde im Dunkeln nicht einfach rausgehen.»

Trotzdem hatte er es getan. Ein Gedanke hatte begonnen, Gestalt anzunehmen, etwas, das mir schon früher hätte auffallen müssen, wäre ich von den Ereignissen nicht so abgelenkt gewesen.

«Die Leute hier kennen Edgar, oder?», fragte ich. «Sie wissen, dass er durch die Gegend streift?»

«Hier weiß jeder alles über jeden», erwiderte sie ungerührt. «Edgar gehört praktisch zur Landschaft, im Grunde beachtet ihn keiner mehr. Aber die Leute wissen, dass sie in dieser Gegend generell auf ihn gefasst sein müssen. Es sei denn, es handelt sich um Fremde, so wie du oder jemand ... »

Sie verstummte. Sie dachte offensichtlich dasselbe wie ich. Ich hatte selbst lange genug gebraucht, um darauf zu kommen, dabei hatte ich erst vor ein paar Tagen ein riskantes Ausweichmanöver absolviert, um Edgar nicht zu überfahren.

Wäre ich schneller unterwegs gewesen, hätte ich womöglich weniger Glück gehabt.

Rachel nahm den Fuß vom Gas. «Bitte nicht! Du glaubst doch nicht, dass er der Grund für Staceys Unfall war, oder? Dass sie Edgar beinahe überfahren hätte?»

«Ich weiß es nicht.»

Dabei war es naheliegend. Lundy hatte von Reifenspuren erzählt, wo der Wagen in einer Kurve ins Schleudern geraten war, und bis jetzt hatte die Annahme gelautet, dass Cokers Tochter zu schnell unterwegs gewesen war und die Kontrolle über den Wagen verloren hatte. Was natürlich absolut plausibel war. Es war allerdings genauso gut möglich, dass sie um die Kurve gekommen war und plötzlich Edgar vor sich hatte. Falls sie mit derselben Geschwindigkeit unterwegs gewesen war, mit der sie mir begegnet war, wäre zum Nachdenken keine Zeit mehr gewesen, nur noch zum Reagieren.

Der Instinkt, das Steuer herumzureißen, hätte automatisch übernommen.

«Du hast gesagt, er hätte wirres Zeug geredet. Hast du verstanden, was?»

«Eigentlich nicht. Irgendwas von Lichtern auf dem Wasser. Oder im Wasser. Ich habe es jedenfalls nicht kapiert.»

Mir war klar, dass Edgars Worte nichts bedeuten mussten. Sie waren wahrscheinlich nur das Geschwafel eines verwirrten Menschen, und es wäre verfehlt, zu viel in sie hineinzuinterpretieren. Allerdings war mir inzwischen noch ein Gedanke gekommen. Ich dachte an den letzten Abend zurück, als mich der kleine weiße Wagen mit seinem Luftstrom im Vorbeifahren fast mitgerissen hätte. Als er in der Dämmerung verschwand, hatte ich auf den Wänden des Weißdorntunnels den gelben Schein der Abblendlichter registriert.

Stacey hatte die Scheinwerfer eingeschaltet.

Doch dann war keine Zeit mehr, weiter darüber nachzudenken. Direkt vor uns tauchte im Strahl der Autoscheinwerfer Edgars watschelnde Gestalt auf.

Er lief mitten auf der Straße, schlurfend und mit gesenktem Kopf. Er musste das Abblendlicht registriert haben, doch sein einziges Zugeständnis war, den Kopf noch tiefer zwischen die Schultern zu ziehen. Der Landrover grummelte, als Rachel abbremste. Als wir direkt hinter ihm waren, kurbelte sie das Fenster herunter.

«Edgar? Edgar, bitte bleiben Sie stehen.» Er reagierte nicht. Höchstens indem er den Schritt ein wenig beschleunigte. Rachel atmete aus. «Mist. Und jetzt?»

«Lass mich aussteigen.»

Sie hielt an, ließ jedoch den Motor laufen. Ich stieg aus, kniff gegen den kalten Wind und den Regen die Augen zusammen und eilte der Gestalt hinterher, die sich im Licht der Scheinwerfer entfernte.

«Hallo, Edgar.» In betont gelassenem Tonfall, eher beiläufig, sprach ich ihn an, sobald ich ihn eingeholt hatte. «Geht es Ihnen gut?»

Nichts. Der Blick blieb abgewandt, der Atem hing als Nebelwolke im grellen Scheinwerferschein. Die strähnigen Haare klebten an seinem Schädel, und das Wasser lief ihm über das Gesicht. Trotz des Regens stand sein Mantel offen, und das verdreckte Öltuch flatterte wie ein loses Segel im Wind.

Ich überholte ihn und lief dann rückwärts vor ihm her. Rachel folgte uns im Schritttempo. Die Scheinwerfer blendeten mich, und ich streckte in einer, wie ich hoffte, beschwichtigenden Geste die Hände aus, um ihn aufzuhalten.

«Es ist spät für einen Spaziergang. Wohin gehen Sie denn?»

Blicke aus den verängstigten Augen schnellten zu mir und dann sofort wieder weg. Er war langsamer geworden und versuchte jetzt, an mir vorbeizukommen. Ich wich zurück, um den Abstand zwischen uns gleich zu halten, ohne bedrohlich zu wirken.

«Rachel sitzt im Auto», sagte ich. «Wissen Sie noch, dass Sie vorhin mit ihr gesprochen haben? Sie würde sich gern noch ein bisschen mit Ihnen unterhalten. Über die Lichter, die Sie gesehen haben.»

Das provozierte tatsächlich eine Reaktion. Er blieb stehen, und jetzt verstand ich, was Rachel mit aufgewühlt gemeint hatte. Es ging zwar keine Bedrohung von ihm aus, doch er wirkte wie ein scheues Tier, das jeden Moment ausbrechen konnte.

«Was waren das für Lichter, Edgar?»

Sein Mund bewegte sich lautlos. Er wirkte ruhiger als eben noch, vermied jedoch jeden Blickkontakt und sah sich immer wieder um, als suche er nach einem Ausweg. Hinter ihm sah ich Rachel aus dem Wagen steigen. Bei laufendem Motor kam sie zu uns.

«Hallo, Edgar», sagte sie sanft. «Können Sie uns sagen, wo Sie die Lichter gesehen haben?»

Seine Augen schossen zur Seite. «Im Wasser.»

«*Im* Wasser? Sie meinen wahrscheinlich auf dem Wasser, oder? So wie bei einem Boot?»

«Im Wasser.»

Rachel sah mich an, und wieder wusste ich, dass wir dasselbe dachten. «Waren es vielleicht Autoscheinwerfer, Edgar? Haben Sie ein Auto gesehen?»

Der bleiche Schädel wippte nickend.

«Und wo war das?», fragte ich. Unter Wasser würden Autoscheinwerfer ziemlich bald ausgehen. Falls er Stacey Cokers Wagen gesehen hatte, musste er dabei gewesen sein, als das Auto in den Fluss stürzte, oder er musste kurz darauf dazugekommen sein.

Edgar antwortete nicht. Sein Blick irrlichterte wieder herum. Rachel berührte kurz meinen Arm, um mir zu bedeuten, dass sie das Fragen übernehmen wollte.

«Es ist nicht schlimm, Edgar. Keiner ist Ihnen böse, wir möchten nur etwas über die Lichter wissen. Wer war in dem Wagen?»

Edgar presste die knochigen Hände aneinander und klemmte sie zwischen die Beine wie zu einem seltsamen Gebet. «Sie hat ihre Haare.»

Rachel zögerte, verwirrt. «Wessen Haare?»

«Ihre Haare. Wie Sonnenschein.»

Ich hob den Blick, um zu sehen, ob Rachel damit irgendwas anfangen konnte. Sie zuckte hilflos mit den Schultern. «Haben Sie in dem Auto ein Mädchen gesehen, Edgar? Was ist ihr zugestoßen?»

«Nicht sie. Sie war das nicht.» Er schüttelte den Kopf, seine Unruhe nahm wieder zu. «Muss los.»

Schlurfend setzte er sich in Bewegung, doch Rachel machte noch einen Schritt auf ihn zu. «Bitte, Edgar, es ist wichtig. Sagen Sie uns, was mit ihr passiert ist. War sie verletzt?»

«Nein! Sie schläft.»

Er schaukelte von einem Fuß auf den anderen, der ganze Mann strahlte Not und Elend und äußerste Anspannung aus. «Wo schläft sie? Wo ist sie, Edgar? Bei Ihnen zu Hause? Haben Sie sie nach Hause gebracht?»

Doch Edgar hatte genug geredet. Regen tropfte von seiner Nasenspitze. Er war völlig durchnässt, und Rachel und ich waren nicht viel besser dran.

«Komm, wir bringen ihn nach Hause», sagte ich.

Ich dachte, es würde schwierig werden, ihn in den Wagen zu kriegen, doch nach einem kurzen Moment des Zögerns kam er widerstandslos mit. Edgars Geruch verbreitete sich im Innenraum, als er sich auf die Rückbank kauerte, klitschnass und krumm wie ein Fragezeichen.

«Ich weiß nicht, was ich davon halten soll.» Rachel legte den Gang ein. Sie schaltete das Radio an, und unsere Stimmen wurden durch völlig unpassende, beatlastige Musik von dem Fahrgast auf der Rückbank abgeschirmt. Sie drehte den Suchknopf, bis beruhigende Klaviermusik erklang. «Es hörte sich an, als würde er von seiner vermissten Tochter und nicht von Stacey sprechen.» Ich warf einen Blick nach hinten und versuchte nachträglich, aus Edgars wirren Worten einen Sinn herauszulesen. «War seine Tochter auch blond?»

«Weil er das mit den Haaren wie Sonnenschein gesagt hat? Keine Ahnung, ich weiß nur, dass sie wohl vermisst wurde. Aber das ist, wie gesagt, Jahre her, und sie war damals noch ein kleines Mädchen. Er kann Stacey unmöglich mit ihr verwechselt haben, oder?»

Ich war ratlos. Trotzdem stellten sich mir die Nackenhaare auf. Ich hatte Edgar jetzt oft genug erlebt, um zu wissen, dass er sich, sogar an seinem eigenen Maßstab gemessen, seltsam verhielt. Er war nicht nur durcheinander, er war verängstigt. So verängstigt, dass er in einer derart unwirtlichen Nacht wie dieser von zu Hause *weglief*.

Was auch immer geschehen war, es war schlimm.

Die Scheibenwischer fuhren mit rhythmischem Quietschen über die Windschutzscheibe, als ich mein Handy aus der Tasche holte und zu wählen begann. Rachel warf mir einen Blick zu.

«Wen rufst du an?»

«Lundy.»

Zumindest versuchte ich es. Der Empfang war kurz da und dann sofort wieder weg. Ich probierte es weiter, während Rachel durch die Backwaters fuhr, abbremste, um eine Holzbrücke zu queren, und dann wieder beschleunigte, durch schlammige Pfützen, die sich überall auf der Straße gebildet hatten. Ich war froh, dass Rachel darauf bestanden hatte, mich zu begleiten. Der Defender war für solche Straßenverhältnisse gemacht, und allein hätte ich mich hier draußen niemals zurechtgefunden.

Ich hatte Lundy noch immer nicht erreicht, als Rachel schließlich von der Straße abbog und einen zerfurchten, von Brombeerhecken überwucherten Weg entlangrumpelte. Er endete vor einem windschiefen, alten Häuschen, und als ich es sah, verstärkte sich die unheilvolle Vorahnung in mir. Das Haus lag im Dunkeln, ein großes, aber schlecht proportioniertes Steincottage, die gesprungenen Fenster teilweise mit Brettern vernagelt. Es war von hohen, alten Bäumen umstanden, die es mit knorrigen Stämmen und toten Zweigen einsäumten.

Rachel stellte den Motor ab. Ein paar Momente durchbrach nur das Geräusch des Regens auf dem Autodach die Stille, dann drehte sie sich um und sah Edgar an. Er hatte sich während der Fahrt nicht bewegt und wirkte nicht, als wolle er es jetzt tun.

«Da wären wir, Edgar. Zu Hause.» Er reagierte nicht. «Na, kommen Sie. Möchten Sie denn nicht ins Haus?»

Er schüttelte den Kopf und schlang sich die Arme um den Leib. Nach einem besorgten Blick zu mir wandte Rachel sich ihm erneut zu.

«Warum nicht? Was ist los?»

Edgar umarmte sich fester, zog den Kopf ein und vermied jeden Blick zu dem dunkel daliegenden Haus.

«Ich glaube, er sollte besser hierbleiben», sagte ich leise und sah zu dem Haus hinüber. «Hast du eine Taschenlampe?»

Die Taschenlampenfunktion an meinem Telefon war für diese Umgebung zu schwach, außerdem wollte ich den Akku schonen. Rachel kramte in der überfüllten Ablage und förderte eine schwere, gummibezogene Taschenlampe zutage. Ich sagte nichts, als sie mit mir aus dem Wagen stieg. Ich wusste, dass ich mir die Worte sparen konnte. Außerdem wollte ich nicht, dass sie mit Edgar allein im Auto blieb. Ich wollte vorschlagen, den Landrover abzusperren, während wir im Haus waren, aber auch das brauchte ich nicht zu erwähnen. Falls Edgar das Schnappen der Türverriegelung gehört oder dessen Bedeutung realisiert hatte, schien es ihm nichts auszumachen.

Ohne das Abblendlicht war es im Freien stockdunkel. Es hatte fast aufgehört zu regnen, doch der Wind wehte immer noch in übellaunigen Böen und brachte das unsichtbare Laub und die Gräser ringsum zum Wispern. Ich knipste die Taschenlampe an. Der Lichtstrahl beleuchtete ein Gewirr aus Gestrüpp und Ranken. Rachel schauderte, als ich ihn auf das dunkle Cottage lenkte.

«Liebe Güte, ich will da nicht rein. Glaubst du wirklich, wir sollten das tun?»

Ich wollte auch nicht, doch wir hatten keine andere Wahl. Irgendetwas hatte Edgar verängstigt und aus dem Haus getrieben, und falls tatsächlich auch nur die winzigste Chance bestand, dass Stacey Coker sich in dem Cottage befand, durfte ich das nicht ignorieren. Oder warten, bis die Polizei eintraf. Falls er sie hergebracht hatte, musste sie schwer verletzt sein, sonst hätte sie sich inzwischen irgendwo gemeldet. Edgars Worte hallten in meinem Kopf wider.

Sie schläft.

«Ich werde einen Blick hineinwerfen, aber du kannst gerne hier warten», sagte ich zu Rachel. Es bestand wahrscheinlich kein Grund zu flüstern, doch ich tat es trotzdem.

Sie lachte nervös auf, und als sie antwortete, war ihre Stimme ebenfalls gedämpft. «Na klar, ich bleibe ganz allein hier draußen im Dunkeln stehen.»

Ich ließ den Lichtkegel durch den zugewucherten Garten wandern, während wir uns zur Haustür vortasteten. Der Strahl traf auf mehrere Gegenstände, die im Gras verstreut lagen. Muscheln, Steine, Treibholzgebilde ragten in unregelmäßigen Abständen empor. Zuerst dachte ich, sie wären zufällig verteilt, bis ich auf einem frisch aussehenden Erdhügel eine Austernschale liegen sah und mir klarwurde, was ich da vor mir hatte.

«Edgars Patienten», sagte Rachel.

Zumindest diejenigen, denen es nicht besserging. Der Tierfriedhof versank in Dunkelheit, als ich den Lichtstrahl wieder auf das Haus richtete.

Die Haustür hatte längst jeglichen Anstrich verloren. Völlig verzogen, hing sie windschief und altersschwach in den verrosteten Angeln. Die Klinke klackerte lose unter meiner Hand, als ich zögernd versuchte, die Tür zu öffnen. Sie war unverschlossen. Knarzend schwang sie auf, und uns schlug der Ammoniakgestank von tierischen Fäkalien entgegen.

«O nein!», murmelte Rachel und zog die Nase kraus.

Die Tür öffnete sich auf einen dunklen Hausflur. Ich lenkte den Lichtstrahl über schimmelnde, mit Stockflecken übersäte Tapeten, die sich von den Wänden schälten, und über nackte Bodendielen. Möbel gab es nicht, lediglich einen einzelnen kaputten Stuhl. Der Holzboden war mit altem Zeitungspapier ausgelegt, auf dem überall Haufen lagen, die nach Fäkalien aussahen. Ich hoffte, dass sie tierischen Ursprungs waren.

«Stacey?», rief ich.

Ich bekam keine Antwort, doch aus dem Inneren des Hauses vernahm ich jetzt gedämpfte Stöße und eine Art Flattern.

«Moment. Ich versuch's mal mit Licht», sagte Rachel, griff an mir vorbei und betätigte einen Schalter an der Wand. Sie knipste ein paarmal, doch nichts geschah. «Okay. So viel dazu.»

Sorgfältig auf meine Schritte achtend, trat ich über die Türschwelle und ging durch den Flur. Rachel blieb dicht hinter mir. Im Inneren war der Gestank noch heftiger, und mich überkamen Wut und Scham, weil man Edgar unter derartigen Umständen sich selbst überlassen hatte. Froh über die schwere Taschenlampe in meiner Hand, trat ich zur ersten Tür und drückte sie auf.

Die Stille wurde von ohrenbetäubendem Kreischen durchbrochen.

Rachel packte meinen Arm, und der Taschenlampenstrahl fing wie verrückt an zu tanzen. Im Licht gefangen, starrte uns aus einem selbstgebauten Holzkäfig hochmütig eine Möwe an.

«Himmel …!» Rachel lachte nervös auf. Sie ließ meinen Arm los, wich mir jedoch nicht von der Seite.

Von der Tür aus beleuchtete ich die bizarre Szenerie. Jetzt erklärten sich die seltsamen Geräusche, die ich eben gehört hatte. Es handelte sich um eine Küche, früher jedenfalls mal. Die dreckverkrustete Spüle war beinahe völlig unter schmutzigem Geschirr und leeren Konservendosen begraben. Überall an den Wänden stapelten sich Käfige. Aus alten, verrosteten Vogel- und Hamsterkäfigen, aus Kaninchenställen, selbst aus einem Aquarium starrten uns glänzende Augen entgegen. Das meiste waren Seevögel, doch es waren auch kleinere Säugetiere dabei: diverse Nagetiere, Kaninchen, ein Igel, sogar ein junger Dachs, alle verletzt, einige mit geschienten Flügeln oder Beinen. Aus dem dreckigen Backofen ohne Klappe beobachtete uns hinter einem Netz aus Maschendraht hervor ein junger Fuchs.

«Wie kann er nur so leben?», fragte Rachel fassungslos. «Hätte das nicht jemand wissen müssen?»

Offensichtlich nicht. Wir überließen Edgars Kleintierzoo wieder der Dunkelheit und gingen zurück in den Flur. Ich beleuchtete ihn in seiner ganzen Länge und fragte mich, ob ich als Nächstes die Zimmer im ersten Stock durchsuchen sollte. Die Vorstellung gefiel mir nicht.

«Moment. Leuchte mal hierhin», sagte Rachel und zeigte auf eine bestimmte Stelle. «Da. Auf dem Boden.»

Wie ein plötzlich ins Licht des Scheinwerfers getauchtes Theaterrequisit schälte sich neben einer halb geöffneten Tür ein Gegenstand aus dem Dunkeln.

Ein Damenschuh.

Er lag auf der Seite, der Knöchelriemen war gerissen und das weiße Leder mit Schlammspritzern verziert. Ich hörte Rachels Atem neben mir. Schnell und gepresst. Ich beleuchtete die Tür und versuchte, durch den schmalen Spalt in das dahinterliegende Zimmer zu blicken.

«Stacey?»

Ich erhielt keine Antwort. Ich ging auf die Tür zu. Rachel hielt sich dicht hinter mir. Ich wollte sie bitten, zu bleiben, wo sie war, doch ich bezweifelte, dass sie es überhaupt gehört hätte. Ich legte die Hand auf die Klinke.

«Stacey?», sagte ich noch einmal. Dann schob ich vorsichtig die Tür auf.

Auch in diesem Raum standen Käfige, doch es waren nicht so viele, und die meisten waren leer. An der Wand hing ein schmutzstarrender Wandteppich, der mit der ersten Zeile des Chorals «*All things bright and beautiful*» bestickt war. Ein riesiges Chesterfield-Sofa stand mit dem Rücken zur Tür. Aus Rissen im Leder quoll Füllung wie Pilzbefall.

Über das Sofaende hing ein nackter Fuß. Im Zwielicht sahen die Zehennägel aus wie schwarz lackiert, aber ich hatte sie bei Tageslicht gesehen. Ich wusste, dass der Lack in Wirklichkeit leuchtend rot war.

«Bleib, wo du bist», sagte ich zu Rachel.

Sie widersetzte sich nicht, dabei ging es mir nicht darum, sie zu schonen. Die unnatürliche Regungslosigkeit des Fußes verriet mir bereits, was mich erwartete, und je weniger Menschen diesen Raum jetzt durcheinanderbrachten, desto besser.

Ich wollte selbst nicht hinein, doch ich musste sichergehen. Ich machte ein paar zögernde, behutsame Schritte ins Zimmer, bis ich sehen konnte, was auf dem Sofa war.

Cokers Tochter lag im Kegel der Taschenlampe auf den Polstern, mit gespreizten Beinen, regungslos. Das von blonden Haaren umrahmte Gesicht war unnatürlich geschwollen und dunkel verfärbt. Die geöffneten Augen waren vorgewölbt und hatten einen überraschten Ausdruck, die Lederhaut war von geplatzten Äderchen durchzogen.

Ich ließ die Taschenlampe sinken. Mir war schlecht. Während die Dunkelheit das tote Mädchen wieder umhüllte, tat ich ein paar beruhigende Atemzüge, erschüttert von dem, was ich gesehen hatte. Als wir das Haus betreten hatten, war mir klar gewesen, dass Stacey wahrscheinlich tot sein würde. Darauf war ich gefasst gewesen.

Doch ich war nicht darauf gefasst gewesen, dass Stacey Coker von der Hüfte abwärts nackt war.

KAPITEL 22

❧

Blaulicht durchzuckte die Dunkelheit und schraffierte die Unterseiten der Bäume um das alte Haus saphirblau. Der Weg war von Polizeifahrzeugen und Lastwagen gesäumt. Die Fahrzeuge standen rechts und links ins Gebüsch gequetscht, um den Zugang zum Haus frei zu machen. Vom Garten aus warfen Flutlichter die Schatten der weiß gekleideten Spurensicherungsleute an die maroden Hausmauern.

Ich saß seitlich in der offenen Beifahrertür eines Einsatzfahrzeugs, die Füße im Freien auf dem nassen Boden. Es hatte aufgehört zu regnen, doch die feuchte Frische der Luft wurde von den Abgasen der Autos und Dieselgeneratoren verpestet. Der weiße Landrover war verschwunden und Rachel auch. Man hatte sie weggebracht, um ihre Aussage aufzunehmen, während immer mehr Polizei eingetroffen war. Ich wusste nicht, ob Edgar noch hier war oder nicht. Als ich ihn zum letzten Mal sah, hatte man ihn aus dem Landrover geholt und in einen Streifenwagen verfrachtet. Die Augen vor Angst und Verwirrung geweitet, starrte er die grellen Lichter an und das Chaos, in das sein Zuhause sich verwandelt hatte. Als er an mir vorbeischlurfte, hörte ich leises Rieseln, und dann sah ich den Fleck, der sich in seinem Schritt ausbreitete. Mitleid regte sich in mir.

Bis mir die Mädchenleiche mit den gespreizten Beinen auf dem Sofa wieder einfiel.

Ich hatte Rachel die Einzelheiten erspart, als ich aus dem Wohnzimmer zurückkam, doch was sie mir am Gesicht abgelesen hatte, genügte. Nach den erbärmlichen Zuständen in dem Haus war die Rückkehr ins Freie an die frische Luft erleichternd gewesen, doch das Bild aus dem Wohnzimmer hatte sich in meine Netzhaut eingebrannt. Ich hätte Edgar bis zum Eintreffen der Polizei nur zu gern eingesperrt im Wagen gelassen, doch dazu musste ich die Polizei erst einmal informieren. Der Handyempfang war hier miserabel, und ich hatte keine Ahnung, wie weit wir uns vom Haus entfernen mussten, um ein Signal zu finden. Schließlich blieb uns nichts anderes übrig, als wieder ins Auto zu steigen und so lange zu fahren, bis ich telefonieren konnte.

Wir standen unter Hochspannung. Rachel saß am Steuer, und ich behielt die schlaksige Gestalt auf der Rückbank im Auge und wartete gleichzeitig darauf, dass auf dem Display meines Telefons endlich ein Balken erschien. Edgar wirkte ziemlich friedlich, doch nach dem Anblick im Haus hatte ich das Gefühl, wir wären mit einem unberechenbaren Tier ins Auto gesperrt. Einem Tier, das umso gefährlicher war, gerade weil es so trügerisch harmlos wirkte.

Wir waren nicht besonders weit gefahren, als die Balken des Empfangssignals zurückkamen. Rachel und ich stiegen beide aus, während ich Lundy anrief. Ich wollte auf keinen Fall in Edgars Gegenwart telefonieren. Obwohl es schon spät war, ging Lundy ran. Er klang müde und stieß einen Seufzer aus, als ich ihm, ohne ins Detail zu gehen, erzählte, was geschehen war.

«Meine Güte. Wie schlimm ist es?»

Ich schaute zu Rachel hinüber. Sie stand an den Wagen gelehnt und wirkte klein und verloren. Ihr Blick war gesenkt, und der Wind zerzauste ihre Haare. «Sehr.»

Der DI bat mich, zum Haus zurückzufahren und im Freien zu warten, bis sie da wären. Es fühlte sich völlig natürlich an, Rachel, während wir warteten, den Arm um die Schultern zu legen. Sie lehnte sich stumm an mich, und so blieben wir stehen, bis der erste Streifenwagen in Sicht kam. Lundy erschien eine halbe Stunde später. Zu dem Zeitpunkt war das baufällige Haus bereits mit einer flatternden Barriere aus Absperrband gesichert. Er blieb kurz bei uns stehen und fragte, ob wir okay wären. Dann ging er weiter, um mit den Leuten von der Spurensicherung und den übrigen Tatortermittlern zu sprechen, ehe er im Haus verschwand.

Kurz darauf wurden Rachel und ich getrennt. Niemand legte mir nahe, ebenfalls zu gehen, obwohl es keinen Grund gab, der mein Bleiben gerechtfertigt hätte. Was auch immer geschehen war, ein forensischer Anthropologe konnte hier nicht weiterhelfen. Kurz nach Lundy traf auch Frears ein. Das glatte Gesicht des Rechtsmediziners wirkte über dem blauen Overall aufgequollen und blass, so als sei er gerade erst aufgewacht. Er bedachte mich im Vorbeigehen mit einem schmallippigen Lächeln und schnappte sich ein Paar Einweghandschuhe.

«Na, Hunter? Wieder eifrig gewesen?»

Ich sah ihm nach, als auch er im Haus verschwand. Zwanzig Minuten vergingen, bis Lundy wieder in der Haustür auftauchte. Ich erkannte seine bullige Gestalt schon, ehe er die Kapuze zurückstrich und den Mundschutz abnahm. Er unterhielt sich kurz mit dem Leiter der Tatortermittler. Als er auf mich zukam, stieg ich aus dem Einsatzfahrzeug.

Er kam sofort zur Sache. «Sie hatten recht. Sieht aus, als wäre sie erwürgt worden.» Sein Gesicht war rot und erhitzt, und der Mundschutz hatte Striemen auf seinen Wangen hinterlassen.

Angesichts der aufgedunsenen Züge und blutunterlaufenen Augen des Mädchens hatte ich nichts anderes erwartet. «Wie lange ist sie schon tot?»

«Die Leichenstarre hat eingesetzt, und nach Leichenflecken und Körpertemperatur zu urteilen, vermutet Frears, seit etwa neun bis zwölf Stunden.»

Demnach wäre sie entweder am Spätnachmittag oder am frühen Abend ermordet worden. Während ich in kribbelnder Vorfreude über das bevorstehende Date mit Rachel schwelgte, hatte Edgar Cokers Teenietochter das Leben aus dem Leib gewürgt.

Lundy zog den Reißverschluss seines Overalls auf und angelte in seiner Jacke nach einem Taschentuch. Er putzte sich geräuschvoll die Nase, ehe er weitersprach. «Es gibt weitere Verletzungen. Eine Schädelprellung an der rechten Schläfe und weitere Prellungen über den Rumpf verteilt. Stammen vermutlich eher vom Unfall als von hier.»

Ich nickte. Sie musste herumgeschleudert worden sein, als der Wagen sich überschlug, und die Kopfverletzung stand in Übereinstimmung mit der Theorie, dass sie gegen die Seitenscheibe geprallt war.

«Was sagt Frears? Hat er ihr was angetan?»

«Es gibt kein sichtbares Trauma, das auf eine Vergewaltigung hinweisen würde, aber Genaues kann er erst nach der Obduktion sagen. Um ihretwillen und ihrer Familie willen hoffe ich, es ist nichts dergleichen passiert, aber man muss die Absicht wohl unterstellen, sonst wäre sie noch voll bekleidet.» Lundy seufzte wieder und schüttelte den Kopf. «Erzählen Sie noch mal, was passiert ist.»

Ich beschrieb ihm die Begegnung mit Edgar, seinen aufgelösten Zustand und seine Reaktion, als Rachel versuchte, ihn zu befragen. Er hörte mir zu, ohne mich zu unterbrechen.

«Wenn sie um die Kurve fuhr und plötzlich Holloway vor sich hatte, würde das erklären, weshalb sie von der Straße abkam. Und wenn er die Scheinwerfer im Wasser gesehen hat, muss er in der Nähe gewesen sein. Die haben sicher nicht mehr lange gebrannt.»

«Holloway?»

«So heißt er. Edgar Holloway.» Lundy sah zu dem von Flutlicht beleuchteten Haus hinüber. «Das ist ein Stich in ein völlig neues Wespennest.»

«Meinen Sie wegen seiner Tochter?»

Er zog die Augenbrauen hoch. «Woher wissen Sie das?»

Ich erklärte, dass Rachel mir von dem Verschwinden des kleinen Mädchens erzählt hatte. Der DI strich sich über den Schnauzbart.

«Tja. Wie lange ist das jetzt her? Zweiundzwanzig Jahre? Der Rowan-Holloway-Fall war einer meiner ersten, als ich damals in diese Gegend zog. Hat lokal für einigen Wirbel gesorgt. Neun Jahre alt, eines Tages in den Schulferien morgens aus dem Haus gegangen und nicht zurückgekommen. Wir haben nie rausgefunden, was mit ihr passiert ist. Allerdings ...»

«Allerdings?»

Er lächelte erschöpft. «Allerdings gehörte ihr Vater irgendwann im Laufe der Ermittlungen auch zum Kreis der Verdächtigen. Er war an dem Tag, als Rowan verschwand, ebenfalls zu Hause und geriet damit automatisch unter Verdacht. Ich muss mir die Akte noch mal raussuchen, aber soweit ich mich erinnern kann, stempelten die ermittelnden Beamten ihn irgendwann als exzentrischen Spinner ab und ließen ihn wieder vom Haken. War damals schon extrem einsiedlerisch, konnte nicht mit Leuten. Seine Frau arbeitete in einem Geschäft in Cruckhaven, und er verfasste, glaube ich, naturwissenschaftliche Schulbücher. Biologie oder so. Sie dachten sich beide nichts dabei, wenn ihre Tochter sich allein in den Backwaters rumtrieb, und dafür kamen sie ganz schön unter Beschuss, als Rowan dann verschwand.»

«Kam Edgar je vor Gericht?»

«Nein. Es gab nie irgendwelche Beweise, und Rowans Lehrer sagten aus, sie hätten den Eindruck gehabt, das Mädchen würde sich zu Hause wohl fühlen. Er hatte jedenfalls hinterher eine Art Zusammenbruch, und soweit ich mich erinnern kann, sind die Ermittlungen irgendwann einfach im Sande verlaufen.»

«War seine Tochter blond?»

«Ja, jetzt, wo Sie's erwähnen. Aber es ist schon ein gewagter Gedankensprung, anzunehmen, er hätte Stacey Coker mit seiner Tochter verwechselt, nur weil sie beide ‹Haare wie Sonnenschein› hatten oder was auch immer. Rowan war neun Jahre alt, als sie verschwand. Sie wäre heute Anfang dreißig.»

«Ich bin mir nicht sicher, dass Edgar zu diesem logischen Gedanken imstande wäre. Er hat gesagt, dass sie es nicht ist, also war er sich dessen irgendwie bewusst. Aber es war fast dunkel. Die blonden Haare waren also vielleicht das Erste, das er gesehen hat. Das kann schon gereicht haben, um sie aus dem Wasser zu ziehen und hierherzubringen.»

Lundy schob sich wieder die Hand in die Tasche und zog

ein Päckchen Magentabletten heraus. «Kann sein. Aber das ist Sache der Psychologen. Und falls Stacey Coker ihn an seine Tochter erinnert hat, macht es das, was passiert ist, nur noch schlimmer. Finden Sie nicht?»

Dieser widerwärtige Gedanke hing ein paar Sekunden lang zwischen uns in der Luft. «Sie haben eben von einem neuen Wespennest gesprochen», sagte ich schließlich. «Was meinen Sie damit?»

«Die Leute werden wissen wollen, wie es passieren konnte, dass Holloway einfach so vom Radar verschwunden ist.» Er zerkaute zwei Tabletten. «Der Sozialdienst wird sich ebenfalls ein paar Fragen gefallen lassen müssen, denn man hätte Holloway offensichtlich nicht einfach so hier draußen sich selbst überlassen dürfen. Und schließlich können wir die Möglichkeit nicht ignorieren, dass er womöglich nicht nur für das Verschwinden seiner Tochter verantwortlich ist. Das wird die Emma-Darby-Ermittlungen völlig auf den Kopf stellen.»

Zu müde, um klar zu denken, stand ich da und rieb mir die Augen. «Sie glauben ernstlich, er könnte was damit zu tun haben?»

«Was weiß denn ich? Jedenfalls müssen wir hier jeden einzelnen Zentimeter gründlich absuchen. Drinnen und draußen.» Kopfschüttelnd ließ er den Blick über die Muscheln und Treibholzstücke wandern, die wie Markierungen überall in dem überwucherten Garten steckten. «Da freue ich mich nun wirklich nicht drauf. Ob hier irgendwo menschliche Überreste versteckt sind, lässt sich nicht sagen, ohne dass wir das ganze Grundstück umgraben. Das Hundegrab in Villiers' Garten war schon schlimm genug, aber das hier ist der reinste Friedhof der Kuscheltiere.»

Daran hatte ich noch gar nicht gedacht. Er hatte natürlich recht. Abgesehen davon, dass man sämtliches wildwuchernde Gestrüpp würde roden müssen, verwirrten die hier begrabenen verwesenden Tierkadaver jeden Leichenspürhund.

Doch die Erwähnung von Emma Darby erinnerte mich plötzlich an etwas anderes. «Hat Rachel das Motorrad erwähnt?»

«Zu mir hat sie nichts gesagt, aber ich habe sie auch nicht mehr gesehen, seit sie gegangen ist, um ihre Aussage zu machen. Welches Motorrad?»

Mir wäre lieber gewesen, Lundy hätte es aus Rachels Mund gehört, aber er musste es erfahren. Ich erzählte ihm von der Fotografie mit dem angeberischen Motorrad auf der Sanddüne und dass Emma Darbys Exfreund womöglich wieder aufgetaucht war.

«Moment. Nur, damit ich nichts falsch verstehe. Sie hat die Seefestung *jetzt erst* entdeckt?» Er runzelte die Stirn.

«Sie hat das Motorrad wiedererkannt und dachte, es handle sich um eine alte Aufnahme. Außerdem ist die Festung auf dem Bild wirklich kaum zu erkennen. Es lässt sich überhaupt bloß sagen, was da im Hintergrund ist, weil es ein paar andere Strandaufnahmen gibt, auf denen die Festung deutlicher rauskommt.»

«Und sie weiß nicht, wann die Bilder entstanden sind?»

Ich schüttelte den Kopf, doch Lundy erwartete gar keine Antwort. Er fuhr sich mit der Hand über das Gesicht.

«Phantastisch. Was hat sie sonst gesagt? Über diesen …?»

«Mark Chapel. Nur dass ihre Schwester ihn aus London kannte und dass er Musikvideos produzierte. Und eine Harley hatte wie auf dem Foto.»

«Wie auf dem Foto oder dieselbe?»

«Das weiß ich nicht, aber ich wollte auch nicht zu viele Fragen stellen. Sie weiß schließlich von dem Fund der zweiten Leiche, und ich wollte nicht, dass sie Rückschlüsse zieht.»

Lundy sah mich ratlos an. «Ich fürchte, ich kann Ihnen nicht ganz folgen.»

«Rückschlüsse von dem Motorrad auf dem Foto zu der Motorradjacke und den Stiefeln der Leiche aus dem Fluss …?»

Dann dämmerte es ihm. «O Gott! Ich werde langsam. Okay. Ich muss selbst einen Blick auf die Aufnahme werfen. Und wir müssen sehen, was sich sonst noch über diesen Mark Chapel herausfinden lässt. Vielleicht ist es eine Sackgasse, aber wir müssen ihn zumindest ausschließen.»

Er sah an mir vorbei, dann streckte er sich und bemühte sich sichtlich, die Müdigkeit abzuschütteln.

«Die Chefin kommt.»

Ich drehte mich um und sah Clarke zwischen den geparkten Einsatzfahrzeugen näher kommen. Der helle Trenchcoat war nicht zugeknöpft, und sie kam mit wehenden Mantelschößen auf uns zu. Sie sah müde und zerzaust aus, doch als sie vor mir stehen blieb, wirkte sie in erster Linie verärgert.

«Frears ist noch im Haus, Ma'am», sagte Lundy betont sachlich.

Sie quittierte die Information mit einem äußerst knappen Nicken, und es war klar, dass ich der Mittelpunkt ihrer Aufmerksamkeit war. Die roten Kraushaare drohten, aus dem schlichten, schwarzen Haargummi zu entfliehen, mit dem sie zurückgebunden waren, und sie starrte mich schmallippig an.

«Nur, damit das geklärt ist, Dr. Hunter. Können Sie mir sagen, weshalb Sie dieses Haus betreten haben, ohne uns zuvor in Kenntnis zu setzen?»

«Weil mir klar war, dass ein verletztes Mädchen womöglich meine Hilfe brauchen würde.»

«Und da dachten Sie, Sie wären der Richtige? Besser geeignet als, sagen wir, der Rettungsdienst?»

«Der Rettungsdienst war nicht hier. Ich schon.»

«Und deshalb haben Sie beschlossen, einen Tatort zu kontaminieren.»

Mir riss langsam der Geduldsfaden. Außerdem war ich müde und hatte die ganze letzte Stunde damit verbracht, in Gedanken noch einmal alles durchzuspielen und mich zu fragen, ob ich irgendetwas hätte tun können, um zu verhindern, was passiert war.

«Als ich das Haus betrat, konnte ich nicht wissen, dass es sich um einen Tatort handelt. Ich habe mich mit aller Vorsicht in dem Haus bewegt, ich habe nichts berührt, und als ich sah, was passiert war, bin ich unverzüglich wieder hinausgegangen. Und ja, es tut mir sehr leid. Aber noch viel mehr hätte mir leidgetan, wenn ich einen Menschen hätte sterben lassen, während ich Däumchen drehend hier draußen herumgestanden hätte.»

Ich merkte, dass ich laut geworden war. Lundy wippte unruhig vor und zurück, und Clarke starrte mich aus den blass bewimperten Augen eisig an. *Jetzt kommt's*, dachte ich.

Aus dem Haus drangen Geräusche. Eine Bahre wurde ins Freie getragen, und der schwarze Leichensack reflektierte auf dem Weg zum Leichenwagen matt die flackernden Blaulichter. Clarke sah einen Moment lang zu, dann seufzte sie.

«Ich muss mit Frears sprechen.»

Lundy warf mir einen Blick zu, der sowohl Warnung als auch Tadel hätte sein können, und schloss sich ihr an. Während sie in Richtung des in Flutlicht gebadeten Hauses verschwanden, wurde mit sattem Geräusch die Tür des schwarzen Leichenwagens geschlossen. Ich drehte mich um und sah einen Sanitäter auch die zweite Tür schließen, und Innenraum samt Fracht wurden meinem Blick entzogen.

Man brachte mich zum Bootshaus zurück, und als ich endlich ins Bett kam, war es bereits nach drei Uhr morgens. Schlafen konnte ich trotzdem nicht. Immer noch hatte ich den ungewaschenen, animalischen Gestank von Edgar Holloway in der Nase. Sobald ich die Augen schloss, sah ich außerdem Stacey Cokers aufgedunsenes Gesicht vor mir, die schreckliche Stille in den blutunterlaufenen Augen. Zuerst lag ich zu dem ungestümen Gebell der Robben wach, dann zum frühmorgendlichen Gezeter der Möwen. Als ich schließlich doch noch in einen unruhigen Schlaf fiel, wurde der Himmel bereits wieder hell.

Als der Wecker losging, hatte ich das Gefühl, gar nicht geschlafen zu haben. Nach einer ausgiebigen Dusche und einem hastigen Frühstück fühlte ich mich wieder halbwegs wie ein Mensch. Rachel ging nicht ans Telefon, als ich versuchte, sie anzurufen, aber auch sie hatte eine kurze Nacht hinter sich. Ich hatte keine Ahnung, wann sie wohl nach Hause gekommen war. Außerdem hatte sie sich am Morgen wahrscheinlich der nicht beneidenswerten Aufgabe gestellt, Jamie ins Bild zu setzen.

Ich sprach ihr auf die Mailbox, dass ich hoffte, es ginge ihr gut, und fuhr in die Leichenhalle. Niemand hatte mich gebeten, es nicht zu tun, und solange ich nichts Gegenteiliges hörte, würde ich mit meinem Job weitermachen. Von Frears war weit und breit nichts zu sehen, aber er hatte entweder Stacey Cokers Leiche noch letzte Nacht obduziert oder die Vorbereitungen für eine Obduktion gleich in der Früh getroffen.

Ich beneidete ihn nicht darum.

Für mich bedeutete das, ich konnte ungestört arbeiten, was mir sehr gelegen kam. Lan bot mir ihre Hilfe an, doch ich versicherte ihr, dass ich allein zurechtkam. Ich zog mir einen OP-Kittel und eine Gummischürze an, begab mich in die kühle, geordnete Stille des Sektionsraums und schloss mit einem Gefühl der Erleichterung die Tür hinter mir.

Die Nacht im Sud hatte beendet, was Monate im Wasser des Flusses begonnen hatten. Was an Weichgewebe noch vorhanden gewesen war, war über Nacht von den Gelenken und Knochen der Leiche aus dem Stacheldraht abgefallen. Systematisch entnahm ich die Knochen aus der übel riechenden Brühe, in welche die Reinigungslösung sich verwandelt hatte, spülte sie ab und legte sie zum Trocknen beiseite. Das verschaffte mir die Gelegenheit, die Enden der sternalen Rippen, die Gelenkfläche des Kreuzbeins und die Schambeinfuge zu untersuchen, die mir Hinweise auf das Alter dieses Individuums zum Zeitpunkt seines Todes geben konnten. Ich versuchte, während ich arbeitete, nicht zu sehr über Emma Darbys motorradfahrenden Exfreund zu spekulieren. Es war gut möglich, dass dies hier jemand ganz anderes war und dass Motorradjacke und Stiefel reiner Zufall waren.

Falls nicht, würden wir das bald genug wissen.

Als ich die gesäuberten Knochen aus der Pfanne hob, war ich stark versucht, auch die multiplen Frakturen, die das Skelett erlitten hatte, eingehender zu untersuchen, vor allem die Brüche am rechten Bein. Doch das musste warten. Falls sich das, was ich auf den Röntgenbildern gesehen hatte, bestätigte, stand außer Frage, worauf ich mich zuerst konzentrieren musste.

Die Wahrheit lag im Kranium verborgen.

So nützlich Röntgenaufnahmen auch sind, sie sind zweidimensional. Bei einem extensiven Trauma kann eine durch eine Verletzung entstandene Schädigung auf dem Bild weitere Verletzungen überlagern, was eine klare Vorstellung vom genauen Hergang unweigerlich erschwert. Dies war hier der Fall. Ich hatte am Vortag, ehe ich den Schädel in den Sud legte, die bereits zum Teil gelöste und schwer beschädigte Mandibula entfernt. Schon ehe der Unterkieferknochen richtig gereinigt war, ließ sich mühelos die tiefe Einkerbung im Zentrum erkennen, die dem Eigentümer zu Lebzeiten ein ausgeprägtes Grübchen im Kinn beschert hatte. Ich hatte den Knochen beiseitegelegt und mit einem feinen Skalpell einen Schnitt zwischen zweitem und drittem Halswirbel gesetzt, um den Schädel von der Wirbelsäule abzutrennen. Danach hatte ich das Kranium zur Mazeration in eine eigene Pfanne gelegt. Ich wollte vermeiden, dass sich kleine Knochenfragmente während des Ablösungsprozesses mit Knochensplittern von anderen Körperbereichen vermischten.

Als ich den Schädel jetzt abspülte, stellte ich fest, dass der CSI mit seiner Vermutung, die Verletzungen seien von einer Schiffsschraube verursacht worden, nicht so weit danebengelegen hatte. Fest stand, dass eine mit hoher Drehzahl rotierende Klinge durch die empfindlichen Gesichtsknochen gefahren war wie durch Balsaholz. Mit hoher Drehzahl, weil die im Knochen sichtbaren Schnittfugen glattkantig waren und kaum Absplitterungen aufwiesen. Und rotierend aufgrund der Schnittform: flach an den Enden und zur Mitte des Schnitts hin tiefer, was auf eine kreisförmige Bewegung der Klinge hindeutete.

Insgesamt gab es sieben parallel zueinander verlaufende Schnitte, die beinahe horizontal über das Gesicht verliefen. Einer davon, gut zehn Zentimeter lang, hatte den Bogen der Augenhöhlen sowie den Nasion aufgeschlitzt, den zwischen den Augenhöhlen liegenden obersten, leicht versenkten Punkt der Nasenbrücke. Der nächste Schnitt verlief direkt unterhalb des ersten und halbierte beide Jochbeine.

Die Schnitte darunter lagen sehr viel näher beieinander und überlappten sich immer wieder, sodass die einzelnen Verletzungen schwer zu unterscheiden waren. Der Großteil des unteren Nasenbereichs war in mehrere Stücke zerbrochen, und die Maxilla – der Oberkiefer – schien unterhalb der Nase, wo normalerweise die Frontzähne verankert waren, vollständig zertrümmert zu sein. Als ich die einzelnen Fragmente jetzt näher untersuchte, fiel mir außerdem eine seltsam ausgeprägte Porosität der Knochen auf, fast wie Bimsstein.

Um ein deutlicheres Bild von den Geschehnissen zu bekommen, würde akribische Rekonstruktionsarbeit vonnöten sein. Große Knochenbereiche fehlten, weil Fragmente sich gelöst hatten oder von Meeresaasfressern abgepickt worden waren. Nur noch wenige Zähne steckten in ihren Alveolen, und kein einziger war mehr intakt, auch sie zerfetzt von der vorbeigleitenden rotierenden Klinge.

Doch mich interessierten die Schnitte selbst. Sie wollte ich genauer untersuchen. Ich rührte eine Portion Silikonmasse an und füllte sie behutsam in die beiden prominentesten Schnitte. Sobald die Masse trocken wäre, würden die Abgüsse die Schnittfugen noch detaillierter zeigen und das Muster enthüllen, welches die Klinge auf den Knochen hinterlassen hatte. Ich ließ das Silikon aushärten und wandte mich dann dem Objekt zu, das inzwischen auf den Boden der Pfanne abgesunken war. Es war mir auf den Röntgenaufnahmen als Erstes aufgefallen, hinter dem schwarz-weißen Gewirr sich überlappender Schnittwunden fast nicht zu finden. Es handelte sich um einen dünnen, blattförmigen Knochen, mit aufgerautem Ende an der Stelle, wo er vom Schädel abgerissen worden war.

Ich untersuchte ihn immer noch, als die Tür aufschwang und Frears in den Sektionsraum gefegt kam.

«Tag, Hunter. War mir nicht sicher, ob ich Sie heute hier treffen würde.»

Ich legte den hauchdünnen Knochen beiseite und fragte mich, ob Clarke etwa geäußert hatte, mich von dem Fall abzuziehen. «Warum nicht?»

«Jetzt machen Sie nicht so ein Gesicht! Ich meinte, nach dem Drama gestern Nacht. Sie haben eine masochistische Ader, da wette ich drauf.»

Da hatte er wohl recht. Zumindest war ich übertrieben schreckhaft. «Sind Sie mit der Obduktion durch?»

«An dem Mädchen? War zum Mittagessen fertig.» Der Rechtsmediziner war heute entschieden besserer Laune. «Das meiste haben Sie sicher schon erraten. Würgemale an der Kehle, eingedrückte Luftröhre und Bruch des Zungenbeins, alles passt auf Tod durch Erwürgen. Rippenbrüche, Abschürfungen, Prellungen. Knochenfissur am Schädelknochen, jedoch keine inneren Blutungen. Sie hatte vermutlich eine heftige Gehirnerschütterung, doch die wäre nicht tödlich gewesen.»

«War sie bei Bewusstsein?»

«Schwer zu sagen. Ich bezweifle, dass sie in der Verfassung war, sich allein aus dem Wagen befreien zu können. Falls die Frage jedoch lautet, ob sie bei Bewusstsein war, als sie erwürgt wurde, das wäre reinste Spekulation. Allerdings gibt es keine Abwehrspuren, vermutlich also eher nicht.» Er nahm sich ein Paar Einweghandschuhe aus einer Schachtel und fing an, sie überzuziehen. «Es gibt allerdings einen recht seltsamen Aspekt. Trotz des Bekleidungszustands der Leiche sind da erstaunlicherweise keinerlei Hinweise auf einen sexuellen Übergriff. Keinerlei Spuren einer Vergewaltigung oder auch nur sexueller Aktivität in jüngerer Zeit. Sieht so aus, als hätte der Junge nur geguckt und nicht angefasst.»

Das war doch wenigstens etwas, auch wenn es Stacey Cokers Familie kaum trösten würde. Ich dachte an das jämmerliche Häuflein Elend, das am Vorabend auf der Rückbank des Range Rover gekauert hatte, daran, wie angsterfüllt Edgar auf der Straße vor uns zurückgewichen war. Wie Rachel ihn beruhigt hatte – wie ein Kind oder ein völlig verängstigtes Tier. *Keine Angst, der ist harmlos.*

Frears korrigierte schnalzend den Sitz der hautengen Handschuhe und trat an den Sektionstisch, auf dem in einer Metallschale der Schädel lag. «Und? Wie kommen Sie mit unserem Freund aus dem Stacheldraht voran? Wie ich sehe, haben Sie Abgüsse der Schraubenschnittwunden genommen.»

«Ich glaube nicht, dass sie von einer Schiffsschraube verursacht wurden.»

Er horchte auf. «Tatsächlich?»

«Sie wurden von einer sich sehr schnell drehenden Klinge verursacht, aber eine Schiffsschraube war es nicht», erklärte ich ihm. «Durch Schiffsschrauben verursachte Verletzungen entstehen, wenn die einzelnen Schraubenblätter auf den Knochen treffen. Die Schnitte hier sehen eher so aus, als seien sie von einer durchgehenden Scheibe verursacht worden. Das sind eher Furchen als Schnitte.»

«Interessant. Wann, glauben Sie, sind die Abgüsse ausgehärtet?»

«Sie müssten eigentlich inzwischen so weit sein.»

Ich trat zu dem Schädel und klopfte behutsam gegen die Silikonmasse. Sie war fest, und vorsichtig löste ich die gummiartigen Abgüsse aus den Schnitten. Im Querschnitt betrachtet, war die Schnittfuge quadratisch, die Seitenkanten trafen im rechten Winkel auf den geraden Boden. Die Innenflächen waren rau und zeigten klare Anzeichen von Abschürfung.

Mit einem Messschieber vermaß ich die Breite des einen Abgusses, während Frears sich um den zweiten kümmerte. Er stieß ein erstauntes Grunzen aus. «Die Schnittfuge einer Schiffsschraube wäre glatt, aber das hier ist rau wie ein Bärenarsch. Sieht aus wie geschmirgelt. Irgendein Elektrowerkzeug? Was meinen Sie? Vielleicht eine Kreissäge?»

«Ich hatte eher an einen Winkelschleifer gedacht.» Ich legte den Messschieber beiseite. «Der Schleifteller ist rau und flachkantig und hat eine Standardbreite von sieben Millimetern. Das entspricht genau diesen Wunden.»

«Wie ich sehe, haben Sie Ihre Hausaufgaben gemacht.» Frears nickte nachdenklich. «Ja, das ist vorstellbar. Die Wunden wirken auf den ersten Blick wie von einer Schiffsschraube verursacht und würden deshalb nicht automatisch Verdacht erregen. Abgesehen davon, dass die Leiche in den Backwaters möglicherweise über Jahre nicht entdeckt worden wäre. Was allerdings die Frage aufwirft, wie er zu den Knochenbrüchen kam. Wenn wir einen Bootsunfall ausschließen, müssen wir zudem die Möglichkeit in Betracht ziehen, dass er noch am Leben war, als jemand sein Gesicht mit dem Winkelschleifer geschreddert hat. Kein besonders angenehmer Gedanke.»

Der war mir auch schon gekommen. Post mortem sind Knochen trocken und spröde und reagieren auf Traumata anders als Knochen, die noch lebendig oder «grün» sind. Die Frakturen und Schnitte, mit denen wir uns konfrontiert sahen, wirkten, als wären sie entstanden, als die Knochen noch eine gewisse Elastizität besaßen, und das wiederum hieß, die Traumata waren perimortal, also im Zeitraum um den Tod, entstanden.

Doch ob das Opfer die Verletzungen nun unmittelbar nach Eintritt des Todes oder kurz davor erlitten hatte, ließ sich unmöglich sagen. Die Vorstellung, jemand hätte einen anderen Menschen vorsätzlich derart brutal misshandelt, ihm die Knochen zermalmt und sein Gesicht, während er noch lebte, mit einem Winkelschleifer entstellt, war erschreckend. Und obwohl ich mir hinsichtlich dessen, wozu der Mensch imstande war, keinerlei Illusionen machte, glaubte ich nicht, dass dies hier der Fall gewesen war.

«Das bezweifle ich», sagte ich zu Frears. «Ich hatte zwar noch keine Gelegenheit, Tibia und Fibula eingehend zu untersuchen, aber die Brüche sind auf die Einwirkung von Schwerkraft zurückzuführen. Der Unterschenkel wurde fixiert, das übrige Bein seitwärts verdreht, und zwar kräftig genug, um die Hüfte auszurenken. Das Bein war *erheblichen* Kräften unterworfen, nicht zu vergleichen mit der Kraft, die man beim Angriff mit einem Hammer oder Knüppel vermuten würde. Dann der Genickbruch. Zwei Halswirbel sind gebrochen, der Schädel aber nicht. Wie hätte man ihn hart genug treffen können, um ihm zwar das Genick zu brechen, jedoch ohne das Kranium zu beschädigen?»

Der Rechtsmediziner nahm den Schädel vom Tisch. «Denken Sie an einen Sturz?»

«Was anderes kann ich mir nicht vorstellen. Ein Sturz mit dem Motorrad bei hoher Geschwindigkeit oder der Zusammenprall mit einem fahrenden Auto könnte ähnliche Verletzungen verursachen, doch weder an Körper noch Kleidung waren Spuren von Abschürfungen zu finden», sagte ich. «Ein Sturz ist wahrscheinlicher, und wenn der Unterschenkel im Fall gegen etwas gestoßen ist oder gar hängen blieb, hätte die Wucht genügt, um die Knochen zu brechen. Die übrigen Brüche passen wiederum zu einem Aufprall. Ich vermute, der Schädel wurde bei der Landung zwar von einem Arm oder einer Schulter abgefedert, doch für einen Genickbruch reichte die Wucht.»

Frears nickte. «Und dann kam der Winkelschleifer zum Einsatz, um seine Identität zu vertuschen.»

«Ja, aber ich glaube, das war noch nicht alles.» Ich nahm das fragile, blattförmige Knochenstück zur Hand. «Was halten Sie davon?»

Stirnrunzelnd nahm Frears mir das Knochenfragment aus der Hand. «Ein Teil des Vomer. Was ist damit?»

«Es wurde ins Kranium hinaufgedrückt.»

«Ich verstehe nicht … oh!» Seine Miene hellte sich auf. Den Knochensplitter noch in der Hand, warf er einen Blick auf den Schädel und eilte zu der Leuchtwand mit den Röntgenbildern hinüber. «Verfluchte Scheiße!»

Das Vomer oder Pflugscharbein ist eine dünne Knochenplatte, die vertikal auf dem Boden der Nasenhöhle steht und als Teil der Nasenscheidewand die Nasenöffnung teilt. Versteckt hinter dem chaotischen Mosaik aus Schnitten und Knochenbrüchen, war es auf den Röntgenbildern durch die prominenteren Gesichtstraumata verdeckt gewesen. Wenn man wusste, wonach man suchte, fand man es: ein geisterhafter weißer Schatten, die Spitze eingebettet in den Frontallappen des verwesten Gehirns.

«Zuerst dachte ich, es müsste durch die Wucht einer sich drehenden Klinge oder Scheibe nach oben gedrückt worden sein», sagte ich zu Frears. «Doch in dem Fall wäre das Vomer auch durchtrennt und nicht einfach nur nach oben geschoben worden. Und schon gar nicht in diesem Winkel.»

«Stimmt.» Frears klang, als wäre er sauer auf sich. «Und ich kann mir nicht vorstellen, dass ein Sturz das verursacht hätte.»

Ich auch nicht. Dazu hätte der Körper auf dem Gesicht landen müssen, und das hätte wiederum massive Traumata zur Folge gehabt. Dafür gab es jedoch keinerlei Anzeichen. Trotzdem: Um das Vomer, so wie geschehen, in den Frontallappen zu treiben, war ein kraftvoller, in exaktem Winkel ausgeführter Schlag vonnöten. Was die Sache entweder zu einem abartigen Unfall machte.

Oder zu einer Exekution.

KAPITEL 23

❦

«Handballenschlag.»

Lundy hielt inne, um sich die Nase zu putzen. Es war später Nachmittag, und die Sonne brach widerstrebend durch die dunklen Wolken. Noch immer ein wenig benommen von seiner Endoskopie, saß der DI auf dem Beifahrersitz in meinem Auto. Ich hatte ihn angerufen, um ihn über die Erkenntnisse des Tages zu informieren, und war bereits mitten in meinen Ausführungen, als er sagte, er sei noch im Krankenhaus und könne nicht frei sprechen. Er hatte ein Sedativum bekommen und durfte für den Rest des Tages nicht Auto fahren. Seine Frau, die ihn abholen sollte, verspätete sich, weil sie ihre Enkeltochter von einem Nachmittagskurs abholen musste.

Meine Arbeit für diesen Tag hatte ich bereits erledigt. Die gesäuberten Knochen des Stacheldrahtopfers waren gespült und zum Trocknen ausgebreitet. Ich hatte mir die signifikantesten bereits kurz angesehen, vor allem jene mit Brüchen oder anderen Schäden, hatte aber beschlossen, mit dem Zusammensetzen des Skeletts erst am nächsten Morgen fortzufahren. Langsam machten sich der Schlafmangel und die Ereignisse der letzten Nacht bemerkbar. Es war besser, die Arbeit ruhenzulassen, bis ich mich erholt hatte, anstatt aus Konzentrationsmangel etwas zu übersehen.

Da die Leichenhalle außerdem in der Nähe des Krankenhauses lag, hatte ich Lundy vorgeschlagen, ihn nach Hause zu fahren. Von Rachel hatte ich noch immer nichts gehört. Ich hatte es noch einmal bei ihr versucht, doch sie nahm nicht ab. Ich wollte sie nicht bedrängen, weil mir klar war, dass sie mit den Nachwirkungen von Stacey Cokers Ermordung zu tun hatte. Trotzdem machte ihr Schweigen mir zu schaffen, und ich war froh über die Ablenkung.

Lundy sah müde aus, als ich ihn vor dem Eingang zum Krankenhaus abgeholt hatte. Auf meine Frage, wie es gelaufen war, sagte er nur: «Ach, gut», und es hatte geklungen, als wollte er nicht darüber sprechen. Stattdessen hatte er mich gefragt, ob meine Untersuchung der Überreste noch etwas ergeben hätte.

Er war merklich aufgeblüht, als ich ihm von dem Vomer und der Schlussfolgerung erzählte, nur ein sehr präziser oder äußerst zufälliger Schlag hätte eine solche Verletzung verursachen können.

«Handballenschlag?», fragte ich nach. Er steckte sein Taschentuch weg.

«Gehört zu den Dingen, die man in einer Nahkampfausbildung lernt oder bei manchen Kampfsportarten. Anstatt sich unter Umständen die Finger zu brechen, rammt man dem anderen den Handballen ins Gesicht.» Er hob demonstrierend die Rechte: Handfläche aufgestellt, die Finger zu einer leichten Klaue nach hinten gebogen. «Ziemlich fiese Sache, aber wenn der Gegner übermütig wird, erfüllt sie definitiv ihren Zweck. Hab ich während meiner Zeit in der TA von einem Ex-Fallschirmjäger gelernt. Neben ein paar anderen schmutzigen Tricks.»

«Sie waren bei der Territorial Army?»

Er kicherte. «Damals war ich noch nicht so umfangreich. Sie müssen am Kreisverkehr die dritte Ausfahrt nehmen.»

Lundy hatte mir versichert, ich würde kein Navi brauchen. Er wohnte nicht besonders weitab von meinem Weg, aber es herrschte dichter Verkehr.

«Und ein Handballenschlag könnte eine derartige Verletzung verursachen?», fragte ich, sobald ich den Kreisverkehr hinter mich gebracht hatte.

«Theoretisch schon, mir ist so was allerdings noch nie begegnet. Sind Sie sicher, dass da nicht einfach jemand mit einem Knüppel oder dergleichen zugeschlagen hat?»

«Ich glaube nicht.» Obwohl sich unmöglich sagen ließ, womit der Tote geschlagen worden war, bezweifelte ich, dass es sich um eine wie auch immer geartete Waffe handelte. Die Verletzungen der unteren Gesichtspartie machten eine definitive Aussage zwar schwer, doch hätte ein harter Gegenstand wie ein Ziegelstein oder ein Hammer wahrscheinlich Impressionsfrakturen mit dem Abdruck der entsprechenden Konturen hinterlassen.

«Wenn wir von bloßen Händen sprechen, klingt ein Handballenschlag für mich am plausibelsten», sagte Lundy. «Aber um das hinzukriegen, muss man schon verdammt hart zuschlagen und außerdem im absolut richtigen Winkel. Normalerweise erreicht man mit einem Handballenschlag bloß eine blutige Nase oder ausgeschlagene Frontzähne.»

«In diesem Fall ist definitiv mehr passiert. Es sieht aus, als wäre der Kieferknochen unmittelbar unter der Nase regelrecht eingebrochen», sagte ich und ging vom Gas, als ein Lastwagen ohne zu blinken auf meine Spur wechselte. «Ein

Großteil des Knochens fehlt völlig, und das, was übrig ist, sieht schwammartiger aus, als es sollte.»

«Schwammartiger?»

«Der Knochen ist voll winziger Löcher, so porös wie Löffelbiskuit. Entweder ein genetischer Knochendefekt oder die Folge einer Infektion. Jedenfalls könnte der Knochen derart geschädigt gewesen sein, dass ein Handballenschlag – falls es denn einer war – genügte, um ihn kollabieren zu lassen und das Vomer bis ins Gehirn zu treiben.»

Lundy nickte nachdenklich. «Also ziehen wir das jetzt als mögliche Todesursache in Betracht?»

Ich hatte mit Frears darüber diskutiert, jedoch ohne zu einer abschließenden Meinung zu gelangen. «Schwer zu sagen. Obwohl es an sich eine tödliche Verletzung darstellt, heißt das nicht, dass er daran gestorben ist. Falls meine Theorie zu den Knochenbrüchen sich als richtig erweist, dann wäre auch der Sturz an sich tödlich gewesen. Meine Vermutung lautet: Zuerst der Schlag ins Gesicht, dann der Sturz, denn es hat keinen Sinn, jemandem mit derartigen Verletzungen noch einen Handballenschlag zu versetzen. Ich kann Ihnen allerdings nicht sagen, wie viel Zeit dazwischen lag.»

«Um seinetwillen hoffe ich, dass er tot war, ehe ihm jemand auch noch mit dem Winkelschleifer das Gesicht zerstört hat.» Lundy zog eine Grimasse. «Trotzdem. Man kann die Strategie erkennen. Man tötet jemanden im Kampf, ob absichtlich oder nicht, und vertuscht im Anschluss die Beweise mit anderen Verletzungen. Versucht, es nach einem tödlichen Bootsunfall aussehen zu lassen, und zerstört gleichzeitig sämtliche identifizierbaren Merkmale. Anschließend wickelt man die Leiche in Stacheldraht und versenkt sie in einem Bereich der Backwaters, der immer Wasser führt, in der Hoffnung, dass es, falls sie doch irgendwann gefunden wird, nach einem Unfall aussieht. Die Nächste links.»

Ich bog ab. Wir befanden uns inzwischen in einer Wohngegend, hübsche Doppelhaushälften, die Grünstreifen mit Kirschbäumen bepflanzt. Die rosarote Blütenpracht verlieh der Straße ein feierliches Aussehen.

Lundy strich sich über den Schnauzbart, wie ich inzwischen wusste, ein Zeichen dafür, dass er nachdachte. «Was konnten Sie sonst noch herausfinden?»

«Nicht viel. Er war groß, zwischen eins fünfundachtzig und eins neunzig und zwischen dreißig und vierzig Jahre alt. Aber mehr kann ich Ihnen zu diesem Zeitpunkt noch nicht sagen.»

«Irgendeine Idee, wie lange die Leiche im Wasser lag?»

«Wahrscheinlich mehrere Monate, aber das ist leider nur geraten, weil wir nicht mal wissen, ob der Leichnam zwischendurch trieb oder die ganze Zeit vom Stacheldraht unter Wasser gehalten wurde.»

«Nur ein Gedankenspiel: Sagen wir, er hing die ganze Zeit im Stacheldraht. Was würden Sie dann vermuten?»

Ich überlegte eine Weile, ehe ich antwortete: «Angesichts der Tatsache, dass Winter war und der Frühling eher kalt, zwischen sechs und acht Monaten.»

Lundy nickte. «Emma Darby ist vor knapp sieben Monaten verschwunden.»

Die Tatsache war mir nicht entgangen.

«Konnten Sie Ihren Exfreund schon auftreiben?», fragte ich, obwohl ich die Antwort ahnte.

«Noch nicht. Ich hatte jemanden darauf angesetzt, aber dann musste ich mir ja diesen miesen Schlauch in den

Schlund schieben lassen. Ich konnte mir noch nicht mal die Fotografie ansehen, von der Sie mir erzählt haben.»

«Aber Sie halten es für möglich, dass Villiers sowohl Mark Chapel als auch Emma Darby ermordet hat.»

«Tja. Die Zeichen deuten jedenfalls in diese Richtung. Falls Chapel wieder auftaucht, stünden wir damit natürlich wieder ganz am Anfang. Emma Darbys ehemaligen Freund mit ins Spiel zu bringen, könnte tatsächlich einiges Licht ins Dunkel bringen. Ich kann mir nicht vorstellen, dass Villiers auf einen Rivalen besonders positiv reagiert hätte, das liefert uns sofort ein Mordmotiv. Und den Handballenschlag könnte er während seiner Militärzeit aufgegabelt haben. Man muss nicht gerne Soldat spielen, um sich zu merken, was man mal gelernt hat.»

Er deutete auf ein Haus auf der anderen Straßenseite.

«Hier ist es. Sie können in der Auffahrt parken.»

Ich fuhr den Bordstein hinauf. Den Motor ließ ich laufen, bereit, gleich wieder zu fahren. Der Duft von Kirschblüten und frisch gemähtem Gras wehte in den Wagen, als Lundy die Tür öffnete. Doch er stieg nicht aus.

«Danke fürs Bringen. Möchten Sie auf eine Tasse Tee mit reinkommen? Meine Frau ist noch nicht zurück. Ich komme also ungestraft an mein Keksversteck ran.»

«Nein danke. Ich sollte besser los.» Ich wollte nicht in das Privatleben des Polizisten eindringen und war mir sicher, dass seine Frau, wenn sie nach Hause kam, etwas über seine Untersuchung erfahren wollte. Doch Lundy blieb sitzen.

«Ehrlich gesagt, wäre es mir lieb, wenn Sie mitkämen.» Die blauen Augen hinter der Brille sahen besorgt aus. «Es gibt noch etwas, über das ich gerne mit Ihnen reden würde.»

Das Haus war anders, als ich gedacht hätte. Es handelte sich um eine renovierte und erweiterte Doppelhaushälfte aus der Nachkriegszeit. Der Vorgarten war in eine mediterrane Terrasse verwandelt worden, und das Haus selbst war hell und modern, mit gemütlichen, aber nicht altmodischen Möbeln ausgestattet. Ich setzte mich in den kleinen Wintergarten, während Lundy sich in der angrenzenden Küche dem Tee widmete. Auf mein Angebot, ihm zu helfen, hatte er abgewinkt.

«Die haben mir nur verboten, mich hinters Steuer zu setzen. Mit einem Wasserkocher kann ich noch umgehen.»

Was auch immer ihm auf der Seele lag, er hatte offensichtlich keine Eile, es loszuwerden, und ich ließ ihm die Zeit, die er brauchte.

«Wie hat Coker die Nachricht aufgenommen?», fragte ich, als er den Tee aufbrühte.

«So wie man's erwarten würde. Ich war gestern Abend noch dort, um es ihm persönlich zu sagen.» Er schüttelte den Kopf. «Die Vorstellung, was er durchmachen muss, ist unerträglich.»

Kein Wunder, dass Lundy müde wirkte. Er war sicher auch erst kurz vor der Morgendämmerung nach Hause gekommen. «Hat er noch mehr Familie?»

«Einen Sohn beim Militär. Er war im Ausland, aber inzwischen ist er wieder in Großbritannien. Ich wage zu behaupten, dass er jetzt freigestellt wird.»

Ich war froh, dass Coker jemanden hatte. Das machte es zwar nicht leichter, aber es war besser, als allein zu sein.

«Was ist mit Edgar?»

Lundy verzog das Gesicht und kam mit dem Tee und einer Packung Schokoladenkekse in den Wintergarten. «Es ist schwer, aus ihm schlau zu werden, und natürlich brauchen wir ein ausführliches psychiatrisches Gutachten. Aber nach allem, was wir bis jetzt in Erfahrung bringen konnten, hatten Sie mit der Vermutung recht, dass er auf der Straße stand. Stacey Coker musste offenbar ausweichen, um einen Zusammenstoß zu vermeiden – die Reifenspuren weisen auf ein plötzliches Manöver hin –, und hat sich einen Schädelbruch zugezogen, als der Wagen ins Wasser stürzte. Wir sind uns ziemlich sicher, dass Holloway sie rausgezogen und zu sich nach Hause gebracht hat. Dann allerdings wird es ziemlich verworren.»

«Inwiefern verworren?»

Er löffelte sich Zucker in den Tee. «Da ist zum einen die Frage, weshalb er sie rettet und zu sich nach Hause schleppt, wenn er sie im Anschluss umbringt. Möglich, dass das von vornherein seine Absicht war, aber es ist unwahrscheinlich, dass er zu derart planerischem Handeln in der Lage ist. Bleibt die Möglichkeit, dass er ihr anfangs zwar helfen wollte, weil er sie vielleicht in seinem verwirrten Zustand mit seiner Tochter verwechselte – oder warum auch immer. Und als er dann zu Hause war und merkte, in welch hoffnungslosem Zustand sie sich befand, drehte er durch.»

«Glauben Sie das?»

Er schürzte die Lippen und trank einen Schluck Tee. «Es wäre möglich.»

«Aber?»

«Da sind jede Menge Widersprüche. Hat Frears Ihnen erzählt, dass es keinerlei Hinweise auf sexuellen Missbrauch gibt?» Er betupfte sich den Schnurrbart und stellte die Tasse ab. «Das war Überraschung Nummer eins. Findet man eine erwürgte, von der Taille abwärts nackte junge Frau, ist das normalerweise eindeutig. Und selbst wenn Holloway sie nicht vergewaltigt hat, hätten wir zumindest Beweise dafür finden müssen, dass er sie ausgezogen hat. Haben wir aber nicht.»

Das überraschte mich mehr als der fehlende Hinweis auf eine Vergewaltigung. «Überhaupt nichts?»

«Nicht von der Taille abwärts. Edgars Haare waren auf ihrem Pullover und seine Fingerabdrücke auf ihrer Uhr. Aber das war's auch schon. Obwohl ihr die Jeans wahrscheinlich ausgezogen und nicht heruntergerissen wurde, gibt es weder auf dem Knopf noch auf dem Reißverschluss Fingerabdrücke. Und das Goldkettchen, das sie um den Hals trug, wurde, während sie stranguliert wurde, zwar zusammengeschoben und verdreht, doch wir konnten noch nicht mal einen unvollständigen Fingerabdruck daran sichern.»

«Vielleicht hat er Handschuhe getragen», sagte ich, doch ich bezweifelte, dass Edgar in der Lage wäre, seine Spuren zu verwischen, selbst wenn es ihm in den Sinn gekommen wäre.

«Die einzigen Handschuhe, die wir bei ihm fanden, steckten in seinen Jackentaschen. Ein versifftes, mit Vogelmist beschmiertes Paar Fäustlinge. Hätte er die getragen, wäre ihre Leiche mit Spuren übersät gewesen.»

In meinem Bauch machte sich ein unangenehmes Gefühl breit. «Und wie erklären Sie sich das?»

«Überhaupt nicht. Noch nicht. Dann die Würgemale an ihrem Hals. Haben Sie Holloways Hände gesehen? Zwar knochendürr, aber *riesig*. Wie Grabschaufeln.» Lundy hielt seine eigene dicke, knubbelige Hand in die Höhe. «Seine Finger sind anderthalb mal so lang wie meine, aber die Würgemale, die wir gefunden haben, deuten auf eine weitaus kleinere Spanne hin. Gut, diese Dinge lassen grundsätzlich Raum für Interpretation, vielleicht hat er die Finger enger gestellt oder sonst was. Jedenfalls weisen die Abmessungen darauf hin, dass Stacey von jemandem mit sehr viel kleineren Händen erwürgt wurde.»

Von jemandem, der Handschuhe trug. Das Gefühl in meinem Bauch wurde stärker. «Was hätte jemand anderes in Edgars Haus verloren? Und warum sollte derjenige ein verletztes Mädchen umbringen?»

«Keine Ahnung.» Abwesend nahm Lundy einen Keks aus der Packung und tunkte ihn in den Tee. «Aber falls dieser Jemand tatsächlich dort war, ist davon auszugehen, dass er nicht damit gerechnet hat, Stacey Coker vorzufinden. Ihre Anwesenheit in dem Haus muss ein ziemlicher Schock gewesen sein. Und, wichtiger noch, falls sie bei Bewusstsein war, hat sie ihn gesehen.»

Ich betrachtete seine Theorie, beleuchtete sie von verschiedenen Blickwinkeln aus. Alles deutete in dieselbe Richtung.

«Glauben Sie, Leo Villiers hat sie getötet? Damit sie ihn nicht verraten konnte?»

Lundy schob sich das restliche Stück Keks in den Mund und wischte sich die Krümel aus dem Schnauzbart. «Ganz ehrlich? Ich habe keine Ahnung. Irgendwie schreiben wir einem Mann, den wir vor ein paar Tagen noch für tot hielten, ganz schön viele Morde auf die Rechnung. Sollten wir jedoch richtigliegen, und Villiers ist noch am Leben, ist er mit Abstand unser dringendster Tatverdächtiger. Die Vorstellung, dass ein Dritter Stacey Coker ermordet hat, um sie zum Schweigen zu bringen, ist jedenfalls plausibler, als dass Holloway sie aus ihrem Wagen rettet, die Verletzte zu sich nach Hause trägt und anschließend erwürgt. Oder sie entkleidet, ohne sich an ihr zu vergehen oder irgendwelche kriminaltechnisch verwertbaren Spuren zu hinterlassen. Das ist mir einfach zu schräg.»

Ging mir genauso. Lundys Szenario klang schrecklich plausibel. Das Entkleiden der Leiche sollte den Mord sexuell motiviert aussehen lassen. Außerdem war Edgar der ideale Sündenbock. Nicht nur, dass er vor Jahrzehnten schon einmal für das Verschwinden seiner Tochter unter Verdacht geraten war, noch dazu verfügte er nicht über die Kapazitäten, zu erklären oder womöglich auch nur zu begreifen, was tatsächlich geschehen war. Wir dachten, er wäre vor seiner Tat geflohen, als Rachel und ich ihn aufgegriffen hatten. Falls er aber nach Hause gekommen war und das Mädchen, das er gerettet hatte, tot und halbnackt vorgefunden hatte, war es ebenso gut möglich, dass er vor dem geflohen war, was er *gefunden* hatte.

Doch auch in dieser Theorie gab es Elemente, die nicht passten. Ich konnte mir vorstellen, dass Leo Villiers nach der Ermordung Emma Darbys seinen eigenen Tod inszeniert, vielleicht sogar ihren Exfreund ermordet hatte. Von dort aus war es kein allzu großer Gedankensprung, sich vorzustellen, dass er auch Stacey Coker aus dem Weg geräumt hatte, um zu vermeiden, dass sie ihn verriet. Doch dieses Konstrukt ließ eine Frage offen.

«Was hätte Leo Villiers im Haus von Edgar Holloway zu suchen gehabt?»

Lundy bot mir die Kekspackung an und nahm sich, als ich ablehnte, selbst noch einen Schokoladenkeks. Offensichtlich bereitete ihm seine Kehle nach dem Eingriff keine großen Probleme. «Gute Frage. Wir haben bei der Hausdurchsuchung in einem der Küchenschränke eine Schrotpatrone gefunden. Bismut-Zinn Nummer fünf, Vogelschrot, gleiche Größe und Marke wie in Villiers' Haus. Sah so aus, als wäre sie aus einer Schachtel gerollt und in einer Ritze hängen geblieben.»

«Nur eine Patrone?»

«Eine einzige. Keine Fingerabdrücke und schon gar keine Schrotflinte. Allerdings war die Staubschicht im Schrank unterbrochen, als wäre vor kurzem etwas Großes bewegt worden. Die Durchsuchung dauert an, der Holzboden muss aufgestemmt werden, und mit dem Garten haben wir noch gar nicht angefangen. Doch falls sich im Haus eine Schrotflinte befand, dann bezweifle ich, dass sie Holloway gehörte.»

Ich dachte an das windschiefe Haus mit der unversperrten Haustür, in dem sich nichts als Käfige voll kranker und verletzter Tiere befunden hatte. «Also hat Villiers das Haus als … als was benutzt? Als geheimen Unterschlupf? Um sich zu verstecken?»

«Möglich wäre es. Andererseits gibt es keinerlei Hinweise darauf, dass außer Holloway noch jemand in dem Haus wohnte. Außerdem würde niemand, der bei klarem Verstand ist, diesen Gestank aushalten. Ich habe keine Ahnung, wie Holloway selbst dort leben konnte. Der Sozialdienst hat offenbar geschlampt. In dem Haus gab es nicht mal Strom. Er hatte zwar einen Ölgenerator, aber der war seit Ewigkeiten nicht mehr in Betrieb. Und wie hat er das mit dem Essen gemacht?»

«Vielleicht gesammelt?» Aale und Schalentiere gab es in der Gegend im Überfluss, und von Rachel wusste ich, dass in den Salzmarschen Meeresgemüse wuchs. Edgar kannte die Backwaters offensichtlich besser als irgendjemand sonst, und als einstiger Naturwissenschaftler wusste er sicher, was genießbar war.

«Auch das ist denkbar, aber im Winter wäre die Ausbeute ziemlich mager gewesen», sagte Lundy. «Wie hat er all die Jahre überlebt? Der Arzt, der ihn nach der Festnahme untersucht hat, meinte zwar, er litte an Mangelernährung, hatte aber nicht den Eindruck, dass sie über Jahre ging. Außerdem haben wir rund um das Haus leere Konservendosen gefunden. Wo kamen die her?»

Ich ärgerte mich über mich selbst, weil ich nicht gemerkt hatte, dass Edgar unterernährt war. Ich hatte gesehen, wie dünn er war, ich hätte die Anzeichen erkennen müssen. «Wieso sollte Villiers ihm Essen bringen?»

«Passt irgendwie nicht zu ihm, ich weiß, aber Holloway war sicher nicht selbst einkaufen. Vielleicht hat Villiers Edgar immer ein paar Dosen gebracht, um ihn bei Laune zu halten, während er sein Haus benutzte, um dort Sachen wie die Schrotflinte zu deponieren. Bei näherer Betrachtung der ideale Ort. Vollkommen ab vom Schuss, niemand sieht einen kommen oder gehen und ein Hausbewohner, der keinen Wind macht.»

Bis hierher ergab das durchaus Sinn. Und es würde erklären, weshalb Villiers ins Haus gekommen war, während Stacey Coker sich dort befand. Lundy spülte die letzten Krümel von seinem Keks mit einem Schluck Tee hinunter.

«Natürlich hat diese Theorie einen Haken.» Er setzte die Tasse ab. «Woher sollte jemand wie Leo Villiers auch nur von Holloways Existenz wissen, ganz zu schweigen davon, dass er wusste, wo Holloway wohnte? Ein derart wohlhabender Mann, mit Zugang zu unendlich viel Geld und Ressourcen, wie kommt er ausgerechnet auf die Bruchbude eines Einsiedlers? Und wo wir gerade beim Thema sind: Was tut er überhaupt noch hier? Wieso hat er nicht längst das Land verlassen oder sich irgendwohin aus dem Staub gemacht, weit weg, wo keiner ihn erkennt?»

«Sagen Sie es mir.»

«Ich habe nicht den geringsten Schimmer.» Er nahm sich noch einen Keks und brach ihn durch. «Das war keine rhetorische Frage. Ich weiß es wirklich nicht. Und das fuchst mich. Bringt mich auf den Gedanken, dass wir vielleicht aus dem falschen Blickwinkel schauen. Sie wissen schon. Diese Bilder mit optischen Täuschungen, wo man einen ganz bestimmten Blickwinkel braucht? Man glaubt, man sieht einen Mann im Käfig, aber aus einer anderen Perspektive merkt man plötzlich, dass er in Wirklichkeit dahintersteht. Es ist alles eine Frage der Perspektive, und ich werde das Gefühl nicht los, dass unsere die falsche ist. Wir betrachten das Ganze von der verkehrten Seite her.»

Während er sprach, zerbrach er abwesend den Keks in immer kleinere Stücke und ließ sie auf den Teller bröseln. Sein Ausdruck hatte sich verändert, und plötzlich war ich auf der Hut.

«Ist es das, worüber Sie mit mir sprechen wollten?», fragte ich behutsam.

Er lächelte und legte den restlichen Keks beiseite. «Sozusagen», erwiderte er und wischte sich die Finger ab. «Ich durchlöchere damit zwar meine eigene Theorie, aber mir ist bewusst geworden, dass Emma Darbys Leiche die einzige ist, die wir noch immer nicht gefunden haben. Sie steht im Zentrum von allem. Wenn es sich bei der Leiche im Stacheldraht tatsächlich um ihren Exfreund handelt, wie kommt es dann, dass wir nicht auch sie gefunden haben?»

Derselbe Gedanke hatte mir auch schon zu schaffen gemacht. Ich hatte das ungute Gefühl, dass ich wusste, worauf er hinauswollte. «Hätten wir zwei Leichen gefunden, wäre sofort klar gewesen, dass es kein Bootsunfall war. Außerdem wissen wir noch immer nicht, ob es sich bei der Leiche tatsächlich um Mark Chapel handelt.»

«Stimmt», räumte er ein. «Doch *falls* es sich um Mark Chapel handelt, wirft das für einige Menschen ziemlich unangenehme Fragen auf. Leo Villiers mag im Augenblick der Hauptverdächtige sein, aber das schließt nicht automatisch aus, dass es noch andere gibt. Tatsache ist, wenn sich herausstellt, dass Emma Darbys Exfreund tot ist, müssen wir noch einmal einen sehr genauen Blick auf ihren Ehemann werfen.»

«Ich dachte, Sie hätten gesagt, Trask hätte ein Alibi? Hatten Sie ihn nicht selbst überprüft?»

«Haben wir, und er hat ein Alibi. Doch nur, weil er, was seine Frau betrifft, aus dem Schneider ist, gilt das nicht automatisch auch für ihren Freund. Jedenfalls nicht für diesen. Zumindest müssen wir ihn uns noch einmal gründlich vornehmen. Und seinen Sohn womöglich ebenfalls.»

Als wäre die Anspannung in Creek House nicht schon dramatisch genug … «Weshalb erzählen Sie mir das?»

Lundy warf mir über den Rand seiner Brille hinweg einen tadelnden Blick zu. «Ich bin nicht blöd, ich weiß, dass Sie mit Emma Darbys Schwester befreundet sind. Ich wünsche Ihnen Glück, ich mag diese Frau wirklich sehr. Es gehört schon einiges dazu, sich so ins Zeug zu legen, wie sie es getan hat. Trotzdem. Es ist eine Sache, sich auf jemanden aus der

Familie eines Opfers einzulassen. Bei der Familie eines Verdächtigen ist das etwas ganz anderes.»

«Noch ist Trask kein Verdächtiger.» Ich hörte selbst, wie abwehrend das klang.

«Nein, aber das könnte sich schnell ändern, wenn sich herausstellt, dass wir tatsächlich Mark Chapel in der Leichenhalle liegen haben», sagte Lundy. «Falls das der Fall ist, befinden Sie sich im Handumdrehen inmitten eines potenziellen Interessenkonflikts. Zum Wohle der Familie und zu Ihrem eigenen – von den Ermittlungen einmal abgesehen – sollten Sie ernsthaft darüber nachdenken, ein wenig auf Abstand zu gehen, bis sich die Sache beruhigt hat. Zumindest aber sollten Sie sich nach einer anderen Unterkunft umsehen. Im Eigentum eines Verdächtigen zu wohnen … ich muss Ihnen ja wohl nicht sagen, wie das aussehen könnte.»

Musste er nicht. So sehr ich den Gedanken auch hasste, Lundy hatte recht. Ich war wütend, aber vor allem auf mich selbst, weil ich dies nicht hatte kommen sehen.

«Es gibt hier für mich sowieso nicht mehr viel zu tun», sagte ich. Ich hatte einen bitteren Geschmack im Mund. «Heute Abend ist es schon zu spät, um mir etwas anderes zu suchen, aber morgen fahre ich nach London zurück.»

Damit würde die Fahrt in die Leichenhalle zwar länger dauern, aber ich konnte wirklich nicht so tun, als gäbe es für mich einen guten Grund, noch länger in den Backwaters zu bleiben. Jedenfalls nicht im Zusammenhang mit dem Fall.

Lundy nickte. Jetzt, wo er auf den Punkt gekommen war, wirkte er mit einem Mal verlegen. Wir waren wohl beide erleichtert, als wir hörten, dass jemand an der Haustür war.

«Das sind sie.» Er richtete sich auf, warf sich eilig das

letzte Stückchen Keks in den Mund und zwinkerte mir zu. «Verraten Sie mich nicht.»

Er drehte die Kekspackung zusammen, als die Küchentür aufging und ein kleiner Wirbelwind hereingefegt kam.

«Granddad, Gran hat gesagt, ich darf ...»

Als das kleine Mädchen mich sah, verstummte es. Lundys Gesicht hatte sich zu einem breiten Lächeln verzogen. «Da ist sie ja! Na, wie geht es meinem großen Mädchen?»

Seine Enkeltochter lächelte zwar, ließ mich aber nicht aus den Augen. Sie wirkte plötzlich schüchtern. Unter einem wilden Haarschopf lugte ein niedliches Gesicht mit großen Augen hervor. Immer noch strahlend hob Lundy sie hoch, gab ihr einen Kuss auf die Wange und setzte sie sich aufs Knie.

«Kelly? Das ist Dr. Hunter. Er arbeitet mit deinem Granddad zusammen. Willst du nicht hallo sagen?»

Das kleine Mädchen lehnte den Kopf gegen ihn und sah mich unter langen Wimpern an. «Hallo.»

«Normalerweise ist sie nicht so still», sagte Lundy und drückte sie. Der Polizist war verschwunden und hatte einem vernarrten Großvater Platz gemacht. «Normalerweise müssen wir Ohrstöpsel verteilen.»

«Das sollten wir auskosten», sagte seine Frau und kam mit regennassem Mantel und Einkaufstüten in die Küche gewuselt. Sie war eine attraktive, unkompliziert wirkende Frau mit blonder Kurzhaarfrisur. «Du lieber Himmel, dieses Wetter! Eben noch Sonne und eine Sekunde später Regen. Und für morgen sagen sie Sturm voraus. Sie müssen Dr. Hunter sein.»

Sie lächelte mir zu und zog den feuchten Mantel aus. «David», sagte ich und erhob mich, um ihr mit den Einkaufstüten zu helfen. Lundy war ebenfalls aufgestanden, einen kräftigen Arm fest um seine Enkelin gelegt. Seine Frau winkte ab.

«Danke, das schaffe ich schon. Ich bin Sandra. Schön, Sie kennenzulernen.»

«Dr. Hunter ist noch auf eine Tasse Tee geblieben, nachdem er mich vom Krankenhaus hergefahren hat», sagte Lundy und setzte sich wieder.

«Ich vermute, er hat auch die ganzen Schokoladenkekse gegessen», sagte sie und musterte mit hochgezogener Augenbraue die zerknüllte Kekspackung auf dem Tisch.

Lundy machte ein zerknirschtes Gesicht. «Na ja, ihn zu stoppen, wäre mir unhöflich erschienen.»

«Sehen Sie, womit ich mich rumschlagen muss?» Seine Frau lächelte mir zu, doch die dahinterliegende Besorgnis ließ sich nicht verbergen. «Wie ist es gelaufen?»

«Ach, gut.»

Sie nickte, und ich wusste, dass das Thema ruhen würde, bis sie alleine wären. «Bleiben Sie zum Abendessen, David? Wir würden uns freuen», fragte sie mich und begann, die Einkäufe auszupacken.

«Vielen Dank, aber ich wollte gerade gehen.» Ich sollte die beiden allein lassen, und außerdem brauchte ich Zeit, um nachzudenken. Ich wandte mich an Lundy. «Danke für den Tee. Und die Kekse.»

«Gern geschehen. Aber lassen Sie das nächste Mal noch welche übrig.» Er stand auf und stöhnte übertrieben, als er seine Enkelin absetzte. «Wenn du so schnell weiterwächst, kann ich dich nicht mehr lange hochheben. Du hilfst deiner Gran, und ich bringe Dr. Hunter zur Tür.»

«Er hat gesagt, er heißt David.»

«Er ist ein Erwachsener, er darf mehr als einen Namen haben.» Lundy begleitete mich hinaus in den Flur. Er schien sich wegen unseres Gesprächs von vorhin noch immer etwas unwohl zu fühlen. «Und? Schon irgendwelche Pläne für den Abend?»

«Ich werde mir wahrscheinlich nur eine Kleinigkeit kochen und dann früh zu Bett gehen.»

«Klingt nach einem guten Plan. Würde uns allen nicht schaden.» Er ließ das Kleingeld in seiner Tasche klimpern. «Alles okay?»

«Mir geht's gut.» Sein sichtliches Unbehagen entlockte mir trotz allem ein Grinsen.

«Schön zu hören. Na ja, wir sprechen uns morgen.»

Auf der Fahrt zum Bootshaus fühlte ich mich müde und deprimiert. Ich fragte mich jetzt schon, ob nach London zurückzukehren das Richtige war, aber noch länger im Bootshaus zu bleiben, wäre nicht vertretbar. Ich durfte auf keinen Fall riskieren, die Ermittlungen zu kompromittieren, indem ich Rachel von den neuen Erkenntnissen erzählte, und trotzdem: Sie ihr zu verschweigen, fühlte sich genauso schlimm an wie zu lügen.

Ich hatte keine Ahnung, welchen Grund ich für meinen Auszug aus dem Bootshaus vorschieben könnte, der für sie nicht hieß, dass irgendwas nicht stimmte. Oder war es selbstgefällig von mir zu glauben, es würde ihr überhaupt etwas ausmachen? Womöglich hatte sie ganz andere Sorgen, als sich Gedanken um einen Mann zu machen, den sie erst seit ein paar Tagen kannte.

Ich schlug mich immer noch mit diesen Fragen herum, als sie anrief. Ich fuhr links ran und erntete dafür ein wütendes Hupen von dem Wagen hinter mir. Der Regen prasselte gegen die Windschutzscheibe, und ich zögerte kurz, ehe ich ranging.

«David? Kannst du sprechen?» Rachel klang besorgt, und meine eigenen Sorgen waren augenblicklich vergessen.

«Was ist los?»

«Nichts … Ich weiß es nicht. Hör mal … Kannst du rüberkommen?» Sie senkte die Stimme, so als wollte sie nicht, dass jemand mithörte. «Ich habe etwas gefunden.»

KAPITEL 24

❧

Als ich auf den Parkplatz vor Creek House einbog, hatte es aufgehört zu regnen. Der bleierne Himmel hatte beinahe alles Licht verloren, und der lebhafte Wind vom Vorabend hatte sich zu einer verdrießlichen Brise gelegt, die das Schlickgras rascheln ließ wie Hintergrundrauschen. Obwohl die Flut ihren Höhepunkt noch nicht ganz erreicht hatte, sah der Fluss aus, als würde er jeden Moment über die Ufer treten. Die Seevögel auf dem kabbeligen Wasser paddelten heftig gegen den Strom an. Die Landschaft hatte etwas Unruhiges an sich, etwas Geheimnisumwobenes.

Vielleicht lag es auch nur an mir.

Rachel hatte am Telefon nicht mehr sagen wollen, und ich hatte keine Ahnung, was es mit ihrem Fund auf sich haben mochte. Meine Phantasie hatte sich während der Fahrt selbständig gemacht und schließlich in heftigem Widerstreit mit dem schlechten Gewissen gelegen, weil ich mich unmittelbar nach Lundys Warnung schon wieder auf den Weg zu ihr machte. Am Ende gewann die einfache Frage nach den Prioritäten. Was setzte ich an oberste Stelle? Die Rolle, die ich in der Ermittlung innehatte, oder Rachels Bitte um Hilfe?

Und jetzt war ich hier.

Während ich unter den tropfnassen Zweigen der Birken hindurchging, redete ich mir ein, dass ich rein technisch nichts Falsches tat. Die Leiche aus dem Stacheldraht war noch nicht identifiziert, und Mark Chapel konnte immer noch irgendwo am Leben und putzmunter sein. Bis das Gegenteil bewiesen war, war Trask auch kein Verdächtiger.

Die fadenscheinige Rechtfertigung klingelte mir selbst in den Ohren, als ich die Stufen hinaufstieg und an die Haustür klopfte. Aus dem Inneren war Musik zu hören, dann machte Jamie mir auf. Er musterte mich dumpf und senkte den Blick wieder.

«Dad ist nicht da. Er ist bei einem Kunden.»

Seine Augen waren gerötet. Nach allem, was passiert war, hatte ich nicht gedacht, dass der Tod von Stacey Coker ihm so nahegehen könnte.

«Kein Problem. Ich wollte zu Rachel», sagte ich, froh, dass Trask nicht zu Hause war.

Jamie trat wortlos beiseite und ließ mich in den Flur. Die Musik drang aus einem geschlossenen Zimmer im Erdgeschoss, dem Klang nach irgendeine Mädchenband. Jamie schloss die Haustür, drehte sich um und ging in Richtung der Musik.

«Fay, stell das leiser!» Als keine Reaktion erfolgte, trat er an die Tür und hämmerte dagegen. «Bist du taub? Mach *leiser*, hab ich gesagt!»

Aus dem Zimmer kam eine unverständliche, aber eindeutig entrüstete Antwort, dann wurde die Lautstärke heruntergedreht.

«Ja. Du mich auch», sagte Jamie zu der geschlossenen Zimmertür und drehte sich zu mir um. «Rachel ist wahrscheinlich oben. Gehen Sie einfach rauf.»

«Danke.» Ich zögerte. «Das mit Stacey tut mir leid.»

Er wirkte überrascht und dann fast verärgert. Er nickte widerwillig, wandte sich ab und drehte sich noch einmal zu mir um. «Was passiert jetzt mit Edgar?»

«Ich weiß es nicht.»

«Kommt er ins Gefängnis?»

Ich zögerte, aber Aufrichtigkeit war besser als Ausflüchte. «Ich bezweifle es. Er wird wahrscheinlich in die Psychiatrie eingewiesen.»

Das war in jedem Fall richtig, ob er schuldig war oder nicht. Ganz egal, was geschah, die Backwaters würde Edgar lange Zeit nicht wiedersehen.

Jamies Hände waren fest ineinander verknotet. Einen Augenblick kämpfte er mit sich. Es sah aus, als wäre er den Tränen nahe.

«Hat er … wurde sie … Sie wissen schon …»

Ich wollte schon erwidern, ich könne ihm nichts sagen, dass ich an dieser Ermittlung nicht einmal beteiligt wäre. Aber ich hatte sowieso schon mehr Grenzen überschritten, als ich mir vorstellen mochte.

«Ich glaube nicht», sagte ich leise.

Die nächsten Worte sprudelten förmlich aus ihm heraus. «Das ist meine Schuld. Alles. Das ist alles meine Schuld.»

«Du darfst dir keine Vorwürfe machen.» Ich wusste sehr wohl, dass das leichter gesagt als getan war. Ganz gleich, was man ihm auch sagen mochte, wie Stacey nach ihrem Streit mit dem Auto davongerast war, würde für lange Zeit seine Erinnerung an sie sein.

«Nein? Woher wollen Sie das denn wissen?» Er rieb sich eine Träne aus dem Augenwinkel. «*Fuck!* Ich wünschte, ich könnte …»

Es gab nichts, was ich darauf hätte sagen können, und Platituden halfen nicht. Jamie verschwand in seinem Zimmer, ich sah ihm nach und machte mich auf die Suche nach Rachel.

Am Ende der Treppe blieb ich stehen. Der offene Koch-Wohn-Bereich war leer. Die große Fensterfront warf ein dunkles Spiegelbild, doch die einzige Reflexion darin war meine eigene.

«Rachel?»

«Hier drüben.»

Ihre Stimme kam hinter dem frei stehenden Bücherregal am anderen Ende des langgezogenen Raums hervor. Das Regal diente als Raumteiler, und dahinter befand sich ein kleiner Arbeitsbereich. Rachel saß mit dem Rücken zu dem riesigen Fenster, welches die kleine Nische sich mit dem Wohn- und dem Essbereich teilte, an einem Schreibtisch mit Glasplatte. Vor ihr stand ein Laptop. Sie lächelte mich zaghaft an.

«Ich hab dich gar nicht kommen hören», sagte sie.

«Jamie hat mir aufgemacht.»

Ein Schatten zog über ihr Gesicht. «Die Sache mit Stacey trifft ihn hart.»

«Und was ist mit dir?»

«Oh, mir geht es gut. Doch, ja.» Sie zuckte mit den Schultern. Sie trug ausgeblichene Jeans und einen schlabbrigen Strickpullover mit Zopfmuster und aufgerollten Ärmeln. Die Haare wurden von einem Haarreif aus dem Gesicht gehalten. «Ehrlich gesagt, ist es noch nicht ganz bis zu mir durchgedrungen. Zu Edgar nach Hause zu fahren und dann … das alles. Es kommt mir ziemlich unwirklich vor. Ich kann immer noch nicht glauben, dass er so was getan hat.»

Hat er nicht. Aber das durfte ich ihr nicht sagen, also sagte ich gar nichts.

«Ich hatte dich angerufen», sagte ich.

«Ich weiß, und ich wollte dich eigentlich auch zurückrufen, aber …» Sie wirkte sichtlich beunruhigt. «Ach so, möchtest du was trinken? Ich habe gerade Kaffee gekocht, aber Bier oder Wein ist auch da.»

«Kaffee wäre toll.»

Ich folgte ihr in den Küchenbereich. Aus einer Stempelkanne goss sie dampfenden, schwarzen Kaffee in eine Henkeltasse. «Milch, kein Zucker, richtig?»

«Richtig.»

Sie gab Milch dazu und reichte mir die Tasse. Ich nippte an der heißen Flüssigkeit, und meine Neugierde wuchs, als sie zur Treppe ging und nach unten spähte. Von unten drang noch immer Musik herauf, doch offenbar war niemand zu sehen. Beruhigt führte sie mich zurück hinter das Bücherregal. Als Raumteiler war das Regal sehr effektiv, denn für jeden, der die Treppe heraufkam, war die Nische nicht zu sehen, doch die Lücken zwischen den architektonischen Fachbüchern und Fachzeitschriften waren groß genug, um unsererseits sofort zu merken, wenn jemand den Raum betrat.

«Hol dir einen Stuhl», sagte Rachel und setzte sich wieder an den Schreibtisch. Ich zog mir einen der lackierten Esszimmerstühle heran.

«Bitte entschuldige diese Geheimniskrämerei, aber ich wollte unbedingt allein mit dir sprechen. Ich wäre auch ins Bootshaus gekommen, aber Andrew ist bei einem Kunden in Exeter. Und nach allem, was passiert ist, hätte ich es nicht fair gefunden, Jamie dazu zu verdonnern, auf Fay aufzupassen.»

«Okay.» Ich wartete ab.

Sie holte tief Luft, und ihr Blick wanderte zu dem aufgeklappten Laptop. Von meinem Platz aus konnte ich den Monitor nicht richtig sehen. Das Fenster in ihrem Rücken reflektierte den blauen Widerschein und verlieh dem kleinen Raum die abgeschiedene, meditative Atmosphäre eines Lesesaals.

«Ich habe der Polizei von der Fotografie mit dem Motorrad erzählt», sagte sie.

Ich schwieg, und mein schlechtes Gewissen legte noch eine Schippe drauf.

«Sie wollen sich darum kümmern. Ich habe mich gefragt, ob Emma vielleicht noch andere Angeberfotos von Mark gemacht hat. Fotos, die nicht gerahmt wurden. Ich habe dir doch erzählt, dass unsere Computer bei dem Einbruch gestohlen wurden, oder? Der Großteil von Emmas Bildern war darauf gespeichert, und an eventuelle Online-Backups kommen wir nicht ran, weil Andrew ihr Passwort nicht kennt. Aber es gab auch ein paar Kisten mit Abzügen, und heute Morgen habe ich mich hingesetzt und mir die Kisten angesehen. Und habe die hier gefunden.»

Sie schob eine schlichte Mappe über den Tisch. Ich schlug sie auf und nahm den kleinen Stapel Hochglanzfotos heraus. Die erste Aufnahme zeigte einen Mann in engen, schwarzen Jeans und T-Shirt. Er war etwa Mitte dreißig, gut aussehend und gut gebaut, mit zerzausten braunen Haaren und dichten Bartstoppeln. Er strahlte eine gewisse Dreistigkeit aus, und in seiner nicht ganz so lässigen Pose lag mehr als nur eine Spur Narzissmus: Die Arme vor der Brust verschränkt, um die Bizepse zu betonen, grinste er in die Kamera.

«Das ist Mark Chapel», sagte Rachel. «Das Foto ist alt, aber Emma hing offensichtlich daran.»

Ich hätte ihn auch so erkannt. Auch wenn sich die Körpergröße auf einem Foto generell eher schlecht schätzen ließ, wirkte er groß, vermutlich zwischen eins fünfundachtzig und eins neunzig. Doch den entscheidenden Hinweis gab mir das bärtige Kinn. Mark Chapel hatte eine kräftige, kantige Kieferpartie mit einem ausgeprägten, äußerst fotogenen Grübchen in der Mitte.

Genauso eines hatte ich gerade erst gesehen, und zwar an der Mandibula der Leiche aus dem Stacheldraht.

Mit einem finsteren Gefühl der Vorahnung sah ich mir das nächste Foto an. Zuerst dachte ich, es wäre ein kleinerer Abzug der Motorradaufnahme aus dem Bootshaus. Dieselbe auf Hochglanz polierte Maschine auf der Düne, dasselbe Kreuz und Quer von Kondensstreifen am Himmel. Doch bei näherem Hinsehen bemerkte ich den Unterschied: Die Kondensstreifen waren verwaschener als in meiner Erinnerung, und auch der Aufnahmewinkel war nicht ganz derselbe.

Ich blätterte den Fotostapel durch. Jedes Bild war eine leicht variierte Aufnahme des gleichen Motivs.

«Emma nannte das ihren *Ausschuss*», sagte Rachel. «Deshalb mochte sie die digitale Fotografie lieber als konventionelle. Sie konnte so viele Bilder schießen, wie sie wollte, und nur Abzüge von denjenigen machen, die ihr wirklich gefielen. Auf den letzten beiden ist die Seefestung viel deutlicher zu sehen.»

Sie hatte recht: Auf den letzten beiden Aufnahmen der Motorrad-Serie waren die verbliebenen drei Türme der Seefestung im Hintergrund deutlich zu erkennen. Wie eine Szenerie aus *Krieg der Welten* erhoben sie sich auf ihren Stelzenbeinen aus den Wellen.

«Und du bist dir sicher, dass es sich um die Festung hier in der Nähe handelt?»

«Ganz sicher. Hier, schau mal.»

Sie drehte mir den Laptop zu. Der Bildschirm zeigte eine Website über die Maunsell-Seefestungen. Auf einem Foto waren die drei Türme abgebildet, die ich von der Fahrt auf die Barrows mit Lundy in Erinnerung hatte, jedoch sehr viel detaillierter. Es handelte sich um eine bemerkenswerte Konstruktion. Die drei baufälligen Türme bestanden jeweils aus einem rechteckigen, klobigen Aufsatz, der auf vier nach außen geneigten Stelzen ruhte. Nur einer der Türme war noch intakt, die anderen beiden waren im Laufe der Jahre zumindest teilweise eingestürzt. Die Bildunterschrift lautete:

Verbliebene Türme des Maunsell Army Fort in der Mündung des Saltmere Estuary.

«Es ist dieselbe Festung, die hinter dem Motorrad zu erkennen ist», sagte Rachel. «Und hier. Das habe ich auch noch gefunden.» Sie blätterte in den Abzügen, bis sie das richtige Foto hatte. «Auf dem hier kann man sogar das Kennzeichen entziffern. Ich dachte, die Polizei könnte es nutzen, um zu bestätigen, dass es sich tatsächlich um Marks Motorrad handelt. Ich bin mir sicher, die wollen mit ihm sprechen, auch wenn er vielleicht nichts weiß.»

Ich war mir sicher, das würden sie – wenn seine sterblichen Überreste nicht halb verwest im Stacheldraht gefunden worden wären. Doch davon wusste Rachel nichts. Rachel ging davon aus, dass die Leiche aus dem Fluss in keiner Verbindung zu ihrer vermissten Schwester stand und dass Mark Chapel noch am Leben war.

«Ist irgendwas?», fragte sie mich.

«Entschuldige. Ich dachte nur gerade, dass Lundy die Bilder sicher gern sehen würde.»

Ohne Rachel anzublicken, schob ich die Motorradfotos beiseite und konzentrierte mich auf die übrigen Bilder. Sie alle zeigten ein großes viktorianisches Haus direkt an der Küste, zu drei Seiten von Bäumen umstanden. Die Bilder waren vom Wasser aus aufgenommen worden. Einen Moment lang irritierte mich der Blickwinkel, dann erkannte ich die charakteristischen Erkerfenster von Leo Villiers' Haus. Die Aufnahmen variierten von Totalen des gesamten Gebäudes bis hin zu herangezoomten Nahaufnahmen. Auf manchen war die Terrasse zu sehen, doch die meisten Bilder zeigten durch die Fenster fotografierte Zimmer.

Rachel lehnte sich gegen meinen Arm, um sich die Bilder ebenfalls anzusehen. «Erkennst du es wieder? Das ist das Haus von Leo Villiers.» Sie sah mich erwartungsvoll an. Ratlos blätterte ich in dem Stapel. Auf keinem der Fotos waren Menschen zu sehen, und im Gegensatz zu dem Fotoposter-Stil der anderen Aufnahmen von Emma Darby wirkten diese eher wie Schnappschüsse.

«Tut mir leid, ich verstehe das nicht. Habe ich etwas übersehen?»

«Kommt dir an den Bildern nichts seltsam vor?»

Ich ging die Aufnahmen noch einmal durch, entdeckte aber nichts Neues. Sie wirkten auf mich wie Referenzbilder, wahrscheinlich aus der Zeit, als Emma Darby den Auftrag bekommen hatte, Villiers' Haus umzugestalten.

«Nein. Was denn?»

Rachel sah enttäuscht aus. «Von wo aus sind die Bilder deiner Meinung nach aufgenommen worden?»

Ich sah mir die Fotos noch einmal an. Offensichtlich waren sie vom Wasser aus gemacht worden. «Von einem Boot vermutlich.»

«Das dachte ich zuerst auch. Aber schau dir mal den *Winkel* an. Die sind von hoch oben entstanden.» Rachel klang aufgeregt. «Von einem kleinen Boot aus ist diese Perspektive gar nicht zu schaffen. Die Bucht rund um die unmittelbare Flussmündung ist voller Sandbänke. Mit einem Boot, das die richtige Größe für diese Perspektive hätte, würde man da gar nicht hinkommen.»

Sie hatte recht. Ich dachte an den Tag zurück, als auf dem Grundstück das Hundegrab entdeckt worden war, und versuchte, mir den Blick vom Haus aufs Meer ins Gedächtnis zu rufen. Es dauerte nicht lange.

«Glaubst du, sie hat die Bilder von der Seefestung aus gemacht?»

«Muss sie. Da draußen gibt es sonst nur Wasser.»

Rachels Gesicht war vor Eifer gerötet. Ich wandte mich wieder dem Laptop zu und sah mir noch einmal die Abbildung auf der Website der Festung an. Sie war in einem miserablen Zustand, ein rostiger, salzverkrusteter Koloss.

«Die Türme sehen schwer baufällig aus. Die sind doch bestimmt abgeriegelt, oder?», fragte ich zweifelnd.

«Ich habe keine Ahnung», antwortete Rachel. «Müssten sie eigentlich, aber ich bin selbst noch nie draußen gewesen. Ich glaube, da war gar niemand mehr, seit in den Sechzigern von dort aus mal eine Piratenstation gesendet hat.»

«Warum sollte Emma dann zu der alten Seefestung rausgefahren sein?»

«Ich *weiß* es nicht! Vielleicht war sie zusammen mit Mark Chapel unterwegs. Er war in der Musikbranche, die Piratensendernummer hätte ihm garantiert gefallen. Jedenfalls *ist* sie offensichtlich rausgefahren. Du hast die Bilder selbst gesehen, wo sollten sie sonst entstanden sein?»

An ihrer Logik gab es nichts auszusetzen. Allerdings verstand ich nicht, welche Rolle das spielte. «Gut. Sie hat von einem der Türme aus Aufnahmen von Leo Villiers' Haus gemacht. Aber was beweist das?»

Rachel schüttelte den Kopf, die Stirn in Falten. «Vielleicht überhaupt nichts, aber seit ich auf diese Bilder gestoßen bin, kann ich an nichts anderes mehr denken. Emma war immer impulsiv, und sich mit ihrer Kamera klammheimlich an so einen Ort zu schleichen, hätte ihr absolut ähnlich gesehen. Was, wenn sie einen Unfall hatte oder sich versehentlich eingeschlossen hat? Ich weiß, es klingt verrückt, aber schließlich hat die Polizei nie eine Spur von ihr gefunden. Was, wenn das der Grund ist?»

Es klang keineswegs verrückt, aber Rachel hatte nicht das ganze Bild vor Augen. Sie war der Meinung, Leo Villiers' Leiche wäre im Mündungsgebiet gefunden worden. Sie hatte keine Ahnung, dass er wahrscheinlich seinen eigenen Tod vorgetäuscht und womöglich sogar Stacey Coker ermordet hatte. Oder dass momentan alles darauf hindeutete, dass auch Mark Chapel, der Exfreund ihrer Schwester, tot war, dass jemand seine Leiche mit zerstörtem Gesicht nicht einmal eine Meile von diesem Haus entfernt im Fluss entsorgt hatte.

So viel zum Thema Gewissenskonflikt.

Ich sah auf und erschrak. Durchs Fenster starrte mir ein Gesicht entgegen. Es war mein eigenes, registrierte ich eine Sekunde später, meine Reflexion neben der von Rachel, eingefangen von der dunklen Scheibe.

«Hast du irgendjemandem davon erzählt?», fragte ich sie.

«Noch nicht. Andrew war den ganzen Tag außer Haus, und ich möchte ihn nicht unnötig beunruhigen, falls es sich als blinder Alarm herausstellt. Ich hätte beinahe Bob Lundy angerufen, aber ich wollte mich vorher vergewissern, dass ich mich nicht an einen Strohhalm klammere. Was meinst du? Klammere ich mich an einen Strohhalm?»

Nein, wohl eher nicht. Ich hatte zwar keine Ahnung, wie die baufällige Seefestung ins Bild passen sollte, trotzdem war dies eine neue potenzielle Spur. Es war schrecklich, dass Rachel mich ins Vertrauen gezogen hatte, ich jedoch nicht ehrlich zu ihr sein durfte.

«Ich finde, du solltest mit Lundy reden», sagte ich.

«Glaubst du, er würde mich ernst nehmen?», fragte sie zweifelnd und nahm aufs Neue die Bilder zur Hand.

«Ich finde, er muss davon erfahren.» Ich warf einen Blick auf die Uhr, ohne jedoch zu registrieren, wie spät es war. «Ich sollte jedenfalls langsam los.»

Rachel wirkte verdattert. «Oh. Ich dachte ... willst du nicht zum Essen bleiben?»

«Danke. Lieber nicht.»

«Stimmt etwas nicht?»

Sie sah mich besorgt an. Ich rang mir ein Lächeln ab, aber gewiss kein sehr überzeugendes. «Nein. Ich ... ich habe einfach noch ziemlich viel zu tun.»

Ich merkte ihr an, dass sie mir nicht glaubte. Ihr Lächeln wirkte fragend, so als würde sie darauf warten, dass ich noch etwas sagte. Als ich schwieg, verblasste es.

«Na ja ... danke, dass du vorbeigekommen bist.»

Wie ich das hasste. Und ich wusste, dass ich es noch

schlimmer machen würde. «Hör mal, ich wollte dir noch sagen ...» *Spuck's schon aus.* «Ich fahre morgen nach London zurück.»

«Morgen. Oh. Ach so.» Mit unergründlicher Miene senkte sie den Blick auf die Bilder. «Kommt ein bisschen plötzlich, oder?»

«Nein ... na ja, doch. Aber ich bin hier fast fertig, und ...»

«Und du ziehst weiter. Klar, das ist völlig in Ordnung.»

«So ist das nicht.»

«Du musst mir nichts erklären.»

«Rachel ...»

«Ich bring dich zur Tür.»

Ich wollte ihr sagen, dass ich so nicht gehen wollte, dass ich sie wiedersehen wollte. Aber je mehr ich jetzt sagte, desto schlimmer würde es werden, wenn sie herausfand, dass ich ihr Dinge verschwiegen hatte.

Ohne ein Wort gingen wir nach unten. Als sie mir die Haustür öffnete, lagen in ihren Augen Verletztheit und Verwirrung und Wut. Verzweifelt dachte ich darüber nach, wie ich es irgendwie leichter machen könnte, und trat in die feuchte Nachtluft hinaus. Der Wind wehte immer noch in heftigen Böen und brachte die Androhung von neuem Regen und einen Hauch Salz vom Meer mit. Ich drehte mich zu ihr um.

«Tschüs», sagte Rachel.

Die Haustür fiel mit Nachdruck ins Schloss.

Als ich durch das Wäldchen zum Auto lief, spulte ich das Gespräch wieder und wieder in meinem Kopf ab, als ließe sich dadurch das Ergebnis verändern. Ich fing sogar an, mich zu fragen, ob ich wirklich nach London zurückkehren musste. Im Grunde konnte Lundy mir den Kontakt zu Rachel oder Trask und seiner Familie nicht verbieten. Vielleicht hätte ich ihm den Kompromiss anbieten sollen, aus dem Bootshaus auszuziehen und mir in der Nähe etwas anderes zu suchen.

Aber in irgendein Bed & Breakfast umzuziehen, das meilenweit ab vom Schuss lag, würde auch nichts bringen. Ich müsste trotzdem weiter Ermittlungsergebnisse vor Rachel geheim halten, und dann war es besser, den Kontakt zu ihr ganz abzubrechen.

Ich war mir allerdings nicht sicher, ob sie hinterher je wieder ein Wort mit mir sprechen würde.

Tief in Gedanken, wäre ich fast mit einer Gestalt zusammengestoßen. Trask war mir durch die Bäume entgegengekommen. Er blieb stehen, offenbar ebenso überrascht, mich zu sehen, wie andersherum. Er trug eine abgewetzte lederne Aktentasche über der Schulter und hatte eine Zeichenrolle unter den Arm geklemmt. Im Schein der Außenlampe, der durch die Bäume fiel, wirkte sein Gesicht zerfurchter denn je.

«Schon wieder hier?», fragte er. Es klang reserviert.

«Ich habe Rachel besucht.»

«Aha.» Er lockerte den Schulterriemen. «Grauenvoll, das mit Stacey Coker. Absolut grauenvoll. Ich hätte niemals geglaubt, dass Edgar Holloway zu so etwas fähig wäre. Wie geht es ihrem Vater?»

«Ich habe ihn nicht gesehen.» Ich wollte nicht unhöflich sein, aber je weniger ich jetzt noch zu irgendwem sagte, desto besser. «Ich war nur kurz hier, um mich zu verabschieden. Ich reise morgen ab.»

Plötzlich wirkte Trask interessiert. «Schon fertig?»

«Ich muss nach London zurück», sagte ich unverbindlich. «Also dann. Noch mal danke fürs Abschleppen. Und dafür, mir das Bootshaus zu überlassen. Wegen der Rechnung melde ich mich in den nächsten Tagen.»

Trask winkte gereizt ab. «Himmel. Machen Sie sich darüber mal keine Gedanken. Nicht nach allem, was Sie für Fay getan haben. Glauben Sie, dass Sie hinterher noch mal herkommen werden?»

Ich musste daran denken, wie die Sache zwischen Rachel und mir gerade stand. «Ich weiß es nicht.»

«Na ja …»

Es gab nichts mehr zu sagen. «Danke noch mal.»

Wir machten beide keine Anstalten, einander die Hand zu reichen. Mit einem knappen Nicken setzte Trask seinen Weg zwischen den Bäumen hindurch fort. Ich ging zu meinem Wagen. Es hatte sicher nicht geschadet, ihn vor meiner Abreise noch einmal zu sehen, aber ich war mir sicher, dass es ihm genauso wenig leidtat, mich endgültig los zu sein wie andersherum. Es gab Menschen wie Lundy, denen begegnete man und hatte das Gefühl, einander schon ewig zu kennen. Andere dagegen streifte man flüchtig, ohne dass sie einen Eindruck hinterließen. Und ihnen ging es mit einem selbst wahrscheinlich ebenso.

Meine Gedanken kehrten zu Rachel zurück. Während ich zum Bootshaus fuhr, versuchte ich, mir einzureden, ein wenig Luft zum Atmen würde uns beiden nicht schaden. Sie hatte viel mitgemacht, und die letzten Tage waren emotional derart herausfordernd gewesen, dass mein eigenes Urteilsvermögen eventuell leicht verzerrt war. Außerdem war es nicht so, dass zwischen uns irgendetwas *gewesen* wäre. Wir kannten einander ja kaum.

Doch mir das einzureden, änderte gar nichts. Auch wenn ich meinen Gefühlen für sie vielleicht selbst nicht traute, sie waren jedenfalls stark genug, um mich unglücklich zu machen.

Ich war derart ins Brüten versunken, dass ich das Glühen zuerst nicht bemerkte. Eine Kurve in der Straße brachte es in Sicht, ein flackerndes Licht in der Dunkelheit, etwas seitlich gelegen. Trotz meiner mehr als dürftigen Ortskenntnisse wusste ich, dass Edgars Haus grob in dieser Richtung lag. Wahrscheinlich war die Polizei immer noch vor Ort.

Doch es war kein gleichmäßig helles Leuchten wie von Flutlichtern. Es war ein schwacher, eher orangefarbener Schimmer, der sich flackernd von dem schwarzen Nachthimmel abhob. Mit wachsendem Unbehagen sah ich genauer hin. Die Polizei würde einen Tatort niemals unbewacht lassen. Jedenfalls nicht, bis die Durchsuchung vollständig abgeschlossen war, und ich konnte mir beim besten Willen nicht vorstellen, dass sie mit dem überwucherten Garten schon fertig waren. Plötzlich schoss das Flackern hoch hinauf, und es gab keinen Zweifel mehr.

Es brannte.

Ich war mir nicht sicher, ob ich den Weg zu Edgars Haus im Dunkeln finden würde. Am Vorabend hatte Rachel hinter dem Steuer gesessen, und ich war zu sehr mit dem verstörten Mann auf der Rückbank beschäftigt gewesen, um auf den Weg zu achten. Doch es gab nicht viele Möglichkeiten, und das Feuer war ein effektiver Wegweiser. Die Flammen hoben sich jetzt deutlich vom Nachthimmel ab und warfen unstete Schatten auf die umliegenden Bäume.

Schließlich bog ich in den unbefestigten Zufahrtsweg zu Edgars Haus ein. Jetzt hatte ich das Feuer direkt vor mir.

Das Haus war von Flammen umgeben. Funken stoben hoch in die Luft, und dicke, schmutzige Rußwolken stiegen in den Himmel auf. Ein nahe am Haus stehender Baum hatte ebenfalls Feuer gefangen, und das Knistern der Flammen, die sich in Windeseile durch die Äste fraßen, hörte sich an wie berstende Knochen. Ein am einen Ende abgerissenes Stück Absperrband flatterte wie verrückt im Aufwind. Am Ende des Weges parkte ein Trailer der Polizei und direkt dahinter ein Pick-up. Die flackernden Flammen spendeten genug Licht, um die Aufschrift zu entziffern: *Coker's Marine and Auto*.

Davor zeichneten sich gegen die Flammen die dunklen Umrisse miteinander ringender Gestalten ab.

Die Hitze schlug mir ins Gesicht, als ich aus dem Wagen sprang und auf sie zurannte. Ich drückte mich an dem Pick-up vorbei und erkannte Cokers bullige Gestalt im Zweikampf mit einem uniformierten Beamten. Dann sah ich, dass es sich um eine Frau handelte. Sie hatte sichtlich Mühe, den um sich schlagenden Werkstattbesitzer im Polizeigriff zu halten. Nicht weit entfernt war ein weiterer Polizist auf Händen und Knien. Die Dienstmütze lag auf der Erde, und der Mann schüttelte benommen den Kopf. Ich lief weiter. Coker befreite sich aus dem Griff der Beamtin, und sein Gesicht glänzte im Feuerschein nass vor Rotz und Tränen. In dem Augenblick, als er ausholte, um sie zu schlagen, fiel ich ihm in den Arm, packte ihn und versuchte, ihn wegzuzerren.

«Okay! Es reicht!», schrie ich. Schwankend riss er sich los und wollte mir einen Fausthieb verpassen, streifte jedoch nur meine Wange. Ich klammerte mich weiter an ihn, versuchte, ihn von der Polizistin wegzuziehen, als ich plötzlich von hinten angerempelt wurde.

Ich ging zu Boden, dachte, Coker hätte mir den nächsten Schlag versetzt, doch es war der Polizist. Er rammte Coker die Schulter in den Leib und schlang ihm die Arme um die Taille. Inzwischen hatte die Polizistin sich wieder gefangen. Während Coker auf ihren Partner einprügelte, bekam sie einen seiner Arme zu fassen und drehte ihn nach hinten auf seinen Rücken.

«*Fuck!* Runter da!», brüllte Coker, als die beiden ihn niederrangen. Er landete mit einem dumpfen Schlag auf dem Boden, hörte aber nicht auf, um sich zu treten. Ich rappelte mich hoch, doch noch bevor ich den beiden zu Hilfe eilen konnte, warf mir die Frau einen warnenden Blick zu.

«Sie bleiben, wo Sie sind!», brüllte sie und nestelte an ihrem Gürtel herum. Sie verdrehte Cokers Arm noch stärker, und ihr Kollege schlang seine Arme um die heftig tretenden Beine. «Still! Liegen Sie still, oder ich greife zum Pfefferspray!»

Coker war nicht zu bremsen. Er fluchte und wehrte sich und hätte sich um ein Haar frei gestrampelt. Mit grimmiger Miene sprühte ihm die Frau aus kürzester Distanz einen Sprühstoß aus dem Zylinder in ihrer Hand ins Gesicht. Ein gequälter Schrei ertönte, dann schlug der bullige Mann noch heftiger um sich.

Und schließlich, völlig abrupt, verließ ihn sämtlicher Kampfeswille. Coker sackte zusammen und leistete keinerlei Gegenwehr, als die beiden Beamten ihm Handschellen anlegten. Inzwischen stieß er heulende Klagelaute aus, und mir wurde klar, dass er weinte.

«Er hat sie umgebracht! Er hat meine Stacey umgebracht!»

Die breiten Schultern bebten unter heftigen Schluchzern.

Die Polizisten traten keuchend beiseite. Ein Stückchen entfernt sah ich einen großen, umgekippten Benzinkanister, der Schraubverschluss hing in den Schlamm.

«Bist du okay, Trevor?», fragte die Frau ihren Partner.

«Ja. Hat mir aber ordentlich eingeschenkt.»

Er konnte kaum älter sein als zwanzig. Bei näherem Hinsehen erkannte ich, dass die beiden keine PCs waren, sondern PCSOs, zivile kommunale Hilfspolizisten. Offenbar hatte man so weit draußen und angesichts des Standes der Hausdurchsuchung das Risiko einer Störung durch Unbefugte als gering eingestuft.

Der Flammenschein beleuchtete die Blutspuren im Gesicht des jungen Hilfspolizisten. Ich zog ein Taschentuch heraus und reichte es ihm.

Ich erntete einen misstrauischen Blick.

«Schon gut. Es ist sauber», sagte ich.

«Wer sind Sie?»

Die beiden entspannten sichtlich, als ich es ihnen erklärte. Als ich geendet hatte, waren Cokers Schluchzer verebbt, und er weinte stumm. Er wirkte apathisch und erschöpft und schien sich unserer Anwesenheit kaum noch bewusst zu sein.

«Armes Schwein», sagte der junge Beamte, als ich von seiner Tochter erzählte.

«Ja, der Arme.» Die Frau massierte sich die Schulter und warf dem auf dem Boden liegenden Mann einen unfreundlichen Blick zu.

Ein ohrenbetäubendes Krachen ließ uns herumfahren. Das Dach des Hauses stürzte ein. Flammen schossen hoch in den Himmel hinauf, Funken flogen, und ein heißer Windstoß fuhr über uns hinweg. Ich hoffte nur, dass die Tiere bereits alle fortgebracht worden waren, ehe Coker seinen Rachefeldzug startete.

«Scheiße», sagte die Frau. «Die werden ausflippen.»

Während sie zum Trailer ging, um Meldung zu machen, ging ich zu meinem Auto zurück. Ich hatte die Lichter angelassen, und die Tür stand weit offen. Als ich an Cokers Pickup vorbeikam, warf ich eher automatisch einen Blick auf die Ladefläche. Im Licht der Flammen sah ich in einem Gewirr aus schmutzstarren Seilen und öligen Ketten einen tragbaren Generator. Unter einer ölverschmierten Plane halb verborgen lagen diverse Elektrowerkzeuge.

Darunter auch ein hochleistungsfähiger Winkelschleifer.

KAPITEL 25

Lundy stupste mit dem Fuß gegen ein im nassen Gras liegendes verkohltes Holzstück. Die dachlose Ruine von Edgars Haus ragte schwarz in den grauen Himmel auf. Außer den Wänden war nicht viel übrig geblieben. Das obere Stockwerk war fast völlig ausgebrannt, nur noch eine Hülle aus Ziegelsteinen mit leeren Fensterrahmen.

Es stank nach nassem Ruß und verbranntem Holz. Eine dicht am Haus stehende hohe Platane war in Mitleidenschaft gezogen worden, die Hälfte ihrer Äste war zu Holzkohle verbrannt. Das Haus strahlte noch immer Hitze ab, der Boden davor war mit verkohlten Trümmern übersät. Lundy seufzte.

«Ich hasse Feuer. Die Feuerwehr und der Brand selbst lassen einem nichts übrig.»

Wenigstens war niemand im Haus gewesen. «War denn noch viel zu durchsuchen?»

«Nicht drinnen, damit waren wir mehr oder weniger durch. Wir warten gerade auf neue Geräte, um den Garten abzusuchen. Aber es wäre schön gewesen, das Haus noch am Stück zu haben.»

Coker hatte ganze Arbeit geleistet. Das Benzin hatte dafür gesorgt, dass es für die Feuerwehr nur wenig zu retten gab.

Sie hatte es trotzdem versucht: Zwei Löschwagen hatten ihr Wasser mit voller Kraft auf die Flammen geschossen. Dann hatten die Feuerwehrleute die schwelenden Überreste von Möbeln und Käfigen nach draußen gezerrt, damit das Feuer sich nicht erneut entfachen konnte.

Lundy war in der Nacht nicht dabei gewesen. Ich hatte es für unnötig gehalten, ihn zu Hause zu stören, selbst wenn es irgendwo in der Nähe ein Mobilnetz gegeben hätte. Er würde ohnehin schnell genug von dem Brand erfahren. Das Foto von Mark Chapel würde ihn sicher interessieren, aber auch das konnte bis zum Morgen warten. Was Rachel die Chance geben würde, ihm von der Seefestung zu berichten. Besser, er hörte von ihr davon als von mir.

Nachdem die Polizei meine Aussage aufgenommen hatte, war ich, während die Feuerwehr die Flammen immer noch unter Kontrolle zu bringen versuchte, ins Bootshaus zurückgefahren. Ich hatte schlecht geschlafen, aber beim Aufstehen war mir wenigstens eine Sache klar gewesen.

Ich konnte nicht nach London zurückkehren, ohne noch einmal mit Rachel zu sprechen.

Ich hatte mir ein paar Sätze zurechtgelegt, doch zu meiner Enttäuschung war mein Anruf direkt auf ihrer Mailbox gelandet. Da hatte ich eben das übliche belanglose Zeug geplappert, dann aber gestockt.

«Hör zu, das mit gestern Abend tut mir leid. Es ist kompliziert, aber … ich möchte dich wirklich wiedersehen. Ruf mich an.»

Ich hatte aufgelegt und das Gesicht verzogen. *Idiot, warum bist du so damit herausgeplatzt?* Aber getan war getan. Hinterher hatte ich Lundy anrufen wollen, doch er kam mir zuvor. Er wäre auf dem Weg zu Edgars Haus, um sich den

Schaden anzusehen, sagte er mir und fragte, ob ich hinkommen könnte.

«Sie können mir dann da alles erzählen», hatte er noch gesagt.

Ich hatte das Haus als Erster erreicht und war von einem Constable hinter der Absperrung zurückgehalten worden, bis Lundy eintraf. Er hatte bedrückt gewirkt, was sich beim Anblick des ausgebrannten Gebäudes nicht legte.

«Waren noch Tiere im Haus?», fragte ich.

«Nein, der Tierschutzverein hatte gestern Morgen alle mitgenommen. Auch die, die sie im Garten gefunden haben. Sie meinten, er hätte die Tiere selektiert, die am schlimmsten zugerichteten im Haus gehalten, die weniger kranken hier draußen.»

Das klang nicht nach jemandem, der ein Mädchen erst rettete und mit nach Hause nahm und sich dann in einen irren Killer verwandelte. «Was ist mit Coker? Muss er mit einer Anklage rechnen?»

Lundy seufzte, sein Blick lag immer noch auf dem Haus. «Wir haben leider keine andere Wahl.»

«Es waren mildernde Umstände. Ich habe ihn gesehen, er war außer sich.»

«Das ändert aber nichts an dem, was er getan hat.» Er schien zu merken, dass er ungewöhnlich barsch geklungen hatte, und zuckte mit den Schultern. «Ich bin sicher, es wird Berücksichtigung finden. Aber wir können so etwas nicht einfach ignorieren, egal, in welchem Geisteszustand er sich befunden hat.»

«Und der Winkelschleifer, den ich in seinem Wagen gesehen habe?»

«Das Labor hat keine Spuren von Blut oder Knochen

darauf finden können, und das Gerät wäre nur schwer zu reinigen gewesen, wenn Coker tatsächlich jemandem das Gesicht damit zerschreddert hätte. Es wären immer noch Rückstände vorhanden. Dass Coker schweres Werkzeug besitzt, heißt nichts. Ich habe auch welches. Wir werden seinen Betrieb durchsuchen, aber ich glaube kaum, dass wir etwas finden werden.»

«Hat er irgendetwas gesagt?»

«Er hat bedauert, dass Holloway nicht im Haus war. Als Vater kann ich es ihm kaum verübeln. Das Problem ist nur, dass er sich den Falschen vorgeknöpft hat.»

Ich sah ihn an. «Ist das jetzt offiziell?»

«Wir sagen es noch keinem. Aber der, der Stacey Coker erwürgt hat, hatte zweifelsohne kleinere Hände als Holloway und war schlau genug, weder ein Haar noch einen Fingerabdruck zu hinterlassen. Das hätte Holloway nicht hinbekommen, und die Psychologen denken nicht, dass er zu einem Mord fähig wäre. Wenigstens nicht heutzutage», fügte er hinzu. «Was damals mit seiner Tochter passiert ist, weiß keiner, und ich glaube kaum, dass wir es je herausfinden werden.»

«Was wird denn jetzt aus Edgar?»

Lundy setzte die Brille ab und rieb sich die Augen. «Vermutlich wird er eingewiesen. Da er nicht in der Lage ist, selbst für sich zu sorgen, können wir ihn nicht einfach entlassen. Er hat Stacey Coker zwar nicht umgebracht, aber wenn er nicht über die Straße gewandert wäre, wäre der Unfall nicht passiert. Egal, wie, er wird nicht hierher zurückkehren.»

Ich betrachtete die ausgebrannte Ruine, die jahrzehntelang Edgars Zuhause gewesen war. «Und was wird aus dem Haus?»

«Das ist mal wirklich interessant. Sie erinnern sich, dass ich mich gefragt hatte, welche Verbindung zwischen Holloway und Leo Villiers bestehen könnte? Ich konnte mir nicht erklären, wieso Villiers überhaupt von der Existenz des Hauses gewusst haben konnte, geschweige denn auf die Idee gekommen wäre, die Schrotflinte hier zu verstecken. Nun, wir haben ein bisschen nachgeforscht, und jetzt kommt's: Das Haus gehört der Familie Villiers.»

«Edgar ist ihr *Mieter*?»

Lundy lächelte breiter als sonst. «Die Familie besitzt in der Gegend Land und Immobilien, aber ich hatte keine Ahnung, dass dieses Haus dazugehört. Und es wird noch besser: Sir Stephen hat vor einigen Jahren die Mietangelegenheiten hier vor Ort an seinen Sohn übergeben. Ein schönes unabhängiges Einkommen, und wahrscheinlich hat er gehofft, Leo würde sich endlich mehr um die Geschäfte kümmern. Hat nicht funktioniert, aber es bedeutet, dass Leo Villiers Holloways Vermieter war.»

Ich betrachtete das verkohlte Haus, dachte daran, wie verfallen und verkommen es gewesen war. «Er hat Miete dafür verlangt?»

«Da wird es seltsam. Holloway hat keine Sozialleistungen bezogen, und wir wissen von keinen anderen Einkommensquellen. Er kann seit Ewigkeiten keine Miete mehr bezahlt haben. Wir haben unter einer nistenden Möwe einen Stapel alter Kontoauszüge gefunden, nach denen er für die Naturkundebücher, die er früher geschrieben hat, Tantiemen bekam. Aber das reichte niemals zum Leben und muss außerdem schon lange vorbei gewesen sein. Ich vermute stark, die Familienanwälte werden uns das als Akt der Barmherzigkeit verkaufen wollen, aber ich glaube kaum, dass

Villiers aus reiner Menschenfreundlichkeit irgendwem die Miete erlassen würde.»

Es war auch alles andere als ein Akt der Barmherzigkeit gewesen, Edgar allein hier draußen hausen und hungern zu lassen, während er mental genauso zerfiel wie das Gebäude. Ich fragte mich, ob Villiers einfach gleichgültig gewesen oder ob es ihm entgegengekommen war, einen wehrlosen Mieter ausnutzen zu können. Er hatte Edgar zwar keinen direkten körperlichen Schaden zugefügt, ihn aber, ohne mit der Wimper zu zucken, in unmenschlichen Bedingungen dahinvegetieren lassen. Es gab schlimmere Verbrechen, trotzdem grenzte dieser völlige Mangel an Empathie in meinen Augen ans Soziopathische.

«Wann geben Sie öffentlich bekannt, dass der Tote im Mündungsgebiet nicht Villiers war?», fragte ich.

«Das entscheidet die Chefin. Bisher wollten wir es geheim halten, um Villiers in Sicherheit zu wiegen, aber nach allem, was jetzt passiert ist, wird es bald Gerüchte geben, und nach Stacey Cokers Tod weiß ich sowieso nicht, wie lange wir es noch für uns behalten sollten. Vor allem müssen wir den Kerl finden, bevor noch jemand zu Schaden kommt. Wie auch immer», sagte Lundy mit einem Blick auf seine Uhr. «Sie sagten, Sie wüssten etwas über Mark Chapel?»

«Rachel hat ein Foto gefunden, das ihre Schwester von ihm gemacht hatte. Er hat ein gespaltenes Kinn, wie der Stacheldraht-Tote.»

«Das ist mir auch aufgefallen», sagte er. «Da hätte man ein Motorrad drin abstellen können.»

«Sie haben es geschafft, ihn aufzutreiben?», fragte ich erstaunt.

«Nicht direkt. Er ist vor sieben Monaten verschwunden, etwa zur selben Zeit wie Emma Darby.»

Das war nicht überraschend, aber sehr unwillkommen. Die ganze Entwicklung gefiel mir immer weniger. «Das kann kein Zufall sein.»

«Nein», pflichtete Lundy mir bei. «Weil er in London wohnte, hat leider niemand eine Verbindung hergestellt. Und die Daten passen nicht ganz. Chapel wurde zum letzten Mal an dem Freitag vor dem Montag von Emma Darbys Verschwinden gesehen. Er war im Jahr davor bei dem Musikvideoproduzenten rausgeflogen und arbeitete jetzt bei einer Firma, die für Webseiten von Großbetrieben Kurzfilme herstellte. Ziemlich einfallsloses Zeug. Hat noch gesagt, er würde übers Wochenende wegfahren, aber nicht, wohin. Und nach dem Wochenende ist er nicht mehr aufgetaucht. Weil er immer mal wieder wegen vermeintlicher Zahnprobleme gefehlt hatte, hat sich keiner was dabei gedacht. Jedenfalls verging eine weitere Woche, bevor er als vermisst gemeldet wurde. Und auch dann hat sich sein Chef nur deswegen die Mühe gemacht, weil Chapel eine Videoausrüstung mitgenommen hatte. Ihm drohte ohnehin die Kündigung, und als er nicht auftauchte, nahmen alle an, er hätte das Zeug geklaut.»

«Was für Zahnprobleme hatte er denn?» Ich dachte an den Schädel, den ich untersucht hatte.

«Keine Ahnung. Ist das wichtig?»

«Der Oberkieferknochen über den Schneidezähnen war bei der Leiche aus dem Fluss schwammartig und porös», berichtete ich. «Deswegen ist er bei dem Schlag zerbrochen. Wenn Mark Chapel einen Abszess oder eine Infektion hatte, wäre das ein weiteres Indiz, dass er der Tote im Fluss war.»

«Das steht sicher in seiner Zahnarztakte.» Lundy klang nicht besonders beeindruckt. «Egal, das Timing ist interessant. Während Trask beruflich verreist war, könnte sich Emma mit ihrem Liebhaber verabredet haben, ohne fürchten zu müssen, entdeckt zu werden. Chapel kam auf dem Motorrad angefahren, und dann ist passiert, was immer auch passiert ist.»

«Woher wissen Sie, dass er mit dem Motorrad hier war?»

Der DI lächelte grimmig. «Ich habe mal ein bisschen nachgeforscht, nachdem Sie mir von dem Foto des Motorrads erzählt hatten. Vor sechs Monaten wurde ein paar Meilen entfernt von hier eine ausgebrannte Harley in einem Graben gefunden. Ohne Nummernschilder, und die Seriennummern waren alle abgeschliffen worden. Aber die Beschreibung passt zu dem Motorrad, das Chapel gehört hat.»

Wie die Kerbe im Unterkiefer war auch das kein Beweis. Doch allmählich ließ sich ahnen, was Emma Darbys Exfreund widerfahren war. Mir kam noch etwas anderes in den Sinn.

«Sie könnten sich im Bootshaus getroffen haben.» Vielleicht war ich ja doch nicht der erste Übernachtungsgast. «Das war Emma Darbys Lieblingsprojekt, wahrscheinlich hat sich Trask nicht groß darum gekümmert.»

Lundy überlegte und zuckte mit den Schultern. «Es wäre ein starkes Stück, sich direkt vor Trasks Nase zu treffen, aber irgendwo muss Chapel ja geblieben sein, und viele Möglichkeiten gibt es hier nicht. Haben Sie irgendetwas bemerkt, das darauf hindeuten würde?»

«In der Wohnung nicht, aber das Dock darunter ist voller Zeug.» Ich war nur kurz unten gewesen, um nach etwas zu suchen, womit ich den Turnschuh einfangen konnte. Zwar schien dort nichts als alter Segelkram zu liegen, aber ich hatte nicht genau hingesehen.

«Nun, ich bin auf dem Weg dorthin, da kann ich mich gleich mal umschauen.»

«Sie fahren zum Bootshaus?»

«Ich treffe Rachel Darby. Sie rief heute Morgen an und sagte, sie hätte Fotos gefunden, die ich mir ansehen solle, darunter welche von dem Motorrad. Trask soll nichts davon wissen, deswegen hat sie sich dort mit mir verabredet.» Angesichts meiner Miene zog er die Augenbrauen hoch. «Ich dachte, Sie wüssten das.»

Mitnichten. Aber sie tat nur, wozu ich ihr geraten hatte. Und war schließlich nicht verpflichtet, mich zu informieren. Lundy sah mich fragend an.

«Ich habe seit gestern Abend nicht mehr mit ihr gesprochen», erklärte ich. «Ich sagte ihr, dass ich nach London zurückkehre.»

«Ah. Nun, tut mir leid, wenn das alles ein bisschen kompliziert macht, aber vielleicht ist es besser so. Zumindest im Moment.» Er rieb sich den Nasenrücken und wirkte verlegen. «Fahren Sie jetzt zur Leichenhalle zurück?»

Ich traf eine blitzschnelle Entscheidung. «Ja, aber zuerst muss ich am Bootshaus vorbei.»

Lundy nickte, doch als er sich abwandte, schien sich ein leichtes Grinsen über sein Gesicht zu ziehen. «Das hatte ich mir fast gedacht.»

Als wir zu unseren Autos zurückgingen, verfiel er in Schweigen. Er schloss seins auf und hielt dann mit der Tür in der Hand inne.

«Kann ich Sie was fragen?»

Erst dachte ich, es ginge wieder um Rachel. Doch dann sah ich die Sorge in seinem Blick und wusste, dass es etwas anderes war. «Natürlich.»

«Das Krankenhaus hat heute Morgen angerufen. Eigentlich hätte ich erst in ein paar Wochen wieder einen Termin wegen der Ergebnisse, aber, ähm …, der Arzt will mich früher sehen. Schon morgen.» Er räusperte sich. «Sie waren doch Hausarzt. Ich wollte nur wissen, ob man so was jemals bei … na ja … guten Nachrichten macht.»

Kein Wunder, dass er bedrückt gewirkt hatte. «Das hängt vom Arzt ab, denke ich. Oder vielleicht war die Probe verunreinigt, und die Untersuchung muss wiederholt werden. Könnte alles sein.»

Ich hätte ihm gerne etwas Beruhigenderes gesagt. An seiner Stelle würde ich mir auch Sorgen machen.

«Das denke ich auch. Wahrscheinlich viel Wirbel um nichts.» Er schnaufte und war wieder Polizist. «Okay, wir treffen uns dort.»

Keiner der beiden Landrover stand vor dem Bootshaus, doch als ich parkte, sah ich Rachel mit der Fotomappe unter dem Arm an der Haustür stehen. Ich stieg aus dem Wagen, froh, noch vor Lundys Eintreffen mit ihr reden zu können.

«Hi», sagte ich vorsichtig. «Ich dachte, du wärst noch nicht da. Bist du zu Fuß gekommen?»

«Nein, mit dem Boot.» Unter normalen Umständen hätte ich mich darüber vielleicht gewundert, aber ich hatte andere Dinge im Kopf. «Weil dein Wagen weg war, dachte ich, du wärst zurück nach London gefahren.»

«Nein, erst später.» Die angespannte Höflichkeit war schrecklich, aber ich schien sie nicht durchbrechen zu können. «Du musst nicht draußen warten, du hättest reingehen können.»

Sie zuckte mit den Schultern. «Lieber nicht.»

Schweigen. Auf der Straße nichts zu sehen von Lundy. Er hatte noch einen Anruf erledigen wollen, aber gesagt, er wäre gleich hinter mir. *Komm schon, tu was.* «Hör zu, wegen gestern Abend ...»

«Schon gut, du brauchst nichts zu erklären. Du musst dich wieder um andere Dinge kümmern, das ist ja klar.»

Sie hatte keine Ahnung, wie wenig das der Fall war. Im Geiste sah ich meine leere Wohnung vor mir. «Nein, das ist es nicht. Bloß ... die Situation ist kompliziert. Aber ich möchte dich wiedersehen. Wenn das hier vorbei ist.»

Ich konnte nicht ganz glauben, dass ich das gesagt hatte. So wie Rachel mich ansah, schien auch sie es nicht erwartet zu haben. *Sag was*, drängte ich sie im Stillen. *Irgendwas.* Gerade als sie so weit zu sein schien, rollte Lundys Auto knirschend auf den Parkplatz.

Rachel warf mir einen aufgewühlten Blick zu, während der DI sich aus dem Wagen quälte. Er streckte die steifen Schultern, rieb sich den Nacken und betrachtete die dunkle, schlierige Wolke am Himmel, die aufs Meer hinaustrieb. «Wird bald regnen.»

«Haben Sie das im Gefühl?», fragte Rachel mit einem Lächeln.

«Aus dem Radio. Ist fast das Gleiche.» Er erwiderte ihr Lächeln und deutete auf die Mappe unter ihrem Arm. «Sind das die Fotos?»

«Ja.» Sie sah die Mappe an. «Ich fühle mich nicht ganz wohl dabei. Andrew weiß nichts davon. Es kommt mir nicht richtig vor, hinter seinem Rücken ...»

«Sie wollen ihn nicht unnötig aufregen. Das ist völlig in Ordnung», sagte Lundy beschwichtigend. «Vielleicht könnten wir uns die Fotos drinnen ansehen?»

Rachel und Lundy blickten mich an. Ich wurde rot. «Ich, äh, hab den Schlüssel durch den Briefschlitz gesteckt, als ich gegangen bin.»

Darum hatte mich Rachel beim letzten Mal, als ich fahren wollte, gebeten, und als ich mich auf den Weg zu dem Treffen mit Lundy gemacht hatte, war ich nicht davon ausgegangen, noch einmal zurückzukommen. Meine Begründung für den Zwischenstopp am Bootshaus wirkte dadurch natürlich noch fadenscheiniger, doch Lundy warf mir zwar einen ironischen Blick zu, sagte aber nichts.

«Kein Problem, ich habe einen Ersatzschlüssel.» Rachel zog den schweren Schlüsselbund ihrer Schwester hervor und kramte, bis sie fand, was sie suchte.

Ich ließ ihr und Lundy den Vortritt. Der DI bückte sich und hob den hinter der Tür liegenden Schlüssel auf. «Soll ich ihn Rachel geben, oder brauchen Sie ihn vielleicht doch noch mal?»

Ich entschied, dass Schweigen Gold wäre, und folgte ihm ins Haus. Vor meiner Abfahrt hatte ich aufgeräumt und Decke und Bettzeug zusammengefaltet aufs Bett gelegt. Die Tupperdose, in der Rachel den Nachtisch gebracht hatte, stand auf der Anrichte, darin lagen noch ein paar Stücke ihres Kuchens. Er war mir zu mächtig gewesen, aber ich hoffte, das würde ganz weit unten auf der Liste meiner Verfehlungen stehen. Während Rachel die Mappe auf den Tisch legte, ging Lundy auf den gegen die Wand gelehnten Stapel mit Fotografien zu. Zuvorderst stand das Bild des Motorrads.

«Ich bin sicher, es ist das von Mark Chapel», sagte Rachel,

als er es betrachtete. «Und im Hintergrund ist die Seefestung zu sehen. Hier, auf diesen Bildern ist sie noch deutlicher zu erkennen.»

Sie schlug die Mappe auf, und Lundy fing meinen Blick auf und nickte kurz. Das Motorrad auf dem Foto entsprach also dem, das ausgebrannt gefunden worden war. Lundy trat an den Tisch, auf dem Rachel die kleineren Abzüge ausbreitete.

«Die hier wurden am Strand neben dem Deich gemacht», sagte sie. «Man sieht es an den drei Türmen der Festung. Es ist definitiv die vor dem Mündungsgebiet. Und hier, die Fotos von Villiers' Haus. Emma muss sie von einem der Türme aus aufgenommen haben. Es gibt da draußen keinen anderen Ort, von dem aus sie entstanden sein könnten.»

Lundys Miene blieb ausdruckslos, während er die Fotos durchsah. «Haben Sie irgendeine Ahnung, warum Ihre Schwester die gemacht hat?»

«Nein. Sie war mit der Renovierung des Hauses beschäftigt, aber nur innen. Und wenn sie Fotos von der Fassade und der Außenanlage brauchte, hätte sie nicht zur Festung rausfahren und sie mit einem Zoomobjektiv aufnehmen müssen. Sie hätte sich auf den Rasen vor dem Haus stellen können.»

Lundy ging noch einmal die Fotos durch, klopfte sie dann zu einem ordentlichen Stapel zusammen und legte sie wieder in die Mappe. «Dürfte ich die mitnehmen? Ich bringe sie zurück, sobald ich Kopien gemacht habe.»

«Vermutlich schon, aber sie gehören nicht mir … »

«Keine Sorge, wir passen gut darauf auf.»

Rachel nickte, wirkte aber nicht glücklich. «Was soll ich Andrew sagen?»

«Noch nichts. Am besten sehen wir uns erst mal alles an. Es ist nicht nötig, dass er voreilige Schlüsse zieht.»

Vor allem nicht, wenn er möglicherweise tatverdächtig ist, dachte ich. Es fiel mir schwer, Rachel nicht die Wahrheit sagen zu können, und ihre nächsten Worte machten es noch schlimmer.

«Werden Sie mit Mark Chapel sprechen?»

Ich war froh, dass sie Lundy gefragt hatte, nicht mich. Er klemmte sich die Mappe unter den Arm. «Das muss DCI Clarke entscheiden. Bevor ich gehe: Darf ich schnell noch unten einen Blick reinwerfen?»

«Ins Dock?» Rachel hob überrascht die Schultern. «Wenn Sie wollen. Warum, suchen Sie etwas?»

«Ach, gar nichts Bestimmtes. Ich würde nur mal gerne nachschauen, wenn ich schon da bin.»

«Ein paar Constables haben unten alles durchsucht, als Emma verschwand. Da liegt nichts als Müll.»

«Ich würde trotzdem gerne einen Blick reinwerfen.»

Rachel war sichtlich nicht überzeugt. Sie wartete, bis Lundy die Fotos in sein Auto gelegt hatte, und ging dann vor uns die Holzstufen hinunter, die am Bootshaus vorbei zum Fluss führten. Sie knarrten und bogen sich leicht unter Lundys Gewicht. Rachel war mit demselben Boot gekommen, mit dem Trask und ich nach Fay gesucht hatten. Es lag am Steg, die Strömung zog das Tau straff. Auf der kleinen Holzplattform am Ende der Treppe hielt sie neben der Luke in der Wand des Bootshauses an und löste das Seil, mit der die Holztür befestigt war.

«Ist das der einzige Eingang?» Lundy beäugte die Luke misstrauisch. Sie war kaum einen Meter zwanzig hoch und sechzig Zentimeter breit, was für ihn eng werden würde.

«Das Tor vorne ist mit einem Vorhängeschloss gesichert. Ich habe den Schlüssel nicht.»

Sie klang angespannt. Während Lundy die quietschende Tür nach innen aufschob und in der Öffnung verschwand, drehte Rachel sich zu mir um. Ihr war deutlich anzusehen, sie wusste, dass ihr irgendetwas vorenthalten wurde, aber in dem Moment ertönte ein Krachen und kurz darauf ein Fluchen. Lundys Stimme hallte im Inneren des Bootshauses wider.

«Aua. Das verdammte Ding fällt nach innen ab.»

«Tut mir leid, ich hätte Sie warnen sollen», sagte Rachel, ohne bedauernd zu klingen. Sie wandte sich von mir ab, zog den Kopf ein und stieg geschickt durch die Luke. Ich folgte als Letzter und hielt hinter der Tür inne, damit sich meine Augen an die Dunkelheit gewöhnen konnten. Es roch nach feuchter Erde und Salzwasser, genauso hatte ich es in Erinnerung. Die plätschernden Wellen warfen tanzende Lichtfetzen an die Wände. Daran entlang führte der Laufgang mit dem alten Bootszubehör: Netze, Korkbojen, das Fiberglaskanu mit dem Loch darin, alles war an den Wänden zusammengeschoben. Ich blieb mit Rachel an der Luke stehen, Lundy ging vorsichtig auf das verschlossene Tor zu.

«Passen Sie lieber auf», sagte Rachel. «Die Planken sind ziemlich morsch.»

Er hielt an. Eingerahmt von den Lichtstreifen, die durch die Lücken zwischen den Torlatten fielen, sah er sich um und dann auf die kleinen Wellen hinunter, die gegen die Wände schlugen.

«Fließt das Wasser bei Ebbe vollständig ab?»

Ich sah Rachel an den steifen Schultern an, dass sie langsam wütend wurde. Ihre Stimme bestätigte dies.

«Warum sollte es nicht?»

Mir war klar, dass Lundy an die im Wasser verborgene Leiche von Mark Chapel dachte und sich fragte, ob sich auch hier im Bootshaus etwas verbergen mochte. Doch als ich mir hier das Paddel geholt hatte, war Ebbe gewesen, und ich hatte auf dem Schlickgrund nichts Unheimlicheres als Steine und verschlammte Algen gesehen.

«Nur so», erwiderte Lundy. Er schaute auf zur Decke. Die rohen Balken waren im Zwielicht kaum zu sehen. «Gehen wir wieder raus?»

Froh, an die frische Luft zu kommen, trat ich auf die kleine Plattform hinaus und wollte gerade die Treppe hochgehen, als ich merkte, dass Rachel mir zwar nach draußen gefolgt, dann aber stehen geblieben war. Mit entschlossener und wütender Miene wartete sie auf Lundy. Er kam grunzend durch die Luke.

«Ich bin für so was nicht gebaut», murrte er und sicherte das Türchen wieder mit dem Seil. Als er sich aufrichtete und umwandte, merkte er, dass Rachel vor ihm stand.

«Was ist hier los?», fragte sie.

«Was meinen Sie?»

«Ich meine, es gibt da etwas, das Sie mir nicht sagen.»

«Ich kann mit Ihnen nicht über Details der Ermittlung sprechen, das wissen Sie doch. Also, warum gehen wir nicht …»

«Ich rede nicht von Details. Ich lasse mich nur nicht gern für dumm verkaufen. Sie wollten aus irgendeinem Grund einen Blick hier reinwerfen. Und Sie sind ausgewichen, als ich gefragt habe, ob Sie mit Mark Chapel sprechen werden. Ganz offensichtlich stimmt hier irgendwas nicht. Und ich bin keine Idiotin.»

Lundy seufzte. «Nein, das weiß ich. Sie werden mir einfach vertrauen müssen.»

«Ihnen *vertrauen*? Ich habe es riskiert, Andrew zu hintergehen, und Sie wollen mir jetzt nicht mal sagen, *warum*?» Sie warf mir einen kurzen Blick zu, der auch mich unter Anklage stellte, und nahm sich dann wieder Lundy vor. «Warum tun Sie so geheimnisvoll, was Mark Chapel angeht? Denken Sie, er hat etwas mit Emmas Verschwinden zu tun?»

«Nein, das nicht.»

«Was dann, zum Teufel? Und wenn Sie ihn noch nicht einmal befragt haben, wie wollen Sie dann wissen …» Sie riss die Augen auf und verstummte. «Ihm ist irgendwas zugestoßen, stimmt's?»

Lundy wand sich. «Wie gesagt, ich kann nicht ins Detail gehen …»

Aus Rachels Gesicht war alle Farbe gewichen. Sie schlug die Hand vor den Mund. «O Gott, die Leiche im Stacheldraht, die Fay gesehen hat. War er das? War das *Mark*?»

«Nichts ist bestätigt», versuchte Lundy abzuwiegeln, doch Rachel sah jetzt mich an.

«Du hast es gewusst, oder? Deswegen warst du gestern Abend so seltsam. Du hast es gewusst!»

Das war mehr als dumm gelaufen. «Ich durfte nichts sagen. Es tut mir leid.»

«Ich hab's ihm befohlen», warf Lundy ein. «Dies ist eine aktuelle Ermittlung, wir dürfen nicht …»

«Ich fasse es nicht!» Rachel wirkte wie vor den Kopf gestoßen. «Was ist mit ihm passiert? Herrgott, sagen Sie nicht, dass Villiers *beide* getötet hat?»

Lundy schien einen Moment lang mit sich zu ringen,

dann seufzte er. Und zuckte mit den Schultern. «Wir wissen es nicht.»

«Nun, wenn nicht er, dann wer ...» Plötzlich begriff sie. «O nein, Sie denken doch nicht, dass *Andrew* ...?»

«Wir denken im Moment gar nichts», sagte Lundy trotzig. «Und bis wir mehr wissen, muss das strikt vertraulich bleiben. Haben Sie verstanden?»

Rachel hörte gar nicht zu. «Mir ist schlecht.»

«Willst du dich setzen?», fragte ich. Sie war so blass, als würde sie gleich in Ohnmacht fallen.

«Nein, ich will mich verdammt noch mal nicht setzen!», fauchte sie und wandte sich wieder an Lundy. «Was ist mit der Seefestung? Was werden Sie da unternehmen?»

«Die Marineeinheit wird vermutlich rüberfahren und sich umsehen.» Lundy machte den Eindruck eines in die Ecke Getriebenen.

«Wann? Heute?»

«Nein, ich weiß nicht, wann. Aber selbst falls Ihre Schwester da draußen gewesen ist ...»

«*Falls*? Sie haben doch die Fotos gesehen!»

«... weiß ich nicht, ob das relevant ist. Wahrscheinlich hat sie gedacht, sie könnte ein paar interessante Fotos schießen. Und da sie danach die Abzüge gemacht hat, ist sie offensichtlich auch *zurück*gekommen, also besteht keine Eile, da rauszufahren.»

Ich dachte, Rachel würde widersprechen. Sie stand Lundy mit verschränkten Armen und zornroten Wangen gegenüber.

«Gut.» Damit wandte sie sich um und lief die letzten Stufen zum Steg hinab, wo das Boot lag. Ich warf Lundy einen Blick zu und eilte hinterher.

«Wo willst du hin?»

«Was glaubst du wohl?», sagte sie, ohne innezuhalten.

Mir wurde flau im Magen. «Du willst zur Festung rausfahren?»

Und ich begriff, dass sie deswegen mit dem Boot gekommen war. Sie hatte die ganze Zeit schon vorgehabt, zur Festung zu fahren. Ohne mir zu antworten, bückte sie sich und löste das Tau des Bootes.

«Rachel, das ist … Kannst du bitte kurz mal damit aufhören?»

«Warum? Ich habe die Nase voll vom Rumsitzen. Wenn sonst niemand etwas unternehmen will, mache ich es selber.»

«Du weißt doch gar nicht, in was für einem Zustand die Festung ist. Wenn du überhaupt reinkommst!»

«Wenn Emma es geschafft hat, kann ich das auch.»

«Du hast selbst gesagt, dass sie vielleicht verunglückt ist! Die Seefestung ist einsturzgefährdet!»

Sie blickte nicht einmal auf. «Das riskiere ich. Wenn ich nicht zurückkomme, könnt ihr ja Alarm auslösen.»

«Das ist …» Ich wollte *dämlich* sagen, wusste aber, dass es die Lage nicht verbessern würde. «Das ist keine gute Idee.»

«Warum? Die Festung steht leer, es ist nicht verboten.»

«Das bedeutet nicht, dass du ganz alleine dort hinfahren solltest. Komm, denk nach.»

«Hab ich. Und ich fahre hin.»

«Dann fahre ich mit.»

Das zeigte Wirkung. Endlich sah sie mich an. «Ich habe dich nicht darum gebeten.»

«Nein, aber ich komme trotzdem mit.»

Der Steg wackelte unter Lundys schweren Schritten. Seinem säuerlichen Gesichtsausdruck war anzusehen, dass er alles gehört hatte.

«Ich kann es mir wohl sparen, Ihnen beiden zu sagen, was ich davon halte?»

«Ja.» Rachel zerrte wütend am Tau. «Ich weiß, dass niemand sonst das für wichtig hält, aber ich kenne Emma. Sie muss einen guten Grund gehabt haben, um dort hinauszufahren, und den will ich wissen.»

Lundy seufzte genervt. «Nun, ich kann Sie nicht aufhalten, aber ich wünschte, Sie würden zumindest etwas warten. Es ist ein Unwetter vorhergesagt.»

«Erst für später», erwiderte Rachel und wickelte das Tau auf. «Bis dahin bin ich lange zurück.»

Der DI blickte über den Fluss hinweg und schüttelte leicht den Kopf, als würde er eine innere Debatte abschließen. Er seufzte noch einmal laut.

«Verdammter Mist», murmelte er.

KAPITEL 26

❦

Lundy ließ Rachel und mich allein, während er das Ermittlungsteam anrief, um mitzuteilen, was er vorhatte. Unter dem Vorwand, ein Mobilnetz suchen zu müssen, stieg er die Ufertreppe hoch, obwohl er wahrscheinlich einfach nicht wollte, dass wir mithörten. Normalerweise wäre mir diese Gelegenheit, mit Rachel zu reden, willkommen gewesen. Jetzt wusste ich nicht, wo ich anfangen sollte.

«Es tut mir leid, dass ich dir von Mark Chapel nichts sagen konnte.» Kein schlechterer Start als jeder andere.

Rachel hockte über ein kleines Fach am Bootsheck gebeugt und kramte darin herum. Sie blickte nicht auf. «Sehr professionell von dir.»

Mir riss langsam der Geduldsfaden. «Was hast du denn erwartet? Das ist eine Mordermittlung, ich kann nicht einfach Informationen weitergeben. Ganz gleich, wie schlecht ich mich dabei fühle.»

«Bestimmt ganz furchtbar schlecht.»

«Ist ja auch egal. Glaubst du etwa, ich *will* zurück nach London?»

Sie hielt inne und hob den Kopf, in der Hand eine abgenutzte Rettungsweste.

«Aber ich wusste, wie schwer es sein würde, Dinge vor

dir geheim zu halten. Und was hättest du gemacht, wenn ich etwas gesagt hätte? Trask erzählt, dass deine Schwester vielleicht nicht nur mit Leo Villiers, sondern auch mit ihrem Exfreund eine Affäre hatte?»

«Nein, natürlich …» Sie brach ab und dachte nach. «Ich weiß nicht, was ich gemacht hätte. Aber ich glaube keine Sekunde, dass Andrew irgendetwas Falsches getan hat.»

Ich sparte mir die Bemerkung, dass das alle sagen. Niemand glaubt, dass jemand, der einem nahesteht, ein Mörder sein könnte. Den Fehler hatte ich selbst schon gemacht.

«Ich hoffe es», sagte ich ruhiger. «Aber wenn ich es dir gesagt hätte, wärst du in die Bredouille gekommen. Das wäre etwas anderes gewesen, als ihm nichts von ein paar Fotos zu erzählen.»

Ihr Ärger ließ nach. Sie lächelte ein wenig. «Jetzt stecke ich sowieso mit drin, oder?»

Der Steg schwankte, Lundy kam zurück. Er wirkte besorgt.

«Alles okay?», fragte ich.

«Ich hab niemanden erwischt. Aber ich habe eine Nachricht hinterlassen, sie wissen also, wo ich zu erreichen bin. Falls ich da draußen zu erreichen bin», fügte er trocken hinzu. Er schien auf eine Erwiderung von Rachel zu warten, doch ihre Wut war verraucht. Stirnrunzelnd sah er zu, als sie eine weitere Rettungsweste aus dem Fach zog, und beäugte misstrauisch das Boot. «Sie meinen wirklich, das Ding ist stabil genug, um damit rauszufahren?»

Rachel legte die Rettungsweste hinter sich ab und schloss das Fach. «Kein Problem. Ich bin damit schon bei schlechterem Wetter die Küste raufgefahren, und die Festung ist nicht weit draußen.»

Lundy kratzte sich zweifelnd am Kinn. «Nun, wenn Sie so erpicht darauf sind, müssen wir ein paar Grundregeln festlegen. Falls das Wetter sich verschlechtert oder die See draußen zu rau ist, kehren wir um. Das Gleiche gilt für die Seefestung. Falls mir irgendetwas daran nicht gefällt, dann drehen wir sofort um. Ich hänge mich hier weit aus dem Fenster und will keine Diskussionen. Verstanden?»

Rachel nickte gehorsam. Lundy schniefte, er hatte offensichtlich mit Widerstand gerechnet.

«Also gut. Dann ist ja alles klar.»

Ich hielt das Boot fest, während er umständlich hereinkletterte. Wir setzten uns auf die Mittelbank, Rachel nahm am Heck Platz. Lundy kämpfte sich in die Rettungsweste, die sie ihm gegeben hatte, und versuchte verzweifelt, die Riemen über seinem fassartigen Oberkörper festzubinden. Schließlich gab er auf.

«Sie haben wohl nichts Größeres?»

«Tut mir leid, die sind alle eine Größe, bis auf Fays.»

Er betrachtete die über seinem Bauch auseinanderklaffenden Seiten der Weste und schüttelte den Kopf. «Ich muss irre sein.»

Aber sobald wir Fahrt aufnahmen, schien ihn das nicht mehr zu kümmern. Er saß mit der Nase im Wind und amüsierte sich allen Widrigkeiten zum Trotz prächtig. Doch dann sah ich, wie er sich zwei Magentabletten in den Mund steckte, und musste an den Anruf aus dem Krankenhaus denken. Vielleicht hatte er deshalb keinen größeren Widerstand geleistet, als Rachel darauf bestanden hatte, zur Seefestung hinauszufahren. Bestimmt beschäftigte ihn die Sache. Vielleicht bot die Bootsfahrt eine willkommene Ablenkung.

Rachel saß an der Pinne, ihr dunkles Haar wehte im Wind. Unter der Rettungsweste trug sie die wasserdichte rote Jacke, in der ich sie zum ersten Mal gesehen hatte, und wirkte wieder entspannter, während sie das Boot auf das Mündungsgebiet zusteuerte. Sie fing meinen Blick auf und lächelte. Aber es war ein unsicheres Lächeln, und ich fragte mich, ob ihr Zweifel an der Aktion gekommen waren. Der scharfe Wind raute die Wasseroberfläche auf. Noch regnete es nicht, doch der Himmel hatte die Farbe von Blei, und über dem Meer war am Horizont ein noch dunklerer Streifen zu sehen.

«Sie sagten, wir bekommen schlechtes Wetter?», fragte ich Lundy über das Dröhnen des Motors hinweg.

Er nickte. «Soll später richtig ungemütlich werden. Und heute Abend steht eine Springflut an, das wird ein Spaß. Wir müssen vorher wieder an Land sein.»

Ein paar Minuten später mündete der Fluss ins offene Wasser. Hier draußen waren wir ungeschützt, aus den Wellen wurden rollende Wogen, die rhythmisch gegen den Bug klatschten und uns kalte Wassertropfen ins Gesicht spritzten, die auf der Haut stachen und einen salzigen Geschmack auf den Lippen hinterließen.

Die Türme der Seefestung lagen genau vor uns, doch die Sicht war zu schlecht, um sie in allen Einzelheiten erkennen zu können. Ein leichter Dunst, eher Smog als Seenebel, verschleierte die nur vage in der Ferne wahrnehmbaren Gerippe.

Das Boot wurde langsamer und leiser, als wir zwischen den Barrows hindurchfuhren. Lange, glatte Buckel wölbten sich, einer Schule von Walen gleichend, überall um uns herum aus dem Wasser. Rachel lenkte das Boot zwischen ihnen hindurch und suchte das Wasser nach gekräuselten und glatten Stellen ab, die eine unter der Oberfläche verborgene Sandbank anzeigen konnten. Sobald wir diesen Flaschenhals durchquert hatten, gab sie wieder Gas, und wir mussten uns festhalten, als das Boot auf immer größere Wellen traf. Leo Villiers' Haus kam in Sicht, keine hundert Meter entfernt auf der bewaldeten Landzunge stehend. Das Glas der auf die See hinausblickenden Erkerfenster spiegelte sich schwarz.

Dann nahmen wir Kurs aufs offene Meer. Vor uns ragten die drei Türme aus dem Wasser. Aus der Nähe wirkten sie noch merkwürdiger – fremdartige, feindselige Relikte einer vergangenen Zeit. Die Türme standen in kurzer Entfernung voneinander, jeder bestand aus einem zweistöckigen Metallquader auf vier nach außen gerichteten Beinen. Aus den Seiten sprossen zerbrechlich aussehende Brücken und Laufstege hervor, jetzt verbogen und verrostet.

Der am nächsten gelegene Turm machte den stabilsten Eindruck. Rachel hielt darauf zu, doch Lundy beugte sich zu ihr.

«Fahren Sie erst an den anderen beiden vorbei», schrie er über den Lärm hinweg. «Dann können wir die schon mal ausschließen, bevor wir uns den da ansehen.»

Rachel gehorchte und fuhr auf der Seeseite im Bogen um die Türme herum. Aber wir wussten schon jetzt, wenn ihre Schwester die Fotos von Villiers' Haus von der Seefestung aus gemacht hatte, dann nicht von einem der weiter draußen im Meer stehenden Türme. Der eine war kaum mehr als eine leere Hülle. Flammen hatten die Metallwände des Quaders schwarz verfärbt, was der darüberliegenden Rostschicht nach allerdings schon vor langer Zeit geschehen sein musste. Das Dach fehlte, ebenso das äußere Gerüst von Stegen und Leitern, die ich auf den Fotos auf der Website gesehen hatte.

Der Turm war komplett ausgehöhlt, wie zur Bestätigung flog eine Möwe in ein im Boden klaffendes Loch hinein, schwebte hinter den leeren Fenstern empor und tauchte einen Moment später durch das fehlende Dach wieder auf.

Dem zweiten Turm war es noch schlimmer ergangen. Der Aufbau fehlte gänzlich, nur die vier Stelzen ragten aus dem Meer wie die vier Kanten einer unvollständigen Pyramide. Lundy setzte die Brille ab und wischte das Salz von den Gläsern.

«Gut, sehen wir uns den letzten an.»

Rachel lenkte das Boot unter den dritten Turm. Eine Sandbank hatte sich darunter angesammelt, schimmerte hell unter der Oberfläche und durchbrach sie sogar an einigen Stellen. Wellen klatschten gegen die Beine und verursachten Kreuzströmungen, die das Boot zum Wackeln brachten. Erst als wir direkt unter dem Turm waren, wurde es ruhiger.

Aus der Nähe war er größer, als ich gedacht hatte. Die röhrenförmigen Beine bestanden aus Stahlbeton, inzwischen stark verwittert und unterhalb der Wasserlinie mit Algen bewachsen, die wie grüne Haare daran trieben. Hin und wieder ertönte ein hohles Dröhnen, wenn eine größere Welle gegen eine Röhre krachte.

Ich sah nach oben, die Unterseite des Quaders schwebte fast zwanzig Meter über uns. Die Träger darunter waren stark verrostet und von Vogelkot weiß übersät, der seinen scharfen Ammoniakgeruch unter den der Algen mischte. Rachel lenkte das schlingernde Boot seitwärts an eine Anlegeplattform, die zwischen die ausgestellten Beine gesetzt war, und warf ein Tau über einen Pfosten. Während die Wellen das Boot hin und her warfen, griff sie nach einer rostigen Leiter, die aus dem Wasser ragte.

«Ich gehe als Erster», sagte Lundy. «Wenn irgendwer im Meer landet, dann am besten ich.»

Er beobachtete den Wellengang, schwang sich auf die Leiter und kletterte hoch zur Plattform. Dort rieb er sich den Rost von den Händen und stampfte mehrmals fest auf, sodass die ganze Konstruktion zitterte und dröhnte.

«Scheint zu halten. Also dann, rauf mit euch.»

Rachel kletterte als Nächste hoch. Ich folgte ihr weniger elegant, schaffte es aber immerhin, nicht ins Wasser zu fallen. Die Leiter war mit Rostblasen überzogen, die Plattform selbst sah nicht besser aus. Aber Lundy hatte recht: Sie schien nicht unmittelbar vor dem Zusammenbruch zu stehen. Ich machte es ihm und Rachel nach, zog die Rettungsweste aus und sah mich um. Eine weitere, neuer aussehende Leiter streckte sich hoch zu einer kleinen Brücke über unseren Köpfen. Von dort führten Metallstufen zu einer solide wirkenden Tür in der eigentlichen Festung. Der einzig erkennbare Zugang.

«Seht», sagte Rachel und zeigte auf die Küste.

Jenseits des offenen Meeres blickte uns Leo Villiers' leeres Haus von der Landzunge aus entgegen.

Rachel zog ein kleines Fernglas aus der Jackentasche, sah hindurch und reichte es Lundy. «Der gleiche Blickwinkel wie auf den Fotos.»

«Sie sind wohl vorbereitet gekommen, ja?», lautete Lundys Kommentar, als er das Fernglas ansetzte. «Nicht ganz. Zu niedrig.»

«Dann muss sie die Fotografien von innen gemacht haben. Sehen wir nach», sagte Rachel mit erneuter Ungeduld.

Lundy blickte an der Leiter entlang nach oben. «Mir ist nicht wohl dabei», sagte er und brach ab, als sein Handy klingelte.

Offenbar waren wir nah genug an der Küste, um Empfang zu haben. Das klärte dann auch die Frage, ob Emma Darby Hilfe hätte rufen können, wenn sie verunglückt wäre. Das anhaltende musikalische Trällern von Lundys Handy wirkte fehl am Platz. Er zog es aus der Tasche und schaute aufs Display.

«Das muss ich annehmen.»

Er ging auf die andere Seite der Plattform hinüber. Rachel sah ihm nach, drehte sich um und begann, die Leiter hinaufzusteigen.

«Rachel …», sagte ich verärgert.

«Rumstehen bringt nichts.»

Sie war schon fast auf halber Höhe. Ich sah zu Lundy hinüber, erwartete Protest. Aber er schien nichts bemerkt zu haben, hatte uns den Rücken zugewandt, den Kopf schiefgelegt und hörte zu, was der Anrufer ihm zu sagen hatte.

Ich seufzte und machte mich ebenfalls an den Aufstieg. Diese Leiter bestand aus leichtem Aluminium, nicht aus rostigem Stahl. Lundy hatte erwähnt, dass die ursprünglichen Leitern und Laufstege abmontiert worden waren, damit niemand in die Festung gelangen konnte. Irgendjemand hatte sich davon nicht aufhalten lassen.

Nur wer?

Ich zog mich durch eine Öffnung auf die Brücke hoch. Sie war kleiner als die untere Plattform und mit Vogelkot verklebt. Hier oben blies der Wind stärker, kalt und schneidend. Als ich mich aufrichtete, sah ich, dass Rachel bereits die Treppe hochgestiegen war, vor der Tür zum Turm stand und an der Klinke rüttelte.

«Sie ist mit einem Vorhängeschloss gesichert.»

Einerseits war ich erleichtert. Niemand konnte wissen,

was uns drinnen erwartete, und die Erinnerung an Stacey Cokers Leiche war mir noch frisch im Gedächtnis. Falls der Turm irgendwelche Überraschungen bereithielt, dann war es besser, die Polizei entdeckte sie, nicht Rachel.

Dennoch, nachdem wir so weit gekommen waren, wäre es enttäuschend gewesen, unverrichteter Dinge umzukehren. Rachel hämmerte frustriert mit der Faust gegen die Tür. «Meinst du, es gibt noch einen anderen Eingang?»

«Ich bezweifle es.» Die Festung war zur Verteidigung der Küste errichtet worden, sie sollte schwer zugänglich sein.

«Haben wir irgendwas, womit wir das Schloss knacken können?», fragte sie, als ich zu ihr hochstieg.

Ich konnte mir vorstellen, was Lundy dazu sagen würde. «Nein, und ich glaube auch nicht, dass das so einfach wäre.»

Sowohl das Vorhängeschloss als auch die Haspe, an der es hing, waren aus schwerem Stahl und machten den Eindruck, dass höchstens ein Vorschlaghammer sie kleinkriegen könnte.

Rachel rüttelte an der Tür. «Das ist doch albern! Wie ist Emma reingekommen, wenn abgeschlossen war?»

Ich wusste es nicht, hatte aber langsam ein mulmiges Gefühl. «Komm, lass uns gehen.»

Ich drehte mich um, doch Rachel blieb, wo sie war. Sie kniete sich hin, um das Vorhängeschloss in Augenschein zu nehmen, zog dann den Schlüsselbund ihrer Schwester aus der Tasche und durchsuchte ihn. Sie wählte einen Schlüssel aus und versuchte, ihn ins Schloss zu stecken.

«Was machst du da?»

«Emmas Schlüssel ausprobieren. Irgendwie muss sie ja reingekommen sein, und ich weiß bei den meisten hier nicht, wozu sie passen.»

«Wir sollten zu Lundy zurückgehen», sagte ich ungeduldig, während sie den nächsten Schlüssel ausprobierte.

«Nur noch ein paar.»

«Das ist Zeitverschwen ... »

Das Schloss schnappte mit einem *Klick* auf. Rachel grinste mich an.

«Ta-da!»

Ich spürte, wie sich mir die Nackenhaare aufstellten. Wenn Emma einmalig zur Festung hinausgefahren war, um Fotos zu machen, war das eine Sache. Aber wenn sie sich die Mühe gemacht hatte, den Turm mit einem Vorhängeschloss zu sichern – und vielleicht hatte sie auch die Ersatzleiter angebracht –, dann war sie mehr als einmal hier gewesen. Und ohne einen guten Grund würde hier niemand abschließen.

Außer, da drinnen befand sich etwas, das niemand sehen sollte.

Rachel zog bereits das Schloss aus der Haspe. Bevor ich etwas sagen konnte, ertönte von unten ein durchdringendes Pfeifen. Ich ging zur Treppe und sah unten Lundy mit zwei Fingern im Mund stehen. Als er mich sah, nahm er sie heraus.

«Wir müssen gehen», rief er.

«Sie sollten sich das hier vielleicht ansehen», schrie ich zurück. Hinter mir ächzten rostige Türangeln. Ich drehte mich um und sah, dass Rachel versuchte, die schwere Tür aufzuziehen.

«Das muss warten. Es ist etwas passiert, ich muss zurück.»

Das klang ernst. Und ich merkte, wie erschüttert Lundy aussah. Nein, nicht erschüttert. Fassungslos.

«Okay», rief ich nach unten und drehte mich zu Rachel um. «Komm, wir müssen ... »

Rachel war verschwunden.

Verdammt. Ich rannte die Stufen hinauf. Die Tür stand offen, dahinter lag ein düsterer Gang mit Metallwänden, von denen die Farbe abplatzte. Er führte in die Dunkelheit hinein, und Rachel war nicht zu sehen.

Ich rief nach unten. «Rachel ist reingegangen.»

Der Wind trug das «Himmel, Arsch und Zwirn!» des DI zu mir nach oben, dann hörte ich schwere Schritte auf der Leiter. Ich trat durch die Tür, konnte aber vor mir in der Dunkelheit kaum etwas erkennen.

«Rachel?», rief ich. «Rachel, wir müssen gehen!»

Von irgendwo tief aus dem Inneren des Turms kam eine gedämpfte Antwort, aber die Worte waren zu verzerrt, um sie verstehen zu können. Ich war hin- und her gerissen: Sollte ich Rachel suchen oder auf Lundy warten? Doch den mühsamen Schritten auf der Leiter nach zu urteilen, würde der DI eine Weile brauchen, um nach oben zu kommen. Leise fluchend ging ich weiter.

Es war kalt im Turm, die feuchte Luft roch scharf nach Schimmel und Rost. Innen war es nicht so dunkel, wie es zuerst ausgesehen hatte. Durch kleine, rechteckige Fenster, deren Scheiben vor Dreck braun waren, drang trübes Licht. Einige waren kaputt und ließen helles Tageslicht herein, das einen antiquierten Generator enthüllte, der, einem Wachposten gleich, am Fuß einer Treppe stand. Dahinter waren in der Düsternis weitere Räume zu erahnen. Die Metallwände und der Boden waren mit Salz verkrustet, darunter hatte der Rost die Oberflächen rötlich verfärbt. Wie ein zum Leben erwecktes Sepia-Foto.

Splitter aus Rost und alter Farbe knirschten unter meinen Schuhen, als ich am Generator vorbei auf die Treppe zuging.

«Rachel?»

«Hier oben.»

Ihre Stimme hallte von oben herunter. Ich wollte gerade die Treppe hochsteigen, als ein Klonken ankündigte, dass Lundy die Brücke erreicht hatte. Einen Moment später erschien er mit rotem Kopf und atemlos in der Türöffnung.

«Wo zum Teufel ist sie?»

«Oben. Vor der Tür hing ein Vorhängeschloss, aber ihre Schwester hatte den Schlüssel.»

«Verdammte Scheiße!» Die Nachricht schien ihn weniger zu überraschen, als ich gedacht hatte. Er schüttelte immer noch keuchend den Kopf. «Wir waren völlig auf dem Irrweg. Die ganze Zeit.»

«Was heißt das?», fragte ich, doch er winkte ab.

«Später. Gehen wir sie suchen.»

Ich nahm mir noch die Zeit, die schwere Stahltür weit aufzuschieben und so sicherzustellen, dass sie nicht zufallen konnte, dann lief ich ihm nach. Unsere Schritte dröhnten auf der Metalltreppe. Im oberen Stock stießen wir auf zwei weitere Gänge, der eine führte geradeaus, der andere bog nach rechts ab. Hinter offenen Türen war Gerümpel zu erkennen. Die Räume waren bis auf verbogene Metallregale, umgedrehte Bettgestelle und kaputte Stühle leer. An einer Wand hing noch das verblichene Pin-up-Foto einer lächelnden jungen Frau im Badeanzug, die in die Kamera zwinkerte. Als ich aufsah, merkte ich, dass die Treppe weiter nach oben führte, aber die Tür zum Dach war geschlossen.

«Rachel? Wo bist du?»

«Hier.» Ihre Stimme kam vom anderen Ende des Gangs, wo eine Stahltür angelehnt stand. «Das müsst ihr euch ansehen.»

Lundys übliche Gelassenheit war schmallippiger Wut gewichen, als er vor mir den Gang entlangmarschierte. Was immer er am Telefon erfahren hatte, es hatte ihn offenbar aus der Bahn geworfen.

«Das war verdammt dämlich!», verkündete er, als er die Tür aufstieß und eintrat. «Ich habe Ihnen deutlich gesagt ...»

Er brach ab.

Nach all der Verwüstung wartete dieser Raum mit einer Überraschung auf. Durch die Fenster fiel Tageslicht herein, und abgesehen von leeren, am Boden anmontierten Metallhalterungen erinnerte nichts an seine militärische Vergangenheit. Vor einer Wand war eine Glaskabine aufgestellt worden, daneben kündigte ein Poster, dessen eine Ecke sich gelöst hatte, ein längst vergessenes Konzert von The Kinks an. In der Kabine standen zwei alte Plattenspieler auf einem Tisch, daneben ein leerer Mikrophonständer.

Ich hatte gehört, dass die Festung in den sechziger Jahren von einem Piratensender genutzt worden war, doch irgendwer war in der viel jüngeren Vergangenheit hier gewesen. Der Raum war wie ein modernes Wohnstudio hergerichtet. Der kalte Metallboden war mit einem Perserteppich ausgelegt, und vor einer tragbaren Gasheizung stand ein Klapptisch mit Stühlen. Auch ein Campingkocher war vorhanden, und auf dem Boden ergab eine aufblasbare Doppelmatratze auf Holzpaletten einen improvisierten Futon. Zu der Wohnlichkeit des Raums trugen außerdem batteriebetriebene Laternen bei, die mit bunten Tüchern verziert worden waren, zerlesene Taschenbücher und auf einem aus Brettern und Ziegelsteinen gebastelten Regal stehende leere Weinflaschen. Über dem Bett verkündete ein computerausgedrucktes Poster in roten Buchstaben: *Wer sein Leben nicht lebt, ist schon tot.*

Doch der Raum fühlte sich verlassen an. Die Buchdeckel hatten sich in der feuchten Seeluft gewellt, und an der auf dem Bett zusammengeknüllt liegenden Decke zeigten sich schwarze Schimmelflecken. Die Matratze hatte ihre Luft teilweise verloren und war auf den Paletten in sich zusammengesackt.

«*Home, sweet home*», sagte Rachel leise.

Lundy sah sich um. «Haben Sie irgendwas angefasst?»

Sie schüttelte den Kopf, die Hände in den Taschen vergraben. «Es ist alles so, wie ich es vorgefunden habe. Sehen Sie mal aus dem Fenster.»

Regentropfen schlugen gegen die Metallwände und erzeugten ein blechernes Trommeln. Als ich neben Lundy ans Fenster trat, meinte ich, den Turm leicht im Wind schwanken zu spüren. Die Glasscheibe war viel sauberer als die anderen, wenn auch bereits wieder von einer Salzschicht überzogen, die aber nicht die Sicht auf Leo Villiers' Haus behinderte.

«Genau hier hat Emma die Fotos gemacht», sagte Rachel.

Wortlos ging Lundy zu der eingesackten Matratze. Er nahm die verschimmelte Decke in Augenschein und roch dann an den selbstgerollten Zigarettenkippen, die zusammengedrückt in einer Untertasse auf dem Regal lagen.

«Hat Ihre Schwester gekifft?»

«Nein, sie hat überhaupt nicht geraucht. Sie hasste Zigaretten.»

Lundy richtete sich auf. «Nun, irgendwer hier stand auf Gras.»

«Mark Chapel. Emma hat mir erzählt, dass er kiffte.» Rachel schüttelte wütend den Kopf. «Das ist alles so … typisch für ihn. Sich in einem alten Piratensender einzunisten. Und dieser alberne Spruch! Gott, ich höre fast, wie er das sagt!»

Sie deutete wütend auf das Poster über dem Bett. Aber Lundys Aufmerksamkeit war auf etwas anderes gerichtet. Seine Knie knackten, als er in die Hocke ging, um den Boden zu betrachten.

«Was ist das?», fragte ich.

«Sieht aus wie eine Objektivkappe», sagte er, ohne sie zu berühren. «Da steht *Olympus* drauf.»

«Emmas Kamera war von Olympus», sagte Rachel. «Herrgott, ich möchte sie schütteln! Was hat sie sich bloß *gedacht*?»

Lundy machte Anstalten, sich zu erheben, schien dann aber noch etwas anderes zu bemerken. Ich folgte seinem Blick und sah einen eingetrockneten Fleck auf dem Boden. Auf dem roten Rost war er nur schwer wahrzunehmen, und auf den ersten Blick hätte es sich um Wein oder Kaffee handeln können.

Aber ich sah Lundy an, dass es das nicht war.

«O nein, ist das Blut?», fragte Rachel.

Lundy kam schwerfällig auf die Beine. Eine Windböe schlug gegen den Turm. «Wir sind hier fertig. Gehen wir.»

«Wir können doch nicht einfach … »

Ein lautes Scheppern hallte durch die Festung. Es kam von unten, von irgendwo im unteren Stockwerk. Wir erstarrten, während der Stoß durch die Stahlstruktur vibrierte und langsam verhallte.

Lundy sah mich an. «Haben Sie die Tür offen gelassen?»

Er flüsterte zwar nicht, sprach aber mit leiser Stimme. Ich nickte. Ich dachte an das solide Gewicht der Stahltür und an die steifen Angeln, als ich sie gegen die Wand zurückgedrückt hatte. Sie war zu schwer, um von alleine zuzufallen, und der Wind hätte um einiges stärker sein müssen, um sie zu bewegen.

«Vielleicht hat sie sich gelockert …?» Auch Rachel sprach gedämpft.

Weder Lundy noch ich antworteten. Die Stille im Raum schien immer schwerer und bedrohlicher zu werden. Lundy reckte sich, als wolle er sich selbst von etwas überzeugen.

«Sie warten hier.»

Er ging zur Tür. Ich setzte mich in Bewegung. «Ich komme mit.»

«Nein, das tun Sie nicht. Schließen Sie die Tür und verriegeln Sie sie, bis ich wieder da bin.»

Er war draußen, bevor ich widersprechen konnte. Mit für einen so mächtigen Mann erstaunlich geschmeidigen Bewegungen zog er hinter sich die Tür zu, die sich mit einem leichten Klicken schloss.

«Wenn die Tür unten offen stand, hat der Wind vielleicht irgendetwas drinnen umgeweht?», sagte Rachel. «Das Unwetter könnte früher da sein als vorhergesagt.»

Ich hoffte, es wäre nur das. Ich lauschte, hörte aber bloß die Wellen gegen die Röhrenbeine der Festung donnern und den Wind leise um die Ecken heulen. *Vielleicht hat Rachel ja recht*, dachte ich. Vielleicht war die Tür nicht so fest nach hinten gedrückt gewesen, wie ich geglaubt hatte. Und Lundy konnte auf sich aufpassen: Als Polizist und ehemaliger Armeereservist brauchte er nun wirklich nicht mich als Aufpasser. Trotzdem schien es plötzlich falsch, sich hier zu verstecken, während Lundy alleine durch die Gänge wanderte.

Ich traf eine Entscheidung und ging auf die Tür zu.

«Was hast du vor?», fragte Rachel leise.

«Ich werde nachsehen, wo Lundy ist.»

«Er hat gesagt, wir sollen warten.»

«Ich weiß, aber …»

Ein explosives *Peng* durchfuhr die Festung. Es wurde von den Metallwänden zurückgeworfen und war viel lauter und näher als das erste Geräusch. Und dies war keine zufallende Tür: Der ohrenbetäubende Knall war unverkennbar.

Der Schuss einer Schrotflinte.

O Gott. Als ich die Türklinke packte, schmeckte ich den bitteren Geschmack von Furcht im Mund. Entgegen Lundys Anweisungen hatte ich die Tür nicht verriegelt, doch bevor ich sie öffnen konnte, ging Rachel dazwischen.

«Nein!»

Sie streckte die Hand aus und schob den obersten Riegel zu. Mit dem Rücken zur Tür stehend, sah sie mich an, ihre Brust hob und senkte sich hastig.

«Geh mir aus dem Weg», sagte ich.

«Du gehst da nicht raus.»

«Ich muss Lundy finden …»

«*Und dann, was?*» Sie sah genauso verängstigt wie entschlossen aus. «Das war ein *Schuss*, was willst du denn tun?»

Ich wusste keine Antwort. Weiß Gott, ich hatte selbst genug Angst, aber ich konnte Lundy nicht im Stich lassen. Ich griff nach dem Riegel. «Mach hinter mir zu.»

«Nein, du wirst nicht …»

Hinter der Tür war ein Kratzen zu hören. Wir verstummten und starrten die Tür an. Der Griff senkte sich. Die Tür knarrte, als sie gegen den Riegel gedrückt wurde, den Rachel gerade vorgeschoben hatte. Aus einem Reflex heraus wollte ich Lundys Namen rufen, hielt mich aber zurück. Er hätte sich zu erkennen gegeben.

Wer immer dort draußen stand, Lundy war es nicht.

Rachel hatte sich von der Tür zurückgezogen. Ich hielt sie an den Schultern und fühlte, dass sie zusammenzuckte, als jemand gegen die Tür hämmerte. Der Riegel klapperte, hielt aber stand, und als die Tür unter einem erneuten Schlag erzitterte, sprang Rachel darauf zu und legte auch den unteren Riegel vor.

Es krachte noch zweimal, als würde draußen jemand mit aller Kraft gegen die Tür treten.

Dann wurde es ruhig.

Rachel stand dicht vor mir. Die Stille war unerträglich. Ich spürte die Bewegung, als sie einatmete, um etwas zu sagen, und instinktiv ahnte ich, was passieren würde: Ich zog sie beiseite und warf mich zwischen sie und die Tür, als der nächste Schuss fiel.

Der Knall hallte in dem geschlossenen Raum ungleich lauter wider. Es war, als wäre der Stahlturm wie eine Glocke angeschlagen worden, wir spürten den Lärm in unseren Körpern. Sekundenlang war ich zu benommen, um reagieren zu können, mit zusammengekniffenen Augen hatte ich mich schützend um Rachel gewickelt. Mein erster Gedanke war, dass die Tür nicht standgehalten hätte, dass die alten Riegel dem Einschlag nicht gewachsen gewesen wären. Ich drehte mich um, um nachzusehen, jeden Moment mit einem weiteren Schuss rechnend.

Die Stahltür war verschlossen, die Riegel hatten gehalten.

In meinen Ohren klingelte es, und der Schwefelgestank des Schießpulvers stieg mir in die Nase. Rachel starrte mit aschfahlem Gesicht die Tür an. Wir warteten. Nichts geschah. Keine weiteren Schüsse, keine Einschläge. Das Klingeln in meinen Ohren wurde vom Pochen meines Herzens übertönt.

«Sind sie weg?», flüsterte Rachel.

Ich hatte keine Ahnung. Wer immer da draußen war, konnte genauso gut aufgegeben haben wie auf der Lauer liegen. Es gab nur einen Weg, das herauszufinden.

Als ich den oberen Riegel öffnete, wollte Rachel mich zurückhalten. «Was tust du da?»

«Ich kann Lundy nicht im Stich lassen.»

Ich bückte mich nach dem unteren Riegel. Die Stahlkante der Tür war etwa auf halber Höhe verformt: Der Schuss war auf die Stelle abgegeben worden, an der sich in etwa ein Schloss oder einzelner Riegel befunden haben würde. Ich schob den unteren Riegel halb zurück, ließ aber die letzten beiden Zentimeter noch im Ring und horchte, ob von draußen irgendetwas zu hören war. Vielleicht würde der Angreifer sich verraten.

Nichts.

Ich drehte mich zu Rachel um. «Mach dich bereit, den Riegel aufzuziehen, und dann schieb ihn wieder vor, sobald ich draußen bin.»

Sie schüttelte energisch den Kopf. «Nein, wir sollten warten ...»

«Auf drei», sagte ich.

Sie schloss die Augen, dann umarmte sie mich plötzlich. «Sei vorsichtig.»

Ich zählte lautlos bis drei und nickte. Als Rachel den Riegel zurückgezogen hatte, riss ich die Tür auf und rannte in den Gang hinaus.

Er war leer.

Blauer Dunst lag in der Luft, der Geruch von Schießpulver wurde stärker. Ich merkte, dass Rachel die Tür nicht wieder geschlossen hatte. Sie war mir gefolgt und starrte mit weit aufgerissenen Augen in den Gang hinein.

Sie schüttelte den Kopf. «Ich komme mit dir.»

Es blieb keine Zeit für Diskussionen. So leise ich konnte, lief ich über den Metallboden auf die Treppe zu. Unterwegs hielt ich an und warf einen Blick nach oben, um sicherzugehen, dass die Tür aufs Dach immer noch verschlossen und verriegelt war. In dem Moment hörte ich von draußen das leise Knattern eines Motors.

Ein Boot fuhr davon.

Doch meine Erleichterung wurde von wachsender Angst überlagert. «Lundy?», schrie ich. «Lundy?»

Nur mein eigenes Echo gab Antwort. Doch dann hörte ich etwas: ein leises Keuchen auf der Treppe. Ich rannte los, und da sah ich ihn.

Er lag auf der Hälfte der Treppe auf dem Rücken, ein Bein angewinkelt unter ihm, die Arme zur Seite gestreckt. Der gesamte Oberkörper war mit Blut bedeckt. Im Dämmerlicht sah es aus, als läge etwas auf seinem Bauch und seiner Brust. Dann stellte sich mein Blick scharf, und ich erkannte Gedärme und Rippen.

Die Stufen waren glitschig von Blut, das bereits gerann und dickflüssige Klumpen bildete, wo es von einer Stufe auf die nächste hinabgetropft war. Als ich mich auf der engen Treppe neben den DI kniete, war ich mir halb bewusst, dass Rachel hinter mir war.

«Lundy? Bob, *Bob*, hören Sie mich?»

Er lebte noch. Sein Brustkorb hob und senkte sich langsam, wie unter großen Mühen. Das Keuchen, das ich gehört hatte, waren seine rasselnden und angestrengten Atemzüge gewesen. In seinem Gesicht lag Überraschung, die kornblumenblauen Augen hinter den blutverschmierten Brillengläsern blickten in die Schatten über ihm und blinzelten hin und wieder.

«O Gott», keuchte Rachel. «O Gott, sieh ihn dir an!»

Ich zog meine Jacke aus, rollte sie zusammen und presste sie auf die furchtbare Wunde. «Geh nach draußen», befahl ich ihr, während ich mit beiden Händen zudrückte, «such ein Handynetz und ruf Hilfe.»

«Sollte ich nicht …»

«Tu's einfach. *Sofort.*»

Ohne den Druck zu verringern, schob ich mich auf die Seite, um sie durchzulassen. Sie versuchte, dem Blut auf der Treppe auszuweichen, aber es war unmöglich. Als sie sich vorbeischob, bemerkte ich weiter unten einen Fußabdruck.

Doch jetzt gab es Wichtigeres. Ich veränderte die Position, um meine Arme zu entlasten. Meine zusammengerollte Jacke hatte sich mit Blut vollgesogen, meine Hände klebten. Das Blut kam jetzt in langsameren Stößen aus der Wunde, aber das lag nicht an mir.

«Okay, Bob», sagte ich und versuchte, ruhig und zuversichtlich zu klingen. «Rachel holt Hilfe, Sie müssen also nur ganz ruhig hier sitzen bleiben, bis jemand kommt. Alles wird wieder gut. Ich will, dass Sie wach bleiben und sich auf meine Stimme konzentrieren, okay? Schaffen Sie das, Bob?»

Lundy reagierte nicht. Sein Blick blieb auf einen Punkt an der Decke gerichtet, während sich seine Brust langsam hob und senkte. Ich redete von seiner Frau, von seiner Tochter und seiner Enkelin, von der Geburtstagsfeier der Kleinen und was immer mir sonst noch einfiel. Ich wusste nicht, ob er mich hören konnte, aber ich redete trotzdem immer weiter, weil es sich richtig anfühlte und ich sonst nichts für ihn tun konnte. Ich redete weiter, als Rachel zurückgekommen war und lautlos am Fuß der Treppe stand, und ich hörte auch dann nicht auf, als sich der breite Brustkorb nicht mehr bewegte und die rasselnden Atemzüge verstummt waren.

Obwohl ich wusste, dass ich nur noch mit mir selbst sprach.

KAPITEL 27

❧

Wehenden, silbrigen Vorhängen gleich tropfte der Regen von der Seefestung herab. Ab und zu jagte eine Windböe einen Schauer unter die geschützte Unterseite des Turms, Wasser rann mir in den Jackenkragen und ließ mich bis ins Mark frieren.

Die Ebbe hatte die um eines der Turmbeine herum entstandene Sandbank freigelegt, eine glatte, hellbraune Insel, mit Algen und verrosteten Blechbüchsen übersät und von Hunderten kleiner, blasser Krebse besiedelt. Sie wagten sich mit erhobenen Scheren vorsichtig ans Tageslicht, rannten kreuz und quer über den Sand und hinterließen kleine Punkte darin.

Ich beobachtete sie von der Anlegeplattform unter dem Turm aus. Die Flut setzte gerade wieder ein, und die Krebse verschwanden im einlaufenden Wasser. Ich bedauerte, sie nicht länger sehen zu können, sie hatten mich von dem abgelenkt, was über meinem Kopf vor sich ging. Um meine Schulter lag eine Decke, Ersatz für meine blutgetränkte Jacke, die ich oben im Turm gelassen hatte. Das Schlauchboot der Marineeinheit lag neben dem Boot, mit dem Rachel, Lundy und ich gekommen waren, schaukelnd auf den Wellen. Ein größeres Schiff war weiter draußen im tieferen Wasser vor Anker gegangen und wurde von stärkeren Wellen bewegt.

Als wir auf der Plattform auf das Eintreffen der Rettungskräfte warteten, hatte sich Rachel Tränen von den Wangen gewischt. «Es ist meine Schuld. Er wollte nicht zur Festung fahren.»

Ich hatte erwidert, dass es unsinnig war, sich Vorwürfe zu machen, niemand hatte diese Katastrophe vorhersehen können. Der Schock lähmte mich. Ich fühlte mich hilflos, war nicht einmal in der Lage, Rachel festzuhalten. Lundys Blut klebte immer noch kalt und zäh an meinen Armen und Händen. Erst wenn die Polizei unsere Hände auf Schießpulverrückstände untersucht hätte, um uns als Tatverdächtige auszuschließen, würde ich es abwaschen können. Und so hatte ich dagestanden, während das Blut an mir trocknete und zu einem nach Eisen und Schlachtabfällen riechenden Panzer wurde, der aufbrach, wenn ich mich bewegte.

Zuerst war ein Schnellboot der Küstenwache eingetroffen und hatte Rettungssanitäter abgesetzt, die eilig nach oben zu Lundy kletterten. Wenig später waren sie langsam, niedergeschlagen und mit leeren Händen zurückgekehrt. Sie hatten uns mit Decken und heißem Kaffee versorgt, während wir weiter auf die Polizei warteten. Als Nächstes war die Marineeinheit angekommen, ich erkannte die Gesichter vage wieder. Dann ein größeres Polizeischiff, das die erste Welle eines anscheinend nicht abreißenden Stroms von Spurensicherern und Tatortermittlern absetzte. Oder vielleicht kamen und gingen immer dieselben.

Ich achtete nicht darauf.

Rachel war an Land gebracht worden, um ihre Aussage zu machen. Ich hatte nicht darum gebeten, bleiben zu dürfen, doch niemand legte mir nahe zu gehen. Den Grund konnte ich mir denken. Also hatte ich auf der Plattform gewartet, wo ich nicht im Weg stand, und die wuselnden Krebse beobachtet. Irgendwann hatte ein Kriminaltechniker die Proben genommen, und ich war erleichtert gewesen, mir endlich Lundys Blut von den Händen waschen zu können. Ich hatte mich auf die Plattform gekniet, meine Arme ins Meer getaucht, mir die klebrige Blutschicht von der Haut geschrubbt und sie vom Salzwasser forttragen lassen.

Am Nachmittag kehrte das Schiff der Küstenwache mit weiteren Passagieren zurück. Als es gegen die Plattform schlug, wandte ich mich um und sah DCI Clarke und Frears. Beide trugen Overalls, und Clarke sah wütend aus. Sie ließ sich von einem Polizisten die Hand reichen und aus dem Boot helfen, warf mir zwar einen Blick zu, ging aber direkt zur Leiter, ohne ein Wort zu sagen. Frears wirkte ungewöhnlich ernst, als er hinter ihr auf die Plattform stieg. Bei meinem Anblick hielt er unentschlossen inne.

«Dr. Hunter. Ich bin froh, dass es Ihnen gutgeht.» Kopfschüttelnd blickte er hoch zum Turm. «Schlimme, schmerzliche Sache.»

Ich nickte.

Eine schlimme, schmerzliche Sache.

Dann wandte ich mich wieder den Krebsen zu, die sich jetzt nur noch auf einem kleinen Stück Sandbank tummeln konnten. In dem Moment entdeckte die erste Möwe sie. Innerhalb weniger Minuten kamen weitere hinzu, deren Kreischen unter dem Turm widerhallte. Während ich dem Kreislauf der Natur zuschaute, hörte ich jemanden die Leiter herabsteigen. Ich wartete, bis die Schritte sich genähert hatten, dann wandte ich mich um und sah Clarke an.

Die Augen in ihrem blassen Gesicht waren rot unterlaufen, das feine rote Haar sah noch zerzauster aus als sonst. Ihre Stimme zitterte leicht, was ich auf kaum bezähmbare Wut zurückführte.

«Was zum Teufel ist hier passiert?»

Ich erzählte es ihr, auch wenn ich wusste, dass sie bereits informiert worden war. Sie unterbrach mich nicht, presste nur ihre Lippen noch fester aufeinander.

«Herrgott noch mal», sagte sie, als ich fertig war. «Herrgott verdammt noch mal! Wessen Idee war das?»

«Meine.»

Ich sah, dass sie mir nicht glaubte. Oder vielleicht wusste sie es auch schon: Rachel würde sich bei ihrer Aussage nicht geschont haben. Aber ich wollte niemandem die Schuld in die Schuhe schieben. Keiner hatte Lundy gezwungen, hier rauszufahren. Und mich auch nicht.

Clarke warf mir einen harten Blick zu und starrte dann durch den Regen aufs Meer hinaus. Eine rote Haarsträhne flatterte im Wind.

«Und Sie haben nicht gesehen, wer es war? Nichts gemerkt?»

«Dem Motor nach war es ein kleines Boot. Das ist alles, was ich Ihnen sagen kann.»

Sie seufzte und wischte sich ungeduldig die lose Haarsträhne aus dem Gesicht. «Herrgott, was für eine Scheiße.»

«Was ist mit der Kriminaltechnik?», fragte ich. «Lässt sich aus dem Fußabdruck irgendetwas ablesen?»

«Nicht viel. Er ist nicht vollständig, und es gibt kein Profilmuster oder irgendwas Eindeutiges. Sieht auch nicht abgelaufen aus, vermutlich also ein Schuh mit glatter Sohle. Die meisten Oberflächen sind zu verrostet, um sie auf Fingerabdrücke untersuchen zu können, aber wir haben zwei verschiedene im Raum und fünf auf der Aluminiumleiter gefunden, wobei wir annehmen, dass drei davon von Ihnen, Rachel Darby und … und DI Lundy stammen. Die anderen beiden können wir bisher nicht zuordnen, aber sie sind schon älter. Wir vermuten, dass sie wohl von Emma Darby und Mark Chapel hinterlassen wurden.»

Auch ich hielt das für wahrscheinlich. Die natürlichen Fette der Haut würden bei älteren Fingerabdrücken durch die salzige Luft und den Wind ausgetrocknet sein. Ich würde meine Fingerabdrücke abgeben müssen, damit sie zugeordnet werden konnten, Rachel ebenfalls, sogar Lundy. Aber wenn die Polizei alle gefundenen Abdrücke identifizieren konnte, dann bedeutete das, dass Lundys Mörder Handschuhe getragen hatte.

Wie der Mörder von Stacey Coker.

«Er wusste, dass wir hier waren», sagte ich.

«Er? Ich dachte, sie hätten niemanden gesehen.»

Eine ärgerliche Antwort lag mir auf der Zunge, doch ich schluckte sie hinunter. Clarke hatte recht, und ich wusste, dass es voreilige Schlussfolgerungen zu vermeiden galt. «Also gut, wer immer es war, wusste, dass wir hier waren.»

«Das wissen wir nicht.»

«Warum sonst sollte die Person hier rausgefahren sein? Offenbar ist seit Monaten niemand mehr im Turm gewesen, und zufällig würde wohl kaum jemand genau zur selben Zeit hier auftauchen wie wir. Und mit einer Schrotflinte.»

«Worauf wollen Sie hinaus? Dass jemand der Person einen Tipp gegeben hat?»

Der Einzige, der überhaupt jemanden von unserem Trip zur Seefestung informiert hatte, war Lundy. Er hatte seinem

Team Bescheid gesagt, aber ich glaubte kaum, dass einer seiner Kollegen ihn hatte umbringen lassen.

«Oder vielleicht hat die Person die Festung beobachtet, ich weiß es nicht. Ich glaube nur nicht an einen Zufall.»

«Mir gefällt das auch nicht», sagte Clarke matt. «Aber die Alternative wäre, dass irgendwer absichtlich hier rausgefahren ist, um einen Detective Inspector zu ermorden. Und zwei Zivilisten noch dazu. Was hätte man davon?»

«Dass niemand herausfinden soll, was sich da drin befindet?»

«Und ein Polizistenmord ist da natürlich genau das Richtige.»

Ihr Ton war sarkastisch, doch sie hatte recht. Auch wenn Lundys Mörder uns alle drei erschossen hätte, wäre der Turm durchsucht worden, sobald man Lundy vermisst hätte. Ihn zu erschießen, verschärfte die Situation also.

«Ich sage ja nicht, dass es logisch wäre», erwiderte ich müde. «Aber unser Boot lag unten an der Plattform, die Person wusste also, dass jemand im Turm war. Wenn sie nicht vorhatte, uns zu erschießen, warum ist sie dann hochgeklettert?»

«Ich habe keine Ahnung, Dr. Hunter, okay? Wenn ich eine hätte, wäre ich dem Scheißkerl ein ganzes Stück dichter auf den Fersen!» Clarke rieb sich die Schläfen und atmete tief durch. «Wir wissen, dass jemand bei Edgar im Haus Munition und vermutlich auch eine Schrotflinte versteckt hatte. Vielleicht hat die Person jetzt nach einem anderen Versteck gesucht und ist in Panik geraten, als sie hier draußen jemanden angetroffen hat.»

Ich dachte an die wiederholten Versuche, die verriegelte Tür aufzubrechen. Das hatte auf mich keinen panischen Eindruck gemacht, aber ich wollte nicht darauf herumreiten. Clarke hatte auch nicht mehr Antworten als ich.

«Was ist mit dem Fleck auf dem Boden?», fragte ich. «Ist es Blut?»

Der Wind trieb uns den Regen ins Gesicht. Clarke schien es nicht zu bemerken. «Wir nehmen es an, aber ich bezweifle, dass er viel hergibt. Wahrscheinlich stammt das Blut entweder von Emma Darby oder Mark Chapel, aber angesichts von Rost und Salzluft haben wir Glück, wenn sich das überhaupt noch feststellen lässt.»

«Ich denke, es ist von Mark Chapel.»

Clarke sah mich an. «Ich höre.»

Während meiner Krebsbeobachtungen hatte ich Zeit gehabt, um darüber nachzudenken. Das war besser, als an Lundy oben im Turm erinnert zu werden. «Sie wissen, dass er wahrscheinlich der Tote im Stacheldraht war?»

«Ich weiß Bescheid», sagte sie ungeduldig. «Weiter.»

«Er hat einen Schlag abbekommen, der heftig genug war, um ein Knochenstück in den Schädel zu treiben, und solch eine Verletzung hätte sicherlich die Nase zerstört. Das hätte geblutet. Wenn er sofort tot war, vielleicht nicht sehr stark, aber es würde den Blutfleck im Turm erklären.»

«Sie meinen, er wurde hier getötet? Sie lesen zu viel in den Fleck hinein.»

«Mag sein, aber Chapels Leiche weist auch viele Skelettverletzungen auf. Es gibt multiple Brüche, die auf einen Sturz hindeuten, eine Hüfte war regelrecht aus der Pfanne gerissen. Ich konnte mir nicht erklären, wie diese Verletzungen zustande gekommen sind, bis ich hierherkam.»

Ich deutete nach oben auf die gerüstartig angeordneten Gänge und Leitern.

«Das ist hoch genug», fuhr ich fort. «Der einfachste Weg, den Körper aus dem Turm und ins Boot zu befördern, wäre, ihn von da oben runterfallen zu lassen. Er wäre dabei gegen die Leitern und Träger geprallt, und wenn ein Fuß zwischen den Leiterstreben hängen geblieben ist, dann würde die dabei wirkende Kraft die Knochen brechen und die Hüfte auskugeln.»

Ein solcher Sturz würde auch erklären, warum die Halswirbel gebrochen waren, ohne dass der Schädel zerschmettert war. Wie die Gliedmaßen würde sich auch der Kopf im Fallen gedreht und verrenkt haben, was ausreichte, um den Hals zu brechen.

Ich schwieg, während Clarke stirnrunzelnd zu der tropfenden Unterseite des Turms aufblickte und nachdachte. Ich hatte mich anfänglich gefragt, warum jemand eine Leiche erst in die Backwaters transportierte, anstatt sie auf See zu entsorgen. Aber mir war schnell klargeworden, dass so nah an der Küste immer die Gefahr bestand, dass sie an Land gespült wurde. Man hätte sie natürlich beschweren können, aber so versandet, wie das Meer hier schon war, war es immer möglich, dass sie bei Ebbe zum Vorschein käme.

In den Backwaters dagegen war die Chance groß, dass sie nie gefunden wurde. Und selbst wenn, würde man sie nicht mit der Seefestung in Verbindung bringen. Zwar war es nicht möglich, den Turm gänzlich unbewohnt aussehen zu lassen, aber wenn man alles entfernte, das einen Hinweis auf die Identität der Bewohner geben konnte – mit Ausnahme der übersehenen Objektivkappe und des Flecks auf dem rostigen Boden –, wirkte er eher wie ein verlassenes Camp als ein Ort des Verbrechens. Niemand hätte Grund anzunehmen, dass Emma Darby und Mark Chapel sich je hier aufgehalten hatten.

Und niemand würde Leo Villiers damit in Verbindung bringen.

Ich schaute über das Meer hinweg auf die Landzunge. Verglichen mit dem Blick aus dem Turmfenster wirkte sie von hier wie geschrumpft, hinter Gischt und Regen verschwommen.

«Die beiden haben Villiers erpresst, stimmt's?»

Wenn ich nicht so erledigt gewesen wäre, hätte mich Clarkes Schweigen vielleicht stutzig gemacht.

«Wie kommen Sie darauf?»

Ich war zu müde für Spielchen. «Was kann es sonst sein? Wenn sie sich einfach nur irgendwo treffen wollten, hätten sie das Bootshaus nehmen können und nicht erst hier rausfahren müssen. Gut, vielleicht stand Chapel auf das Piratensender-Flair, aber hätte er sich hier draußen gleich wohnlich eingerichtet? Das haben sie nicht aus Jux und Tollerei gemacht. Sie haben ihn ausspioniert.»

Es war die einzige Erklärung, die Sinn ergab. Die Fotos, die Emma Darby mit Zoom aufgenommen hatte, auch dass Chapel von seinem Arbeitsplatz eine Videokamera entwendet hatte, es passte alles zusammen. Die beiden hatten die Seefestung als Versteck genutzt und von hier aus Villiers' Haus beobachtet. Und dafür hatte er sie umgebracht.

Clarkes Gesicht war ausdruckslos. «Womit sollten sie ihn erpresst haben?»

Da endete meine Argumentationskette. Trotz seiner politischen Ambitionen machte Villiers nicht den Eindruck, ein geeignetes Erpressungsopfer zu sein. Er schien seinen schlechten Ruf geradezu gepflegt zu haben, hatte seine Verfehlungen eher in die Welt hinausposaunt, als sich ihrer geschämt.

«Ich weiß es nicht», gab ich zu. «Er hat sicher alle Daten und Bilder in den Kameras vernichtet. Und die Back-ups sind wahrscheinlich beim Einbruch entwendet worden.»

«Einbruch?»

Das war ihr offensichtlich neu. Eine DCI musste nicht zwangsläufig über ein paar Einbrüche informiert werden. «Bei den Trasks wurden die Computer gestohlen. Aber nicht nur bei ihnen wurde eingebrochen, es gab in der Zeit eine ganze Serie.»

«Wann war das?», fragte sie scharf.

«Nicht lange nach Emma Darbys Verschwinden.» Langsam lichtete sich der Nebel der Erschöpfung, der sich über meinen Verstand gelegt hatte. «Sie meinen, sie wurden deshalb gestohlen? Und die anderen Einbrüche sollten nur ablenken?»

Clarke ignorierte die Frage. «Könnte sie noch andere Back-ups haben?»

«Ich glaube nicht. Rachel – ihre Schwester – hat gesagt, dass sie das Passwort für die Cloud nicht kennen.»

Und wenn Emma Abzüge gemacht hatte, hätte sie die nicht zu Hause aufbewahrt, wo ihr Mann sie finden konnte. Aller Wahrscheinlichkeit nach wären sie hier bei Chapel in der Seefestung gewesen, und Villiers hätte sie mitsamt den Kameras mitgenommen.

Clarke schien den gleichen Gedanken zu haben. «Verdammt.»

Seit Lundy gestorben war, hatte ich mich wie unter einer Glasglocke gefühlt, hatte meine Umgebung wahrgenommen, ohne Teil von ihr zu sein. Jetzt ging das Glas zu Bruch.

«Sie können das nicht länger für sich behalten», sagte ich mit zitternder Stimme. «Die Öffentlichkeit muss erfahren, dass Villiers noch am Leben ist.»

Clarke blickte aufs Meer hinaus. «Das ist nicht so einfach.»

«Warum? Herrgott, was muss er sonst noch alles anrichten?» Es war mir egal, wie einflussreich Sir Stephen war, selbst er konnte das hier nicht länger totschweigen. «Es geht nicht mehr allein um Emma Darby. Soweit wir wissen, hat er bereits drei, nein, vier Menschen ermordet! Er hat einen *Polizisten* erschossen, verdammt noch mal!»

«Glauben Sie, ich weiß das nicht?», fauchte Clarke. Unsere lauten Stimmen ließen die beiden Spurensicherer auf der Brücke aufblicken. «Ich kenne Bob Lundy seit fünfzehn Jahren! Ich war auf der Taufe seiner Enkelin, also glauben Sie ja nicht, ich würde nicht Himmel und Hölle in Bewegung setzen, um den Scheißkerl zu kriegen, der ihn erschossen hat! Aber es war nicht Leo Villiers.»

Verblüfft starrte ich sie an. Und erinnerte mich erst jetzt wieder an den Anruf, der Lundy veranlasst hatte zu sagen, er müsse an Land zurückkehren. *Wir waren völlig auf dem Irrweg. Die ganze Zeit.*

«Woher wissen Sie das?», fragte ich. Mein Zorn ebbte ab.

Clarke funkelte mich wütend an und wandte sich mit einem Kopfschütteln ab.

«Weil er den ganzen Morgen in Verwahrung war.»

KAPITEL 28

❦

Eine Frau hatte am Morgen die schwere Glastür aufgescho-
ben und das Hauptrevier der Polizei betreten. Der junge
Constable am Empfang telefonierte gerade. Er warf der Frau
einen kurzen Blick zu, konstatierte aus nicht rein professio-
nellen Gründen, dass sie attraktiv und gut gekleidet war, und
gab ihr durch ein Zeichen zu verstehen, dass er gleich für sie
da wäre. Die Frau wartete geduldig, doch als der Anruf sich
hinzog, entdeckte der Constable Anzeichen von Nervosität
an ihr. Und Ungeduld. Die langen Finger der einen Hand
klammerten sich um den Schulterriemen einer Hermès-
Tasche, die der anderen trommelten einen Stakkato-Rhyth-
mus auf ihrem Arm.

Schließlich beendete der Constable das Gespräch und
wandte sich ihr zu. Sie bot wirklich einen beeindruckenden
Anblick. Mitte dreißig, Modelgröße, fast schwarzes Haar
und eine tolle Knochenstruktur. Ihre Kleidung saß perfekt und war offensichtlich teuer, und das Parfüm, das sie
trug, begeisterte den jungen Polizisten, auch wenn er keine
Ahnung hatte, was es war. Er stützte sich auf dem Empfangs-
tresen ab, setzte sein gewinnendstes Lächeln auf und fragte,
wie er ihr helfen könne.

Die Stimme der Frau war eine Überraschung: tief und

honigweich. Zögernd bat sie darum, entweder DCI Clarke oder DI Lundy sprechen zu können. Niemand anders, sagte sie bestimmt und mit einem Hauch von Arroganz. Als der Constable fragte, worum es ginge, verweigerte sie die Antwort und wiederholte, dass sie nur mit Lundy oder Clarke sprechen würde. Dieses Mal war es keine Bitte mehr, und das Lächeln des Constable wurde schmaler. Er richtete sich auf.

Irgendwie kam ihm die Frau bekannt vor. Er zog sich hinter seine übliche professionelle Förmlichkeit zurück, nahm einen Stift und fragte nach ihrem Namen. Als sie ihn nannte, dachte er, er hätte sich verhört. Er bat sie, ihn zu wiederholen, und diesmal war kein Irrtum möglich. Mit offenem Mund starrte er die Frau an.

Dann griff er zum Telefon.

Lundy war nicht zu erreichen gewesen. Er war auf dem Weg in die Backwaters, um sich mit mir zu treffen, und es würde einige Zeit dauern, bis die Nachricht ihn erreichte. Glücklicherweise war aber Clarke schon im Revier, um sich auf eine aller Voraussicht nach anstrengende Budgetsitzung vorzubereiten. Damit beschäftigt und sowieso schon übellaunig, fiel ihre Antwort dementsprechend knapp aus, als ein Constable ihr mitteilte, am Empfang habe jemand nach ihr gefragt. Bis er den Namen der Besucherin nannte.

Clarke sagte ihre Teilnahme an der Sitzung ab.

In der Beobachtungskabine starrte sie den Monitor an, auf dem die Frau zu sehen war, die nebenan im Vernehmungsraum saß und wartete. Die Besucherin bemühte sich, ruhig zu wirken, doch ihr Verhalten verriet sie. Sie trommelte mit den Fingern, rutschte beständig auf dem Stuhl hin und her und warf der Videokamera nervöse Blicke zu. Inzwischen hatte sich die Sache herumgesprochen, immer mehr Polizisten drängten sich in die Kabine, um mit eigenen Augen zu sehen, was sie gehört hatten. Schließlich kam nicht alle Tage ein vermeintlich Toter ins Revier spaziert, schon gar nicht so. Clarke erholte sich von ihrer Überraschung, schickte alle weg, die nicht mit der Ermittlung zu tun hatten, nahm sich kurz Zeit, um sich zu sammeln, straffte die Schultern und betrat den Vernehmungsraum.

Die dunkelhaarige Frau sah auf, als Clarke hereinkam. Sie waren sich früher schon einmal begegnet, aber Clarke hätte die Person, die vor ihr saß, nicht wiedererkannt. Im Leben nicht. Doch jetzt, da sie wusste, wer es war und wonach sie Ausschau halten musste, bestand kein Zweifel. Trotzdem musste den Formalitäten Genüge getan werden.

Als Clarke nach ihrem Namen fragte, hob die Frau das Kinn und erwiderte den Blick der DCI mit einer Mischung aus Nervosität und Trotz.

«Mein Name ist Lena Merchant», sagte sie. «Früher hieß ich Leo Villiers.»

Kälte und Regen waren vergessen. Ich starrte Clarke an. «Ist das Ihr Ernst?»

Eine dumme Frage, aber ich war fassungslos. Clarke sah selbst aus, als könne sie die Sache nur schwer verstehen.

«Völlig. Villiers ist transsexuell. Das war sein großes Geheimnis. Er ist noch nicht operiert, aber unterzieht sich geschlechtsangleichenden Maßnahmen. So heißt das, glaube ich. Er hat sich die letzten Wochen in einer Privatklinik in Sussex aufgehalten. Eine Art Rückzugsort für Menschen, die Probleme mit ihrer sexuellen Identität haben und Privatsphäre und Raum brauchen. Und es sich leisten können», fügte sie mit einem Anflug ihrer üblichen Schärfe hinzu.

Ich bemühte mich, hinterherzukommen. «Da ist er die ganze Zeit gewesen? Seit er verschwunden ist?»

«Sieht so aus. Er hat jeglichen Kontakt nach außen vermieden und wusste daher nicht, was alles passiert war. Auch als Emma Darby verschwand, hielt er sich dort auf, deswegen hatte er kein Alibi. Sonst hätte er seine Transsexualität öffentlich machen müssen, und dazu war er noch nicht bereit. Ich glaube auch nicht, dass er es jetzt schon vorhatte, aber als ihm gestern zufällig eine Lokalzeitung in die Hände fiel, musste er lesen, dass angeblich seine Leiche im Mündungsgebiet gefunden worden war.»

Herrgott. Lundy hatte recht damit behalten, dass Villiers etwas zu verbergen hatte. Nur nicht das, was alle dachten.

«Glauben Sie ihm?» Selbst jetzt war ich noch nicht gänzlich überzeugt.

Rote Haarsträhnen flatterten ihr ungehindert über die Wangen, während sie überlegte. «Wir müssen das nachprüfen. Aber, ja, ich glaube ihm. Die Klinik hat seine Geschichte bestätigt, und er hat uns Einsicht in seine Arztakten gewährt. Kein Wunder, dass sein Vater die niemandem zeigen wollte. Es steht alles drin, der ganze Vorlauf. Villiers wurde vor Jahren nach einem Selbstmordversuch an einen Psychiater überwiesen, und es stellte sich heraus, dass er sich immer als Frau gefühlt hat, es aber nicht zugeben wollte. Nicht einmal sich selbst wollte er es eingestehen, was ich ihm bei seiner Herkunft nicht vorwerfen kann. Das ändert nichts daran, dass er sich wie ein Arschloch aufgeführt hat, aber man versteht langsam, warum.»

In der Tat. Während meiner medizinischen Ausbildung hatte ich transsexuelle Patienten kennengelernt. Dass manche Menschen mit Geschlechtsmerkmalen zur Welt kommen, die ihrer sexuellen Identität nicht entsprechen, ist in der Medizin wohlbekannt, aber die gesellschaftliche Akzeptanz wächst nur langsam. Viele Betroffene entscheiden sich immer noch für Geheimhaltung.

Leo Villiers' Verhalten stellte sich in neuem Licht dar. Die sexuellen Abenteuer mit diversen Frauen waren verzweifelte Verdrängungsversuche gewesen. Die Trinkerei und die Depressionen, auch der vermeintliche Abschiedsbrief, nahmen eine ganz andere Bedeutung an.

Wie Lundy gesagt hatte, es hing alles von der Perspektive ab.

«Damit wurde Villiers erpresst», sagte ich.

Clarke nickte. «Er bekam letztes Jahr einen anonymen Brief mit Fotos. Jemand hatte ihn durch die Fenster fotografiert, als er sich schminkte, eine Perücke aufsetzte und verschiedene Frauenkleider anprobierte. In dem Brief wurde gedroht, es gäbe auch Videoaufnahmen, und alles würde online gestellt werden, wenn er nicht innerhalb von einer Woche eine halbe Million Pfund bezahlte.»

«Er hatte keine Ahnung, von wem der Brief kam?»

«Nein, aber er vermutete, dass Emma Darby beteiligt war. Sie war Fotografin und hatte Zugang zu seinem Haus, als sie es eingerichtet hat. Villiers hatte ein Ankleidezimmer, in dem er die Frauenkleider aufbewahrte und das eines Tages, als sie gerade da war, nicht abgeschlossen war. Er denkt, sie hat es entdeckt und eins und eins zusammengezählt. Und ich glaube jetzt auch, dass er die Wahrheit gesagt hat, als er die Affäre mit ihr abstritt. Anscheinend hat sie es bei ihm versucht und ist abgeblitzt, in ihren Augen wohl ein guter Grund, sich an ihm zu rächen.»

Ich dachte an das, was Rachel mir über ihre Schwester

erzählt hatte, sah das sorgfältig komponierte Selbstporträt im Bootshaus vor mir. Emma Darby war von Leo Villiers abgewiesen worden, hatte sich gedemütigt gefühlt und wütend reagiert. Die von Zeugen beschriebenen öffentlichen Szenen stellten sich jetzt ganz anders dar. Die eisige Stimmung zeugte nicht davon, dass eine Affäre zu Ende gegangen war, sondern dass sie nie angefangen hatte.

«Was ist mit der halbnackten Frau, die die Putzfrau in seinem Schlafzimmer gesehen hat?» Ich ahnte, was Clarke antworten würde.

«Das war er. Oder vielmehr *sie*.» Clarke schüttelte den Kopf. «Er wurde unvorsichtiger. Es fiel ihm immer schwerer, die Fassade aufrechtzuerhalten, und als der Erpresserbrief eintraf, geriet er in Panik. Da er so viel Geld nicht besaß, ist er einfach weggelaufen. Hat sich in die Klinik begeben, um herauszufinden, ob er die Umwandlung wirklich wollte oder nicht. Letzten Endes war er noch nicht bereit dafür, ist nach Hause zurückgekehrt und hat erwartet, die Kacke wäre inzwischen am Dampfen. Was auch so war, nur anders, als er gedacht hatte.»

Du liebe Güte. Ich versuchte, mir das Ganze vorzustellen. Villiers hatte einen Albtraum gegen einen anderen eingetauscht. Zwar war sein Geheimnis nicht gelüftet worden, dafür hatte er sich als Hauptverdächtiger in einem Vermisstenfall wiedergefunden. Und konnte seine Unschuld nicht beweisen, ohne sich zu verraten. Zum ersten Mal empfand ich etwas für Leo Villiers, das ich nie für möglich gehalten hätte.

Mitgefühl.

«Warum hat er so lange gewartet, bis er in die Klinik zurückgekehrt ist?», fragte ich.

«Er war völlig durcheinander», sagte Clarke schlicht. «Er hatte keine Ahnung, was los war, und sollte plötzlich auf Fragen und Unterstellungen reagieren. Er nahm Beruhigungsmittel, trank zu viel und dachte wirklich an Selbstmord, wie er sagt. Da zumindest lagen wir fast richtig. Der Tropfen, der das Fass zum Überlaufen brachte, war der Tod seines Hundes.»

«Sein *Hund*?»

«Ich weiß.» Clarke lächelte schmallippig. «Als er davon erzählte, hat er fast geweint. Kaum zu glauben. Er hatte das Tier als Welpen bekommen, nachdem er von der Uni geflogen war, und in seinen Augen war es das einzige Wesen, dem egal war, wer oder was er war. Er hat ihn noch begraben und ist dann einfach gegangen. Buchstäblich. Ist in einen Zug gestiegen und hat alles hinter sich gelassen. Haus, Auto, alles. Er sagt, er will nichts mehr damit zu tun haben.»

Wenigstens in dem Punkt klang Clarke skeptisch. Trotzdem war Villiers' Reaktion nachvollziehbar. Manchmal braucht es nur noch einen kleinen Stoß, um das Kartenhaus zum Einsturz zu bringen. Und auch wenn unsere Geschichten völlig unterschiedlich waren, so fiel es mir nicht schwer, mir vorzustellen, dass das Leben so unerträglich werden konnte, dass man es nur überstand, indem man weglief.

Ich hatte das Gleiche getan.

Das erklärte, warum Villiers' Konten und Kreditkarten seit seinem Verschwinden unangetastet geblieben waren, warf aber gleichzeitig eine andere Frage auf. «Womit hat er dann die Klinik bezahlt, wenn nicht mit seinem eigenen Geld?»

«Oh, er nagt nicht gerade am Hungertuch.» Clarke wischte sich gereizt die Haarsträhnen aus dem Gesicht.

«Seine Mutter hat ihm einen Treuhandfonds hinterlassen, der ihn gut versorgt. Merchant war ihr Mädchenname, so ganz und gar lässt er das alte Leben also nicht hinter sich. Er will nur nichts mehr mit seinem Vater zu tun haben.»

Sir Stephens Verhalten nach zu urteilen, beruhte das möglicherweise auf Gegenseitigkeit. Ich dachte an sein kaltschnäuziges Beharren, dass die im Mündungsgebiet gefundene Leiche sein Sohn war. Lundy hatte die ganze Zeit gesagt, dass auch Villiers' Vater irgendetwas zu verbergen hatte, und jetzt wussten wir, was. *Mein Sohn ist tot.*

In Sir Stephens Augen war er das vermutlich.

«Weiß Villiers, wer der Tote ist, den wir in seiner Kleidung gefunden haben?», fragte ich.

Clarke nickte müde. «Deswegen ist er zurückgekommen. Anthony Raja, oder Anthony Russell, wie er sich vorzugsweise nannte. Mutter Indonesierin, sechsundzwanzig Jahre alt. Ehemals Model und Tänzer, hat bei einem Service in London gearbeitet, bei dem Trans-Männer und -Frauen im privaten Rahmen Kleidung anprobieren können. Er gehörte auch zu Villiers' Geheimnissen. Normalerweise haben sie sich in London getroffen, aber manchmal ist Russell nach Willets Point rausgefahren. Er hatte die gleiche Statur wie Villiers und hat sich bei seinen Besuchen oft dessen Sachen geliehen. Nur Schuhe nicht. Russell hatte größere Füße.»

Und Hammerzehen, dachte ich. Ein häufiges Problem bei Tänzern. Ich hatte Lundy gesagt, dass der Tote vermutlich athletisch gebaut gewesen war, aber auf die Idee war ich nicht gekommen. Die halb indonesische Abstammung erklärte die unterschiedlichen Merkmale des Schädels. Vermutlich war jetzt auch klar, wen der Gärtner im Garten hatte herumstromern sehen. Keinen Einbrecher oder Flüchtling, nur jemanden, der zu Villiers' geheimem Leben gehörte.

Noch etwas kam mir in den Sinn. «War Russell farbenblind?» Ich dachte an die grelllila Socken.

«Keine Ahnung. Warum?»

«Nur ein Gedanke.»

Clarke sah mich seltsam an und fuhr fort. «Russell war der einzige Mensch, der von Villiers' Transsexualität wusste. Aber sie gerieten in Streit, als Villiers ihm sagte, er habe sich für die Geschlechtsumwandlung entschieden. Russell hatte anscheinend einen teuren Geschmack und ein Faible für Drogen, ein armer, umoperierter Villiers erschien ihm also längst nicht so attraktiv wie ein reicher, dessen Geheimnis niemand kannte. Villiers hat ihm am Ende die Hausschlüssel vor die Füße geworfen und gesagt, er solle sich bedienen, wenn es ihm nur ums Geld ginge, und ist rausgestürmt. Er hat nicht gedacht, dass Russell ihn beim Wort nehmen würde, aber als er von der Leiche las, ahnte er, wer es war.»

«Hat Villiers irgendeine Idee, wer Russell getötet haben kann?»

«Nein, aber Russell hat gern mit seinen Schusswaffen rumgespielt. Auf Flaschen geschossen und Möwen abgeknallt. Villiers glaubt nicht, dass er sich absichtlich erschossen hat, hält aber für möglich, dass es passiert ist, als er betrunken oder high war.»

«Denken Sie das auch?», fragte ich.

«Ich denke, dass wir die Flinte längst gefunden hätten, wenn das der Fall wäre. Und ich glaube schon lange nicht mehr an Zufälle, was diese Ermittlung angeht», sagte sie bitter.

Wir hörten jemanden die Leiter herabklettern und fuhren

herum. Doch es war nur Frears, der sich in seinem bulligen Overall wenig elegant die Stufen herabhangelte. Er zuckte verlegen mit den Schultern.

«Was zu erwarten war.» Von seiner üblichen Flapsigkeit war nichts zu spüren. «Ein einziger Schuss mit einer Schrotflinte in Bauch und Brust, massives Trauma und Blutverlust. Sieht aus, als hätte ihn der Täter auf halber Treppe überrascht. Minimale Ausdehnung, der Abstand kann kaum mehr als fünf, sechs Meter betragen haben. Die Kugeln, die wir gefunden haben, sehen nach Bismut-Vogelschrot aus, wahrscheinlich Nummer vier oder fünf. Nicht groß, aber auf die Distanz macht das keinen Unterschied.»

Die Schrotpatrone in Edgars Haus war Vogelschrot Nummer fünf gewesen, und aus Bismut, nicht Blei. Wie die Patronen in Leo Villiers' Haus.

«Wenn es ein Trost ist, er hat vermutlich nicht viel gemerkt.» Frears klang fast entschuldigend. «Bei einer solchen Verletzung setzt sofort der Schock ein, und das System macht dicht. Ehrlich gesagt bin ich überrascht, dass er noch so lange gelebt hat.»

Wie aufs Stichwort setzte über unseren Köpfen Aktivität ein. Schweigend sahen wir zu, als Lundys Leiche aus dem Turm getragen wurde. Sie war in einen Leichensack gehüllt und auf eine Trage geschnallt, die zur oberen Brücke gebracht wurde. Dann stieg ein Polizist vorneweg die Leiter herab, um die Trage im Wind zu stabilisieren, während sie langsam an einem Seil auf die Plattform heruntergelassen wurde. Als sie fast unten war, machte ich einen Schritt nach vorne, um zu helfen, doch der Bereich unter der Leiter war bereits voller Menschen, die die Hände nach der Trage mit ihrer Last ausstreckten und sie sanft auf der Plattform absetzten.

Clarke sah mit blassem, verkniffenem Gesicht zu, als Lundys Leiche zum wartenden Boot getragen wurde.

«Was passiert jetzt?», fragte ich, während Frears ebenfalls zum Boot ging.

«Jetzt?», wiederholte sie tonlos. «Jetzt fahre ich zu Sandra Lundy. Dann werde ich weiter Leo Villiers vernehmen, oder Lena Scheiß-Merchant oder wie auch immer er sich nennt, um herauszufinden, was er sonst noch weiß. In dieser Ermittlung sind von Anfang an zu viele voreilige Schlussfolgerungen gezogen worden, vor allem bezüglich Emma Darbys Rolle in der ganzen Sache. Letzten Endes haben wir ihre Leiche immer noch nicht gefunden, was mich langsam stutzig macht. Und nach allem, was heute passiert ist, nehme ich nichts mehr als gegeben.»

Als mir die Bedeutung ihrer Worte bewusst wurde, spürte ich eine Gänsehaut im Nacken, die nicht von der Kälte kam. Wir waren immer davon ausgegangen, dass Trasks verschwundene Frau Leo Villiers zum Opfer gefallen war. Und hatten uns so grundlegend geirrt, dass auch alles andere in Zweifel stand. Alles hatte mit Emma Darbys Verschwinden angefangen, und unter den Opfern fehlte ausgerechnet ihre Leiche.

Was, wenn Rachels Schwester nicht nur eine Erpresserin war?

«Was soll ich tun?», fragte ich.

Clarke riss sich von der Szene am Schiff los und schaute mich an. «Sobald wir Ihre Aussage haben, können Sie eigentlich nach London zurückfahren.»

«London?» Ich war überrascht. «Ich bin in der Leichenhalle aber noch nicht ganz fertig …»

«Das kann warten. Sie sind jetzt zu direkt in den Fall verwickelt, ich will keine zusätzlichen Komplikationen, weil einer meiner Berater sich mit der Familie des Opfers eingelassen hat. Nicht nach alldem hier.»

«Aber ich kann trotzdem ...»

«Das ist keine Bitte, Dr. Hunter.» Clarkes Tonfall war hart. Dann seufzte sie plötzlich. «Hören Sie, ich weiß Ihre Arbeit zu schätzen, und ich weiß, dass Sie helfen wollen, den Täter zu fassen. Aber das können Sie nicht. Das müssen Sie ab jetzt uns überlassen.»

Ich wollte widersprechen. Doch dann sah ich die Anspannung in ihrem Gesicht und dachte an Lundy und gab nach.

Ich nickte.

«Danke.» Sie wandte sich um, hielt dann aber inne. «Eins noch. Bis wir wissen, was hier los ist, möchte ich nicht, dass Sie sich mit irgendwem treffen, der von dieser Ermittlung betroffen ist. Mit niemandem. Verstanden?»

Rotes Haar umflatterte sie, während sie mich scharf ansah und damit jedes Missverständnis ausschloss. Dann drehte sie sich auf dem Absatz um und ging zum Boot.

Unter mir kämpften die Möwen um die letzten blassen Krebse auf der fast verschwundenen Sandbank.

Das Wetter war grauenhaft, als mich die Marineeinheit auf dem Polizeiboot an Land zurückbrachte. Der Wind fegte den Regen fast horizontal über uns hinweg, er war nicht mehr zu unterscheiden von der Gischt, die der breite Bug hochspritzen ließ. Das offene Cockpit bot keinerlei Schutz, und trotz der wasserdichten Jacke, die man mir geliehen hatte, zitterte ich. Das neongelbe Plastik hielt zwar dicht, war aber ungefüttert. Dass die Marinesoldaten mich mit distanzierter Höflichkeit behandelten, war mir egal. Mir war auch nicht nach Reden.

Clarke und Frears waren mit dem Schiff der Küstenwache weiter die Küste hinab zu einem Tiefwasserhafen gefahren, von wo aus Lundys Leiche in die Leichenhalle transportiert werden konnte. Das Marineboot hatte Kurs auf die Austernfischerei genommen, wo eine mobile Einsatzzentrale Position bezogen hatte. Das kleine Boot, mit dem Rachel, Lundy und ich zur Seefestung gefahren waren, hüpfte auf den Wellen an einem Tau hinter uns her.

Es schien unmöglich viel Zeit vergangen zu sein.

Der wolkenverhangene Himmel bescherte dem Tag eine frühe Dämmerung, als das Boot am Kai anlegte. Ich kletterte dieselben Stufen hinauf wie an dem Tag, als wir die Leiche von den Barrows geborgen hatten. Es schien alles wie ein Traum, als ich wieder über den zerklüfteten Asphalt auf den Polizeitrailer zuging, um meine Aussage zu machen. Die Polizistin, die damit betraut war, musste mehr als einmal ihre Fragen wiederholen, weil ich in Gedanken woanders war.

«Tut mir leid ... wie bitte?»

Wieder war ich abgedriftet.

«Ich sagte, möchten Sie einen Arzt sprechen?» Die junge Frau sah professionell besorgt aus. «Sie könnten einen Schock erlitten haben.»

Da mochte sie recht haben, aber ich brauchte keinen Arzt. Der einzige Mensch, den ich sehen wollte, war Rachel, und ich wusste nicht, wie ich das angehen sollte. Inzwischen war sie wahrscheinlich zu Hause, aber ich hielt es für keine gute Idee, einfach an Creek House aufzutauchen, selbst wenn Clarke es mir nicht untersagt hätte.

Doch egal, was die DCI sagte, ich würde nicht abfahren,

ohne mit Rachel zumindest gesprochen zu haben. Ich hatte das Handy schon in der Hand, als ich aus dem Trailer stieg, und stellte mich in den Windschatten des verbarrikadierten Austernschuppens, um sie anzurufen. Als die Mailbox anging, bat ich um Rückruf und überlegte dann, was ich jetzt tun sollte.

Die Benommenheit von vorhin war zurückgekehrt. Mir war klar, dass Clarke wütend reagieren würde, wenn sie von meinem Anruf bei Rachel erfuhr, aber es schien keine Bedeutung mehr zu haben. Rein rational wusste ich, dass dieser Schwebezustand nur vorübergehend war, dass mich die Ereignisse des Tages irgendwann einholen würden. Im Moment war ich auf Autopilot und kümmerte mich nur um das Nächstliegende.

Nämlich die Frage, wie ich zum Bootshaus zurückkommen sollte, wo mein Wagen stand. Keiner der Polizisten hatte angeboten, mich zurückzufahren, und in der jetzigen Situation wollte ich nicht darum bitten. Ich stand mehrere Minuten lang einfach da, während der Regen von der geborgten Jacke abtropfte, und starrte teilnahmslos über die aufgeraute Wasseroberfläche hinweg, bis mir aufging, dass die Antwort direkt vor meiner Nase lag.

Einer der Marinesoldaten band gerade Trasks kleines Boot vom Polizeiboot los, als ich anbot, es zum Bootshaus zu fahren, wo es sich leichter abholen ließe. Es folgte eine kurze Diskussion über Funk, aber die Polizei hatte Wichtigeres zu tun, als ein Boot seinem Besitzer zurückzubringen.

«Und Sie schaffen das auch?», fragte der Marinesoldat mit einem Blick auf die weißen Kronen der Wellen vor uns.

«Ich fahre nur bis zum Fluss.»

«Okay, aber Sie sollten so schnell wie möglich da raus.»
Er betrachtete den dunklen Himmel. Wasser lief von seiner
gelben Regenjacke. «Wir haben Springflut, und es wird
noch schlimmer, bevor es wieder besser wird. Wir haben
Anweisung, innerhalb der nächsten Stunde jeden von der
Seefestung zu holen, egal, ob er da fertig ist oder nicht. Sie
sollten nicht länger auf dem Wasser bleiben als unbedingt
nötig.»

Ich versprach es ihm, aber im Grunde kümmerte mich das
Wetter nicht. Ich war in jüngeren Jahren oft bei schlechten
Bedingungen gesegelt, außerdem würde ich mit der Tiden-
strömung fahren, nicht dagegen.

Der Motor sprang beim zweiten Versuch an. Sobald ich
mich von der Kaimauer löste, packte die Strömung das
Fiberglasboot, und obwohl ich darauf vorbereitet war, hatte
ich zu kämpfen, um die Kontrolle über das Boot zu behalten.
Schließlich schaffte ich es, den Bug herumzudrehen, und
fuhr hinaus in Richtung Fluss.

Weiter draußen wurde es einfacher. Ich hatte das Estuary
noch nie so aufgewühlt gesehen, doch für das Boot bestand
keine Gefahr, und ich war froh, Ablenkung zu haben. Der
Rhythmus der grauen Wellen hatte etwas Hypnotisches.
Mein Körper passte sich den Bewegungen des Bootes an,
und ich dachte an nichts anderes mehr, als den Bug auf Kurs
zu halten. Bis eine größere Welle gegen den Bootsrumpf
krachte und ich zusammenzuckte, weil das Dröhnen des
Schusses mir wieder durch den Kopf hallte.

Auf einmal war die Benommenheit verflogen. Während
ich tief die salzige, feuchte Luft einatmete, brach die Reali-
tät mit voller Wucht über mich herein. Es war alles zu viel.
Die Enthüllungen über Leo Villiers, dass man mich aus

der Ermittlung abgezogen hatte und das unsichere Verhält-
nis zu Rachel. Doch alles verblasste neben dem Mord an
Lundy. Bei der Erinnerung daran blieb mir buchstäblich
die Luft weg. Egal, was Clarke sagte, jemand war mit der
festen Absicht, uns alle umzubringen, zur Seefestung hinausgefahren. Jemand, der bereits vier Menschen ermordet
hatte, von denen zumindest zwei sich nichts anderes hatten
zuschulden kommen lassen, als zur falschen Zeit am falschen Ort zu sein. Und da Leo Villiers nicht mehr in Frage
kam, hatten wir absolut keine Ahnung, wer das getan hatte.

Oder warum.

So abgelenkt, hätte ich fast die Mündung des Flusses verpasst. Als ich merkte, dass ich zu weit gefahren war, steuerte
ich das Boot hastig darauf zu, doch ich hatte die Kraft der
Tide falsch eingeschätzt. Der Motor knatterte hektisch, als
ich Gas gab, um das Boot in einem engen Winkel zu drehen.
Die Wellen trafen den Rumpf voll von der Seite. Ich klammerte mich an den Sitz, als eine große Woge gegen das Boot
donnerte, eiskaltes Wasser hereinspritzte und es fast umwarf.
Erst jetzt nahm ich wahr, wie sehr sich die Bedingungen
verschlechtert hatten. Das Wasser schien zu brodeln, fast
hatte es die Uferkrone erreicht, dabei wurde der höchste
Wasserstand erst in zwei Stunden erwartet. Mir fiel wieder
ein, dass der Marinesoldat von einer Springflut und Über-
schwemmungswarnungen gesprochen hatte, doch ich war
zu abgelenkt gewesen. Was ich mir jetzt nicht mehr erlauben
konnte.

Die Flussmündung glitt erschreckend schnell vorbei.
Es war unmöglich, das Boot noch hineinzulenken, ohne
es der vollen Wucht der Wellen auszusetzen, und ich wäre
eben schon fast gekentert. Mir die Gischt aus dem Gesicht

wischend, drehte ich den Bug, bis das Boot wieder mit der Strömung fuhr. Inzwischen hatte ich die Mündung passiert, es ließ sich nicht mehr ändern. Ich blickte nach hinten und versuchte, den Rhythmus der Wellen einzuschätzen, dann gab ich Gas und steuerte das Boot in eine enge Kurve. Es begann zu schwanken und zu schaukeln, als die Wellen gegen seine Seite schlugen, doch dann drehte sich der Bug direkt gegen die Strömung, und ich hielt wieder Kurs auf den Fluss.

Was bedeutete, dass ich gegen die gesammelten Kräfte von Tide und Wind ankämpfen musste. Der Motor röhrte, das Boot prallte auf eine Welle nach der anderen und schien kaum voranzukommen. Quälende Minuten lang hatte ich das Gefühl, dem Fluss nicht näher zu kommen, und meinte schon, entweder weiter an der Küste entlangfahren oder irgendwo an Land gehen zu müssen. Doch irgendwann hatte ich die ersten windgepeitschten Gräser erreicht, die an der Flussmündung wuchsen, und konnte schließlich das Boot in ruhigeres Gewässer steuern.

Ich wischte mir Wasser aus dem Gesicht und schmeckte Salz. Zu meiner Erleichterung trieb jetzt die Strömung das Boot flussaufwärts auf die Backwaters zu, sodass ich weniger zu kämpfen hatte und mich umsehen konnte. Ich begriff, wie ungewöhnlich hoch das Wasser stand. Der angeschwollene Fluss schwappte bereits über die tiefer gelegenen Stellen des Ufers hinweg und lief in die umliegenden Felder. Und immer noch stieg das Wasser.

Natürlich wusste ich, dass die Gegend oft überschwemmt wurde, hatte die Flutmarken an Bäumen und Gebäuden gesehen, doch erst jetzt verstand ich, wie schnell das passieren konnte. Das Wetter war nicht einmal extrem schlecht:

Verglichen mit dem Atlantiksturm, in den ich einmal auf den Äußeren Hebriden geraten war, war das hier ein laues Lüftchen. Aber die Hebrideninseln waren wie Festungen aus Klippen und Fels. Das flache, tiefliegende Land hier war den Launen der Gezeiten hilflos ausgeliefert und leicht zu überwältigen.

Wie jetzt. Ich erkannte die Landschaft um mich herum kaum wieder. Aus Sandhügeln waren Miniaturinseln geworden, Schilf und lange Gräser sprossen aus dem Wasser. Außerdem wurde es dunkel, das wenige verbliebene Tageslicht wurde von schwarzen Regenwolken verschluckt.

Zum Glück war es nicht mehr weit bis zum Bootshaus. Noch immer hatte ich keinen Plan, was ich nach meiner Ankunft dort tun würde. In dem Moment klingelte wie aufs Stichwort mein Handy. Ich verringerte das Tempo, ließ mich von der Strömung treiben und kramte in meiner Tasche.

Es war Rachel.

«Ich habe deine Nachricht bekommen.» Ihre Stimme war abgehackt, der Empfang schlecht.

«Ich wollte hören, wie es dir geht. Bist du wieder im Haus?»

«Ja, ich habe meine Aussage gemacht und dann ein Taxi genommen. Wo bist du? Ich kann dich kaum verstehen.»

Ich drehte dem Wind den Rücken zu und versuchte, das Handy vor Sturm und Regen abzuschirmen. «Auf dem Fluss. Ich habe das Boot dabei.»

«Bei dem Wetter bist du draußen?»

«Ich bin fast am Ziel.» Ich brach ab, um einem Busch auszuweichen, der vom Ufer losgerissen worden sein musste und jetzt flussaufwärts getrieben wurde. «Was soll ich mit dem Boot machen?»

«Egal, bind es einfach fest.» Sie klang aufgewühlt. «Hast du es schon gehört?»

Einen Moment lang war ich verwirrt, verstand nicht, warum sie fragte, schließlich waren wir doch beide draußen auf der Seefestung gewesen. Dann begriff ich, dass sie nicht Lundys Ermordung meinte. Sondern etwas anderes.

«Was, gehört?»

Ihre Stimme war weg, kam dann kaum hörbar wieder. «… Polizei hat Andrew zur Vernehmung abgeholt.»

Verdammt, dachte ich. Clarke hatte keine Zeit verloren. «Ich dachte, er hat sich mit einem Kunden getroffen? Kann der nicht bestätigen, dass sie zusammen waren?»

«Der Kunde hat in letzter Minute abgesagt, Andrew ist trotzdem nach Exeter gefahren. Aber da niemand ihn gesehen hat, kann er es nicht beweisen. Die Polizei hat ihn einfach mitgenommen, vor den Augen von Jamie und Fay! Hast du davon gewusst?»

«Nein, natürlich nicht», sagte ich und korrigierte den Kurs des Boots.

«Wie du auch nichts von Mark Chapel gewusst hast, meinst du?»

Ich starrte in die dreckige Pfütze hinab, die meine Füße umspülte, und war zu erschöpft, um zu antworten. Rachel sprach ohnehin schnell weiter.

«Entschuldige, das hätte ich nicht sagen sollen. Ich … ich weiß einfach nicht mehr weiter! Ich denke immer an … das, was heute passiert ist. Und jetzt das. Es hört nicht mehr auf.»

Kalter Regen tropfte vom Rand meiner Kapuze und rann über meine Ärmel, während ich nach einer Antwort suchte und keine fand. «Soll ich rüberkommen?»

«Nein, besser nicht. Fay dreht durch, und Jamie steht neben sich. Er ist fast ausgeflippt, als die Polizei Andrew mitgenommen hat.»

«Dann morgen. Ich rufe dich an.»

Das würde Clarke nicht gefallen, aber wenn ich nicht länger an der Ermittlung beteiligt war, ging es sie nichts an. Es gab eine Pause. Ich dachte, das Netz wäre weg, doch dann sprach Rachel wieder.

«Was machst du heute Abend?»

So weit hatte ich nicht gedacht. Ich konnte mir nicht vorstellen, nach London zurückzufahren, aber ich hatte den Schlüssel zum Bootshaus nicht mehr. Ohnehin war ich nicht sicher, ob die Wohnung dort trocken bleiben würde, wenn der Fluss weiter so stieg. Er trat an immer mehr Stellen übers Ufer und vermischte sich mit den kleineren Kanälen und Gräben zu einer einzigen großen Wasserfläche. Ich sah, wie das Wasser sich ausbreitete, das ganze Ausmaß war im Regen und der zunehmenden Dunkelheit nicht zu erkennen.

«Ich suche mir irgendwo eine Unterkunft.»

«Okay, aber die Straßen um die Backwaters herum werden bald unpassierbar sein. Sei vorsichtig.»

Ich versprach es ihr. Dann legte ich auf, wischte das Wasser vom Handy und steckte es wieder in die wasserdichte Jacke. Zumindest waren Rachel, Jamie und Fay in Creek House in Sicherheit. Für genau solche Bedingungen hatte Trask es entworfen, auf den Betonpfeilern war es sicher.

Was sich von mir nicht sagen ließ. Ich gab wieder Gas, denn ich wollte so schnell wie möglich den Fluss und die Backwaters verlassen. Aus Angst, auf Grund zu laufen, wagte ich allerdings auch nicht, schnell zu fahren. Das Ufer ließ sich nur noch schwer erkennen, es war im Fluss verschwunden. Bäume und Hecken schienen direkt aus einem stetig größer werdenden See zu wachsen, und ich sah, dass links von mir das Wasser fast so schnell über eine Straße strömte, wie ich mit dem Boot war. Es blieb nicht viel Zeit, um noch rechtzeitig mit dem Wagen wegzukommen, und ich war froh, endlich das vertraute Bootshaus vor mir zu sehen.

Der Steg war an der Wasseroberfläche gerade noch sichtbar, doch die Wellen wuschen bereits über ihn und die unteren Stufen hinweg. Das Wasser stand fast bis zur Hälfte des breiten Tores am Bootsdock. Doch das Ufer bildete hier eine Anhöhe, und der Fluss hatte sie noch nicht überschwemmt. Zum Glück, denn hinter dem Haus stand mein Auto. Zu meiner großen Erleichterung sah ich beim Näherkommen, dass alles trocken war. Und dann, dass ein weiterer Wagen dort parkte.

Selbst im Dämmerlicht erkannte ich die eleganten schwarzen Linien von Sir Stephens Mercedes.

KAPITEL 29

❧

Ich stellte den Motor ab und ließ mich von der kräftigen Strömung die letzten paar Meter treiben. Trotzdem stieß ich mit dem Boot zu hart gegen den Steg, und der Fiberglasrumpf knallte gegen das Holz, dass meine Zähne aufeinanderschlugen. Ich vertäute das Boot an einem Pfosten und stellte sicher, dass genügend Spiel für die noch immer steigende Flut übrig blieb. Dann kletterte ich an Land.

Der Steg lag inzwischen unter Wasser. Die wenigen Minuten, die ich zum Anlegen gebraucht hatte, hatten gereicht, ihn zu fluten. Vorsichtig, um den Halt unter den Füßen nicht zu verlieren, watete ich über die Planken zum Bootshaus, das aussah, als wäre es auf die Hälfte seiner ursprünglichen Größe geschrumpft. Die Wellen schlugen hoch gegen die Steinmauern. Auf dem Weg zu den Stufen sah ich, dass die Holztür der kleinen Ladeluke sich gelöst hatte. Das Seil, das Lundy über den Haken gelegt hatte, schlug lose im Wind. Beinahe wäre ich stehen geblieben, um die Tür zu schließen, aber ich wollte endlich trockenen Boden unter die Füße kriegen, und das Dock würde sowieso geflutet werden.

Außerdem wollte ich wissen, was Sir Stephen hier zu suchen hatte.

Das Wasser lief mir in Strömen aus Hosenbeinen und Stiefeln, als ich die Stufen zur Uferböschung hinaufstieg. Ich fragte mich, was so dringend sein mochte, dass Leo Villiers' Vater sich persönlich bis hier raus in die Backwaters begab. Als ich oben angelangt war, sah ich, wie Sir Stephens Fahrer sich vom Bootshaus entfernte und auf den großen schwarzen Wagen zuging. Brendan Porter trug einen dicken Mantel, aber keine Kopfbedeckung, offensichtlich war er gänzlich immun gegen das Wetter. Wind und Regen mussten meine Schritte verschluckt haben, denn er bemerkte mich erst, als ich ihn ansprach.

«Suchen Sie mich?»

Erschrocken fuhr Porter herum. Er starrte mich ausdruckslos an und setzte dann ein künstliches Lächeln auf.

«Wo kommen Sie denn her? Sie haben mich zu Tode erschreckt.»

«Entschuldigung. Kann ich Ihnen helfen?»

Er schnippte die Zigarette weg, die er in der hohlen Hand gehalten hatte. Zischend verlosch sie auf dem nassen Schlackebelag. Er deutete zum Wagen. «Sir Stephen hätte gerne ein Wort mit Ihnen gewechselt.»

Ich konnte mir beim besten Willen nicht vorstellen, was Leo Villiers' Vater mit mir zu besprechen hätte, und ich verspürte keine Lust, mich mit diesem Mann zu unterhalten. Aber ich konnte mich schlecht weigern. In der Hoffnung, dass es nicht lange dauern würde, ging ich auf den Wagen zu. Porter hielt mir die Tür zum Fond auf.

«Er ist da, Sir Stephen.»

Höflich blieb der Fahrer neben der Limousine stehen, die behandschuhten Hände vor dem Körper gefaltet. Meine Stiefel quietschten beim Gehen, und ich war mir bewusst, wie nass und schmuddelig ich war. Doch mein plötzliches Unbehagen hatte nichts mit meinem Zustand zu tun. Woher wusste Sir Stephen, dass ich im Bootshaus wohnte? Ich verlangsamte meine Schritte. Mein Blick fiel auf die Zigarettenkippe, die Porter eben weggeworfen hatte.

Ich erstarrte.

Geduldig stand Porter neben der geöffneten Tür. Der Regen lief ihm über den ungeschützten Kopf. Das vernarbte Gesicht war mit dunklen Bluttupfen gesprenkelt, als hätte er sich beim Rasieren geschnitten. Ich registrierte die schwarzen Lederhandschuhe, die eleganten schwarzen Halbschuhe, die jetzt schmutzig und verschlammt waren. Es waren Straßenschuhe, solche, die üblicherweise glatte Ledersohlen hatten. Das Unbehagen wurde zu Eiseskälte.

«Dr. Hunter?», sagte Porter. Er stand noch immer regungslos neben dem Wagen.

Ich fand meine Stimme wieder. «Ich dachte, Sir Stephen mag es nicht, wenn Sie rauchen.»

Das unverbindliche Lächeln veränderte sich nicht. «Und ich bin mir sicher, das zieht eine Rüge nach sich. Wenn ich Sie jetzt bitten dürfte ... »

Ich konnte das Wageninnere nicht erkennen. Die Tür stand in meine Richtung geöffnet, und die regennassen getönten Scheiben verdeckten, was sich im Innenraum befinden mochte. Ich sah zum Bootshaus hinüber.

Die Haustür stand angelehnt. Der Rahmen war auf Höhe des Schlosses zersplittert.

Der Regen prasselte auf uns nieder. Wir starrten einander über die Schlackesteine hinweg an. Dann zuckte Porter mit den Schultern und stieß mit einem satten *Donk* die Autotür zu.

«Einen Versuch war's wert.»

Mein Herz raste. Ich hatte keine Ahnung, weshalb er hier war und was er von mir wollte. Aber ich wusste, was es zu bedeuten hatte. Und während mit einem Schlag alle Erschöpfung von mir abfiel, wurde mir noch etwas klar. Weil ich ihn gesehen hatte, würde er mich nicht einfach so davonspazieren lassen. Genauso wenig wie Stacey Coker.

Oder Lundy.

Das am Steg vertäute Boot fiel mir ein, aber bis nach unten würde ich es unmöglich schaffen, bevor er mich einholte. Ich machte mir keinerlei Illusionen, was dann geschehen würde. Mark Chapel war Kampfsportfanatiker gewesen, jünger und größer als der unscheinbare Mann vor mir. Trotzdem wurde ihm ein Stückchen Knochen ins Gehirn gerammt.

Porter bemerkte meinen Blick hin zu meinem Wagen und schnaubte verächtlich. «Ja, klar. Nur zu. Ich warte hier, während Sie einsteigen.»

Ich deutete mit dem Kinn auf die Blutsprenkel auf seinen narbigen Wangen und versuchte, mich ebenso ungerührt zu geben wie er. «Nicht besonders schlau, auf eine Stahltür zu schießen. Sie können von Glück reden, dass Sie kein Auge verloren haben.»

«So sieht's aus. Ich hab immer Glück.»

Er spähte an mir vorbei, die Stufen zum Steg hinunter, wie um sicherzugehen, dass er nicht jemanden übersehen hatte. Beinahe gedankenverloren streckte er die gefalteten Hände aus und zog die Lederhandschuhe glatt. «Also. Wo ist es?»

«Wo ist was?»

«Hören Sie. Ich hatte einen Scheißtag, und ich bin wirklich nicht in der Stimmung. Sagen Sie mir einfach, wo es ist.»

Ich kam mir vor wie in einem surrealen Albtraum. «Ich habe keine Ahnung, wovon Sie sprechen.»

Das Lächeln war wie weggewischt. «Verarschen Sie mich nicht. Wo ist das *Geld*?»

«Welches Geld? Ich weiß nichts … »

«Hören Sie, Sie dämliches Arschloch. Ich gebe Ihnen hier eine einmalige Chance», fauchte er. «Villiers' fünfhundert Riesen, die waren bei Holloway im Küchenschrank versteckt. Also. Wo sind die?»

Das ergab alles überhaupt keinen Sinn. Das war exakt der Betrag, den Emma Darby und Mark Chapel für die Fotos verlangt hatten. Doch Clarke hatte gesagt, Leo Villiers hätte seine Erpresser nicht bezahlt.

Zerbrich dir darüber nachher den Kopf. «Das Haus ist abgebrannt … »

«Ich *weiß*, dass das Haus abgebrannt ist. Aber da war das Geld schon weg! Holloway hätte nicht mal kapiert, was das ist, wenn er es gefunden hätte. Jemand hat es geholt. Sie und Darbys Schwester waren die Einzigen, die in dem Haus waren, bevor die Polizei kam. Ich frage Sie noch einmal: *Wo ist die verfickte Kohle?*»

«Die Polizei hat das Haus durchsucht. Sie … »

«Nein. Die Polizei war nach mir da», sagte er gedehnt. «Hätten die das Geld gefunden, wüsste der alte Herr davon. Und ich auch. Nächster Versuch.»

Der Schock ebbte langsam ab, und ich fing an, eins und eins zusammenzuzählen. «Der alte Herr» musste Sir Stephen sein. Ich wusste zwar nicht, woher das Geld stammte, aber Porter hatte es offensichtlich bei Edgar versteckt. Und als er es holen wollte, war es verschwunden. Ich hatte keinen blassen Schimmer, wer das Geld genommen haben könnte, aber ich wusste, was, vielmehr wen Porter stattdessen in Edgars Haus gefunden hatte.

«Hat es sich gelohnt, Stacey Coker deshalb zu ermorden?»

Falls ich noch Zweifel gehabt hatte, bereitete seine Reaktion ihnen ein Ende. So etwas wie Scham flackerte in seinem Gesicht auf, aber nur einen Augenblick lang. «Ich hab Sie was gefragt.»

«Hat Stacey Sie wirklich gesehen, oder haben Sie das Mädchen einfach so erwürgt?»

«Zum letzten Mal. Sagen Sie es mir jetzt endlich?»

Ich wollte noch einmal wiederholen, dass ich keine Ahnung hatte, dass ich von dem Geld nichts wusste. Doch selbst wenn Porter mir glaubte, würde er mich nicht laufenlassen, um nicht zu riskieren, von mir verraten zu werden. Meine Muskeln fingen vor Adrenalin an zu zittern, als mein Körper auf Instinkt umschaltete. Kampf war keine Alternative, nicht gegen diesen Mann. Damit blieb nur Flucht.

Porter zuckte mit den Schultern und kam auf mich zu. «Okay. Sie haben es nicht anders gewollt.»

«Es ist im Kofferraum.»

Er blieb stehen. Beäugte mich argwöhnisch, während ich in meinen Taschen nach dem Autoschlüssel suchte. Ich zog den Schlüsselbund heraus und hielt ihn hoch.

«Hier.»

Ich warf mit aller Kraft, hoffte, dass er nicht fing. Doch seine Hand schoss zur Seite und pflückte ihn aus der Luft. «Na, hoffentlich.»

Während er auf meinen Wagen zuging, konzentrierte ich mich ganz darauf, mir keinerlei Emotionen anmerken zu lassen. Er trat vor den Kofferraum und drückte, ohne mich aus den Augen zu lassen, auf den Sender. Ich zwang mich, Blickkontakt zu halten. Die Zentralverriegelung sprang auf. Die Augen noch immer fest auf mich gerichtet, griff Porter nach dem Deckel. Ich blieb starr stehen, als der Kofferraum aufsprang. Er hob ihn an und sah hinein.

Ich drehte mich um und rannte los.

Ich hörte ihn fluchen, als ich die Stufen zum Steg hinunterhechtete. Das Boot war mir als beste Chance erschienen, doch ich bemerkte meinen Fehler sofort. Ich hatte darauf gesetzt, genügend Vorsprung zu haben, um hineinzuspringen und die Leine loszumachen, ehe Porter mich erwischen konnte. Die reißende Strömung würde das Boot sofort davontragen, und ich konnte in Ruhe den Motor starten. Doch ich hatte das Spiel vergessen, das ich dem Tau gelassen hatte, damit das Hochwasser das Boot nicht flutete. Von den Wellen hin- und hergeworfen, hüpfte das Boot am Ende des langen Taus auf und ab wie ein angepflocktes Tier – knapp zwei Meter vom Ende des Steges entfernt.

Außer Reichweite.

Der Steg war völlig verschwunden, nur die aus dem Wasser ragenden Pfahlenden verrieten, dass es ihn gab. Als ich die Stufen hinunterjagte, hörte ich hinter mir Porters Schritte auf den Schlackesteinen knirschen. Ich hatte keine Zeit, das Boot zu mir heranzuziehen. Mir blieb eine schreckliche Wahl: umkehren und mich stellen oder mich in den tosenden Fluss stürzen. Ich hatte mich gerade für den Sprung in die Fluten entschieden, als neben mir etwas gegen die Mauer knallte. Das Holztürchen baumelte noch immer lose im Wind und enthüllte den Blick in das finstere Dock. Ohne eine Sekunde zu überlegen, duckte ich mich durch die Luke.

Ich fand mich in Schwärze und hüfttiefem, eiskaltem Wasser wieder. Der Laufgang innen lag tiefer als der Steg außen, und das kleine Dock war geflutet. Ich hörte Porter die Stufen herunterpoltern und versuchte panisch, die Luke zu schließen. Er warf sich gegen das Holz und zwang die Finger durch den Spalt. Ich spürte, wie das morsche Holz unter meinen Füßen knackte und hielt dagegen, kämpfte verzweifelt darum, ihn auszusperren. Etwas trieb gegen mein Bein, und in dem schwachen Licht, das durch das Holzgatter fiel, erkannte ich das abgebrochene Paddel, das ich mit in die Backwaters genommen hatte. Ich angelte es aus dem Wasser, rammte es in Porters schwarzen Lederhandschuh und stieß so lange zu, bis er fluchend die Hand zurückzog.

Die Holztür schnappte zu. Und erzitterte eine Sekunde später von einem Fußtritt, doch ich lehnte mich inzwischen mit meinem ganzen Gewicht dagegen. Ich drückte die Schulter gegen die rauen Bretter und hielt die Luke geschlossen, bis die Tritte aufhörten.

In der plötzlichen Stille schwappte platschend das Wasser um mich herum. Draußen hörte ich Porter heftig keuchen.

«Scheißschlau. Und was jetzt?»

Ich hatte keine Ahnung. Das Holztürchen öffnete sich nach innen, und solange ich dagegenhielt, kam er nicht rein. Und ich nicht raus. Bibbernd schaute ich mich um. Im grauen Zwielicht, das zwischen den Latten hindurchfiel, sah ich alles mögliche Gerümpel im Wasser treiben. Nichts, was ich hätte brauchen können. Ich schob das durchlöcherte Kanu weg, das ständig wie ein bockiges Pferd gegen mich stieß, und zog das Handy aus der Tasche. Es tropfte vor Nässe, aber ich probierte es trotzdem. Das Display blieb schwarz.

Auf Hilfe konnte ich also nicht zählen. Ich versuchte, ruhig zu bleiben und in Gedanken meine Optionen durchzuspielen. Der Wasserpegel im Bootshaus schien weiter gestiegen zu sein, aber das galt für außerhalb natürlich auch. Der Fluss war kalt, aber nicht lebensbedrohlich, und Porter hatte es bestimmt eilig, wegzukommen. Er hatte einen Polizisten ermordet, und trotz des Hochwassers war die Zeit auf meiner Seite, nicht auf seiner.

Dann fiel mir etwas ein. Ein kalter Schauder durchfuhr mich, und der hatte nichts mit dem kalten Wasser zu tun.

Porter hatte eine Schrotflinte.

«Sind Sie noch da, Dr. Hunter, oder sind Sie schon ertrunken?»

Ich leckte mir das Salzwasser von den Lippen. Die Waffe musste in seinem Wagen sein. Warum er sie nicht schon längst geholt hatte, war mir schleierhaft, aber je länger er hier unten blieb, desto besser. Ich rief durch die Luke zu ihm hinaus.

«Machen Sie es nicht noch schlimmer.»

«Hab ich nicht vor. Sobald Sie mir sagen, wo das Geld ist, bin ich weg.»

Jetzt waren wir also wieder an dem Punkt angelangt. Ich lehnte die Stirn gegen das raue Holz. «Sie haben einen Polizisten ermordet. Glauben Sie ernsthaft, Sie würden weit kommen?»

«Machen Sie sich lieber Sorgen um sich selbst. Das Wasser muss da drin schon ganz schön hoch stehen. Ich wette, es ist ziemlich kalt um die Eier.»

Ich lauschte auf ein Geräusch, das mir verriet, dass er die Stufen wieder hinaufging. Wenn das geschah, blieb mir keine andere Wahl als zu versuchen, doch noch das Boot zu erreichen. «Wussten Sie, dass Leo Villiers noch am Leben ist?»

«Ach was!»

Natürlich wusste er das, schalt ich mich stumm. Deshalb war er ja auf der Flucht. Villiers war nicht nur am Leben, sondern auch unschuldig, und es war lediglich eine Frage der Zeit, bis die Polizei den Kreis der Verdächtigen ausdehnte.

«Wie haben Sie davon erfahren? Hat sein Vater es Ihnen erzählt?»

«Was? Dass sein kleiner Girlyboy wieder aus der Versenkung aufgetaucht ist? Klar, das würde er natürlich sofort an die große Glocke hängen.» Er lachte bitter. «Ich habe mitgehört, als die Polizei einen Höflichkeitsanruf bei ihm tätigte. Um ihn auf den neuesten Stand zu bringen. Man muss Sir Stephen schließlich bei Laune halten, nicht wahr?»

«Er redet in Ihrem Beisein mit der Polizei?»

«Warum denn nicht? Ich arbeite schon lange genug für ihn.»

Wieder schwang ein bitterer Unterton mit. Ich speicherte das ab. Ich wollte, dass er weiterredete, hoffte weiter auf irgendeinen Hinweis, der mir verriet, was er da draußen trieb. «Haben Sie so erfahren, dass wir auf der Seefestung waren?»

«Wie gesagt, Sie würden sich wundern, was einem alles zu Ohren kommt, wenn man als selbstverständlich betrachtet wird.» Ich hörte ihn durchs Wasser waten. «Als das Wort Seefestung fiel, ist mir der Arsch ganz schön auf Grundeis gegangen, das kann ich Ihnen sagen. Dann fielen Ihre Namen, und sobald ich Sir Stephen abgesetzt hatte, dachte ich mir, ich sollte besser mal nachsehen, was Sie dort wohl treiben.»

«Und dann was? Uns umbringen und den nächsten Bootsunfall vortäuschen?»

Das Plätschern bewegte sich den Steg entlang, fort von Luke und Stufen. Und fort von der Schrotflinte. «Ich hatte nicht vor, irgendwen umzubringen. Ich wollte nur das Geld zurück. Verdammt, glauben Sie vielleicht, ich wollte, dass das alles passiert?»

«Weshalb haben Sie Lundy dann erschossen?» Es gelang mir nicht, die Rauheit in meiner Stimme zu unterdrücken.

«Ich hatte keine andere Wahl. Ich kam um die Ecke, und der stand vor mir. Ich dachte, ich hätte es nur mit Ihnen beiden zu tun, Sie und die Schwester von dieser Darby. Tja, das passiert, wenn man nur das halbe Gespräch mitkriegt.» Seine Stimme klang wieder näher. Er kam zurück. Wo auch immer er gewesen war. «Hören Sie. Die Dinge sind ziemlich außer Kontrolle geraten. Wenn ich mich stelle, würden Sie dann ein gutes Wort für mich einlegen?»

Damit hatte ich nun wirklich nicht gerechnet. Ich zögerte. Ich zitterte in dem kalten Wasser am ganzen Leib. Ich traute ihm nicht über den Weg und konnte mir nicht vorstellen, worauf er hinauswollte.

«Okay?», sagte ich zögernd. «Aber Sie müssen …»

Die Tür erbebte. Die Wucht, mit der er sich dagegenwarf, hätte mich fast von den Füßen gerissen. Das Wasser spritzte und strudelte, als ich mich mit der Schulter gegen das Holz stemmte und ihn zurückdrängte.

Ihm fehlte ein wirksamer Hebel, um die Tür aufzudrücken, und nach einer Weile gab er auf. Das Holz erzitterte von einem frustrierten Fausthieb.

«Kommen Sie. Das ist doch albern!», rief er aus. «Sagen Sie mir einfach, wo das Geld ist, und ich lasse Sie laufen.»

«Ach, verdammt noch mal! Ich *weiß* von keinem Geld!»,
schrie ich und rammte das abgebrochene Paddel in schrägem Winkel zwischen die Planken des Laufgangs und die
Tür. Das würde zwar nicht lange halten, aber vielleicht
gewann ich so bei seinem nächsten Versuch, mich zu über-
rumpeln, wenigstens ein paar Sekunden Zeit. «Wem gehört
es eigentlich? Leo? Haben Sie ihn auch erpresst?»

«Ich bin kein Scheiß-Erpresser! Hätte ich Leo erpressen
wollen, hätte ich das schon vor Jahren getan.» Porter klang
ernstlich beleidigt. «Ich habe versucht zu *helfen*. Diese
Darby-Schlampe und ihr Freund hatten Bilder von ihm in
seinen Weiberfummeln. Sieht im Kleid gar nicht so übel aus,
das muss man ihm lassen, aber Leo hat sich fast in die Hosen
gepisst, als er die Bilder sah. Er hat die Fliege gemacht, und
da haben die beiden seinem alten Herrn vorgeschlagen, ihm
die Bilder für eine halbe Million zu verkaufen. Eine *halbe*
Million! Ich habe versucht, ihn davon abzuhalten, aber nein!
Er konnte ja unmöglich riskieren, dass alle Welt erfährt, dass
sein einziger Sohn und Erbe sich gern wie eine Barbiepuppe
anzieht, oder?»

Die Bitterkeit war wieder da. Ich hörte, wie er sich erneut
von der Luke entfernte, und warf einen nervösen Blick zu
dem Gatter, das den Zugang zum Fluss versperrte. Vertikale
Streifen blasser werdenden Lichts ergossen sich zwischen
den Holzlatten hindurch, die inzwischen zur Hälfte in den
Wellen verschwunden waren. Rachel hatte gesagt, das Tor
wäre mit einem Vorhängeschloss gesichert.

Hoffentlich hatte sie recht.

«Also haben Sie die beiden umgebracht und sich das Geld
gegriffen?» Ich wollte unbedingt, dass Porter weiterredete.

«Nein. Ich habe die *Initiative* ergriffen!» Sein Atem ging

schwer. Er stapfte immer noch draußen durchs Wasser und versuchte, dabei kein Geräusch zu machen. «Das Geld sollte an der alten Austernfischerei deponiert werden, aber ich hatte keine Lust, irgendwen mitmischen zu lassen. Nicht nach allem, was ich für diese Scheißfamilie Villiers getan habe. Jeder Idiot konnte sehen, dass die Bilder von der See-festung aus geschossen worden waren, und nachdem ich das Geld deponiert hatte, fuhr ich nach Willets Point. Wartete, bis ein Boot raus zur Festung fuhr, und schnappte mir Leos Dingi, um die Erpresser zur Rede zu stellen. Ich schwöre bei Gott, ich wollte nur das Geld zurückholen und rauskriegen, wer die waren. Ihnen vielleicht noch ein bisschen Angst ein-jagen, aber das war auch schon alles.»

Seine Stimme verriet mir, dass er immer noch in Bewe-gung war, aber es ließ sich nicht ausmachen, wo er sich befand. Ich kapierte nicht, warum er nicht längst die Schrot-flinte geholt hatte. Ein einziger Schuss durch die Holztür, und alles wäre vorbei. Stattdessen schlich er draußen durchs Wasser und versuchte, keinen Lärm zu machen.

«Und was ist schiefgelaufen?», fragte ich und lauschte weiter angestrengt, um rauszufinden, was er tat.

«Dieser Scheißtyp von ihr.» Porter klang angewidert. «Jeder vernünftige Mensch hätte, nachdem er aufgeflogen ist, gesagt: ‹Okay. Pech gehabt.› Aber nein, der musste auch noch frech werden. Fing mit diesem Scheiß an, von wegen: ‹Leg dich nicht mit mir an, ich trag den Schwarzen Gürtel.› Als wären wir in einem Scheiß-Dojo. Also habe ich ihm eine verpasst.»

«Einen Handballenschlag?», fragte ich mit klappernden Zähnen.

Er antwortete nicht sofort. Skepsis schlich sich in seine

Stimme, als er fortfuhr. «Das stimmt. Ich dachte, eine gebrochene Nase würde ihn zur Vernunft bringen und ihm vielleicht ein bisschen seine hübsche Visage ruinieren. Ich wollte den Scheißer wirklich nicht umbringen, aber verdient hat er's.»

«Hatte Emma Darby es auch verdient?»

«Sie stellen 'ne Menge Scheißfragen.»

«Was haben Sie mit ihrer Leiche gemacht?»

«Sie sind doch so superschlau. Sagen Sie's mir.»

Die Wellen schlugen mir inzwischen gegen die Brust und waren kälter denn je. Ich versuchte, meine Stimme trotz des Bibberns ruhig zu halten. «Ich glaube, Sie haben Emma Darby umgebracht und beide Leichen vom Turm geworfen. Dann haben sie die beiden mit dem Boot in die Backwaters geschafft.»

«Ach ja?» Er klang amüsiert. «Ist zumindest halbwegs richtig.»

Ich hatte keine Ahnung, was das hieß. «Was ist mit Sir Stephen? Weiß er davon?»

Porter stieß ein raues Lachen aus. «Glauben Sie etwa, wenn er Bescheid wüsste, hätte er mich das Geld behalten lassen? Sie sind wohl doch nicht so schlau.»

«Okay. Reden wir über die Einbrüche. Waren Sie das? Haben Sie die Computer gestohlen, wegen der Bilder?»

Er antwortete nicht. Ich versuchte, über meine klappernden Zähne hinweg irgendwas zu hören. *Komm schon. Wo steckst du?*

Ein Schatten fiel durch das Gatter. Einen Augenblick später ertönte lautes Gerassel. Porter zerrte an der Kette, die das Tor sicherte. Ich fluchte, verfluchte mich dafür, dass ich mich hatte ablenken lassen, während er sich über den Steg zum

Gatter geschlichen hatte. Ich ließ das Türchen im Stich und drehte mich um, um durchs Wasser Richtung Tor zu waten. Doch ich hatte vergessen, dass ich auf dem Laufgang stand. Mein nächster Schritt ging ins Leere. Beinahe wäre ich ins tiefe Wasser gestürzt, doch ich konnte mich gerade noch rücklings gegen die Mauer werfen.

Das rettete mich. Während ich noch mit rudernden Armen versuchte, mich auf dem Laufgang zu halten, hörte das Tor auf zu wackeln. Draußen war lautes Platschen zu hören. Porter war offensichtlich auf dem Rückweg zum nun unbewachten Türchen.

Mir wurde klar, dass genau das sein Plan gewesen war. Ich pflügte mich durch das brusthohe Wasser zurück. Es war, wie in einem Albtraum in Zeitlupe zu fliehen. Ich hörte Porter draußen an der Hauswand durchs Wasser platschen. Er hatte jeglichen Versuch, leise zu sein, aufgegeben. Die Holztür ächzte, als er sich dagegenwarf, und verhakte sich mit dem abgebrochenen Paddel, das ich dahintergeklemmt hatte. Mit einem Knall zersplitterte der Schaft, doch ich hatte inzwischen die Schulter gegen das Türchen gedrückt und bekam es wieder zu. Die Bretter vibrierten an meiner Schulter. Porter trommelte von außen dagegen.

«*Arschloch!*»

Die Schläge endeten. Ich hörte ihn keuchen. Ich lehnte den Kopf an die nassen Bretter, außer Atem und vor Kälte schlotternd. Ich war völlig durchnässt, und das Wasser stieg immer noch weiter. Das war jetzt das dritte Mal gewesen, dass Porter mich fast überlistet hätte. Ich würde nicht mehr von der Luke weichen, bis ich sicher sein konnte, dass er weg war.

«Das ist doch alles völlig bescheuert», krächzte er frustriert. «Ich will nur das Geld. Sobald Sie mir sagen, wo es ist, bin ich weg.»

Ich hatte keine Kraft mehr zu schreien. «Ich sage es Ihnen doch, ich weiß nichts von irgendwelchem Geld. Ganz egal, wie oft Sie mich noch fragen, die Antwort bleibt die gleiche: Ich … weiß … es … *nicht*!»

Auf der anderen Seite herrschte Schweigen, doch ich wusste, dass er noch da war. «Ach, Scheiß drauf! Sagen Sie nicht, ich hätte Sie nicht gewarnt!»

Ich hörte ihn durchs Wasser waten, dann seine Schritte auf den Stufen. *Himmel.* Holte er jetzt die Schrotflinte? Oder war das wieder ein Trick? «Was soll das heißen?»

Seine Stimme kam von weiter oben. Er hatte das Hochufer erreicht. «Es gibt nur zwei Menschen, die das Geld aus Holloways Haus geholt haben können, ehe die Polizei eintraf. Wenn Sie nicht wissen, wo es ist, bleibt nur Emma Darbys Schwester.»

Rachel?

«Nein! Warten Sie!», rief ich, als neues Grauen mich packte. «Sie weiß gar nichts. *Warten Sie!*»

Doch die Schritte hatten sich bereits entfernt. Ich wollte schon die Tür öffnen, doch dann hielt ich inne. Gut möglich, dass Porter draußen lauerte. *Und wenn nicht?* Aber hierbleiben konnte ich nicht.

Ich griff das neben mir treibende Paddel, zog das Türchen auf und wappnete mich gegen den Angriff. Nichts geschah. Das Paddel fest umklammernd, wagte ich einen kurzen Blick ins Freie. Der angeschwollene Fluss rauschte vorbei, doch in der Dämmerung konnte ich sonst niemanden erkennen. Plötzlich kam von oben ein Geräusch.

Ein Motor.

Also hatte Porter nicht die Schrotflinte geholt. Doch für Erleichterung blieb keine Zeit; nicht, wenn er nach Creek House unterwegs war. Ich zwängte mich durch die Luke ins Freie und überlegte, was ich machen sollte. Das Wasser lief in Strömen an mir herunter. Mein Telefon war hinüber. Ich konnte weder Rachel warnen noch die Polizei informieren. Außerdem hatte er meinen Autoschlüssel. Das am Steg vertäute Boot fiel mir ein. Falls Porter das übersehen hatte, konnte ich Creek House tatsächlich noch vor ihm erreichen.

Ich war schon fast im Freien, als mir auffiel, dass das Motorengeräusch lauter wurde. Es klang für den Mercedes nicht satt und stark genug, und plötzlich kapierte ich auch, warum. Reifen knirschten über mir. Hastig kroch ich rückwärts zurück durch das Türchen ins Dock.

Dann krachte mein Wagen über mir durch das hölzerne Geländer.

KAPITEL 30

❧

Ich stürzte rückwärts ins eiskalte Wasser, und die Mauer erbebte unter lautem, mahlendem Lärm. Ich konnte nichts sehen. Ich konnte nichts hören. Konnte nicht atmen. Ich schlug um mich, versuchte, weg von der Wand und an die Wasseroberfläche zu gelangen, doch ich hatte vollkommen die Orientierung verloren. Irgendetwas traf meinen Kopf. Ich ruderte wie wild mit den Armen, überzeugt, dass die Hausmauer einstürzte. Dann, endlich, war ich mit dem Kopf wieder über Wasser. Gierig sog ich die Luft ein und bekam Salzwasser ab. Ich rang hustend nach Atem und kämpfte darum, über Wasser zu bleiben. Ich hatte keinen Grund unter den Füßen, und die weite Jacke behinderte meine Bewegungen und drohte mich nach unten zu ziehen. Die vom Nachhall des Aufpralls zitternde Luft war voller Staub. Ich wand mich zuckend im Wasser, als etwas gegen meine Schulter stieß. Hinter mir trieb die gekrümmte Silhouette des umgedrehten Kanus vorbei, kreiselte träge auf dem aufgewühlten Wasser.

Ich warf einen Arm darüber und klammerte mich dankbar an den glatten Rumpf. Keuchend sah ich zu der Stelle hinüber, wo ich eben noch gestanden hatte. Im Dämmerlicht konnte ich erkennen, dass die Steinmauer sich nach innen wölbte.

In der Tür klemmte ein verbeulter Kotflügel.

Ich schwamm darauf zu und versuchte, auf den überfluteten Laufgang zu klettern. Doch als ich mich hochstemmen wollte, lösten sich die verrotteten Balken aus der beschädigten Mauer, und ich wurde zurück ins Tiefe geworfen. Wieder griff ich nach dem Kanu. Doch ich hatte genug gesehen: Der Wagen konnte nur mit einer Winde geborgen werden. Das Türchen war blockiert.

Ich kämpfte gegen die Verzweiflung an. Das Hochwasser stand jetzt bis zur Hälfte der Mauer und stieg immer noch. Über kurz oder lang würde das gesamte untere Stockwerk vollständig unter Wasser stehen.

Doch bevor es so weit war, hätte Porter Trasks Haus erreicht.

Dort würde er nicht nur auf Rachel treffen. Fay und Jamie waren sicher ebenfalls zu Hause. Trask saß in Untersuchungshaft, und gegen jemanden wie Porter hatten die drei keine Chance. Der Mann hatte bereits ein Mädchen und einen Polizisten ermordet. Er würde keine Zeugen am Leben lassen.

Ich zitterte inzwischen unkontrollierbar und hatte Probleme, einen klaren Gedanken zu fassen. Die Schatten im Dock wurden immer tiefer. Draußen wandelte sich die Abenddämmerung in Finsternis, und bald würde man nichts mehr sehen. Mich an das Kanu klammernd, schwamm ich zum Gatter hinüber. Mir war klar, dass ich keine Chance hatte, es zu öffnen, wenn Porter daran gescheitert war, aber versuchen musste ich es. Die Kette mit dem Vorhängeschloss befand sich auf der Außenseite. Ich ließ das Kanu los, bewegte die Füße, um nicht unterzugehen, und quetschte meine Hände durch die schmalen Lücken zwischen den Latten. Das raue

Holz schrammte mir die Knöchel auf. Mit tauben Fingern griff ich nach dem Schloss. Es war von Rost überzogen, seit Jahren nicht geöffnet worden. Ich ließ es los und rüttelte, so fest ich konnte, an den beiden Flügeln des Gatters, um zu sehen, ob sich die vollgesogenen Latten zerbrechen ließen. Mit genügend Zeit wäre es mir womöglich gelungen, aber die Latten waren zu stabil, um der wenigen Hebelkraft, die mir zur Verfügung stand, sofort nachzugeben. Ich drückte mich vom Gatter ab und tastete wieder nach dem Kanu.

Wenn ich hier rauskam, dann weder durch das Gatter noch durch die Luke. Damit blieb mir nur eine einzige Chance.

Eine, von der Porter nichts hatte wissen können.

Die Decke war im Dunkeln nicht zu erkennen, doch sie lag eindeutig zu hoch, um sie zu erreichen.

Schlotternd sah ich mich zwischen dem Gerümpel um, das um mich herum auf dem Wasser trieb, bis mir das zerbrochene Paddel wieder ins Auge fiel. Der Schaft war zwar zersplittert, doch es war immer noch lang genug für meinen Zweck. Ich schwamm in die Mitte des Docks, stützte mich mit einem Arm auf das Kanu und reckte das Paddel nach oben zu der im Schatten liegenden Decke. Ohne etwas zu sehen, stocherte ich damit kreuz und quer über die Deckenbalken. *Komm schon. Wo bist du?* Ich spürte einen Widerstand, dann hakte das Paddel irgendwo ein.

Der Riegel der Falltür, die ins obere Stockwerk führte.

Ich hatte so geflucht, als ich mir wiederholt an dem Ring unter dem Teppich den Fuß gestoßen hatte, und jetzt war die Falltür meine einzige Chance. Ich konnte nicht erkennen, ob sie mit einem Schloss gesichert war, und es war gut möglich, dass sie sogar vernagelt war. Doch eine Alternative gab es nicht.

Ich versuchte, den Riegel mit dem Paddel beiseitezuschieben, gab jedoch schnell wieder auf. Das Paddel ließ sich nicht gut führen. Wenn ich die Falltür entriegeln wollte, dann nur mit der Hand. Ich versuchte, mich nach oben zu stemmen, aber die Decke war trotz des Wasserstands zu weit entfernt. Blieb nur noch das Kanu. Doch das hatte ein faustgroßes Loch im Rumpf. Mir war klar, dass es sinken würde, sobald ich versuchte, es umzudrehen. Ich kletterte auf den Rumpf. Das funktionierte auch nicht. Unter meinem Gewicht sprudelte Wasser durch das Loch, und das Kanu sank.

Frustriert schlug ich mit der flachen Hand aufs Wasser. Selbst wenn es unter dem ganzen Gerümpel irgendetwas gab, das ich verwenden konnte, inzwischen war es zu dunkel, um noch etwas zu erkennen. *Komm schon! Was hast du sonst noch gesehen?* Ich hatte die Regenjacke anbehalten, weil sie wenigstens ein Minimum an Isolierung bot. Aber viel wichtiger war jetzt, dass der dicke Kunststoff wasserdicht war.

Mit den Beinen paddelnd, wand ich mich aus der Jacke, knüllte sie zusammen und stopfte sie mit eisigen Fingern in das Loch im Rumpf. Ein mehr als primitiver Stöpsel, aber etwas anderes hatte ich nicht. In der Hoffnung, dass das Provisorium lange genug halten würde, zog ich mich mit letzter Kraft zurück auf den umgedrehten Rumpf. Das Kanu rutschte unter mir weg, als ich mich hochziehen wollte. Salzwasser ausspuckend, versuchte ich es noch einmal. Das Kanu bäumte sich auf, doch diesmal gelang es mir, mich draufzusetzen.

Die Decke befand sich nur noch ein paar Zentimeter über meinem Kopf. Doch das Kanu begann bereits zu sinken. Ich drehte mich ungeschickt um die eigene Achse und tastete blind über die raue Unterseite der Falltür, bis ich endlich den rostigen Riegel spürte. Mit klammen Fingern griff ich danach und versuchte, ihn zurückzuziehen. Er bewegte sich nicht. Das Kanu sank jetzt schneller, und ohne auf die scharfen Metallkanten des Riegels zu achten, zerrte ich mit aller Kraft daran.

Ohne Vorwarnung gab er plötzlich nach, und Rostflocken rieselten mir ins Gesicht. Für Erleichterung blieb keine Zeit. Ich legte beide Hände von unten gegen die Falltür und stemmte mich dagegen. Das Kanu sank tiefer unter Wasser, doch die Klappe rührte sich nicht. Ich setzte mich wieder aufrecht hin und versuchte es noch einmal. Diesmal bewegte sich die Falltür ein winziges bisschen nach oben. Ich stemmte mich dagegen. Die Tür hob sich ein wenig an, und ich konnte den Arm durch den Spalt schieben.

Doch das Kanu unter mir sank weiter. Ich zwängte auch den zweiten Arm durch den Spalt, die Tür hob sich noch ein wenig, und ich quetschte Kopf und Schultern hindurch. Ich war unter dem schweren Teppich aufgetaucht. Ich drückte mit dem Rücken die Falltür hoch und hievte mich mit allerletzter Kraft ganz in die Wohnung hinein. Keuchend blieb ich liegen, das Gesicht an den Holzdielen. Lichter flackerten mir vor den Augen, und ich atmete den süßlichen Geruch von frischem Lack ein. Ich wollte nichts anderes, als hier liegen zu bleiben, doch ich hatte keine Zeit. Ich zwang mich dazu, mich zu bewegen, robbte unter dem schweren Teppich hervor und kam unsicher auf die Beine. Die Wohnung lag im Dunkeln. Tropfend und schlotternd vor Kälte, stakste ich wie ein Kleinkind zur Wand und tastete nach dem Lichtschalter.

Mein Instinkt tobte und schrie, verlangte, dass ich endlich Porter verfolgte, aber in meinem Zustand wäre ich niemandem eine Hilfe gewesen. Wenn ich nicht bereits unterkühlt war, würde ich es bald sein. Ich brauchte schnellstens Wärme und Kalorien.

Ich blinzelte, als das Deckenlicht anging und das Durcheinander enthüllte. Der Inhalt von Schubladen und Schränken lag überall verstreut, doch Porter hatte mir unbeabsichtigt einen riesigen Gefallen getan. Das Sofa lag umgekippt auf der Seite. Und stand somit nicht mehr auf dem Teppich. Ich bezweifelte, dass ich in der Lage gewesen wäre, die Falltür aufzudrücken, wenn das Sofa noch an Ort und Stelle gewesen wäre.

Unkontrolliert zitternd, riss ich mir das Hemd vom Leib und rubbelte mich heftig mit einem Geschirrtuch ab. Die Reisetasche mit meinen Sachen war im Kofferraum, aber Trasks alte Jacke hing noch im Schrank. Ich zog sie mir über die nackte Haut, dankbar für das dicke Steppfutter. Was Hose und Stiefel betraf, konnte ich nichts tun, aber die wären ohnehin sofort wieder nass. Die Tupperdose mit dem Nachtisch, den Rachel mitgebracht hatte, stand auf der Arbeitsfläche. Ich riss den Deckel ab und stopfte mir die Reste in den Mund. Die üppige Mischung aus Schokolade und Kohlenhydraten schmeckte köstlich. Und dann hatte ich keine Zeit mehr. Ich griff mir im Vorbeigehen noch ein Küchenmesser aus dem auf der Arbeitsfläche und dem Boden verstreuten Besteck und rannte zur Tür.

Draußen herrschte Finsternis. Es hatte aufgehört zu regnen, und zwischen zerrissenen Wolkenfetzen lugten der klare Himmel und vereinzelte Sterne hervor. Doch der Wind hatte nicht nachgelassen, und schon bevor ich um die Hausecke gebogen war, hörte ich den Tidefluss rauschen. Mein Auto hing verkantet im Bootshaus, daneben das zerborstene

Geländer und kaputte Stufen. Die Motorhaube lag unter Wasser.

Der Fluss hatte sich im Hochwasser bis weit über die Ufer ausgedehnt und Marschland und Felder in einen gekräuselten See verwandelt. Allein das erhöhte Ufer rund um das Bootshaus lag weiterhin oberhalb der Flut, doch selbst hier kroch das Wasser stetig näher. Wenn der Fluss weiter so anstieg, war es nur eine Frage der Zeit, bis alles überschwemmt wäre.

Erleichtert sah ich, dass das Boot noch da war. Der blasse Umriss tanzte an dem langen Tau, und die unruhigen Wellen warfen es hin und her. Die Stufen gab es nicht mehr, und ich hielt mich an meinem Wagen fest, während ich die Böschung zum Steg hinunterkletterte. Kalte Wellen schlugen mir gegen die Beine, und ich watete vorsichtig über den überfluteten Steg. Ich packte das tropfende Tau, zog das Boot zu mir heran und kletterte hinein. Die Schlaufe, mit dem es festgemacht war, lag unter Wasser, und ich säbelte mit dem Küchenmesser an dem Tau herum, bis es schnalzend zerriss. Das Boot trieb augenblicklich ab, und ich ließ es geschehen, während ich über dem Außenborder kauerte und mit tauben Fingern versuchte, ihn anzulassen. Der Motor startete beim zweiten Versuch. Ich öffnete den Benzinhahn, so weit es ging, duckte mich in das röhrende Boot und lenkte es in den überfluteten Fluss.

Doch ich wusste bereits, dass ich zu spät kommen würde.

Porter musste Creek Haus inzwischen längst erreicht haben. Mich aus dem Dock zu befreien, hatte unendlich viel Zeit gekostet, und er hatte den großen Mercedes doch sicher so schnell es ging über die schmalen Straßen gejagt. Außerdem hatte ich keine Ahnung, was ich tun sollte, wenn ich das

Haus erst erreicht hätte. Porter war Exsoldat, und gegen eine Schrotflinte war ein Küchenmesser nutzlos. Während mir der kalte Wind ins Gesicht schlug, fragte ich mich noch einmal, weshalb er vorhin von der gestohlenen Mowbry keinen Gebrauch gemacht hatte. Ich hätte gerne geglaubt, dass er sie ins Meer geworfen hatte, nachdem er Lundy damit erschossen hatte, aber ich konnte mir die Vorstellung, er hätte die Waffe nicht mehr, nicht erlauben.

Der Mond kam hinter den zerrissenen Wolken hervor, beleuchtete die Umrisse überfluteter Bäume und warf einen silbernen Schimmer auf die Welt aus schwarzem Wasser ringsum. Hätten nicht hier und da die Spitzen von Riedgras und Schilf aus dem Wasser geragt, es hätte sich unmöglich sagen lassen, wo sich die Ufer des Flusses befanden. Ich konzentrierte mich darauf, das Boot im tiefsten Teil des Flussbetts zu halten und dem Treibgut auszuweichen. Ich versuchte, nicht an das zu denken, was in diesem Moment in Creek House passierte, doch das Wissen nagte quälend an mir. Dann jedoch verdrängte, was ich plötzlich im schimmernden Mondlicht sah, augenblicklich alle anderen Gedanken.

Das Hochwasser hatte sämtliche Orientierungspunkte verschluckt. Trotzdem erkannte ich seitlich vor mir die lange, gewundene Weißdornhecke, die parallel zur Straße verlief.

In einer überfluteten Senke stand der schwarze Mercedes.

Ich hätte fast das Boot umgeworfen, als ich aufsprang, um besser zu sehen. Die Fahrertür der großen Limousine stand offen, und kleine Wellen schwappten hinein. Porter hatte denselben Fehler begangen wie ich neulich auf dem Fahrdamm. Entweder er hatte den Wasserstand unterschätzt, oder er hatte gehofft, der Wagen würde es schaffen. Irrtum.

Von Porter war nichts zu sehen. Ich musterte die Umge-

bung in der Hoffnung, ihn irgendwo auf der Straße zu entdecken, doch außer dem Wagen konnte ich in der Dunkelheit nichts erkennen. Dann machte der Fluss einen Knick
von der Straße weg, und ich sah gar nichts mehr.

Zum ersten Mal, seit ich das Bootshaus verlassen hatte,
regte sich ein Funken Hoffnung in mir. Ohne seinen Wagen
hatte Porter den Vorsprung eingebüßt. Zu glauben, er würde
aufgeben, hätte geheißen, mir etwas vorzumachen, aber er
würde den restlichen Weg durch die überflutete Landschaft
zu Fuß zurücklegen müssen.

Ich hatte doch noch eine Chance.

Ich packte den Benzinhebel, als ließe sich dadurch dem
Motor noch etwas mehr Geschwindigkeit abringen. Das
Boot fuhr bereits mit voller Kraft, doch selbst mit der Unterstützung der Strömung kam mir das quälend langsam vor.
Eine gefühlte Ewigkeit gab es um mich herum nichts als
überschwemmte Landschaft und Finsternis. Dann blitzten
durch einen Vorhang aus wogenden Zweigen die Lichter
von Creek House auf.

Ich knirschte mit den Zähnen, während das Boot unbeirrt
in derselben Geschwindigkeit weiterfuhr. Die Lichter wurden langsam größer und lösten sich in einzelne Flächen auf:
das raumhohe Panoramafenster im ersten Stock und darunter ein kleines gelbes Quadrat, wohl eines der Schlafzimmer.
Allmählich waren im Inneren auch Umrisse und Farben
zu sehen. Bewegung. Ich starrte verzweifelt, um möglicherweise mehr zu erkennen. Eine Biegung im Fluss schob das
als Blickschutz dienende Wäldchen zwischen mich und das
Haus, und eine quälend lange Minute waren die Fenster verdeckt. Dann tauchte Creek House wieder auf.

Wellen umspülten die Betonpfeiler, doch das Haus selbst

stand gelassen über den Fluten. Das große Fenster enthüllte freizügig den hell erleuchteten Wohnbereich. Rachel saß mit Fay auf dem Sofa, das Mädchen friedlich an sie gekuschelt, während Rachel aus einem Buch vorlas. In dem kleineren Fenster darunter sah ich Jamie an einem Schreibtisch sitzen und mit übellauniger Miene auf einen Computerbildschirm starren.

Sie waren in Sicherheit.

Gott sei Dank, dachte ich, zittrig vor Erleichterung. Von der Dunkelheit umrahmt, präsentierten die Fenster das Innenleben des Hauses wie ein Stummfilm. Als ich noch näher kam, sah ich Rachel beim Vorlesen die Lippen bewegen. Unten stützte Jamie in der flackernden Bildschirmbeleuchtung den Kopf in die Hände.

Sie konnten mich nicht sehen. Ich war selbst auf der anderen Seite gewesen. Ich wusste, dass das Glas sich abends in einen Spiegel verwandelte. Die Doppelverglasung isolierte den Schall und erstickte alle Geräusche. Jeder, der im Haus den Kopf hob und versuchte, ins Freie zu schauen, würde nur sein Spiegelbild erblicken. Ich steuerte auf den überfluteten Anleger zu und machte mir zum ersten Mal Gedanken darüber, wie ich die Sache am besten angehen sollte. Ich wollte keine Zeit mit langatmigen Erklärungen vergeuden, nicht, solange Porter irgendwo da draußen war. Oberste Priorität musste sein, alle so schnell wie möglich aus dem Haus zu bekommen. Alles andere konnte warten, bis sie sicher bei mir im Boot saßen und wir uns auf den Weg gemacht hatten.

Plötzlich hörte Rachel auf zu lesen. Sie hob den Kopf und blickte in Richtung Treppe. Gleichzeitig drehte Jamie sich zur Zimmertür um. Eisige Kälte breitete sich in mir aus.

Da war jemand an der Haustür.

Rachel sagte etwas und legte das Buch weg. Gleichzeitig bewegte sich unten Jamies Mund. Er rief offensichtlich etwas. Dann stand er auf und verließ das Zimmer.

Um die Haustür aufzumachen.

«*Nein!*», schrie ich. Das Boot schaukelte gefährlich, als ich aufsprang und wie verrückt anfing zu winken. «Rachel! *Rachel!*»

Doch Rachel konnte mich weder sehen noch hören. Ich war hinter der dunklen Spiegelscheibe unsichtbar für sie. Zum Beobachter verdammt, musste ich hilflos mit ansehen, wie sie aufsprang und lauschte, was unten vorging. Auf Fays Gesicht lag Angst, als Rachel etwas schrie und zur Treppe rannte. Noch bevor sie die oberste Stufe erreicht hatte, kam Jamie ins Wohnzimmer gestolpert. Er landete auf Händen und Knien.

Porter war direkt hinter ihm.

Durchnässt und voller Schlamm, schrie der Fahrer und zeigte auf Rachel. Sie schüttelte verwirrt den Kopf. Er machte einen Schritt auf sie zu, der ausgestreckte Zeigefinger durchbohrte die Luft. Ich registrierte, dass er die Flinte noch immer nicht dabeihatte, doch er brauchte sie auch nicht, die anderen waren wehrlos. Jamie rappelte sich auf und stürmte auf ihn zu, prallte jedoch zurück, als Porter ihm den Handballen ins Gesicht knallte. Fay schrie stumm, als ihr Bruder die Treppe hinunterstolperte.

Dann drehte Porter sich wieder zu Rachel um. Sie hatte sich vor Fay gestellt, Angst und Entschlossenheit im Blick.

«PORTER!», schrie ich. «LASS SIE IN RUHE. ICH BIN HIER DRAUSSEN!»

Der Wind trug meine Rufe davon. Während das Boot

die letzten Meter bis zum Anleger zurücklegte, sah ich, wie Rachel nach einer kleinen Stehlampe griff und sie Porter an den Kopf warf. Die Lampe schickte wilde Schatten durch den Raum, er duckte sich, und sie zerschellte lautlos an der Wand. Rachel schnappte sich eine Vase, doch er packte sie am Arm, zerrte sie zu sich und schlug ihr ins Gesicht. Sie stürzte auf ein Knie, und ich sah, wie Porter sie bei den Haaren packte.

Dann fuhr das Boot direkt unter dem Fenster vorbei.

«Nein!», schrie ich. Ich hatte den Anleger erreicht, drosselte die Fahrt aber nicht. Ich lenkte das Boot direkt auf das überflutete Flussufer unmittelbar vor dem Haus, und die Schraube pflügte durch Schlamm und Kies. Das Boot trug mich noch ein paar wertvolle Meter weiter, dann lief ich endgültig auf Grund. Ich sprang hinaus und, das Messer aus dem Bootshaus fest umklammert, watete durch das kniehohe Wasser. Ohne einen Plan, ohne eine Vorstellung, was ich tun sollte, raste ich die Stufen hinauf. Die Haustür stand einen Spalt weit offen, der Flur lag im Dunkeln. Ich stieß die Tür auf und rannte ins Haus.

Als ich den Fuß der Treppe erreichte, fiel oben ein Schuss.

Der Lärm traf mich wie ein Schlag. Ich taumelte, der Schock sog mir sämtliche Kraft aus den Beinen. *Das kann nicht sein*, dachte ich benommen. Porter hatte keine Waffe bei sich gehabt. Ich rannte die Treppe hinauf und stürmte ins Wohnzimmer.

Und erstarrte.

Eine Rauchwolke hing träge in der Luft. Es stank nach Schießpulver und Blut. Rachel kniete auf dem Boden und drückte Fay an sich. Ich starrte sie an, sie waren offensichtlich unverletzt.

Das galt nicht für jeden.

Die Wucht des Schusses aus der Schrotflinte hatte Porter zwischen den Schulterblättern erwischt. Er war in das Bücherregal geschleudert worden und lag bäuchlings inmitten wild verstreuter Bücher. Ich wollte schon zu ihm gehen, doch dann sah ich das Ausmaß der Schusswunde in seinem Rücken und wusste, dass es keinen Sinn mehr hatte. Ich sah zu Jamie hinüber. Er stand ganz in der Nähe. Aus seiner Nase lief Blut, und der gehetzte Blick in seinen Augen war so beredt wie jedes Geständnis. Er hielt die Schrotflinte noch immer an die Schulter gepresst, leistete jedoch keinen Widerstand, als ich ihm behutsam die Waffe abnahm.

Das Foto, das Lundy mir geschickt hatte, wurde der Mowbry nicht gerecht. Diese Flinte war ein wunderschönes Stück Handwerkskunst. Der vertikal angeordnete Doppellauf saß in einem honigfarbenen Schaft aus Walnussholz mit ziselierten Silberbeschlägen. In geschwungenen Lettern waren Initialen in das Metall graviert.

LV.

KAPITEL 31

❧

Drei Wochen nach der Flut rief Rachel an und sagte, wir müssten reden. Sie nannte keinen Grund, aber mir war klar, dass etwas nicht stimmte. Sie klang anders. Distanziert.

Ich ahnte, dass es kein gutes Zeichen war.

Seit meiner Rückkehr nach London hatten wir uns weiterhin gesehen. Am Anfang hatten wir viel und lange telefoniert, uns dann einen Abend zum Essen in Chelmsford getroffen. Wenig später war sie für ein Wochenende nach London gekommen. Nach den Schrecken der letzten Zeit in den Backwaters waren diese Tage wie verzaubert gewesen, eine der seltenen Phasen im Leben, die endlos scheinen und gleichzeitig viel zu schnell verfliegen. Der Frühling wurde in kurzer Zeit zum Sommer, und das helle Sonnenlicht schien nach den trüben Wintermonaten neues Leben zu bringen. Als Rachel abfuhr, war klar, dass sie bald wiederkommen würde. Und beim nächsten Mal länger bleiben würde.

Und dann änderte sich etwas.

Wir trafen uns in einem Café in Covent Garden. Die Leichtigkeit, die ich in ihrer Gegenwart immer empfunden hatte, fehlte heute. Sie kam auf mich zu, ein eng anliegendes Kleid ersetzte das übliche zerknautschte Sweatshirt und die

Jeans, das dicke, dunkle Haar war zurückgebunden. Sie sah toll aus.

«Ich fliege nach Australien.» Sie sah in ihre Kaffeetasse. «Ich wollte es dir persönlich sagen, nicht am Telefon. Das bin ich dir schuldig.»

Ihre Ankündigung kam nicht wirklich überraschend. Sie war ein Schlag, ja. Aber keine Überraschung. Ich rührte meinen Kaffee um und versuchte, die Neuigkeit zu verdauen. «Ganz schön plötzlich, oder?»

«Nicht wirklich. Ich trete schon viel zu lange auf der Stelle, ich muss mein Leben ordnen. Hier ist zu viel passiert. Ich denke ständig an Bob Lundy. Ich kann nicht …» Mit Tränen in den Augen brach sie ab. «Mist. Genau das wollte ich vermeiden.»

Sie schüttelte den Kopf, als ich ein Papiertaschentuch hervorholte, und tupfte sich stattdessen die Augen wütend mit der Serviette ab.

«Du darfst dir nicht die Schuld geben», sagte ich und wusste, dass es nichts bringen würde. Wir hatten diese Diskussion schon einmal geführt, wenn auch nicht so.

«Ja, aber ohne mich wäre er nie zu dieser Scheißfestung rausgefahren. Wenn ich nicht so eine dickköpfige Kuh wäre, würde er noch leben.»

«Was Lundy zugestoßen ist, war nicht deine Schuld. Er war Polizist, er hat seine Arbeit getan.»

Und ich wusste, dass er es immer wieder so gemacht hätte. Ein paar Tage nach seinem Tod hatte ich seine Frau besucht. Die Kirschblüten entlang der Straßen waren größtenteils heruntergefallen, die zartrosa Blütenblätter verwandelten sich im Rinnstein zu braunem Mulch. Gefasst und leise hatte Sandra Lundy gefragt, wie ihr Mann gestorben war. Ich sagte ihr, dass er Rachel und mir das Leben gerettet hatte, dass wir ohne ihn auch ermordet worden wären. Sie hielt sich kurz die Hände vor die Augen, dann lächelte sie.

«Das ist gut. Das würde ihn freuen.»

Ich sagte nicht, dass Lundy sich Sorgen wegen des Anrufs aus dem Krankenhaus gemacht hatte. Vielleicht ahnte sie nichts davon, und ich fand es unnötig, ihr davon zu berichten.

Lundys Tod hatte Rachel sehr mitgenommen, doch in den letzten Wochen schien sie besser damit zurechtgekommen zu sein. Sie hatte jedenfalls kein Wort von einer Rückkehr nach Australien gesagt. Ich wollte ihr keine Vorwürfe machen, hatte aber das Gefühl, es steckte mehr dahinter.

«Da ist noch was anderes, oder?», fragte ich.

Sie legte den Löffel weg und rückte Tasse und Untertasse hin und her.

«Pete hat sich gemeldet.»

«Pete?» Ich ahnte, wer das war.

«Der Meeresbiologe, von dem ich dir erzählt habe. Von dem ich mich getrennt hatte.»

«Der mit der zweiundzwanzigjährigen Doktorandin im Bikini.»

Ich bereute die Bemerkung sofort. Ein Lächeln kräuselte eine Seite ihres Mundes, doch es war eher traurig als lakonisch.

«Ja. Er hatte gehört, … was passiert war. Sogar in Australien kam es in den Nachrichten. Er hat sich Sorgen gemacht, wollte wissen, wie es mir geht.» Sie sah mich an. «Er will es noch mal versuchen.»

Ich schaute aus dem Fenster. Draußen drängten sich schier unzählige Touristen. Ein Straßenmusiker spielte Gitarre.

Eine jazzige Version von *What a Wonderful World*. «Und was willst du?»

«Ich weiß es nicht. Aber wir waren sieben Jahre zusammen. Nicht alles war schlecht.»

Bis er sich mit einer anderen vom Acker gemacht hat, dachte ich, aber schaffte es diesmal, mich zu beherrschen. Das Ganze war auch so schon schwer genug. «Also …?»

Sie zuckte leicht mit den Schultern. «Also habe ich gesagt, wir können darüber reden, wenn ich wieder da bin.»

«Du hast dich entschieden.»

«Ich … ich muss zurück. Zu viel ist passiert, ich brauche Zeit, um alles zu verarbeiten. Und ich werde hier nicht mehr gebraucht.»

Ach, nein? Rachels Hände lagen auf dem Tisch. Ich legte meine auf ihre. «Ich kann nichts sagen, was dich umstimmen würde, oder?»

Sie sah mich lange an, ihr Daumen strich leicht über meine Hand. Sie drückte kurz zu und ließ los. «Es tut mir leid.»

«… *What they're really saying is* …» Die Worte des Musikers gingen im Zischen der Espressomaschine unter. Ich zwang mich zu einem Lächeln und hielt mich wieder an meiner Tasse fest.

«Wann fliegst du?»

Ihre Anspannung schien sich etwas zu legen. «Sobald hier alles erledigt ist. Andrew hat in Chelmsford ein Haus gefunden, wo er und Fay bleiben können, bis alles geklärt ist. Die Gegend ist schön, und es gibt in der Nähe eine gute Schule. Er will Creek House so schnell wie möglich zum Verkauf anbieten. Dort können sie nach allem, was passiert ist, nicht bleiben. Es wird nicht leicht für sie, aber ein Neuanfang hilft vielleicht.»

«Klingt gut.»

Rückblickend hatte das wunderschöne Haus am Rand der Salzmarsch immer etwas Ungutes gehabt. Trotz aller Ästhetik, trotz all der Planung, die Trask in den Entwurf gesteckt hatte, hatte es Unglück angezogen. Es machte den Eindruck, der Landschaft aufgezwungen worden, anstatt Teil von ihr zu sein, und das galt auch für die Menschen, die darin lebten. Trask war ein vorsichtiger Mann, aber er hatte sich so darauf versteift, seine Familie gegen die Backwaters abzuschirmen, dass er vergessen hatte, dass das Unglück auch von innen kommen konnte.

Ich hoffte, die zukünftigen Bewohner würden mehr Glück haben.

Der Straßenmusiker spielte die letzten Akkorde und erntete vereinzelten Applaus. Während sein Publikum weiterspazierte, bückte er sich, um die Münzen in seinem Gitarrenkasten zu zählen.

«Was wirst du machen, wenn du wieder unten bist?», fragte ich.

«Ich weiß es noch nicht. Vielleicht mal schauen, ob mein alter Job noch zu haben ist.» Sie zögerte. «Wird es dir gutgehen?»

Ich wandte mich vom Fenster ab. Mein Lächeln wirkte diesmal natürlicher, aber ich hatte auch viel Übung. «Selbstverständlich. Alles wird gut.»

Sie sah auf die Uhr. «Ich gehe besser. Ich wollte dich noch einmal sehen und dir alles erklären. Und ich habe mich nie richtig bei dir bedankt.»

«Wofür?», fragte ich verwirrt.

Sie warf mir einen spöttischen Blick zu. «Dafür, dass du Emma gefunden hast.»

Am Morgen nach Porters Tod hatte sich das Wasser zurückgezogen und einen kilometerbreiten Streifen aus Schlamm
und Geröll hinterlassen. Verglichen mit anderen, die die
Ostküste in der Vergangenheit heimgesucht hatten, war dieses Hochwasser nicht verheerend gewesen, vor allem an die
Sturmflut von 1953 hatte es nicht annähernd herangereicht.
Ein paar hundert Häuser hatten evakuiert werden müssen,
Straßen waren unpassierbar geworden und einige Dämme
gebrochen. Aber alle waren sich einig, dass es viel schlimmer
hätte werden können. Es war niemand ums Leben gekommen.

Zumindest nicht in der Flut.

Wieder einmal trug ich Kleidung von Trask, war zum
zweiten Mal in eine Decke eingewickelt und wurde von
den Notärzten untersucht, die zusammen mit der Polizei an
Creek House eingetroffen waren. Zuerst hatten sie sich um
die anderen gekümmert, die – jeder auf seine Weise – ärzt-
liche Fürsorge nötiger hatten als ich. Mit Rachel hatte ich seit
dem Schuss kaum gesprochen. Sobald die Polizei verstän-
digt war, hatte ich alle nach unten gescheucht, weg von der
blutigen Leiche des Mannes, der in ihr Zuhause eingedrungen war. Rachel war mit der völlig aufgelösten Fay in deren
Zimmer gegangen, um sie zu beruhigen, ich war bei Jamie
geblieben. Mehr, um mich um ihn zu kümmern, als um ihn
davon abzuhalten, das Haus zu verlassen. Ich glaubte nicht,
dass er versuchen würde zu fliehen.

Er hatte genug vom Versteckspielen.

Die Notärzte rieten mir, ins Krankenhaus zu fahren, doch
ich lehnte ab. Ich kannte die Symptome von Unterkühlung
oder einer wiederkehrenden Infektion gut und hatte keine
davon. Zwei Becher süßen, warmen Tees und trockene Klei-

dung aus Trasks Schrank hatten die Kälte abgewehrt. Ich war erschöpft, würde mich aber später noch ausruhen können.

Ich wollte es zu Ende bringen.

Clarke kam zu mir, nachdem ich in den frühen Morgenstunden eine weitere Aussage im Hauptrevier gemacht hatte. Sie betrat den beigen Vernehmungsraum mit zwei Plastikbechern in der Hand, von denen sie einen vor mir absetzte. Ich war nicht sicher, ob der Tee ein Friedensangebot war, doch ich nahm an.

«Wie fühlen Sie sich?», fragte sie und setzte sich mir gegenüber.

Ich zuckte mit den Schultern. «Ganz gut, den Umständen entsprechend. Wie geht es den anderen?»

Clarke wirkte müde, sah nach der durchwachten Nacht blass und ausgezehrt aus. Ich wusste, dass ich keinen besseren Eindruck machte. «Rachel Darby hat nur ein paar Schrammen. Das Mädchen hat einen Schock erlitten, aber wir haben Andrew Trask gehen lassen, und er ist jetzt bei ihr. Wir müssen ihn später vielleicht noch mal befragen, aber unter den Umständen …»

Unter den Umständen war es menschlich, ein kleines Mädchen zu seinem Vater zu lassen. Vor allem, wenn ihr Bruder vor ihren Augen gerade einen Menschen erschossen hatte.

«Und Jamie?»

«Hat eine gebrochene Nase und ein paar lose Zähne, aber das sind seine geringsten Probleme. Wie viel hat er Ihnen erzählt?»

«Das meiste», gab ich zu.

Einen Teil hatte ich mir selbst zusammenreimen können. In dem Moment, als ich Jamie mit der handgemachten

Schrotflinte gesehen hatte, war mir klar, was das bedeutete. Ich hatte nicht verstehen können, warum Porter im Bootshaus die Mowbry nicht benutzt hatte, und der Grund war einfach: Er hatte sie nicht, hatte sie nie gehabt. Sie hatte ganz unten in Jamies Kleiderschrank gelegen, wo er sie versteckt hielt, seit er versehentlich Anthony Russell erschossen hatte.

Die Geschichte war aus ihm herausgeströmt, während wir auf die Polizei warteten. Nicht lange nachdem Trask Leo Villiers hatte zur Rede stellen wollen, ihn aber nicht angetroffen hatte, war Jamie auf dem Rückweg von einem Freund, als er Licht in dem Haus auf Willets Point bemerkte. Er war nicht richtig betrunken, aber auch nicht gänzlich nüchtern gewesen. Aufgestachelt von der monatelangen Überzeugung, Villiers wäre für das Verschwinden seiner Stiefmutter verantwortlich, und aus Angst, wenn er nichts unternähme, würde sein Vater es tun, hatte Jamie beschlossen, Leo Villiers mit seinem Verdacht zu konfrontieren.

«Hat er Ihnen gesagt, dass er in Emma Darby verliebt war?», fragte Clarke.

«Nein, aber ich habe es mir gedacht.» Als Jamie angefangen hatte zu erzählen, waren seine Gefühle offensichtlich geworden.

Clarke schüttelte den Kopf. «Sie hat ihn angestachelt, seit er sechzehn war. Wohl nicht im Ernst, aber Teenager in seinem Alter sind ihren Hormonen ausgeliefert. Sie hätte es besser wissen müssen.»

Ja, das hätte sie. Es war deprimierend leicht, sich vorzustellen, was passiert war. Rachel hatte mir erzählt, dass Jamie sich plötzlich von Stacey Coker getrennt hatte, noch bevor er von ihrer Schwangerschaft wusste. Der Grund war klar. Die

Risse in der ungleichen Ehe waren nicht zu übersehen gewesen, und jemand wie Emma Darby – eitel und gelangweilt, sich nach dem Stadtleben sehnend – hatte die Vernarrtheit des Teenagers wahrscheinlich als schmeichelhaft empfunden. Als harmlose Ablenkung.

Vielleicht wäre es dabei geblieben, wenn sie nicht verschwunden wäre. Erst als Jamie glaubte, sie wäre von ihrem Liebhaber ermordet worden, waren in ihm Eifersucht, Schuldgefühle und Trauer zu einer explosiven Mischung geworden.

Mit matt und nasal klingender Stimme, gedämpft von den tiefgefrorenen Erbsen, mit denen er seine lädierte Nase kühlte, hatte er beschrieben, was geschehen war. Angefeuert von Alkohol und Adrenalin war er zu Villiers' Haus gefahren und hatte gerade an die Tür hämmern wollen, als hinten auf der Terrasse Glas splitterte. Er war ums Haus gelaufen und hatte einen Mann in einem langen Mantel mit hochgestelltem Kragen am Wasser stehen sehen. Überall auf der Terrasse waren leere Flaschen und Gläser verteilt gewesen, einige davon kaputt, offenbar waren hier Schießübungen veranstaltet worden. An einem Baum lehnte eine Schrotflinte, die Jamie an sich nahm, eher, um sie aus Villiers' Reichweite zu entfernen, als um sie benutzen.

Der Mann hatte ihn gehört und sich umgedreht. Trotz der Dunkelheit war klar, dass er ein Fremder war. In Panik hatte Jamie dem Mann die Flinte ins Gesicht gehalten und stammelnd zu wissen verlangt, wo Villiers sei.

Und die Schrotflinte war losgegangen.

«Der Schuss hat Anthony Russell ins Wasser katapultiert», sagte Clarke. Sie trank einen Schluck Tee, verzog das Gesicht und setzte den Becher ab. «Da in der Nacht Springflut herrschte, ist seine Leiche über die Barrows ins Mündungsgebiet getrieben worden, anstatt hinaus ins Meer. Und dort wahrscheinlich in den Ausläufern der Backwaters gelandet und deswegen wochenlang nicht gefunden worden.»

Vier Wochen lang, um genau zu sein. Nachdem die Leiche in dem Labyrinth aus Gräben und Kanälen verschwunden war, war sie vermutlich auf den Grund gesunken, bei Ebbe zweimal am Tag Luft und Seevögeln ausgesetzt und von Aasfressern geplündert worden, um schließlich wieder aufgetrieben und hinausgeschwemmt worden zu sein.

Und dann hatte Lundy mich angerufen.

«Was wird aus Jamie?», fragte ich.

Clarke starrte düster in ihren Becher. Der Anblick erinnerte mich an Lundy, der das Gleiche erst vor wenigen Tagen getan hatte. «Porter war Notwehr, das wird ihm keiner vorwerfen. Aber ob absichtlich oder nicht, er hat Anthony Russell erschossen. Wenn er gleich zu uns gekommen wäre, hätten wir ihm vielleicht helfen können. Aber so …»

Ihr Schulterzucken sagte aus, dass es nicht in ihrer Macht lag. Tatsache war: Jamie hatte einen Unschuldigen getötet und die Tat verheimlicht. Unbeabsichtigt hatte er damit eine Ereigniskette ausgelöst, die weitere Menschenleben gefordert hatte. Er sah einer Haftstrafe entgegen, alle Pläne für ein Studium und ein normales Leben waren Makulatur. Dennoch …

Dennoch, wäre die Schrotflinte nicht gewesen, hätte Porter aller Wahrscheinlichkeit nach Fay und Rachel und auch Jamie selbst getötet. Ich war zu müde, um zu entscheiden, ob das Glück oder Ironie gewesen war.

«Haben Sie die Flinte gefunden, mit der Porter in der Seefestung geschossen hat?», fragte ich.

«Noch nicht. Er hatte eine Einliegerwohnung in Sir Stephens Hauptwohnsitz, die durchsuchen wir gerade. Sie können sich ja vorstellen, wie gut das angekommen ist», sagte sie trocken. «Aber im Mülleimer lag eine leere Patronenschachtel. Bismut-Vogelschrot Nummer fünf, dieselbe Marke, die Villiers benutzt hat.»

Und die Schrotart, die Lundy getötet hat, dachte ich. Aber daran brauchte Clarke sicher nicht erinnert zu werden.

«Wir gehen im Moment davon aus, dass Porter eine Schrotflinte und Patronen aus Leo Villiers' Haus mitgenommen hat, als er im Auftrag von Sir Stephen dort sauber machen musste», fuhr sie fort. «Wir dachten ja, dass eine zweite Waffe fehlen würde, aber da Villiers den Waffenschrank im Zuge der Renovierung in den Keller geräumt hatte, waren wir uns nicht sicher. Wir suchen noch nach der Flinte, aber ich vermute, er hat sie auf der Rückfahrt von der Seefestung ins Meer geworfen.» Sie sah mich an, das harsche Deckenlicht vertiefte die Schatten unter ihren Augen. «Das war Ihr Glück.»

Das stimmte, auch wenn es sich nicht so anfühlte. Rein rational gesehen, war ich innerhalb von vierundzwanzig Stunden zweimal gerade so mit dem Leben davongekommen. Emotional war ich damit noch nicht annähernd fertig.

Was die Schrotflinte anging, hatte Clarke vermutlich recht. Mir war derselbe Gedanke gekommen, da Porter am Bootshaus nicht damit auf mich geschossen hatte. Die Waffe brachte ihn mit einem Polizistenmord in Verbindung, und sein Gesicht war gerade mit Splittern übersät worden, als er sie aus nächster Nähe auf eine verrostete Stahltür abgefeuert hatte. Selbst wenn der Lauf beim Rückstoß nicht beschädigt worden war, das Risiko, die Waffe zu behalten, war zu hoch.

Im Rückblick war mir klar, dass Porter am Bootshaus eher auf Flucht als auf Konfrontation aus gewesen war. Bis dahin hatte er wie fast alle anderen auch angenommen, der Sohn seines Arbeitgebers wäre tot. Das war ihm entgegengekommen, denn Leo Villiers war der perfekte Sündenbock für seine eigenen Verbrechen. Aber dass Villiers nicht nur quicklebendig, sondern auch nachweislich unschuldig wiederaufgetaucht war, brachte Porter in eine gefährliche Lage. Ich glaubte ihm, dass er das alles nicht gewollt hatte. Er war immer nur auf das Geld aus gewesen.

Was ihn nicht davon abgehalten hatte, jeden zu töten, der ihm in die Quere kam.

«Die Patronen waren nicht das Einzige, das wir bei ihm gefunden haben», fuhr Clarke fort und trank noch einen Schluck Tee. «Er war eine Elster, die Wohnung war voll von gestohlenen Sachen. Nichts, was zu groß oder auffällig gewesen wäre, hauptsächlich Uhren und Schmuck. Wir prüfen noch nach, aber wir vermuten, dass wenigstens ein Teil davon aus den Einbrüchen im letzten Jahr stammt.»

«Als auch Computer gestohlen wurden?», fragte ich.

Clarke lächelte anerkennend. «Sieht so aus, als hätten Sie recht damit gehabt, dass die anderen Einbrüche nur Nebelkerzen waren. Es durfte nicht so aussehen, als hätte Porter es auf Trask abgesehen. Da wir keine gestohlenen Rechner bei ihm gefunden haben, muss er sie wohl entsorgt haben. Hinter einer losen Fußleiste haben wir allerdings einen USB-Stick gefunden. Wir sind noch am Sichten, aber die meisten Dateien scheinen die Fotos zu enthalten, mit denen Emma Darby Leo Villiers erpresst hat. Aufnahmen, auf denen er sich Frauenkleider anzieht, alle aus großer Entfernung durch die Fenster gemacht. Videos sind auch darunter, dafür wurde wahrscheinlich die Kamera benutzt, die Mark Chapel von seinem Arbeitsplatz hat mitgehen lassen, aber die Qualität ist miserabel, man kann kaum etwas erkennen.»

«Die Kameras haben Sie nicht gefunden?»

«Noch nicht. Porter war zu schlau, um irgendetwas zu behalten, das ihn direkt mit Darby und Chapel in Verbindung bringen würde. Doch die Fotos hat er aufgehoben. Was vermuten lässt, dass er sie eines Tages vielleicht selber verwenden wollte.»

Porters Worte fielen mir ein: *Ich bin kein Scheiß-Erpresser!* Das stimmte wohl, aber er hatte sich zumindest alle Optionen offen gelassen, falls er es sich später noch anders überlegen wollte.

«Er hat mir gesagt, er würde niemanden ‹mitmischen› lassen, nach allem, was er für die Villiers' getan hat», sagte ich. «Was kann er damit gemeint haben?»

Sie hatte den Becher erneut mit angewiderter Miene abgesetzt. «Ich weiß es nicht. Zwischen ihm und Leo herrschte offensichtlich keine große Liebe, aber das Arrangement mit Sir Stephen ist seltsam. Warum hat er seinen Fahrer losgeschickt, um Leos Haus zu säubern, als ihm klarwurde, dass wir es durchsuchen würden? Und ihn anstatt einen seiner Anwälte oder jemanden aus seinem Sicherheitsteam damit beauftragt, eine halbe Million Pfund Lösegeld zu überbringen?»

«Porter arbeitet seit über zwanzig Jahren für ihn. Er muss ihm vertraut haben.»

Clarke sah mich skeptisch an. «Sir Stephen macht auf mich nicht den Eindruck von Gutgläubigkeit, und Porter war alles andere als ein vertrauenswürdiger Geselle. Wir wissen, dass er das Geld seines Chefs behalten hat, und in seiner Wohnung waren mehrere Gegenstände, von denen wir annehmen, dass er sie aus Leo Villiers' Haus entwendet hat. Silberbesteck, goldene Manschettenknöpfe, ein hochwertiges Zeiss-Fernglas, solche Dinge. Wieso also vertraut ein beinharter Geschäftsmann wie Sir Stephen einem Fahrer mit langen Fingern?»

Ich rieb mir das Gesicht und versuchte, meine Gedanken zu ordnen. Clarke hatte recht, irgendetwas stimmte hier nicht. Ich sah nur nicht, was. «Was sagt Sir Stephen?»

«Dazu, dass sein Angestellter ein Mehrfachmörder ist oder dass sein Sohn als Frau von den Toten wiederauferstanden ist?» Sie stieß den Becher von sich, als wäre er an allem schuld. «Zu Leo gibt er keinen Kommentar ab, aber ich wette, er hat davon gewusst. Deswegen wollte er nicht akzeptieren, dass es nicht Leos Leiche war. Er wusste, dass die Sache hochgehen würde, und hat versucht, den Deckel draufzuhalten.»

«Und was sagt er über Porter?»

«Leider nicht viel. Seine Anwälte haben uns versichert, wie schockiert er war, und weisen jede Verantwortung ihres Mandanten für die Taten seines Angestellten weit von sich. Oh, und sie haben darauf hingewiesen, dass Sir Stephens Wagen gestohlen wurde und er somit ebenfalls ein Opfer ist.»

«Sie machen Witze.»

«Beileibe nicht. Ich habe ihnen die Nummer der Opferhilfe angeboten, aber sie wollten sie komischerweise nicht haben.» Sie schüttelte angewidert den Kopf. «Was die Erpressung angeht, so verweigern sie jeglichen Kommentar. Ich vermute, niemand soll wissen, dass Sir Stephen sich hat erpressen lassen, also kehren sie es unter den Teppich.»

«Dürfen sie das?», fragte ich.

«Versuchen können sie es. Es gibt keine konkreten Beweise, dass Darby und Chapel Sir Stephen erpresst haben, nur Porters Aussage. Und selbst die kam aus zweiter Hand.»

Herrgott. Auch wenn er erpresst worden war, ich empfand keinerlei Mitgefühl für Sir Stephen. Sein ganzes Gehabe, von dem Versuch, die Polizei zu beeinflussen, bis hin zu seiner Weigerung, die Wahrheit über seinen Sohn zu akzeptieren, war von Verachtung und Machtbewusstsein geprägt. Er glaubte fest daran, über dem Gesetz zu stehen, was für mich völlig inakzeptabel war.

«Da ist noch was», sagte Clarke langsam. «Der Tierschutzverein hat alle Vögel und Tiere von Holloways Grundstück entfernt, zum Glück schon vor dem Feuer. Aber als wir gestern Nachmittag mit der Durchsuchung des Gartens anfingen, haben wir im Dickicht eine Sporttasche gefunden, die aussieht, als wäre sie für eine kranke Möwe verwendet worden. Außer voller Vogelkot war sie auch noch voller Fünfzigpfundscheine.»

Ich starrte sie an. «Er hat das Geld als Vogelnest benutzt?»

Ein leichtes Lächeln zupfte an Clarkes Mundwinkeln. «Sieht so aus. Die Tasche lag dicht neben einem der Bäume, die Feuer gefangen hatten, und wäre vermutlich verbrannt, wenn sie nicht so nass gewesen wäre. Die Scheine waren angekokelt, aber das meiste ist noch da. Fünfhunderttausend Pfund unter dem Hintern einer Möwe.»

Porter hatte sich geirrt, als er sagte, Edgar könne mit dem Geld nichts anfangen. «Was passiert jetzt damit?»

«Nun, das ist eine interessante Frage. Wenn das Geld Sir Stephen gehören würde, müsste es ihm natürlich zurückgegeben werden, mitsamt der Vogelkacke. Aber dafür müsste er zugeben, erpresst worden zu sein. Und solange er das nicht tut, bleibt uns nichts anderes übrig, als es als Holloways Eigentum anzusehen.»

Wir lächelten uns an, erfreut über die ausgleichende Gerechtigkeit. Und ich verspürte Erleichterung. Ich hatte es nicht zugeben wollen, doch Porters Anschuldigung hatte mir wie ein Dorn im Kopf gesteckt: *Wenn Sie nicht wissen, wo es ist, bleibt nur Emma Darbys Schwester.*

Clarke erhob sich. «Ich denke, wir sind hier fertig. Fahren Sie nach London zurück?»

Ich bejahte. Mein Wagen war Schrott, aber meine Brieftasche war mir geblieben. Ich konnte ein Taxi zum Bahnhof und dort den Zug nehmen und wäre in wenigen Stunden in meiner Wohnung. Es gab keinen Grund mehr, noch hierzubleiben, selbst wenn ich eine Unterkunft gehabt hätte. Rachel hatte im Moment genug um die Ohren, und ich brauchte dringend Schlaf. Allein bei dem Gedanken daran schien mein Körper doppelt so schwer zu werden.

Aber als ich meinen Stuhl zurückschob und aufstand, waren immer noch einige Fragen unbeantwortet. «Ich verstehe nicht, wie Porter überhaupt auf die Idee gekommen ist, das Geld bei Edgar zu verstecken. Woher wusste er von ihm? Und wieso konnte Edgar mietfrei in einem Haus wohnen, das den Villiers' gehört? Hat Leo – Lena Merchant, meine ich – irgendetwas darüber gesagt?»

«Tut mir leid, dazu darf ich nichts sagen.»

Clarke war plötzlich kurz angebunden. Ich sah sie an, überrascht, dass sie auf einmal den Mund nicht mehr aufmachte, nachdem sie bereitwillig alles andere erzählt hatte. Aber auch sie hatte nicht geschlafen und musste das ganze Chaos noch klären. Vielleicht war sie einfach der Meinung, mir für diese Nacht genug Entgegenkommen erwiesen zu haben.

Oder für diesen Tag, wie ich jetzt bemerkte. In dem fensterlosen Kabuff hatte ich das Zeitgefühl verloren, und als ich das Hauptrevier verließ, dämmerte bereits der Morgen. Es war viel zu früh, um Rachel anzurufen, und mein abgesoffenes Handy funktionierte sowieso nicht mehr. Clarke hatte mir gesagt, dass ich meine Taschen und die Sachen aus meinem Wagen erst später wiederbekommen könnte, und so nahm ich ein Taxi zum Bahnhof.

Im Zug döste ich unruhig vor mich hin und gönnte mir ein Taxi nach Hause, anstatt mich durch den morgendlichen U-Bahn-Verkehr zu kämpfen. Nach der stillen Abgeschiedenheit der Backwaters muteten die Hektik und der Dreck der Großstadt seltsam an. Ich kam mir merkwürdig desorientiert vor, als ich den vertrauten Weg durch den Vorgarten entlangschritt und die Haustür aufschloss. Der scharfe Geruch frischer Farbe verwirrte mich, bis mir der Einbruchsversuch einfiel. Er schien zu einem anderen Leben zu gehören.

Zwischen der Werbepost lag die Rechnung des Malers, meiner Nachbarin von oben sei Dank. Ich warf den Brief auf den Küchentisch. Ich war unruhig und fühlte mich nicht auf der Höhe. Vor Müdigkeit brummte mir der Kopf, aber ich hatte den nervösen, nagenden Erschöpfungszustand erreicht, der mich nicht schlafen lassen würde. Eher zur Ablenkung als wegen der Morgennachrichten stellte ich den Fernseher an und setzte den Wasserkocher auf.

Als ich mich wieder umdrehte, sah ich auf dem Bildschirm die Seefestung.

Der unerwartete Anblick war hier in meiner Wohnung völlig surreal. Einen Moment lang fürchtete ich zu halluzinieren, als eine von oben aus einem Hubschrauber gemachte Aufnahme winzige, weiß gekleidete Gestalten zeigte, die unter dem Turm hin und her wimmelten. Dann begriff ich, dass Lundys Ermordung es in die Nachrichten geschafft hatte, erst recht nach dem Tod seines Mörders.

Ich schaltete den Fernseher aus und hatte das Gefühl, keine Luft zu bekommen. Das Bild von Lundy, der auf der Treppe verblutete, kam mir so lebhaft in den Sinn, dass ich das Blut und das Schießpulver fast riechen konnte. Ich versuchte, mich damit abzulenken, Kaffee zu machen, aber die quälende Unruhe hielt an. Was an mir nagte, war nicht nur die Erinnerung an Lundys Tod oder der Schock beim Anblick der Seefestung. Ich kannte mich mit den Mechanismen meines Unterbewusstseins gut genug aus, um zu wissen, dass die Fernsehnachrichten etwas losgerüttelt hatten. Ich hatte etwas übersehen. Ich wusste nur nicht, was. *Komm schon, was ist es? Was hast du nicht gesehen?*

Ich schenkte mir Kaffee ein und stellte mir noch einmal die Seefestung vor. Ich dachte an die Leitern und an das Donnern der Wellen unter dem Turm, wie sie gegen die hohlen Beine schlugen, an den nassen Algenteppich und an die Möwen, die auf der entblößten Sandbank Jagd machten …

In dem Moment begriff ich. Fluchend setzte ich die Kaffeetasse ab. Wie so oft war die Antwort direkt vor meiner Nase gewesen.

Krebse.

KAPITEL 32

❦

Die Marineeinheit musste die nächste Ebbe abwarten, um zur Seefestung hinüberzufahren. Clarke hatte mich nicht dabeihaben wollen. Ihre Skepsis hatte sich meinen Argumenten beugen müssen, ihr Unwille war schwerer zu vertreiben.

«Sie brauchen Ruhe. Im Halbschlaf nutzen Sie niemandem, und Sie haben die ganze Nacht kein Auge zugemacht», wandte sie ein.

Gleiches galt für sie, aber ich sparte mir den Hinweis und entgegnete, dass es mir gutginge und ich bis zur Ebbe noch ein paar Stunden schlafen könne. Clarke wusste genauso gut wie ich, dass, wenn ich recht behielte und wir fanden, was ich vermutete, die Anwesenheit eines forensischen Anthropologen vonnöten sein würde, aus genau den Gründen, aus denen man mich überhaupt zu dem Fall hinzugezogen hatte.

Schließlich ließ sie sich umstimmen. Nachdem wir alles abgesprochen hatten, stellte ich den Wecker, fiel ins Bett und schlief zwei Stunden lang wie ein Stein. Ich wachte alles andere als erholt auf, aber eine heiße Dusche und Frühstück halfen. Als ich in den Zug stieg, fühlte ich mich fast wieder wie ein Mensch.

Aber die Rückkehr zur Seefestung kam mir völlig unwirklich vor. Das Boot der Marineeinheit kämpfte sich durch die Wellen und musste ein kleines Stück entfernt von der Plattform vor Anker gehen. Die von der Polizei um Leitern und Brücken herum gezogenen Absperrbänder knatterten im Wind, als wir auf einem kleinen Beiboot zum Turm übersetzten. Ich hob den Kopf, aber dort oben hatte ich heute nichts zu suchen.

Sondern unten.

Die Sandbank lag bei unserer Ankunft immer noch unter Wasser, doch bis die Kriminaltechniker ihre Ausrüstung ausgeladen hatten, brach schon ein brauner Hügel durch die Oberfläche, der schnell größer wurde. Als sie schließlich den weichen Sand betraten, kamen die ersten kleinen Krebse zum Vorschein.

Ich hätte schneller darauf kommen müssen, auch wenn ich, als ich die Tierchen gestern beobachtet hatte, wegen Lundys Ermordung noch unter Schock gestanden haben musste. Trotzdem hatte mein Unterbewusstsein die Information registriert, die sich langsam wie ein Splitter in mein Bewusstsein hinaufbewegt hatte, bis ich sie herausziehen konnte. Krebse sind Aasfresser. Sie ernähren sich von totem Fleisch, mag es auch verwest sein. Und wenn so viele eine Sandbank besiedelten, musste darin eine ergiebige Nahrungsquelle verborgen sein.

Beispielsweise eine Leiche.

«Sind Sie sicher, Hunter?»

Frears stand neben mir auf der Plattform und sah zu, wie die kleinen Krebse davonhuschten, als die Spaten der Kriminaltechniker ihr Reich zerstörten.

«Ziemlich», erwiderte ich.

Normalerweise hätte ich mir vielleicht Sorgen gemacht, falschzuliegen und alle für nichts und wieder nichts hierhergeschickt zu haben. In diesem Fall war ich mir allerdings sicher. Die Krebse hatten die schon vorhandenen Puzzleteile zu einem Bild zusammengebracht. *Ist halbwegs richtig*, hatte Porter höhnisch gesagt, als ich ihn fragte, ob er auch Emma Darbys Leiche, wie die von Mark Chapel, in den Backwaters versenkt hatte. Er hatte die Wahrheit gesagt. Als er zur Seefestung gefahren war, um die beiden zu stellen, hatte er Leo Villiers' Boot genommen. Ich hatte es auf Willets Point selbst gesehen, ein kleines Dingi, das an dem Holzsteg hinter dem Haus lag.

Zu klein für Porter und zwei Leichen.

Vermutlich hatte er seinen Fehler erst bemerkt, nachdem er die beiden Körper aus dem Turm auf die knapp zwanzig Meter darunterliegende Plattform geworfen hatte. Und dann keine andere Wahl mehr gehabt. Es wäre unmöglich gewesen, die Leichen über die fast vertikale Leiter wieder nach oben zu schleppen. Ließ er eine Leiche liegen, riskierte er, dass sie von der Flut an die Küste geschwemmt und entdeckt werden würde. Aber die Ebbe hatte eine andere Lösung freigelegt.

Er hatte eine der beiden Leichen in der Sandbank vergraben können.

Und hatte Emma Darby ausgewählt, weil sie die Kleinere war. Unter dem Turm war er sichtbar, musste sich also beeilen, daher war es ratsam, ein möglichst kleines Grab auszuheben. Ich bezweifelte, dass er eine Schaufel dabeigehabt hatte, vermutlich hatte er improvisiert und mit dem Blatt eines Paddels ein Loch in den nassen, weichen Sand gebuddelt. Es musste nicht sehr tief sein, nur tief genug, dass die Leiche bei Flut nicht hochgeschwemmt wurde.

Wasser sickerte in die Grube, als die Kriminaltechniker den Sand von Emma Darbys sterblichen Überresten kratzten. Die Krebse hatten in den Monaten, in denen sie unter der Seefestung begraben gelegen hatte, ganze Arbeit geleistet. Der Großteil der nicht durch Kleidung bedeckten Haut und der Weichteile war weggefressen worden, übrig waren mit schmutzweißer Adipocire überzogene Knochen und Knorpel. Die sandverklebten Haare hatten sich weitgehend vom Schädel gelöst, waren aber noch lang und dunkel und klebten um die leeren Augenhöhlen und Wangenknochen. Da war keine Ähnlichkeit mit der schönen und selbstbewussten Frau von dem Foto im Bootshaus, aber für mich bestand kein Zweifel.

Wir hatten Rachels Schwester gefunden.

Der Obduktion in der Leichenhalle wohnte ich nicht bei. Das war eine von Clarkes Bedingungen gewesen, um mich zur Bergung zuzulassen: als Beobachter und Berater, wie mit den empfindlichen Überresten am besten umzugehen war, aber mehr nicht. Ich gab es nur ungern zu, doch vermutlich war es besser so. Adrenalin und die letzten Kraftreserven hatten mich auf den Beinen gehalten, und jetzt war ich am Ende.

Und so fuhr ich nach London zurück. Ich schlief sechs Stunden, stand auf, duschte und suchte mir aus den Resten im Kühlschrank ein Abendessen zusammen. Ich hatte versucht, Rachel anzurufen, und war insgeheim erleichtert gewesen, als die Mailbox anging. Sie sollte es von der Polizei erfahren, nicht von mir, und bis sie und Trask informiert worden waren, wollte ich lieber nicht mit ihr sprechen. Als mein Festnetztelefon klingelte, war es Clarke, die mir das Ergebnis der Obduktion mitteilen wollte.

«Natürlich keine Fingerabdrücke, also gleichen wir Zahnarztakten und DNA ab», sagte sie, während ich noch damit beschäftigt war, meine Überraschung über ihren völlig unerwarteten Anruf zu überwinden. «Kleidung und Schmuck gehören aber Emma Darby. Nach Leo Villiers ziehe ich nur ungern schnelle Schlüsse, aber vermutlich können wir davon ausgehen, dass sie es ist.»

«Woran ist sie gestorben?», fragte ich, während ich mir den Nacken rieb. Meine Muskeln waren von den Anstrengungen meiner Flucht aus dem Bootshaus völlig verspannt.

«Frears sagt, sie wurde erdrosselt. Das Zungenbein war gebrochen, ebenso ihr Genick, allerdings könnte das vom Sturz herrühren. Der hat mehrfache Knochenbrüche verursacht, wie bei Mark Chapel.»

Die gleiche Todesart wie bei Stacey Coker, die eine weitere unerwartete Zeugin gewesen war und von Porter hatte beseitigt werden müssen. Da er eher aus pragmatischen Gründen als aus Neigung getötet hatte, war es wenigstens schnell gegangen. Auch wenn das für die Familien der Opfer nur ein schwacher Trost war.

«Es sieht so aus, als hätte Porter auch gestern Leo Villiers' Dingi benutzt, um zur Seefestung rauszufahren», fuhr Clarke fort. «Wir haben es im Mündungsgebiet gefunden, vermutlich hat die Flut es dorthin getrieben. Auf dem Rasen vor Villiers' Haus sind frische Reifenspuren, die zum Mercedes passen, anscheinend hat er also das Auto geholt und ist in aller Eile losgefahren. In der Situation war es ihm wahrscheinlich nicht wichtig, das Dingi ordentlich zu sichern.»

«Ich nehme an, die Schrotflinte lag nicht im Boot?»

«Nein, aber wir haben am Außenbordmotor Schießpulverrückstände gefunden, die an seinen Handschuhen gewesen sein könnten. Ich glaube also wirklich, dass er die Waffe auf dem Rückweg über Bord geworfen hat. Es sind keine Spuren von Chapel am Boot gefunden worden, aber wahrscheinlich hat Porter es gewaschen. Und nach sieben Monaten war auch nicht viel zu erwarten.» Sie stockte kurz. «Allerdings haben wir Blutspuren gefunden. Zwei verschiedene. Eine stammt von Porter, wahrscheinlich hat er im Gesicht geblutet, nachdem er versucht hatte, die Stahltür zu durchschießen. Die andere scheint an seinem Schuh geklebt zu haben. Das Blut ist von Bob Lundy.»

Wir schwiegen beide. Clarke räusperte sich.

«Wir haben Emma Darbys Familie benachrichtigt. Noch eine schlimme Nachricht nach all dem anderen, aber hoffentlich können sie jetzt damit abschließen. Oh, und noch eins», fügte sie rasch hinzu. «Sie haben fälschlicherweise eine E-Mail erhalten. Ich wäre Ihnen dankbar, wenn Sie die löschen würden.»

«Gut, mache ich.»

Ein solcher Fehler wirkte untypisch für Clarke, aber die letzten zwanzig Stunden waren auch alles andere als normal gewesen. Ich hätte nicht weiter darüber nachgedacht, doch sie war noch nicht fertig.

«Liegt wohl daran, dass jemand letzte Nacht nicht genug Schlaf gehabt hat», fuhr sie fort, und ihr Tonfall klang leicht verändert. «Vermutlich ist die Mail für Sie nicht von großem Interesse, aber ich wäre dankbar, wenn Sie es für sich behielten.»

Meine Neugier war geweckt. Ich sah zu meinem Computer hinüber. «Selbstverständlich.»

«Dann sind wir uns ja einig.»

«So etwas kann passieren», sagte ich vorsichtig. «Ich werde sie ganz bestimmt löschen.»

«Vielen Dank, Dr. Hunter.»

Sie legte auf. *Was war das denn?* Verwundert setzte ich mich an den Computer. Die E-Mail wartete in meinem Posteingang und war erst vor wenigen Minuten eingegangen. Ein Betreff fehlte, eine Nachricht ebenso, es gab nur einen Anhang, den ich zögernd anklickte.

Die Abschrift einer Zeugenaussage. Als ich sah, wer da ausgesagt hatte, verflog meine Müdigkeit sofort.

Ich begann zu lesen.

Den Sommer, in dem Leo Villiers neun Jahre alt wurde, verbrachte er mit seinen Eltern in dem Haus auf Willets Point. Hier fuhren sie in den großen Ferien immer hin, und normalerweise genoss er die Zeit. Das von Wald umgebene Haus auf der abgelegenen Landzunge war für ihn immer eine Zuflucht. Hier konnte er das Internatsleben mit den strafenden Blicken der Lehrer und der Wolfsrudelmentalität der anderen Jungs vergessen und er selbst sein. Dass keine anderen Kinder da waren, machte ihm nichts aus. Wenn er allein war, brauchte er sich nicht zu verstellen. Unter Menschen fühlte er sich fremd.

Doch dieses Jahr war anders. Der Grund dafür war Ostern gewesen, als sein Vater ihn dabei erwischt hatte, wie er Kleider seiner Mutter anprobiert hatte. Leo schämte sich immer noch, wenn er daran dachte. Es war nicht das erste Mal gewesen, doch was hingenommen wurde, als er noch jünger war, ließ sich nun nicht mehr akzeptieren. Er hatte eigentlich nur ganz kurz im Ankleidezimmer bleiben wollen, doch sein Anblick im Spiegel war zu verführerisch gewesen.

Auch wenn die Kleider ihm viel zu groß waren, so schien ihn aus dem Spiegel heraus sein wahres Ich anzusehen. Der Leo davor war die Fälschung.

Und so hatte er die Zeit vergessen und war erwischt worden. Nie hatte er seinen Vater so wütend erlebt und solche Angst gehabt. Das war schlimmer als die übliche Verachtung, mit der er sonst bedacht wurde. Der Zwischenfall war nie wieder erwähnt worden, doch Leo war klar, dass er nicht vergessen war. Er wusste nicht genau, was ihm mehr ausmachte, der angewiderte Gesichtsausdruck seines Vaters oder die Verwirrung in der Miene seiner Mutter.

Er hatte gehofft, auf Willets Point würde es wieder besser werden, aber dem war nicht so. Und dann musste auch noch der Fahrer seines Vaters ins Krankenhaus, und ein Ersatz wurde eingestellt. Ein junger Mann mit ekligen roten Aknepusteln auf den Wangen.

Er hieß Porter.

Leo mochte ihn nicht. Der neue Fahrer war höflich, aber wenn er lächelte, hatte man das Gefühl, er würde einen auslachen. Er war Soldat gewesen, und Leos Vater war der Meinung, es würde Leo guttun, mit Porter zusammen zu sein. Wenn der Wagen nicht benötigt wurde, musste Leo also seine Zeit in Gesellschaft des neuen Angestellten verbringen.

Normalerweise fuhr Porter mit ihm an den Strand hinter dem Deich, setzte sich in die Sonne und rauchte, als wäre Leo nicht da. Eines Tages wartete am Strand eine junge Frau. Porter schickte Leo grinsend auf einen Spaziergang und sagte ihm, er solle frühestens in einer Stunde zurückkehren. Leo, der froh war, allein sein zu können, gehorchte gern.

Von da an lief es immer so. Es kam Leo nie in den Sinn, seinem Vater davon zu erzählen, denn ihm gefiel das Arrangement. Er freute sich auf die täglichen Ausflüge, wenn er gehen konnte, wohin er wollte.

So begegnete er Rowan.

Sie tauchte auf, als Leo eines Nachmittags in den Sanddünen saß, nachdem er Porter und seine Freundin am Wagen zurückgelassen hatte. Sie war genauso alt wie Leo, ein Mädchen mit Sommersprossen und strohblondem Haar. Zuerst hatten sie schüchtern nur ein paar Worte gewechselt, doch das war schnell vergessen. Leo fühlte sich mit Rowan viel wohler als bei den Jungs im Internat. Sie wohnte in einem Cottage in den Backwaters, er ahnte nichts davon, dass es zum Besitz seiner Familie gehörte. Ihre Mutter arbeitete in einem Geschäft in Cruckhaven, der Vater war inzwischen meistens zu Hause und schrieb Naturkundebücher für Schulen. Früher hatte er Rowan in den Ferien immer mit auf Ausflüge in die Backwaters genommen.

Aber jetzt nicht mehr, erzählte sie Leo, weil er krank geworden war. Sie wusste nicht genau, was ihm fehlte, aber er schloss sich über lange Phasen in seinem Arbeitszimmer ein, und wenn er rauskam, sprach er nur wenig. Rowans Mutter sagte, er brauche seine Ruhe. Und Rowan durfte durch die Gegend streunen, wie es ihr beliebte.

Wie auch Leo, eine Stunde pro Tag.

Nach der ersten Begegnung verabredeten sie sich jeden Nachmittag. Leo erwähnte Rowan seinen Eltern gegenüber nie, und schon gar nicht vor Porter. Er wusste bereits um den Wert von Geheimnissen. Nur Rowan erzählte er Dinge, die er laut nicht einmal zu sich selbst sagte. Dass er das Internat hasste und Angst vor seinem Vater hatte.

Eines Nachmittags erzählte er ihr, dass er die Kleider seiner Mutter anzog.

Danach brannten ihm die Ohren, aber Rowan schien nichts Schlimmes daran zu finden. Sie sagte, sie zöge auch manchmal die Kleider ihrer Mutter an, und sie redete darüber, wie es sich anfühlte. Nie war Leo so glücklich gewesen.

Später wusste er nicht mehr, wer auf die Idee gekommen war. Nur wie aufgeregt sie beide gewesen waren. Als Porter am folgenden Tag mit ihm auf dem Weg zum Strand war, befahl Leo ihm nervös, anzuhalten, sobald sie außer Sichtweite des Hauses wären. Porter weigerte sich, setzte sein falsches Lächeln auf und fragte nach dem Grund.

Das Lächeln verging ihm, als Leo damit drohte, seinem Vater von den Zigaretten und den Frauen zu erzählen. Porter hielt am Straßenrand, ließ den Motor laufen und drehte sich im Sitz um. «Wag es ja nicht, mich feuern zu lassen, du kleiner Drecksack», warnte er ihn. Leo sagte nichts und stieg aus, doch als der Wagen davonfuhr, genoss er einen seltenen Moment des Triumphs.

Das alte Holzhäuschen stand hinter Bäumen verborgen in einer Ecke des Grundstücks. Es war kaum mehr als ein Schuppen, weitgehend vergessen und als Lagerraum genutzt, mit spinnennetzverhangenen Fenstern und einer schiefen Tür. Leo war bereits auf Entdeckertour gewesen und wusste, was sich darin befand. Er wusste auch, dass seine Eltern fuchsteufelswild werden würden, wenn sie herausfänden, was er hier tat, aber er schob den Gedanken beiseite. Er schloss die Tür mit einem Schlüssel auf, der in einem Kasten versteckt war, und trat ein. Drinnen war es heiß und stickig, der Geruch trockenen Kiefernholzes kitzelte ihn in der

Nase. Überall standen Kisten, Koffer und Kästen herum. Als Rowan eintraf, nervös darüber, so dicht an dem großen Haus zu sein, hatte er den Koffer mit den alten Kleidern seiner Mutter bereits gefunden. Zumindest dachte er, es müssten ihre sein, obwohl sie jemand viel Schlankerem gepasst hätten. Die kurzen, bunten Kleider und Röcke rochen nach Mottenkugeln, aber das machte Rowan und Leo nichts aus, als sie begannen, alles anzuprobieren. Erst Schmuck und Schuhe, Sandalen mit Plateau-Absätzen und auffällige Ketten. Dann Blusen, Röcke und Kleider. So schmal die Sachen auch waren, sie waren ihnen immer noch zu groß, aber das war egal.

In dem kleinen Häuschen, in das durch staubige Baumwollvorhänge Sonnenlicht strömte, waren sie in ihrer eigenen, geschützten Welt. Leo war benommen vor Glückseligkeit, ein Gefühl, das er später mit Alkohol vergeblich versuchen würde, wiederherzustellen. Er hatte ein hellblaues Kleid angezogen, das in der Sonne schimmerte. Rowan, in einem orangen Top mit passendem Rock, schob ihm kichernd Armreifen über die Hand. Sie waren aus Plastik, aber klapperten wie Knochen, als er den Arm hob und sie herunterrutschen ließ.

Er hörte nicht, wie die Tür geöffnet wurde, sah nur das Entsetzen in Rowans Gesicht, als sie an ihm vorbeischaute. Im nächsten Moment wurde er unsanft umgedreht und blickte in ein Gesicht, das so verzerrt war, dass er seinen Vater im ersten Moment nicht erkannte. Leo wurde geschüttelt, dass sein Kopf hin und her flog, bevor ihn ein Schlag zu Boden schickte. Halb betäubt sah er etwas Oranges auf die Tür zurennen, doch als sein Vater reflexartig zuschlug, wurde Rowan gegen die Wand geschleudert. Dann wurde Leo wieder gepackt und geschüttelt, noch heftiger diesmal.

Sein Kopf tat weh, er konnte nichts mehr sehen, aber über das Gebrüll seines Vaters hinweg vernahm er deutlich eine andere Stimme, die sagte: «Ach, du Scheiße.»

Im nächsten Moment zog Porter seinen Vater weg. Leo fiel auf irgendwelche Kisten und hörte nur noch unzusammenhängende Gesprächsfetzen. Er merkte, dass er mehr oder weniger nach draußen gezerrt wurde, nahm etwas Oranges auf dem Boden wahr und begriff, dass es Rowan war, die lag, wohin sie hingefallen war, und sich nicht regte. Über ihr glänzte an der Kante eines Eckpfeilers ein dunkler Fleck, der nass und klebrig aussah. Dann wurde die Tür geschlossen, und sie verschwand aus seinem Blick.

Danach war alles verschwommen und unklar. Er erinnerte sich, ins Auto gelegt worden zu sein, jemand riss ihm das blaue Kleid vom Leib und zog ihm mit groben, schmerzhaften Griffen seine eigenen Sachen über. Er hörte seine Mutter fragen, wie er es geschafft hätte, so einen blöden Unfall zu haben. Dann wurde er in Decken gewickelt und dämmerte in einem dunklen Zimmer vor sich hin.

Am nächsten Morgen wurde Leo von Porter zurück zum Hauptwohnsitz der Familie in der Nähe von Cambridge gefahren. Jahre später kam ihm die Vermutung, damals eine Gehirnerschütterung erlitten zu haben, aber zu der Zeit war er froh gewesen, dass der benommene, benebelte Zustand, in dem er sich befand, ihn vom klaren Denken abhielt. Er verschlief den Großteil der Fahrt, doch irgendwann schlug er die Augen auf, erblickte den sonnenverbrannten Nacken des Fahrers, der sich rot vom weißen Hemdkragen abhob, und fragte mit trockenem Mund, wo Rowan sei.

«Sie ist nach Hause gegangen», antwortete Porter, ohne sich umzudrehen.

Niemand sprach je wieder über jenen Tag, der in Leos Erinnerung immer traumartiger und verschwommener wurde. Die Wochen vergingen, und irgendwann konnte er sich kaum noch an das Mädchen erinnern, mit dem er sich im Sommer angefreundet hatte. Wenn er doch zufällig an sie oder an den Nachmittag im Häuschen dachte, lähmte ihn Panik. Es war einfacher, nicht mehr daran zu denken.

Schließlich hatte er sich irgendwann dazu gebracht, zu glauben, dass es nie geschehen war.

Leo Villiers sollte erst Jahre später wieder nach Willets Point zurückkehren. Seine Mutter war inzwischen verstorben, Porter der feste Fahrer seines Vaters geworden. Leo selbst war zu einem unruhigen und launischen Menschen herangewachsen, eingeschlossen in einer Unzufriedenheit, die sein Erwachsenenleben bestimmen würde. Nach seinem Rausschmiss aus der Militärakademie beschloss er, die unvermeidliche Auseinandersetzung mit seinem Vater hinauszuzögern und nicht nach Hause zu fahren. Einem Impuls folgend, den er selbst nicht ganz verstand, war er per Anhalter zu dem Haus auf der Landzunge gefahren, in dem er früher die Sommer verbracht hatte.

Es war, als würde er in einen halb erinnerten Traum zurückkehren. Das Haus war seit Jahren verschlossen gewesen. Das Häuschen war verschwunden, an seiner Stelle stand eine große Magnolie. Ein Regenguss hatte die Blätter von den kerzenähnlichen Blüten gerissen, das Gras um den Strauch herum war mit schmutzig weißen Flecken übersät. Ein merkwürdig verstörender Anblick, der eine vage Erinnerung auslöste, wie ein altes Foto, das auf dem Grund eines trüben Teiches lag.

Wiederum erst Jahre später, als ihn ein anderer nur halb

bewusster Impuls dazu verleitet hatte, in sein ehemaliges Refugium zu ziehen, hörte er davon, dass ein aus der Gegend stammendes Mädchen namens Rowan Holloway eines heißen Sommernachmittags ihr Elternhaus verlassen hatte und nie wieder gesehen worden war.

Ich las Leo Villiers' Aussage zweimal und löschte dann, wie von Clarke gebeten, E-Mail und Anhang. Danach schaltete ich den Computer aus und knetete meinen Nasenrücken. Ich hatte die ganze Zeit geglaubt, die Backwaters wären erst in der letzten Zeit von Tragödien heimgesucht worden. Doch die Ereignisse, die mich dorthin gebracht hatten, wurzelten in einem Verbrechen, das vor über zwei Jahrzehnten begangen worden war.

Ich fühlte mich erschöpft bis ins Mark, und mir war übel. Porter war Zeuge geworden, als sein Chef ein kleines Mädchen getötet hatte, und hatte aus seinem Tod Kapital geschlagen. Kein Wunder, dass er danach eine Festanstellung erhalten hatte. Er und Sir Stephen waren durch das, was sie getan hatten, aneinander gebunden, und auch wenn Porter sich nicht als Erpresser gesehen hatte, so war sein Schweigen erkauft. Vielleicht hatte er deshalb so heftig auf Emma Darby und Mark Chapel reagiert. Sie waren Eindringlinge, hatten sich auf seinem Terrain herumgetrieben, und das hatte er unterbunden. «*Ich hatte keine Lust, irgendwen mitmischen zu lassen*», hatte er am Bootshaus gesagt. «*Nicht nach allem, was ich für diese Scheißfamilie Villiers getan habe.*»

Und was genau *hatte* er getan, fragte ich mich. Hatte sich seine Beteiligung darauf beschränkt, den Mund zu halten, oder hatte er sich auf andere Weise unersetzlich gemacht? Porters Pflichten gingen mit Sicherheit über die eines Fahrers hinaus. Sir Stephen hatte ihn das Haus auf Willets Point reinigen lassen, um Beweise zu vernichten, und hatte ihn mit der Sporttasche mit dem Geld zu den Erpressern geschickt.

Wie war Porter ihm noch zu Diensten gewesen? Rowan Holloways Leiche war nie gefunden worden, und ich konnte mir nicht vorstellen, dass der makellos gekleidete Geschäftsmann sich daran die Hände schmutzig gemacht hatte. Schließlich hatte es ja jemanden gegeben, der das übernehmen konnte. Porter hatte bewiesen, dass er sich in den Backwaters auskannte, als er Mark Chapels Leiche dort entsorgte.

Vielleicht war es nicht die erste gewesen.

Ich stand vom Schreibtisch auf und machte mir noch einen Kaffee. Nicht einmal Leo Villiers ging schuldlos aus der ganzen Sache hervor. Damals, als sein Vater Rowan Holloway getötet hatte, war er zwar noch ein Kind gewesen, doch seither hatte er geschwiegen. In der Aussage hatte er zugegeben, Edgar mietfrei im Haus wohnen zu lassen, um sein Gewissen zu beruhigen. Das mochte gut gemeint gewesen sein, hatte aber den hilflosen alten Mann noch weiter isoliert, und dann hatte Villiers einen großen Fehler begangen. Er hatte Edgar monatlich Pakete mit Lebensmitteln und Haushaltssachen zukommen lassen, was die im Haus gefundenen leeren Dosen erklärte. Doch er hatte damit auch den letzten Akt der Tragödie eingeleitet.

Denn er hatte Porter beauftragt, die Sachen zu bringen.

Falls er gehofft hatte, Porter dadurch Schuldgefühle zu verschaffen, war der Versuch vergeblich gewesen. Er hatte dem Fahrer nur ein abgeschiedenes Haus mit einem klaglosen Bewohner als ideales Versteck präsentiert. Jetzt war Porter tot und mit ihm fünf weitere Menschen. Der Einzige, der unbeschadet aus alldem hervorgegangen war, war der, der alles in Gang gesetzt hatte.

Sir Stephen Villiers.

Ich setzte mich mit meinem Kaffee hin, stand wieder auf, holte die Whiskyflasche und goss einen Schwung dazu. Es war äußerst unwahrscheinlich, dass der Mann, der Rowan getötet hatte, zur Rechenschaft gezogen werden würde. Obwohl ich nicht an dem zweifelte, was ich gelesen hatte – es passte nur zu gut zu meinem eigenen Bild –, würde doch eine nicht zu beweisende Kindheitserinnerung nicht für eine Anklage reichen. Und Leo hatte sich nicht glaubwürdiger dadurch gemacht, dass er so lange gewartet hatte.

Die unschöne Wahrheit war, ohne Beweise oder Leiche konnte die Polizei wenig tun. Sie konnte noch einmal die Backwaters durchsuchen, aber da Porter tot war, vermochte niemand mehr zu sagen, wo die Leiche lag. Mit Mark Chapel hatten wir Glück gehabt, wenn man es so nennen will, aber es würde uns vermutlich kein zweites Mal hold sein. Und wenn Porter Rowans Leiche tatsächlich dort irgendwo versenkt hatte, dann wäre nach all diesen Jahren bloß noch wenig davon übrig. Nur einzelne Knochen, im Schlick versunken.

Trotzdem konnte die Polizei die Anschuldigungen gegen Sir Stephen nicht einfach ignorieren, erst recht nicht, da sie von seinem eigenen Sohn kamen. Sie würden ihn wegen Rowan Holloway vernehmen müssen, und ich war versucht, Clarke zu fragen, was hinter den Kulissen gerade ablief. Aber ich wusste, dass sie nicht begeistert sein würde, und beschränkte mich darauf, die Nachrichten zu verfolgen und darauf zu hoffen, dass Sir Stephen verhaftet und vor Gericht kommen würde.

Nichts geschah. Das hätte mich nicht überraschen sollen. Sir Stephen hatte den Namen der Familie schon mit Zähnen und Klauen verteidigt, als sein Sohn verdächtigt wurde. Jetzt, da sein eigener Ruf auf dem Spiel stand, würde er erst recht all seinen Einfluss geltend machen. Ich musste zusehen, wie das Medieninteresse an den Morden in den Backwaters im Laufe der nächsten Tage abebbte, ohne dass Sir Stephen und sein junges Opfer genannt wurden. Ich wusste, dass Clarke diese Ungerechtigkeit sicher noch mehr zusetzte als mir, doch wir waren machtlos. Wenn nicht etwas Unvorhergesehenes geschah, würde der Mörder einer Neunjährigen ungeschoren davonkommen.

Dann ging Leo Villiers an die Öffentlichkeit.

Die Aussage, die er bei der Polizei gemacht hatte, war vertraulich gewesen, und Sir Stephens Anwälte hatten klargestellt, was passieren würde, wenn auch nur ein Wort davon nach außen dränge. Clarke war schon ein großes Risiko eingegangen, mich zu informieren. Doch als Leo seine Anschuldigungen in den sozialen Medien verbreitete, konnte nicht einmal Sir Stephens Anwaltsteam den daraufhin aufkommenden Sturm bändigen. Der Erbe eines einflussreichen und wohlhabenden Mannes war nicht nur von den Toten wiederauferstanden, sondern das auch noch als Frau. Und zu allem Überfluss beschuldigte er seinen Vater, vor über zwanzig Jahren ein neunjähriges Kind getötet zu haben.

Ein altes Schulfoto von Rowan Holloway, lächelnd, blond und mit einer bezaubernden Zahnlücke, wurde überall gezeigt, die Geschichte ihres Verschwindens vor so langer Zeit neu erzählt. Wie zu erwarten war, versteckte sich Sir Stephen hinter seinen Anwälten, die alle Fragen mit Unschuldsbeteuerungen oder einem einfachen «Kein Kommentar» abwiesen. Sir Stephen selbst sprach mit niemandem, doch Fotos, die zeigten, wie er in seinen Wagen flüchtete – jetzt ein dunkelgrauer Mercedes anstatt eines schwarzen –, sprachen Bände. Er wirkte ausgezehrt, noch farbloser als zuvor, die Kamerablitze hoben die Wangenknochen hervor. Bevor ich angeekelt den Fernseher ausschaltete, kam mir der unprofessionelle und mitleidlose Gedanke, dass er wie ein wandelnder Toter aussah.

Das stellte sich als Prophezeiung heraus. Als ich erfuhr, dass Sir Stephen einen massiven Schlaganfall erlitten hatte, empfand ich weder Überraschung noch Genugtuung. Ein Verbrechen zu begehen, ist an sich nichts Ungewöhnliches. Was die Menschen unterscheidet, ist die Fähigkeit, mit ihrer Schuld zu leben, und Sir Stephen hatte mit seiner vierundzwanzig Jahre lang gut gelebt.

Womit er nicht leben konnte, war, dass andere davon wussten.

Sir Stephens einstiger Sohn gab keine Interviews, und ich versuchte, den spekulativen Berichten und atemlosen Schlagzeilen auszuweichen, die das Vakuum füllen sollten. Der Voyeurismus, der den Fall umgab, gefiel mir nicht. Aber ganz ließ sich dem nicht entgehen. Besonders ein Video wurde immer wieder gezeigt. Man sah die Glastür eines Gebäudes, das ich als das Polizeihauptrevier erkannte. Dahinter waren Bewegungen zu sehen, dann ging die Tür auf, und jemand kam heraus.

Leo Villiers war ein gut aussehender Mann gewesen, als Lena Merchant war er eine beeindruckende Frau. Sie war elegant gekleidet, das halblange dunkle Haar gut frisiert. Bisher kannte ich nur Fotos von Villiers, und es war seltsam, die Person zu sehen, über die ich so viel gehört und gelesen hatte.

Sie wurde sofort von Mikrophonen und Kameras umringt, und ich erwartete, sie würde der Aufmerksamkeit schnellstmöglich zu entfliehen versuchen. Stattdessen schritt sie ruhig durch die drängelnde Menge und ignorierte hocherhobenen Kopfes die Fragen, die man ihr entgegenschrie. Ohne Verlegenheit, ohne Scham. Nichts dergleichen.

Würdevoll schweigend verließ sie ihr altes Leben und machte sich auf in ein neues.

EPILOG

❦

Ich legte den Schädel zurück in die Kiste und massierte mir
den Nacken. Ein Halswirbel knackte vernehmlich, während
die verspannte Nackenmuskulatur sich widerstrebend an
die Vorstellung gewöhnte, wieder in Bewegung zu kommen. Nicht zum ersten Mal sagte ich mir, dass ich mir endlich einen Wecker stellen musste, der mich daran erinnerte,
Arbeitspausen einzulegen. Nicht zum ersten Mal war mir
klar, dass ich es nicht tun würde.

Ich stellte die Kiste in das Regal unter der Werkbank. Es
handelte sich um einen historischen Schädel, ein archäolo-
gisches Relikt, das kürzlich auf der Salisbury Plain gefunden
worden war. Er war über siebenhundert Jahre alt und wies
Frakturen auf, von denen die Archäologen meinten, sie
könnten von einer Axt herrühren. Möglich war es. Im vier-
zehnten Jahrhundert waren die Menschen nicht weniger
geneigt, einander umzubringen, als heute. Trotzdem war ich
von der Theorie nicht überzeugt. Die Verletzung war durch
einen kantigen Gegenstand verursacht worden, jedoch
ohne Klinge, und wies eine Krümmung auf, die nicht gerade
«Axt» schrie. Obwohl ich eine andere Waffe nicht katego-
risch ausschließen wollte, waren mir ähnliche Verletzungen
bereits begegnet, und ich konnte mir vorstellen, was zu

dieser Fraktur geführt haben könnte. Der Tritt eines Pferdehufs mochte zwar aus historischer Perspektive nicht ganz so dramatisch sein, war aber für denjenigen, der ihn abbekam, nicht minder tödlich als ein Axthieb.

Ich würde den Schädelknochen noch eingehender untersuchen müssen, um sicher zu sein, doch es bestand keine Eile. Der Schädel hatte sein Geheimnis über Jahrhunderte für sich behalten: Auf einen Tag mehr oder weniger kam es nicht an. Außerdem war Samstagvormittag, und es gab für mich keinen zwingenden Grund zu arbeiten. Ich war nur deshalb ins Institut gegangen, weil ich nicht in meiner Wohnung hatte herumsitzen wollen. Der Schädel war eine willkommene Ausrede gewesen. Doch die Gedanken, die mich hergetrieben hatten, ließen sich nicht länger in Schach halten. Unwillkürlich warf ich einen Blick auf die Uhr. Ich ertappte mich selbst zu spät bei der Geste, um das Registrieren der Uhrzeit noch zu verhindern.

Noch zwei Stunden.

Die Uni-Mensa war am Wochenende geschlossen, und ich kochte mir in der winzigen Küche des Instituts Kaffee. Außer mir war niemand hier. Die Flure waren verlassen, was mich grundsätzlich nicht störte. Heute jedoch lastete die Stille schwer auf mir.

Obwohl ich nach meiner Rückkehr an die Universität nicht eben mit Pauken und Trompeten empfangen worden war, hatten sich die Dinge trotzdem definitiv verändert. Mein Name war aus den Presseberichten über die Ereignisse in den Backwaters herausgehalten worden, was an sich kein Wunder war. Es gab dermaßen viele spektakuläre Details zu berichten, dass keiner sich für die eher nebensächliche Beteiligung eines forensischen Anthropologen interessierte.

Das kam mir entgegen. Ich hatte die Aufmerksamkeit im vergangenen Jahr nicht gerade genossen, als mein Name und mein Foto nach dem Dartmoor-Fall plötzlich durch die Presse gingen. Meine Aufgabe war hinter den Kulissen angesiedelt, und dabei wollte ich es belassen.

Beruflich betrachtet, lag die Sache jedoch anders. Die Verbindung zu derart prominenten polizeilichen Ermittlungen schadete der Reputation der Abteilung für Forensische Anthropologie keineswegs, und das unterkühlte Gebaren des neuen Fakultätsleiters mir gegenüber war Geschichte. «Schön, dass Sie wieder im Spiel sind», hatte Harris am Tag nach meiner Rückkehr strahlend gesagt. Zwar hatte nichts von den Ereignissen in den Backwaters die Bezeichnung Spiel verdient, aber ich verstand, was er sagen wollte.

Eigentlich hätte ich erleichtert sein sollen, weil ich mich nun doch nicht auf dem freien Arbeitsmarkt wiederfand, doch das erschien mir inzwischen nicht mehr so wichtig. Ich schlürfte den heißen Kaffee und warf wieder einen Blick auf die Uhr. Halb eins.

In einer Stunde hob Rachels Flugzeug nach Australien ab.

Wir hatten uns nach unserem Treffen in Covent Garden, bei dem sie mir sagte, dass sie gehen würde, nur noch einmal gesehen, und zwar zu Lundys Beerdigung. Es war eine formelle Beisetzung gewesen. Polizeiliche Würdenträger hatten neben ganz normalen Streifenpolizisten einem Kollegen, der in der Ausübung seines Dienstes ermordet worden war, die letzte Ehre erwiesen. Die ernste Stimmung schien dem fröhlichen DI, den ich gekannt hatte, nicht zu entsprechen, und die unerwartete Aufmunterung war erleichternd gewesen. Die Lesung entstammte dem Buch Kohelet, und als der Bischof nach «eine Zeit zum Pflanzen und eine Zeit zum Abernten der Pflanzen» eine Pause einlegte, ertönte in das Schweigen hinein eine helle Kinderstimme.

«Granddad hat Gartenarbeit *gehasst*!»

Verhaltenes Gelächter durchbrach die feierliche Stimmung. Ich glaube, das hätte Lundy gefallen.

Selbst wenn sich auf der Beisetzung die Gelegenheit zu einem Gespräch mit Rachel ergeben hätte, so war es weder der rechte Ort noch der rechte Anlass gewesen. Danach hatten wir noch ein paarmal telefoniert, und bei mir hatte sich das leise Gefühl gerührt, sie hegte hinsichtlich ihrer Abreise doch Zweifel. Ich hatte ihr gesagt, was ich für sie empfand, dass ich mir wünschte, sie würde bleiben. Gleichzeitig hatte ich versucht, sie nicht weiter unter Druck zu setzen, weil mir klar war, dass sie diese Entscheidung allein treffen musste.

Und am Ende hatte sie die Entscheidung getroffen.

Sie hatte nicht gewollt, dass ich sie zum Flughafen bringe. Ich konnte verstehen, weshalb, trotzdem war ich bitter enttäuscht gewesen, sie nicht noch einmal zu sehen. Unser letztes Telefonat war für beide belastend gewesen. Sie klang aufgelöst, als sie sagte, sie würde sicher irgendwann nach Großbritannien zurückkehren, spätestens zu Jamies Verhandlung. Er war schließlich wegen Mordes an Anthony Russell angeklagt worden, auch wenn die Chancen für eine Zurückstufung auf den Tatbestand des Totschlags nicht schlecht standen. Wir wussten beide, dass bis zur Verhandlung noch Monate vergehen würden, und bis dahin konnte viel passieren. Rachel hatte in Australien ein Leben und eine berufliche Zukunft, die statt Aale angeln in Essex Tauchen am Barrier Reef bedeutete. Außerdem kehrte sie nach Australien zurück, um der Beziehung zu einem Mann, mit dem sie zusammengelebt und -gearbeitet hatte, eine zweite Chance zu geben. Der Typ war sogar Surfer, was wollte man mehr!

All das hatte ich nicht erwähnt. Es war auch so schon schwer genug für uns beide. Ich bat sie, gut auf sich aufzupassen. Dann verabschiedeten wir uns, und sie war weg.

Der Kaffee war kalt geworden, fast unberührt und vergessen. Ich goss ihn in den Ausguss und machte mich daran, die Tasse abzuspülen. Als mein Telefon klingelte, hegte ich kurz die Hoffnung, es wäre Rachel, bis ich sah, dass die Nummer unterdrückt war. Also Arbeit. Ich versuchte, die Enttäuschung zu ignorieren, und nahm ab.

«Dr. Hunter? Hier spricht Sharon Ward.» Die Stimme kam mir bekannt vor, der Name auch, doch ich konnte beides nicht einordnen. «DI Ward?», fügte sie zaghaft hinzu.

«Ja, natürlich.» Jetzt erinnerte ich mich wieder. Es war ein oder zwei Jahre her. Ich hatte sie kennengelernt, als ich auf meiner Türschwelle über einen abgetrennten Körperteil gestolpert war, und zwar im wahrsten Sinne des Wortes.

«Störe ich Sie?», fragte sie.

«Nein, ich hatte nur … » Ich versuchte, mich zu sammeln. «Was kann ich für Sie tun?»

«Ich muss mit Ihnen sprechen. Es geht um den versuchten Einbruch.»

«Einbruch?»

«Bei Ihnen zu Hause?»

Ich hatte angenommen, der Anruf hätte mit dem Fall zu tun. Der Einbruchsversuch lag eine gefühlte Ewigkeit zurück, und ich hatte ihn praktisch vergessen. Angestrengt versuchte ich, mich darauf zu konzentrieren. «Stimmt. Entschuldigung.»

«Können wir uns treffen?»

«Gerne. Ich bin die ganze Woche im Lande, mir ist im Grunde egal, an welchem Tag.»

«Wo sind Sie im Augenblick?»

«Bei der Arbeit. An der Universität.» Ich war plötzlich hellwach. Eine DI meldet sich nicht einfach so wegen eines fehlgeschlagenen Einbruchsversuchs, und sie bittet schon gar nicht um ein Treffen deswegen. Es sei denn, es ist etwas passiert. «Warum? Was ist geschehen?»

«Das würde ich Ihnen lieber persönlich sagen. Wie lange brauchen Sie zu sich nach Hause?»

«Ich kann in einer Stunde da sein.» Ich hatte den Mietwagen zu Hause gelassen, aber mit der U-Bahn dauerte es auch nicht lange. «Hören Sie. Ich wüsste schon gerne, worum es geht.»

Sie zögerte, und in mir meldete sich die böse Vorahnung, dass dieser sowieso schon ungute Tag endgültig kippte.

«Wir haben bei einem der Fingerabdrücke vom Eingangsbereich einen Treffer.» Ward zögerte wieder. «Er gehört zu Grace Strachan.»

Der Name schien durch die Leitung zu hallen. Ich hatte das Gefühl, neben mir zu stehen, als würde das gerade nicht wirklich geschehen. Dann drang wie von sehr weit weg wieder die Stimme von DI Ward an mein Ohr. «… entschuldigen, dass wir uns nicht schon früher bei Ihnen gemeldet haben, aber bei den ständigen Budgetkürzungen rutschen Einbruchsversuche immer wieder ans Ende der Liste. Es ist vorher niemandem aufgefallen, und als der Treffer jetzt aufpoppte, habe ich Sie sofort angerufen. Dr. Hunter? Sind Sie noch da?»

«Ja.» Verwundert registrierte ich, wie ruhig ich klang. «Sind Sie sicher?»

«Es ist nur ein Teilabdruck, aber definitiv ihrer. Das Problem ist, der Abdruck wurde auf Fensterkitt gesichert, und das darin vorhandene Fett macht eine Datierung unmöglich. Wir wissen also nicht, von wann der Fingerabdruck stammt. Es *wäre* möglich, dass er noch von dem Angriff auf Sie damals datiert, aber das können wir eben nicht mit Gewissheit sagen. Und nach dem, was damals passiert ist, wollen wir kein Risiko eingehen. Deshalb würde ich mich gerne mit Ihnen in Ihrer Wohnung treffen. Ich glaube … also ich glaube, wir sollten uns Gedanken darüber machen, welche Vorkehrungen Sie treffen müssen.»

Ich murmelte eine Art Einwilligung und ließ den Hörer sinken. In meinen Ohren rauschte es. Ich registrierte, dass sich meine Hand unwillkürlich auf die verheilte Narbe auf meinem Bauch gelegt hatte. *Nach dem, was damals vorgefallen ist* … Sie meinte, damals, als ich nach dem Messerangriff von Grace Strachan auf meiner eigenen Türschwelle fast verblutet wäre. Doch das war Jahre her. Seitdem hatte es von ihr keine Spur mehr gegeben. Wie war es möglich, dass sie jetzt zurückgekommen war? Grace war eine psychotische Serienmörderin gewesen, die nur unerkannt bleiben konnte, weil sie Hilfe gehabt hatte. Viel Zeit war seitdem verstrichen, und ich hatte mir den Glauben erlaubt, sie wäre tot.

Falls nicht …

Ich war mir der Fahrt in meine Wohnung kaum bewusst. In einer Schockblase fuhr ich mit dem Aufzug zum Bahnsteig hinunter, von Gefühlen gebeutelt, die ich lange überwunden geglaubt hatte. Während der Zug durch den Tunnel ratterte, sah ich wieder auf die Uhr. Rachels Flugzeug war inzwischen sicher in der Luft. Ich war tatsächlich erleichtert.

Sollte Grace Strachan wirklich wieder hinter mir her sein, hieße das, jeder, der mir nahestand, wäre gefährdet.

Wenigstens war Rachel in Sicherheit.

Während ich von der U-Bahn nach Hause ging, ertappte ich mich dabei, wie ich die Straße auf eine Weise scannte, wie ich es seit Jahren nicht mehr getan hatte. Ich betrat den Fußweg, der zum Haus führte, und blieb vor der Eingangstür stehen. Nachdem der Schlosser das Schloss ausgewechselt hatte und der Schaden behoben worden war, hatte man den Rahmen frisch gestrichen. Jegliche Fingerabdrücke waren jetzt jedenfalls endgültig weg. Es ließ sich nicht mehr sagen, ob Grace Strachans Abdruck alt oder neu gewesen war. Ich versuchte, mir einzureden, dass der Abdruck all die Jahre auf dem Fensterkitt überdauert hatte, dass es sich durchaus um falschen Alarm handeln konnte. Doch im Grunde glaubte ich es nicht.

Das konnte ich mir nicht leisten.

Oben war niemand zu Hause, aber irgendwann würde ich es meiner neuen Nachbarin sagen müssen. Ein Gespräch, auf das ich mich nicht gerade freute. Ich sperrte auf und betrat meine Wohnung. Räume und Möbel wirkten gänzlich vertraut und gleichzeitig fremd. Ich ging in die Küche und setzte Wasser auf. Ich wollte eigentlich nichts trinken, aber es gab mir etwas zu tun.

Der Kaffee kühlte unberührt ab, während ich auf DI Ward wartete. Obwohl ich darauf gefasst gewesen war, zuckte ich beim fröhlichen Klingeln der Türglocke zusammen. Ich eilte in den Hausflur. In der Diele blieb ich kurz stehen, die Hand auf die Klinke gelegt. Die Tür hatte keinen Spion. Ich hatte mich immer geweigert, einen einbauen zu lassen, weil ich meiner Paranoia nach dem Überfall keinen Vorschub leisten wollte. Ein heftiges Gefühl von Déjà-vu überfiel mich, als ich in dem schwarz-weiß gefliesten Hausflur stand. Dann machte ich die Tür auf.

«Darf ich reinkommen?», fragte Rachel.

DANKSAGUNG

❦

Die Lücke zwischen dem letzten David-Hunter-Roman und *Totenfang* fiel länger aus als gedacht. Nach diversen Fehlstarts erwachte das Buch im Spätsommer 2015 zum Leben und war im Juli 2016 beendet.

Auf diesem Weg haben mich zahlreiche Menschen und Organisationen unterstützt. Mein Dank gilt Tim Thompson, Professor of Applied Biological Anthropology an der Teesside University, Tony Cook, Leiter der National Crime Agency am CEOP (Child Exploitation & Online Protention Centre), Patricia Wiltshire, Professor of Forensic Ecology an der Southampton University, Dr. Martin Hall, forschender Entomologe am National History Museum, dem Pressebüro der Polizei Essex, Kay West, Vorsitzende der Beaumont Society, einer Organisation zur Unterstützung Transsexueller, GIRES (Gender Identity Research and Education Society) und Robin Adcroft von Project Reds and Trust, das sich um die Renovierung von Seefestungen kümmert. Ohne ihre zeitliche und inhaltliche Unterstützung wäre *Totenfang* nicht das Buch, das es geworden ist. Und selbstverständlich trage nur ich die Verantwortung für etwaige Fehler oder Ungenauigkeiten.

Außerdem danke ich Gordon Wise und Melissa Pimentel

und dem Team bei Curtis Brown, Ulrike Beck und allen bei Rowohlt, meinem deutschen Verlag, meinen Eltern Frank und Sheila Beckett, meiner Schwester Julie für den Hundekuchen, Ben Steiner und SCF.

Zu guter Letzt gilt meine große Dankbarkeit meiner Frau Hilary, die immer für mich da ist.

Simon Beckett

Weitere Titel

Der Hof

Flammenbrut

Katz und Maus

Obsession

Schneefall & Ein ganz normaler Tag

Tiere

Voyeur

David Hunter

Die Chemie des Todes

Kalte Asche

Leichenblässe

Verwesung

Totenfang

Die ewigen Toten

Simon Beckett
Verwesung

Das Zimmer ist ein Trümmerhaufen, die junge Frau grausam zugerichtet. Neben der Leiche findet man den Mörder, blutverschmiert: Schon lange steht Jerome Monk im Verdacht, drei junge Frauen getötet zu haben. Als er nun alle vier Morde gesteht, ist niemand überrascht. Doch Monk weigert sich zu verraten, wo er die Leichen vergraben hat. Auch der Einsatz des forensischen Anthropologen, Dr. David Hunter, bringt keine neuen Erkenntnisse.

Acht Jahre später gelingt Monk die Flucht aus dem Zuchthaus. Panik befällt die Anwohner der Gegend. David Hunter versucht, Monk zu stoppen. Doch der kennt sich in der nebligen Einsamkeit des Dartmoor besser aus als jeder andere ...

448 Seiten

Ro 417/1